PYÖRRE

ILKKA REMES

PYÖRRE

Werner Söderström Osakeyhtiö

Helsinki

ISBN 978-951-0-33067-8

WS Bookwell Oy

Juva 2008

ENSIMMÄINEN OSA

PROLOGI

Tero Airas läimäytti poikaansa olalle samoin kuin oli tehnyt viimeiset 12 vuotta aina ennen starttia. Pikkupojan heiveröiset olkapäät olivat kasvaneet ajopuvun alla jykeviksi ja rauhallisiksi miehen hartioiksi. Ja tänään noilla hartioilla lepäsi enemmän paineita kuin koskaan aikaisemmin.

»Minä en tyri», Roni sanoi. »Mutta jos auto tyrii, niin puhu sinä Marcus pyörryksiin.»

Ronin hehkuvan siniset silmät kypärähupun aukossa olivat tavallistakin vakavammat. Tero näki niissä saman hurmoksen kuin tuodessaan pienen poikansa ensimmäistä kertaa formularadalle vuonna 1995 – samalle radalle, jolla he nyt seisoivat. Häkkinen oli silloin ajanut McLarenilla heidän riemukseen toiseksi.

»Älä huolehdi, auto kestää kyllä.» Tero joutui korottamaan ääntään, kun kovaäänisistä kaikuva konekiväärimäinen puhetulva viritti yleisön tunnelmaa kohti räjähtävää lähtöä. Jättimäisillä valotauluilla välkkyi vuoron perään hymyileviä vähäpukeisia naisia ja voiteluainemainoksia. Autodromo Nazionale Monzan pääkatsomossa levittäytyi kuhiseva ihmismeri, jonka keskellä heilui erivärisiä banderolleja ja lippuja: Super Nova, Trident Racing, DAMS, Durango, Piquet Sports.

7

»Ota ensimmäinen mutka rauhallisesti», Tero neuvoi.

»Älä edes aloita.» Roni poimi ajohansikkaat ja kypärän käteensä. »Tiedät mitä tarkoitan. Nyt ei ole varaa kolareihin.»

»Tulee mieleen sen sotaan lähtevän lentäjän äidin neuvo pojalleen: lennä sitten hiljaa ja matalalla.»

Tero hymyili huomatessaan poikansa kestävän vastuun ja paineen. Hän näki Ronin uhkuvan juuri sitä asennetta, jota nyt tarvittiin.

»Tiedät ihan hyvin, että ratkaisut tehdään nyt startissa», Roni kuittasi ja lähti kohti starttialuetta, jolla hänen autonsa odotti renkaat huputettuna.

Jännitys Teron sisällä alkoi käydä sietämättömäksi. Pian ratkeaisi se, loppuisivatko heidän ajonsa kokonaan vai avautuisiko heille vielä yksi mahdollisuus päästä sinne, mihin he koko sydämestään ja sielustaan olivat vuosien ajan janonneet.

Tero vilkaisi taivaalle ja näki pääkatsomon ylle nousseen tumman suuren pilven.

Sen ei tarvinnut merkitä mitään, hän ajatteli. Eihän hän ollut taikauskoinen...

»Jason, mitä mieltä olet tuosta pilvestä?» Tero kysyi päämekaanikolta, joka näppäili varikkopilttuussa kannettavaa tietokonetta kuulokkeet kaulallaan.

Britti ei irrottanut silmiään näytöstä, mutta kohotti peukaloaan. »Ei huolta, se on yksinäinen ratsastaja. Sateen todennäköisyys on alle kymmenen prosenttia. Roni ja slicksit hoitavat homman.»

Toivotaan niin, Tero ajatteli ja suuntasi kohti portaita. GP2-sarjassa mitattiin nimenomaan kuljettajien taidot; kaikissa autoissa oli samanlainen runko, moottori ja renkaat, eikä niissä ollut mitään ajamista helpottavia avustavia järjestelmiä – ei luistonestoa, ei automaattivaihteistoa, ei lähdön kontrollia. Ja koska

GP2:ssa testattiin nimenomaan ajajia, parhaimmille heistä avautui tie suoraan Formula ykkösiin. Hamilton, Rosberg ja Kovalainen olivat nousseet ykkösiin täältä, ja niin nousisi Ronikin – jos Marcus Grotenfelt soisi.

Tero kiiruhti toiseen kerrokseen ja pysähtyi heidän tallilleen varatun huoneen ovella. Hän hengitti syvään ja suoristi ryhtiään. Roni hoitaisi oman osuutensa radalla, hän omansa monitorin ääressä.

Tero pakotti huulilleen rennon hymyn ja astui sisään. Suuren monitorin edessä seisoi jännittyneen oloista talliväkeä ja VIP-vieraita. Teron katse hakeutui nahkasohvalla konjakkilasi kädessään istuvaan ruskettuneeseen, viidenkymmenen ikäiseen Marcus Grotenfeltiin, Ronin tärkeimpään rahoittajaan, josta huokui kovaksikeitettyä karismaa. Ruotsalaissyntyisen miehen vaaleat hiukset oli leikattu olemattoman lyhyiksi, kulmakarvat olivat yhtä vaaleat. Lihaksikasta ylävartaloa peitti kireä valkoinen T-paita ja musta pikkutakki.

Konjakkilasin lisäksi Marcuksen käsissä oli Ronin tulevaisuus; sarjan kokonaisvoitto oli jo mennyt, mutta nyt taisteltiin rahasta, jolla lunastettaisiin näyttömahdollisuus ensi kaudelle. Marcus oli kävelevä shekkivihko, rata-autoiluun hurahtanut liikemies, joka oli ansainnut Espanjan Aurinkorannikolla omaisuuksia kiinteistöbisneksessä.

»Tero, tule istumaan. Vai hermostuttaako liikaa?»

»Ei tässä ole mitään aihetta hermoiluun. Roni hoitaa homman. Hungaroringistä otettiin opiksi.»

Tero kaatoi itselleen tuoremehua ja katsoi tarkasti monitoria. Autot lähtivät parhaillaan lämmittelykierrokselle. Hän vilkaisi vielä ikkunasta ulos nähdäkseen saman, ikään kuin varmistaakseen, että Ronin auto oli päässyt lähtöruudusta liikkeelle.

Marcuksen puhelin soi. Tero huomasi miehen vakavoituvan ja vastaavan puhelimeen jännittyneen näköisenä.

* * *

9

Marcus sulki toisen korvansa sormellaan kuullakseen paremmin. Hän käveli mahdollisimman kauas muista ihmisistä huoneen toiseen laitaan ja jäi seisomaan selin heihin.

Yhteys oli huono ja kiinalainen puhui englantia raskaalla korostuksella. Tärkein tuli kuitenkin selväksi: tapaaminen järjestyisi. Sen verran häneen siis ainakin luotettiin. Ja se oli jo näiden miesten kohdalla paljon se.

Marcus huomasi Callaghanin astuvan huoneeseen.

Tero pani merkille Marcuksen helpottuneen ilmeen hänen lopettaessaan puhelunsa, jota ei ollut halunnut muiden kuulevan. Marcus kiiruhti takaisin ja huikkasi jo metrien päästä:»Tero, haluaisin esitellä sinulle erään henkilön.»

Tero vilkaisi taakseen ja tyrmistyi: McLarenin kykyjenmetsästäjä Tim Callaghan.

»Terve Marcus», mies sanoi.

Tero ei edes yrittänyt piilottaa yllättyneisyyttään. Marcus esitteli hänet britille, joka sanoi:»Onneksi olkoon. Sinulla on lahjakas poika.»

Tero kiitti kohteliaisuudesta ja huomasi punastuvansa kuin koulupoika.

»Mutta teillä on väärä nimi. Häkkinen, Räikkönen, Kovalainen... eikö sen pitäisi olla Airas*nen*?»

»He kaikki ovat *icemen*», Marcus sanoi ja tarjosi Callaghanille tämän haluamaa tuoremehua.

Miehet siirtyivät seisomaan siten, että näkivät lähtöruutuihin asettuvat autot sekä ikkunasta että monitorista.

»Roni starttaa toisesta rivistä», Marcus sanoi.»Mutta onneksi puhtaalta puolelta.»

Tero nyökkäsi kuuliaisesti. Marcus oli tietävinään kilpa-autoilusta kaiken, oli läsnä kuka tahansa.

Tarkkana nyt, Tero hoki mielessään.

Ensimmäinen punainen valo syttyi.

Teron pulssi kiihtyi, kädet alkoivat täristä, oli vaikea pitää mehulasia läikyttämättä.

Toinen punainen valo.

»Ronin on syytä päästä sisäkautta ohi ennen ensimmäistä mutkaa», Callaghan sanoi. Teron oli vaikea uskoa, että britti oli noin kiinnostunut Ronista.

Kolmas valo.

Tero pakotti itsensä katsomaan, vaikka olisi mieluummin sulkenut silmänsä. Jos kerran Roni pystyi tähän, hänkin pystyisi. Mutta Roni ei tiennyt, että panokset olivat vieläkin suuremmat kuin he olivat osanneet arvata.

Neljäs valo.

Moottoreiden ärjyntä kohosi korvia huumaavaksi. Pääkatsomon liput ja banderollit liehuivat villisti. Kovaäänisestä kuuluva selostus hukkui yleisön huutoihin ja 580-hevosvoimaisten V8-moottoreiden jylinään.

Kaikki viisi punaista valoa paloivat.

Terosta ne näyttivät palavan ikuisuuden. Marcus sanoi hänelle jotain, mutta Tero ei kuullut mitään, tuijotti vain ruutua jähmettyneenä.

Vihdoinkin valot sammuivat ja autot lähtivät liikkeelle, mutta toivottoman hitaan näköisesti. Terosta tuntui kuin he olisivat katsoneet hidastettua mykkäelokuvaa.

Äkkiä hänen korvansa tuntuivat paukahtavan auki ja moottorien uskomattoman kimakka ulvonta läpäisi tärykalvot.

»Ronilla oli hyvä lähtö», Tero kuuli Callaghanin sanovan. Hänellä itsellään ei ollut mitään käsitystä siitä mitä radalla tapahtui.

»Yrittää ohi ennen mutkaa», Marcus sanoi innostuneesti.

Tero näki monitorista kuinka autot alkoivat mennä sumppuun ensimmäiseen mutkaan tultaessa.

»Tuosta jos selviää...» joku sanoi.

Samassa näkyi kuinka ruuhkassa yksi autoista ajoi toisen perään, nousi korkealle ilmaan, pyörähti ympäri ja rysähti muiden päälle.

Huoneesta kuului kiihtyneitä huutoja.

»Kuka se oli?» joku kysyi.

1.

Roni huohotti. Hän ei nähnyt eikä kuullut mitään ympärillään, kaiken tukahdutti punahehkuinen raivo. Hän irrotti tärisevät kätensä Julian kurkulta ja tuijotti tämän suljettuja silmiä. »Julia?» hän kuiskasi hengästyneenä. Tyttö makasi paikoillaan. »Älä pelleile», Roni sanoi ja tarttui Julian leukaan. Pää valahti velttona sivulle. Kaulan iho hehkui tummana ja kirjavana. »Nouse ylös», Roni komensi ja riisui toisen sormikkaansa. »Kuulitko! Älä viitsi, tuo on typerää...» Hän kohotti Julian kättä. Sekin oli veltto. Roni kavahti pystyyn. Paniikki vyöryi hänen ylitseen. Hänen sumentunut katseensa pakeni maassa makaavasta tytöstä ja takertui kauempana pimeydessä hohtavaan katulamppuun. Usvainen valopiste alkoi vähitellen laajeta ja valaista kuusten oksia ja sammalta ja Ronin kenkiä, jotka liikkuivat askelten tahdissa eteenpäin, vuoron perään, oksia ja kiviä väistellen, kunnes tavoittivat alleen polkua peittävän neulasmaton.

Laskeutuvan lentokoneen jylinä tunkeutui Ronin tajuntaan kuin toisesta maailmasta ja peitti alleen veren kohinan hänen korvissaan. Hän pysähtyi matalan kuusen taakse. Hengitys höyrysi kosteassa ilmassa.

Äkkiä hän käännähti ja säntäsi takaisin kohti paikkaa, jossa Julia makasi. Saman tien hän pysähtyi.

Joku oli kumartunut Julian viereen.

Roni vetäytyi taaksepäin. Tulija auttaisi Juliaa, jos tämä ei ollutkaan näytellyt.... Roni kääntyi jälleen. Polulla ei näkynyt liikettä hänen astuessaan sille. Neulasmatto jousti jalkojen alla, hän ei aiheuttanut mitään ääntä.

Roni pysähtyi. Hiljaisuus humisi hänen ympärillään. Pitäisikö hänen sittenkin palata Julian luo? Mitä hän sanoisi ihmiselle, joka oli löytänyt Julian? Hän tunsi jalkojaan heikottavan, mutta pakotti silti itsensä uudelleen liikkeelle.

Autopaikkaa valaisi yksinäinen lyhtypylväs, jonka alla seisoi hänen urheilu-Audinsa. Hän istuutui ratin taakse ja tunsi jonkinasteisen kontrollin palaavan; auto oli hänen reviirinsä, autossa istuessaan hän hallitsi itseään ja muita. Hän riisui sormikkaat matkustajan istuimelle, käynnisti moottorin ja lähti liikkeelle. Jousitus nieli kapean tien kuopat ja hänen piti hillitä itseään, ettei olisi lisännyt nopeutta liikaa.

Roni vilkaisi peiliin ja hätkähti. Hänen poskessaan oli pitkä naarmu. Hän kääntyi pysähtymättä risteyksestä Kurjentielle, kiihdytti sileällä päällysteellä ja painoi ohjauspyörän painikkeesta cd:n pyörimään. HIM jyräsi kaiuttimista massiivisena, tummana äänimattona. Roni henkäisi syvään ja yritti saada jännittyneen ruumiinsa rentoutumaan.

Kehä kolmosen liittymä läheni vihdoin eikä yksikään auto ollut tullut häntä vastaan. Miltei olemattomalla kaasujalan painalluksella hän kiihdytti edessään matelevan vanhan Nissanin rinnalle ja ohitti samalla kaksi muuta autoa. Vahvan moottorin vääntö palautti yhä enemmän hänen itsevarmuuttaan.

Äkkiä Julian kalpeat kasvot kuitenkin ponnahtivat hänen mieleensä. Hän survaisi mielikuvan pois Nigelin opetusten tieltä ja pakotti itsensä ajattelemaan hetkiä Monzan palkintopallilla. Ne olivat kuin toisesta maailmasta, vaikka niistä oli vain viikko. Roni pelkäsi koko ajan, että ambulanssi tulisi vastaan. Ei tietenkään, Julia vain pelleili, hän hoki itselleen. Hän varmisti, että puhelin oli päällä, sillä Julia soittaisi takuulla pian. Liikenne vilkastui Lahdentiellä. Roni jatkoi Kehä ykköselle itään kunnes kääntyi Vartiokylään. Vanha omakotialue uinui kosteassa syysyössä. Hän kääntyi ison rapistuneen puutalon pihaan Kärsämöntiellä, pysäköi autonsa isän antiikkisen Aston Martinin viereen, sammutti moottorin ja veti syvään henkeä. Hän väisteli kuoppaiselle hiekkapihalle muodostuneita lätäköitä, avasi oven, joka oli turvonnut yläreunasta ja vaati voimaa liikkuakseen, ja toivoi pääsevänsä huoneeseensa ilman, että isä näkisi hänet. Tummuneilla pystypaneeleilla vuoratussa tuulikaapissa hän riisui kuraiset kenkänsä ja pusakkansa ja oli kaataa isän tuliterän maastopyörän.

Eteishallissa tuoksui mausteinen ruoka. Isän jäntevä hahmo ilmestyi keittiön oviaukkoon.

»Tule iltapalalle.»

»Ei ole nälkä», Roni sanoi ja jatkoi huonettaan kohti.

»Hei, tule edes katsomaan mitä täällä on!»

Isän innokkuus ärsytti Ronia suunnattomasti, tämä ei tuntunut koskaan tajuavan milloin pitää suunsa kiinni ja olla piinaamatta muita hyväntuulisuudellaan. Hän kurkisti kuitenkin näön vuoksi himmeästi valaistuun, avohyllyjä ja kattokehikosta roikkuvia kattiloita pursuavaan keittiöön, jonne oli katettu naurettavan upea illallinen. Pöydän keskellä oli vanha hopeinen shampanjapullon jäähdytysmalja, jonka isä oli saanut pilkkahintaan peruskorjaukseen menneen Lontoon Savoy-hotellin irtaimiston huutokaupasta. Viimeistään jäiden seasta pilkottava Moët-pullo kertoi Ronille mistä oli kysymys.

15

»Soittiko Marcus?»

Isä nyökkäsi. Hänen kasvoillaan kihelmöi pidäkkeetön riemu.

»Varmaan arvaatkin, mitä hän sanoi?»

Roni pakotti kasvoilleen hymyn ja kuunteli isän vuolaan selostuksen Marcuksen puhelusta. Rahoituksen jatkuminen oli turvattu, eikä siinä kaikki: Callaghan oli vielä eilen soittanut Marcukselle ja kehunut estoitta Ronin suoritusta Monzassa. Jonain muuna hetkenä Roni olisi tuulettanut – hyvin hillitysti, tapansa mukaan, mutta kuitenkin.

Roni vilkaisi vaivihkaa multaisia polviaan ja istahti nopeasti pöytään, jotta isä ei huomaisi niitä. Tuskin olisi huomannut muutenkaan, sillä isä oli elementissään – puhelias ja yhtä kupliva kuin shampanja heidän laseissaan.

Roni pakotti itsensä syömään, vaikka se tuntui aluksi mahdottomalta. He puivat aterian aikana syksyn ohjelmaa, kunnes isä harhautui hehkuttamaan kuinka Monzassa oli käynyt ilmi, että yksi tallin mekaanikoista oli keskiajalta saakka vaikuttaneen Medici-mahtisuvun jälkeläisiä. Mies tunsi sukunsa historian hyvin ja oli luvannut perehdyttää isän suvun taidekokoelmiin. Kilpailut olivat isälle ykkösasia, mutta hyvänä kakkosena oli aina ollut mahdollisuus vierailla kilpailumatkoilla Keski- ja Etelä-Euroopan vanhojen kaupunkien antiikkiliikkeissä.

Roni ei jaksanut edes yrittää teeskennellä olevansa kiinnostunut isän jaarituksesta, missä sinänsä ei ollut mitään poikkeuksellista. Mutta jokin hänen käytöksessään sai isän lopulta kysymään: »Mitä nyt?»

»Miten niin?» Roni tokaisi ja haarukoi lautaselta väkisin suuhunsa viimeiset pihvinpalat.

»Painaako jokin mieltä?»

»Ei. Väsyttää vaan.» Roni nousi pöydästä. »Menen jo nukkumaan.»

»Mikä poskeesi on sattunut?»

»Ei mikään. Se on joku naarmu vaan.»

Isä katsoi häntä tutkivasti, mutta ei kysynyt mitään.

Roni veti huoneensa oven kiinni ja riisui farkkunsa, jätti ne oven viereen lattialle pyykkikoriin vietäväksi ja vaihtoi tilalle college-housut.

Hempeällä ruusutapetilla vuoratussa huoneessa oli vähän tavaraa hyvässä järjestyksessä: mappeja, pahvilaatikoita, kuluneita huonekaluja, härkätaistelijaa esittävä Rondan matkailujuliste. Vanha korkkimatto oli peitetty räsymatolla ja nurkassa seisoi tummunut kaakeliuuni. Sen vieressä oli kaksi isoa matkalaukkua, Delseyn kevyintä hiilikuitumallia.

Roni otti puhelimensa ja näppäili Julian numeron, mutta tämä ei vastannut. Hän istuutui nojatuoliin, nosti Xboxin kuulokkeet korvilleen, käynnisti koneessa valmiiksi olevan Formula One -pelin ja alkoi vimmaisen ajamisen.

Tero väänsi tiskikoneen käyntiin, siemaisi shampanjalasin tyhjäksi ja taitteli Provence-henkisen keltavihreän pöytäliinan kaappiin.

Hän mietti miksi Roni oli Marcuksen puhelusta huolimatta allapäin ja hermostunut. Painoiko tätä Monzan lähtörytäkässä loukkaantuneen saksalaisen kohtalo? Asiasta oli keskusteltu, mutta ei ehkä kuitenkaan riittävästi. Riskit hirvittivät Teroa – oliko hän tehnyt väärin ohjatessaan Ronin aikoinaan näin vaarallisen lajin pariin? Painoiko riski myös Ronia enemmän kuin Tero ymmärsikään? Roni ei juuri tunteitaan näyttänyt, mutta poika oli yleensä ollut paremmalla tuulella jopa karvaiden epäonnistumisten jälkeen. Ja niitä oli riittänyt.

Mutta aina he olivat selvinneet. He olivat taistelijoita – sitkeitä ja kekseliäitä, ja sellainen palkittiin loppujen lopuksi. *Kaikki on mahdollista.* Tero oli lapsena kuullut lauseen omalta isältään lukemattomia kertoja. Ja isälle oli tuohon aikaan todellakin näyttänyt olevan kaikki mahdollista: Jaakko Airaksen omistama sellu- ja paperitehdasprojekteihin erikoistunut insinööritoimisto oli alkanut hankkia asiakkaita kaikkialta maailmasta Etelä-Amerikkaa myöten. Sellainen ei onnistuisi, mantereen kulttuuri poikkesi liiaksi täkäläisestä, ei siellä suomalainen pärjäisi. Niin isälle oli sanottu. Mutta karismaattinen mies osasi hurmata asiakkaansa; hän oli diplomi-insinööri, mutta aivan erilainen varovaisiin kollegoihinsa verrattuna – hänessä oli aitoa renessanssi-ihmistä, boheemia kosmopoliittia, joka sai rahan virtaamaan sisään ovista ja ikkunoista.

Mutta virtasi sitä uloskin… Teron lapsuuteen 1970-luvun alkupuolella olivat kuuluneet hiihtolomat Sveitsissä, pitkät purjehdukset Turun saaristossa, kodinhoitajan palvelut Kuusisaaren luksustalossa, metsästyssafarit isän liiketuttavan valtavilla tiluksilla Brasiliassa. Äiti oli kuollut Teron ollessa nelivuotias, eikä isä ollut mennyt uudelleen naimisiin. Isä otti hänet matkoilleen niin usein, että rehtori oli joutunut antamaan heille varoituksen poissaolojen takia. Mutta isä oli puhunut rehtorinkin pyörryksiin kuvaillessaan mitä kaikkea Tero oppi hänen mukanaan Machu Picchussa, Louvressa ja Pradassa.

Tero käveli mietteliäänä olohuoneeseen ja pysähtyi 1900-luvun alkupuolelta peräisin olevan, lyonilaisesta kellosepänliikkeestä ostetun vitriininsä eteen. Isältä oli jäänyt perinnöksi yksi ainoa esine, ja se oli vitriinissä kunniapaikalla. Tero muisti illan, jolloin isä oli tullut väsyneenä ja juopuneena Seutulasta ja kaivanut matkalaukustaan hyvin salaperäisen näköisenä käärön. Siellä oli helmiäiskahvalla koristeltu veitsi, joka kuulemma oli harvinainen aarre; Maya-papit olivat käyttäneet sitä uskonnollisissa menoissaan temppeleiden ylätasanteilla iskemällä terän suoraan ihmisuhriensa sydämeen. Tero ei koskaan ollut saanut selville, saattoiko esine todellakin olla aito, mutta siitä oli tullut kallisarvoinen muisto isän hyvistä ajoista – jolloin kaikki tuntui olevan mahdollista.

Tero oli sitkeästi yrittänyt vaalia samaa asennetta omassakin elämässään – niin vaikeaa kuin siihen isän ja Teron myöhemmän kohtalon takia olikin uskoa. Mutta Tero ei ollut katkera, hän oli 14-vuotiaaksi saakka saanut elää kaikin tavoin onnellisen ja tasapainoisen lapsuuden.

2.

»Ei vieläkään», Kimmo Leivo sanoi vaimolleen kömpiessään takaisin vuoteeseen Vantaan Satulakujalla sijaitsevassa kerrostalokolmiossa.

Sirje huokaisi unisesti. »Julia on seitsemäntoista. Et voi edellyttää sen ikäiseltä minuuttiaikataulua.» Sirjen puheesta kuulsi aavistuksenomainen heleä virolaisperäinen korostus.

»Hän olisi ilmoittanut, jos aikoo olla poissa näin myöhään.»

»Soita hänelle.»

»Yritin jo. Ei vastaa.»

Sirje kohottautui kyynärpäidensä varaan puuvillaisessa pienikukallisessa yöpaidassaan. Hän oli Kimmoa lähes kymmenen vuotta nuorempi ja näytti meikkaamattomana vieläkin nuoremmalta. »Paljonko kello on?»

»Kymmenen yli kaksitoista.» Kimmo istuutui vuoteen reunalle. »En kai minä tätä ihmettelisi, jos olisi viikonloppu.»

Kimmo näppäili uudelleen Julian numeron. Seitsemännen hälytysäänen jälkeen puhelu meni vastaajaan: »Moi, tää on Julian vastaaja, jätä viesti.»

Tutun äänen kuuleminen sai Kimmon huolestumaan yhä pa-

20

hemmin. Jotain oli varmasti pielessä. Hän sulki yhteyden ja nousi sängystä.

»Minne sinä menet?» Sirje huusi hänen peräänsä.

Kimmo ei vastannut. Pimeään olohuoneeseen kajasti valoa kaihdinten takaa. Parvekkeella häämötti muovilla peitettyjen puutarhahuonekalujen hahmoja. Hiljaisuudessa tuikkivat television ja videolaitteiden valmiusvalot. Hyllyssä oli sadoittain elokuvia vhs-kaseteilla ja dvd-levyillä, erityisesti Robert de Niroa, Kimmon suurinta suosikkia.

Hän pysähtyi parvekkeen oven eteen. Vastapäisen talon ikkunoissa oli paljon valoja, vaikka siellä asui työssäkäyvää väkeä. Piha-alueen toisella puolella oli enemmän maahanmuuttajia ja työttömiä, jotka saattoivat nukkua ja valvoa silloin kun huvitti. Kimmo tunsi kotilähiönsä läpikotaisin. Hän oli muuttanut Hakunilaan Kuopiosta kirvesmiesisänsä ja apuhoitajaäitinsä mukana murrosiässä, 1970-luvun puolivälissä.

Hän avasi Julian huoneen oven. Hajuveden vieno tuoksu leijui hänen nenäänsä. Hän ei yleensä koskaan mennyt omin päin tyttärensä valtakuntaan, joten hän tunsi olonsa epämukavaksi katsellessaan ympärilleen. Kannettavat stereot hohtivat pöydällä ledeineen riemunkirjavana kuin joulukuusi. Edelliseltä Espanjan-matkalta tuodussa julisteessa avautuva kirkas Välimeri oli mahdollisimman suuressa ristiriidassa ikkunan takana leijuvan kostean pimeyden kanssa.

Kimmo sytytti eteiseen valot ja etsi puhelimensa muistista Jennin numeron. Tytöt olivat olleet erottamattomat alaluokilta asti, Kimmo oli kuljettanut heitä kymmenet ellei sadat kerrat milloin minnekin.

Jenni vastasi nopeasti, pirteänä ja uteliaana. »Moi Kimmo, mitä nyt?»

»Sori vaan kun häiritsen tähän aikaan…»

»Ei se mitään, luen hissaa. Jäi vähän viime tippaan.»

Jennin vastaus oli kuin isku vasten kasvoja. Julia ei siis ainakaan ollut Jennin luona.

»Tiedätkö mitään Juliasta? Hän ei ole vieläkään kotona. Eikä vastaa puhelimeen.»

»Ei ole kotona?»

Jennin ihmettelevä sävy nosti Kimmon ihon kananlihalle.

»Julia lähti ostarilta kahdeksan kieppeillä», Jenni sanoi. »Sanoi käyvänsä vielä jossain ja menevänsä kotiin.»

»Käyvänsä missä?»

Hetken hiljaisuus.

»Jossain. En tiedä missä. Mutta älä hermoile, Julia jos kuka osaa huolehtia itsestään. Otan pari puhelua ja soitan sinulle, jos kuulen jotain. Menkää rauhassa nukkumaan.»

Jennin ääni oli pirteä. Liian pirteä.

3.

Ronin puhelin ehti soida hädin tuskin yhden kerran, kun hän sieppasi sen käteensä yöpöydältä. Näytössä luki JENNI.

»Moi», Roni sanoi puhelimeen niin rauhallisesti kuin pystyi.

»Oletko kuullut jo?» Jenni kysyi kimeällä ja vieraalla äänellä.

»Kuullut mitä?»

Hiljaisuus.

»*Kuullut mitä?*»

»Julia... Julia on kuollut.»

Roni henkäisi niin syvään ja nopeasti, että hänen kurkustaan kuului korahtava ääni.

»Kuollut? Miten niin?»

»Hänet on... tapettu.» Jennin ääni sortui. »Joku bileistä oikaissut tyyppi oli löytänyt hänen ruumiinsa Suometsästä. Polun varresta.»

»Voi hyvä Jumala...»

»Soitan muille», Jenni sanoi itkua äänessään.

Roni laski puhelimen kädestään ja istuutui haparoiden vuo-

23

teen reunalle. Pakokauhu sai hänen sydämensä hakkaamaan. Hän näki edessään Julian kalpeat kasvot.

Roni kohottautui hitaasti ylös ja otti farkut lattialta. Polvitahrojen näkeminen sai hänen kätensä tärisemään. Housut kädessään hän avasi hitaasti oven, käveli kohti kylpyhuonetta ja vilkaisi varovasti olohuoneeseen. Isä nukkui vanhalla viininpunaisella divaanilla, televisiossa pyöri espanjalainen mustavalkoinen elokuva. Sohvan vieressä lattialla oli käsipuntti ja sanakirja. Se oli tyypillistä isää: hän yritti tehdä monta asiaa yhtä aikaa.

Kylpyhuoneessa Roni laittoi farkut pyykkikoriin ja peitti ne pyyhkeellä. Sen jälkeen hän avasi hanan ja pesi kasvonsa jääkylmällä vedellä. Hento naarmu poskessa punoitti aavistuksen verran. Oliko Julia raapaissut sen? Ei, naarmun oli täytynyt tulla oksasta... Myös Julialla oli ollut käsineet, oranssit neulesormikkaat. Julian kynsien alle ei olisi jäänyt mitään hänen ihostaan, ei DNA:ta... Entä hiukset? Roni oli asetellut ne aiemmin illalla geelin ja föönin avulla hieman pystyyn, mutta nyt ne olivat väärällä tavalla sekaisin. Oliko Julia jossain vaiheessa repinyt häntä hiuksista? Roni yritti palauttaa tapahtumat mieleensä. Ei, Julia ei ollut koskenut hänen hiuksiinsa, hän oli varmaan itse haronut niitä jälkikäteen autossa.

Roni säikähti omia ajatuksiaan. Äkkiä hän oksensi pönttöön, ensin kerran, ja sitten yhä uudelleen.

Hän katui täydestä sydämestään, ettei ollut palannut Julian luo, vaikka joku olikin jo ollut paikalla. Hänen olisi mentävä poliisin puheille ja kerrottava mitä oli tapahtunut. Mutta sitä ennen hänen pitäisi tietää itse...

Hän huuhtoi suunsa ja lähti seinästä tukea ottaen takaisin huoneeseensa. Hän oli juuri ohittamassa olohuoneen, kun isä huusi:»Onko sinulla mahatauti? Ei kai ruuassa ollut mitään vialla...»

»Ei varmaan, ei tämä mitään ole.»

Roni jatkoi matkaansa, mutta isä sanoi käskevämmin: »Tule tänne.»

Roni pysähtyi ja veti hitaasti henkeä. Hän kääntyi ja käveli olohuoneeseen.

»Mikä sinua oikein vaivaa?» isä kysyi huolestuneen näköisenä.

Roni ei vastannut mitään. Hän ei yleensäkään puhunut paljon, mutta isä oli tottunut lukemaan tarkasti hänen käytöstään.

»Tule istumaan. Vai vieläkö sinua oksettaa?»

Roni istuutui sohvalle katsomatta isää silmiin.

»Söitkö aikaisemmin päivällä jotain huonoa?»

»Ei minulla ole mitään hätää», Roni sanoi hiljaa.

»Onko jotain, mistä minun pitäisi tietää?»

Isä näki hänen lävitseen – hän oli ollut koko ikänsä isän seurassa, he olivat melkein kuin siamilaiset kaksoset.

Roni tuijotti isän ohi kirjahyllyssä olevaa valokuvaa, jossa hän istui kuusivuotiaana karting-auton ratissa, totisen ja tuiman näköisenä. Isä seisoi auton vieressä hiukset sojottaen, nauru kasvoillaan.

Roni yskäisi käheästi, mutta ei saanut sanottua mitään.

»Kävitkö Handen luona?» isä kysyi.

Roni pyöritti päätään kieltävästi. Hän tiesi tuijotuksensa näyttävän omituiselta, mutta ei enää välittänyt.

»Haluatko puhua naarmusta?» isä kysyi ja nyökkäsi hänen poskeaan kohti.

Roni vaihtoi asentoaan. »Sain sakot.»

»Sakot? Paljonko?»

»Kahdeksaakymmentäkuutta seitsemänkympin alueella. Itäväylällä Roihuvuoren kohdalla. En tiedä mitä olisin sanonut tuloiksi.»

»Paljonko sanoit?»

»30 tonnia.»

»Ei se mitään. 20 olisi riittänyt. Tunnistiko poliisi sinua?» isä kysyi ja iski väsyneesti silmää.

»Se oli naiskonstaapeli. Tuskin seuraa autourheilua.»

Roni näki, ettei sakkouutinen miellyttänyt isää, mutta tämä ei tehnyt siitä numeroa.

»Sponsorit eivät tykkää, jos lehdet kirjoittavat sakoista», Roni jatkoi itse. »Onneksi ne eivät ole kiinnostuneita minun sakoistani.»

»Vielä. Mutta olisit voinut kertoa tämän hetikin. Ei tällaisia kannata piilotella. Ne tulevat ilmi kuitenkin. Mennään nukkumaan. Onko sinulla vielä paha olo?» Isä alkoi nousta.

Roni istui paikoillaan. »Riitelimme Julian kanssa. Hän kävi minuun käsiksi. Hermostuin. Kuristin häntä ja... ja...»

Ronin ääni sortui. Isän liike pysähtyi hullunkurisesti puolitiehen, mutta ilme oli kuolemanvakava.

»Julia jäi maahan makaamaan... tajuttomana...»

Tero tuijotti poikansa vitivalkeita kasvoja, joista vastaan tuijotti lasittunut silmäpari.

Hän kumartui Ronin eteen ja kuiskasi: »Tajuttomana? Mitä sinä puhut? *Mitä* sinä yrität sanoa?»

Roni yritti saada äänensä kulkemaan. »Etkö sinä kuuntele? Meille tuli riitaa ja... ja Julia jäi tajuttoman näköisenä maahan. Luulin että hän pelleili. Mutta ei hän varmaan pelleillyt...»

»Mitä sinä teit? Soitit ambulanssin?»

Roni tuijotti eteensä aivan kuin ei olisi nähnyt mitään.

»*Kuulitko? Mitä sinä teit?*»

»Lähdin pois. Pelästyin. Sitten käännyin ympäri. Hänen luonaan oli jo joku. Lähdin pois... Pelästyin...»

»Oletko soittanut hänelle?» Tero kysyi hätäisesti, vastausta peläten. »Varmistanut, että hän on kunnossa?»

Roni pudisti hitaasti päätään.

»Meidän on mentävä sinne ja huolehdittava, että hän pääsee kotiinsa. Nyt heti!»

»Jenni soitti äsken. Julia on kuollut.»

4.

Tero tuijotti lamaantuneena poikaansa ja lysähti istumaan sohvalle tämän viereen, kykenemättä sanomaan tai ajattelemaan mitään.

»Se oli vahinko», Roni sanoi ääni värähtäen.

»Mikä?» Tero tuijotti poikaansa. »Mikä oli vahinko?»

»Hermostuin… Sanoin jo! Kuristin häntä… Mutta ei hän siihen voinut kuolla, väittää kuka mitä tahansa! Joku muu on tehnyt sen, se ihminen joka oli hänen luonaan… ne ihmiset.»

Tero rykäisi ja aikoi puhua, mutta äänihuulet eivät totelleet. Hän rykäisi uudelleen ja sanoi tuskin kuuluvalla äänellä: »Kerro kaikki. *Kaikki.*»

Roni istui hiljaa.

»Kuulitko!» Tero läimäytti kädet polviinsa niin että kämmenpohjiin sattui. Hän hätkähti itsekin, hän ei juuri koskaan korottanut ääntään.

Roni alkoi puhua töksähdellen, ääni väristen. »Ajelimme Hakunilassa. Kävelimme polulla. Meille tuli riita. Hän kävi käsiksi ja minä raivostuin…»

»Oletko vieläkin ottanut… niitä?»

Roni nyyhkäisi ja nyökkäsi.

»Minähän kielsin sinua!»

Ronin katse kirkastui hieman. »Ne aineet aiheuttavat raivonpuuskia, sinä itse huomasit sen», hän sanoi äkkiä selkeämmin, kuuluvammin.

»Ja käskin sinun lopettaa niiden syömisen.» Tero sanoi tukahtuneesti ja kietoi kätensä Ronin hartioille – jykeville ja lihaksikkaille, vahvalle niskalle, joka kesti kaarteita ja kiihtyvyyksiä...

»Ei kukaan voi kuolla sellaiseen. Ei edes lintu kuole niin mitättömään puristukseen...»

»Miksi ihmeessä häivyit paikalta? Jos kerran näit Julian menneen tajuttomaksi?»

»Hätäännyin. Pelkäsin... Poliisi alkaisi syyttää minua, vaikka Julia kävi minun kimppuuni. Ja sitten kun menin takaisin, hänen luonaan oli jo joku. Auttamassa, ajattelin. Minua hävetti, en halunnut tulla nähdyksi. Mutta se joku tappoi Julian, ei ole muuta selitystä... Mitä minä teen?»

»Mitä sinä teet», Tero toisti saamatta ajatuksiaan järjestykseen. Oliko mahdollista, että hänen oma kirouksensa oli siirtynyt Roninkin elämään... Hän tyrmäsi ajatuksen saman tien ja lopullisesti. Oliko sen sijaan mahdollista, että niskalihasten vahvistamiseksi otetut steroidit olisivat voineet aiheuttaa noin järjettömän raivonpuuskan? Herkko Tyni, heidän luottolääkärinsä, ei ollut noteerannut Ronin selviä mielialamuutoksia ja aggressiopuuskia, mutta Tero oli silti käskenyt Ronin lopettaa aineiden käytön.

Hän nousi seisomaan. Pitäisikö soittaa Herkolle, hänen mielessään vilahti, kunnes maalaisjärki torjui ajatuksen.

»Menemme poliisiasemalle», hän sanoi. »Kerrot siellä alusta loppuun mitä tapahtui.»

Roni nyökkäsi lähes helpottuneen näköisenä. »Nyt hetikö?»

»Heti.»

He kävelivät eteiseen.

»Kerro kaikki, vielä tarkemmin», Tero komensi kiskoessaan takkia päälleen. Hän kuuli äänensä kuin vieraan ihmisen äänen, hänen liikkeensä olivat jonkun toisen, hän ei tiennyt mitä hän oli tekemässä, mutta silti hän toimi.

»Meille tuli riita –»

»Mistä?»

»Mitä sillä on merkitystä?» Roni tiuskaisi laittaessaan kenkiä jalkaansa.

»Sanoin jo, että haluan kuulla *kaiken*.» Tero yritti hillitä esiin pyrkivän raivonpuuskan.

»Julia uhkaili minua. Hän uhkasi paljastavansa steroidien käytön.»

Teron liikkeet pysähtyivät. »Mistä hän tiesi?»

Roni huokaisi raskaasti. »Minä kerroin. Ajat sitten. Mutta nyt se tuli uudelleen esiin.»

Tero tuijotti Ronia tyrmistyneenä. »Julia kiristi sinua, kun aioit jättää hänet? Uhkasi paljastaa steroidien käytön?»

»Kysyin, onko hän valmis tuhoamaan kaiken sen, mitä olen rakentanut 12 vuotta.» Ronin silmiin kohosivat kyyneleet ja hänen äänensä katkeili. »Hän sanoi, että on. Että hän ei välitä minusta, jos minäkään en välitä hänestä. Sanoin, että siitä vaan sitten, kerro pois. Ja silloin hän löi minua. Lähdin pois, mutta Julia tuli perässäni... kävi kimppuuni ja löi...»

Teron katse laskeutui Ronin kosteista silmistä poskella olevaan naarmuun.

»Se tuli oksasta», Roni sanoi. »Ja sitten minäkin hermostuin. Painoin hänet maahan ja puristin kaulasta, mutta hän vain hakkasi... ja minä puristin ja puristin...»

»Toimit itsepuolustukseksi», Tero sanoi ja kuulosti omissa korvissaankin liian innokkaalta. Väkisinkin, yhä uudelleen, hänen mieleensä tulvivat omat kipeät muistot, vaikka hän yleensä kykeni pitämään ne piilossa. »Jätit hänet tajuttomana sinne, se luokitellaan varmaan heitteillejätöksi ja törkeäksi pahoinpitelyksi. Onko sinussa muita jälkiä kuin tuo naarmu?»

»En tiedä... on kai...»

»Heitä paita pois.»

Roni totteli välittömästi ja riisui ruskettuneen yläruumiinsa paljaaksi. Tero käänsi hänet ympäri.

»Missä kohtaa?»

Roni katsoi käsivarsiaan ja kylkiään. »Joka puolella. Mutta eivät ne tietenkään kovia lyöntejä olleet.»

Tero ohjasi Ronin pari askelta sivuun, paikkaan johon lankesi kirkkain valo, mutta hän ei löytänyt yhtäkään jälkeä.

»Miten kovaa Julia löi?» Tero kysyi katse tiiviisti Ronin silmissä. Puhuessaan hän veti sormikkaat käteensä. »Näinkö?»

Tero muksaisi kevyesti Ronia kylkeen.

»Vai näin?»

Hän löi koko ajan lujempaa, eri paikkaan.

»Kovempaa», Roni sanoi ja veti ilmaa nenänsä kautta sisään niin että lima rohisi.

Tero löi poikaansa rintakehään ja vatsaan ja puristi tätä kovakouraisesti käsivarresta. Roni otti kaiken vastaan kuin eloton nyrkkeilysäkki.

Äkkiä Tero keskeytti liikkeensä kesken lyönnin. Oliko hän tullut hulluksi? *Mitä hän oli tekemässä?*

»Mitä nyt?» Roni sanoi hengästyneenä.

»Tämä ei ole oikein», Tero huohotti ja yritti koota itseään. »Eikä järkevää. Pue yllesi.»

Roni kiskaisi T-paidan ja collegen päälleen ja heitti pusakan niskaansa.

Hetken he katsoivat toisiaan silmiin, kunnes Tero havahtui liikkeelle ja avasi oven. Märkää pihaa valaisi liiketunnistimen sytyttämä kirkas halogeenivalo. Tero suuntasi Aston Martininsa luokse.

»Miksi kerroit Julialle steroideista?» hän kysyi asettuessaan rattiin.

»Halusin puhua niistä jollekin. Ja hän tuntui silloin luotettavalta.»

Tero käynnisti auton ja suuntasi kohti Itäkeskusta, jossa oli poliisiasema. Hän oli itse ollut siellä muinoin töissä muutaman kuukauden, joskus kauan sitten, toisessa elämässä. Jos se ei olisi auki, he menisivät Pasilaan.

»Kerronko steroideista poliisille?» Roni kysyi.

Heidän välilleen laskeutui hiljaisuus, jonka Tero vihdoin katkaisi. »Kaikki tuollainen päätyy aikoinaan esitutkintamateriaalin mukana lehtien palstoille. Se merkitsisi urasi loppua.»

»Eikö vankilatuomio lopeta sen joka tapauksessa?»

Tero puristi kulunutta kirsikkapuista ohjauspyörää, katse valokiilojen paljastamassa kuoppaisessa asfaltissa. Hän jarrutti ja pysähtyi bussipysäkille.

Molemmat istuivat hetken sanattomina, eteensä tuijottaen.

»Pelastit Valtterin vankilalta, mutta olet valmis laittamaan minut sinne», Roni sanoi lopulta. »Vaikka minä toimin steroidien vaikutuksen alaisena. Luuletko, että näin olisi käynyt ilman hormoneja?»

Tero ei vastannut.

»Ei tietenkään olisi. Kohta on Jerezin testit», Roni muistutti ja hänen ääneensä hiipi anova sävy. »Mitä jos katsottaisiin ne ensin?»

Tero puri hammastaan. Roni oli oikeassa: hän oli pelastanut poikapuolensa vankilatuomiolta neljä vuotta sitten. Huumeisiin sortuneen Valtterin kohtaloa oli silloin puitu Helin kanssa yökaudet. Mitä vanhempien pitää tehdä, jos heidän lapsensa syyllistyy rikokseen? Olla tämän tukena ja turvana viimeiseen saakka, vaikka koko muu maailma hylkäisi?

Entä siinä tapauksessa, jos lapsi oli tehnyt rikoksen syötyään isän ohjaamana hormoneja, jotka todistettavasti aiheuttivat aggressiivisuutta ja hallitsemattomia mielialavaihteluja? Eikö myös isä kuuluisi silloin vankilaan?

Tero yritti miettiä, mitä aikoinaan tutuksi tulleissa oikeustieteen kirjoissa olisi sanottu tällaisesta tapauksesta. Vieläkin tärkeämpää oli se, mitä oikeusfilosofia sanoisi. Ei mitään, tietenkään. Hänen olisi luotettava omiin vaistoihinsa, omaan käsitykseensä oikeudesta.

Mitä tuli Jereziin, hän ymmärsi Ronia täydellisesti. Siitä saakka kun pojassa oli roihahtanut kipinä radalle, hänen tavoitteenaan oli ollut ajaa muita nopeammin. Viimeiset viisi vuotta tavoite oli ollut korkein mahdollinen. Ja nyt, vihdoinkin, F1:een pääseminen oli alkanut näyttää täysin realistiselta. Ajatuskin siitä, että Roni joutuisi heittämään hyvästit formuloille oli täysin mahdoton. Eikä kyse ollut kymmenien miljoonien eurojen vuosipalkasta, vaan jostakin paljon syvällisemmästä. Mikään rahasumma ei voinut mitata sitä ponnistelua, sisua, uhrautuvaisuutta ja omistautumista, jonka Roni oli uraansa satsannut.

Mutta yhtä mahdotonta olisi opettaa lapselleen, että pahimmasta rikoksesta voisi selvitä ilman rangaistusta.

Tässä asiassa Tero oli asiantuntija.

»Poliisi on pian meidän ovellamme», hän kuuli sanovansa epävarmasti. »On parempi, että menemme heidän puheilleen ensin –»

»Miten poliisi osaisi tulla meille? Ei mitenkään. Minulla oli sormikkaat. Kukaan ei nähnyt Juliaa ja minua siellä. En ole jäämässä kiinni, jos en itse marssi poliisiasemalle.»

Tero ei voinut mitään sille, että helpottui kuullessaan Ronin lauseet. Hän kavahti omaa reaktiotaan, mutta ei voinut sille mitään. Sillä rikos – niin sanoinkuvaamattoman kammottava kuin se olikin – oli kuitenkin ollut ainakin osittain hormonien syytä.

* * *

Roni katsoi isäänsä, jonka kasvoille oli katulampun valossa kohoamassa vähitellen normaali väri. Isä katsoi eteensä totisena, totisempana kuin koskaan ennen.

»Entä se ihminen, joka löysi Julian?» isä kysyi suu tiukkana viivana. »Entä jos hän oli lähistöllä jo aikaisemmin ja näki sinut?»

»Ei ollut. Hän tuli vasta kun minä olin lähtenyt.»

»Missä sormikkaasi ovat? Ne pitää hävittää.»

Lause sai helpotuksen kyyneleet kohoamaan Ronin silmiin – hän oli tiennyt, että hormonit olivat se naru, josta kannatti vetää.

Isä kytki vaihteen, painoi kaasua ja teki u-käännöksen.

Ronin itsehillintä katosi ja hän alkoi nyyhkyttää hillittömästi. Puhuminen oli keventänyt hänen oloaan, ja isän läheisyys ja myötätunto mursivat viimeisetkin padot.

Isä laski toisen kätensä hänen hartioilleen. »Toimit itsepuolustukseksi. Mutta emme voi todistaa sitä poliisille.»

He kääntyivät tieltä takaisin kotipihaan.

»Missä ne sormikkaat ovat?»

»Autossa.»

»Joku saattoi nähdä autosi. Espanjan-kilvillä varustettu Audi TT on täällä kuin huutomerkki.»

»Kukaan ei tullut vastaan, kun ajoin pois.»

»Julian löytäjä on voinut nähdä sen parkissa.»

»Jenni sanoi löytäjän oikaisseen Suometsän kautta, bileistä. Hän ei ole siis tullut parkkipaikan kautta.»

»Hyvä», isä sanoi ja nousi autosta pihalle.

Roni nousi perässä.

»Onko parkkipaikka päällystämätön?» isä kuiskasi, vaikka ketään ei näkynyt lampun valaisemalla pihalla.

»On tietenkin. Hiekkainen. Mitä sitten?»

»Mieti itse», isä sanoi ja pysähtyi Ronin auton viereen. »Mitä kuiviin lätäköiden pohjiin ja hiekkaan jää? Ja kuinka monella Suomessa on tällaiset alla?

Isä osoitti urheilu-Audin alla olevia Bridgestonen Tornadoja.

Roni ei vastannut. Niitä ei myyty Suomessa.

»Meidän on vaihdettava renkaat», isä sanoi edelleen kuiskaten. »Heti.»

5.

Vaaleahiuksinen ruskettunut mies kiskoi luotiliivin ylleen ja puki paidan ja pikkutakin sen päälle. Sen jälkeen hän otti kassakaapista dvd-levykotelon, laittoi sen huolella povitaskuunsa ja käveli leveät marmoriportaat kellariin. Marcus Grotenfelt katsoi hetken avainnaulakkoa. Nahkaisissa ja metallisissa avaimenperissä näkyi värikkäitä symboleja: takajaloilleen kohonnut hevonen, kehän sisällä oleva kolmisakarainen tähti, tyylitelty B-kirjain sekä arkisempi SAAB.

Hän poimi mukaansa Saabin avaimet, sillä vuoden 1996 korimallia oleva musta ajoneuvo oli autoista vanhin ja herätti vähiten huomiota. Se oli huolella vahattu, mutta ikä alkoi näkyä sen maalipinnan himmeytenä. Harva olisi arvannut, että Saabin erikoismalli olisi suorituskykynsä puolesta ansainnut urheiluauton kuoret.

Moottori käynnistyi matalasti murahtaen ja kahdesta pakoputkesta työntyvä savu ehti sinerryttää tallin ilman ennen kuin sensori käynnisti huippuimurin. Leveä ovi lipui auki. Kaukana alhaalla Välimeri siinti kuutamossa ja rannalla tuikkivat Marbellan valot. Saab pujahti kumpuilevan nurmikentän välissä loivasti kaartelevaa asfalttiväylää pitkin palmujen, oleantereiden ja magnolioiden ohi. Suihkulähteen pisarakaari kimalteli kohdevalojen loisteessa.

Portti avautui Marcuksen edessä. Hän kääntyi Calle de Triguerolle, vilkaisi taustapeiliin ja varmisti, että portti lipui kiinni. Hän tiesi olleensa kiinalaisen puhelusta saakka jonkinasteisen seurannan kohteena, ja ajatus sai hänet jännittyneeksi. Hän oli elämänsä aikana asioinut KGB:n, CIA:n, Mossadin ja monien vähemmän tunnettujen organisaatioiden kanssa, mutta ei koskaan kiinalaisten. Ja tuntematon pelotti, jopa häntä. Mutta sehän oli vain terve merkki.

Teron sormet tärisivät niin, etteivät ne olleet osua näppäimille. Hän istui pöytälampun valossa tietokoneen ääressä.

He olivat turvautuneet hormoneihin, sillä lihaskunnon puutetta eivät edes refleksit ja hahmotuskyky kyenneet kompensoimaan. Niiden kanssa oli oltava tarkkana, mutta Herkko Tyni tunsi aineensa.

Ruudulle avautui Suomen Antidopingtoimikunnan sivusto. Hän oli jo kuukausia sitten lukenut steroidien vaikutuksesta mielialaan, mutta perehtyi nyt aiheeseen uudelleen. Hän tuijotti rivejä sydän hakaten.

Noin 30 %:lla anabolisia steroideja yliannoksina käyttävillä henkilöillä ilmenee jakson aikana aggressiivisuutta, vihamielisyyttä ja ärtyneisyyttä. Useiden tapausselostusten perusteella hormonit heikentävät impulssikontrollia. On kuvattu mm. tapauksia, joissa aiemmin psyykkisesti tasapainoiset henkilöt ovat hormonikuurin aloitettuaan tulleet väkivaltaisiksi ja tehneet ennaltaharkitsemattoman tapon.

Tero sulki sivun ja poisti sen selaimen muistista.

Hän nojautui tuolissaan taaksepäin. Teksti oli kammottavan tuttua. Se ei pätenyt pelkästään hormoneihin. Aggressiivisuutta, vihamielisyyttä, ärtyneisyyttä... heikentää impulssikontrollia... tulee väkivaltaisiksi ja tekee ennaltaharkitsemattoman tapon...

Tero yritti hengittää syvään. Hän oli syössyt poikansa tuhoon omilla ja isänsä geeneillä.

6.

Roni laittoi puhelimen pois ja katsoi mietteliäänä huoneestaan sateiselle pihalle. Jason oli soittanut – Monzassa loukkaantunut Sebastian oli palannut tajuihinsa, pahin oli ohi.

Hyvä niin.

Roni tarttui pelikonsolin rattiin ja jatkoi ajamista. Hän teki teräviä, täsmällisiä ohjausliikkeitä. Moottorin ynisevät äänet tulvivat kaiuttimista, rata vilisi auton alle harmaana mattona.

Hän ei ollut nukkunut yöllä sekuntiakaan. Isä oli lähtenyt puoli tuntia sitten firmaan, jonne oli aikaisemmin sopinut tapaamisen.

Roni oli miettinyt, kertoako isälle kaikki vai ei, ja tullut siihen tulokseen, ettei se missään nimessä kannattanut. Mitä enemmän olisi painoa hormoniaggressiolla, sitä enemmän isä tuntisi omaakin syyllisyyttä. Ja vastaavasti: mitä enemmän muita syitä ilmenisi, sitä enemmän Ronin omat päätökset korostuisivat.

Piti vain keskittyä pääasiaan – Roni tiesi, ettei olisi ilman steroidien käyttöä missään nimessä joutunut niin pidäkkeettömän raivon valtaan, että olisi voinut surmata ihmisen.

Puhelimen näyttöön syttyi valo. JENNI.

Roni hellitti jalkansa kaasulta, siirsi kuulokkeet kaulalleen ja vastasi.

»Poliisi haluaa puhua Julian kavereiden kanssa», Jenni sanoi. »Annoin Danin, Heljän, Mirren, sinun ja muutaman muun nimet ja numerot.»

»Hyvä», Roni sanoi vaisusti.

»Tuletko meille?»

»Joo. Jossain välissä. Oliko poliisilla mitään tietoja?»

»Mitä tietoja?»

»Jotain. Siitä mitä on tapahtunut...»

»Eivät he puhu mitään. Tutkinnallisista syistä. Kysy itse, kohta he ottavat sinuun yhteyttä.»

»Ookoo. Kiva kun soitit.»

Roni heitti puhelimen sängylle ja käveli peilin eteen. Hän näytti punakalta ja kalpealta yhtä aikaa, katse oli pelästynyt ja tuijottava.

Hän olisi halunnut puhua isän kanssa. Kertoa ihan kaiken.

Aamusumu ympäröi Helsingin Herttoniemessä sijaitsevan liikerakennuksen. Sen pääoven yläpuolella luki koruttomin kirjaimin HELSINKI SECURITY GROUP.

Vartiointiliikkeen pysäköintialueelle lipui espanjalaisin rekisterikilvin varustettu tummanvihreä Aston Martin DB6 vuosimallia 1967. Osittain entisöity urheiluauto pysähtyi oven viereen tyhjälle paikalle Nissaneiden ja Opeleiden viereen, täsmälleen oikeaan paikkaan parkkiruudussa, krominkiiltävä keulapuskuri viiden millin päähän betoniseinästä.

Tero nousi matalasta autosta. Hän olisi voinut siirtää tapaamista, mutta ei halunnut minkään poikkeavan normaalista.

Tilanne oli aamuyön tunteina kirkastunut hänelle lopullisesti: Roni oli syyllistynyt karmeaan tekoon, johon hänen ehdotuksestaan alkanut hormonikuuri oli ilman muuta vaikuttanut. Mutta vain osittain. Pojan olisi käsitettävä tekonsa seuraukset, rikos painaisi Ronia hautaan saakka, jos hän ei sovittaisi sitä. Ronin olisi ymmärrettävä, että rikoksesta täytyy seurata rangaistus, joka sovitetaan sekä itselle että yhteiskunnalle.

Toisaalta Terolle oli päivänselvää, ettei Roni istuisi lähivuosia vankilassa, vaan kilpa-auton ratissa – tarkemmin sanottuna F1:n ratissa.

Jäi siis yksi erikoinen, mutta ainoalta oikealta ratkaisulta tuntuva vaihtoehto: Roni saavuttakoon kilparadoilla sen mitä saavutettavissa oli ja istukoon sen jälkeen tuomionsa. Astukoon vankilaan vaikka täyttäessään kolmekymmentä.

Tero pyöritteli ideaa mielessään. Mitä Roni ajattelisi siitä?

Ei, Ronin mielipiteellä ei ollut tässä tilanteessa väliä. Eikä Roni saisi missään nimessä tietää hänen suunnitelmastaan – tuomiota ei voisi eikä pitäisi odottaa vuosikausia, vaan sen pitäisi tulla yllätyksenä. Voisiko suunnitelma tosiaankin toimia? Vai oliko se pelkkää itsepetosta?

»Tero, miten menee?» aulassa vastaan pyyhältävä nuori vartija kysyi.

»Kuulitko jo Kimmon tyttärestä –»

»Kuulin. Hirveä tapaus. Kunhan nyt tekijä edes saataisiin kiinni...»

Tero jatkoi ripeästi kohti käytävää.

»Kauanko Roni on täällä, olisi mukava nähdä», vartija huusi hänen peräänsä.

»En tiedä, lähtee ehkä jo huomenna.»

Tero koputti napakasti oveen, jonka vieressä luki HAARANEN, JARI, TOIM. JOHT.

Haaranen halusi käydä läpi muutamien asiakkaiden kanssa tehtyjä sopimuksia, ja Tero oli firmansa Haaraselle myydessään lupautunut auttamaan puolen vuoden ajan. Uusi toimitusjohtaja oli Teron vastakohta: vakaa ja harkitsevainen pohjalainen.

Haaranen nyökkäsi Terolle totisen näköisenä.

Ennen kuin kumpikaan ehti sanoa mitään, Haaranen nousi tuolistaan katse ikkunassa.

»Voi ei.»

Tero katsoi ulos. Vanhasta pikku-BMW:stä nousi pihalle iso, harteikas mies, jolla oli pitkä niskatukka. Kimmo Leivon kasvot olivat harmaat.

»Mitä hän täällä tekee?» Tero kysyi yllättyneenä. »Tällaisella hetkellä?»

»Hän on tolaltaan, tyttö oli hänen silmäteränsä.» Haaranen suuntasi ovelle. »Ei kai ihminen pysty tuossa tilanteessa ajattelemaan järkevästi.»

Teron valtasi pahanolontunne. Hän tuijotti pihalle, jonka poikki Kimmo käveli kovaa vauhtia, ryhti lysähtäneenä. Hankala ja äkkipikainen luonne, sen kaikki tiesivät, ja erityisesti Tero.

Pelkkä ajatus siitä, että Tero itse olisi menettänyt Ronin henkirikoksen uhrina... Tero keskittyi torjumaan määrätietoisesti kaikki mietteet, jotka johtivat tragedian näkemiseen Kimmon näkökulmasta. Se oli ainoa keino pitää itsensä kasassa edes jollain tavalla.

Tero käveli hieman vapisevin jaloin aulaan ja näki Haarasen pitävän kättään Kimmon hartioilla.

Tero hidasti vauhtiaan ja pysähtyi. Kimmo huomasi hänet.

»Tero, sinäkin täällä. Näin autosi...»

Tero astui lähemmäs Kimmoa ja halasi häntä. »Tämä on hirveää... En tiedä mitä sanoa...» Hänen äänensä katosi ja hän joutui yskäisemään. »Jos vain on jotain, mitä voin tehdä. Mitä tahansa.»

Kimmo oli jonkinasteisessa shokissa. Hän näytti päällepäin täysin rauhalliselta ja tunteettomalta.

»Ei ole enää mitään, mitä kukaan voisi tehdä. Paitsi auttaa

murhaajan löytämisessä.» Kimmon ääni vahvistui hänen puhuessaan ja hänen lysähtäneeseen olemukseensa tuli uutta ryhtiä. »Kun tappaja löytyy, se paskiainen tulee kuolemaan täsmälleen samalla tavalla kuin Julia», Kimmo sanoi hitaasti, pelottava kiilto silmissään.

Tero ei pystynyt sanomaan mitään, hänen aivonsa eivät yksinkertaisesti suostuneet toimimaan.

»Ei kostosta seuraa kuin lisää murheita», Haaranen sanoi sovittelevasti. »Oikeuslaitos on sitä varten.»

»Niinkö? Oikeuslaitos näyttää Suomessa olevan sitä varten, että tyyppi kävelee parin kolmen vuoden kuluttua ulos linnasta.» Kimmon katse oli lasittunut. »Tämä tyyppi ei tule pääsemään niin helpolla. Ei todellakaan.»

7.

Tero kytki vilkun kotitielle kääntyessään. Hän joutui käyttämään kaiken tahdonvoimansa pysyäkseen rauhallisena. Hän oli valinnut linjansa, ja hänen oli pysyttävä valitsemallaan tiellä. Mikään muu ei tullut enää kysymykseen.

Silti hän ei voinut välttää ajattelemasta kaiken irvokasta ironisuutta. Hän oli hakenut elämässään jatkuvasti tasapainoa: sivistänyt itseään, pyrkinyt tyydyttämään oppimishaluaan, tutustunut filosofien ja historian suurmiesten ajatteluun ja samanaikaisesti pyrkinyt fyysisellä harjoittelulla ja oikealla ruokavaliolla myös kehon hyvinvointiin. Kaikessa hän oli tähdännyt harmoniaan, ja silti hän oli toistuvasti epäonnistunut: isän tragedia, teini-iän raskaat virheet, poliisiuran päättänyt katastrofi, Valtterin kohtalo, avioero... ja nyt tämä kaikkein hirvittävin asia.

Hän pyöritteli mielessään ajatusta Ronin rangaistuksen lykkäämisestä. Se koskisi myös häntä itseään – hän oli rikoksen salaamiseen osallistuva kumppani. Oliko hän siis itsekin valmis menemään kymmenen vuoden kuluttua vankilaan? 55-vuotiaana? Silloin kun muutenkin jo alkoi tiedostaa oman aikansa rajallisuuden?

Kyllä. Jos Roni kärsisi rangaistuksensa, niin totta kai hänkin.

Mutta mitä se merkitsisi käytännössä? Kun Roni joutuisi kolmekymppisenä, ehkä jopa moninkertaisena F1 -maailmanmestarina tunnustamaan syyllistyneensä nuoruudessaan kuolemantuottamukseen tai jopa tappoon... Puoli maailmaa jakaisi hänen häpeänsä ja nöyryytyksensä; miljardit ihmiset kaikilla mantereilla taivastelisivat tapahtunutta... Miten kauhistuttava tilanne olisikaan silloin? Se oli jotakin mitä ei voinut edes kuvitella nyt.

Äkkiä Tero hätkähti omaa ajatustaan: rikoshan vanhenisi. Murha ei vanhentunut koskaan, mutta siitä ei ollut nyt kysymys, teossa ei ollut suunnitelmallisuutta. Tero yritti palauttaa mieleensä mitä rikosoikeudessa sanottiin. Maksimirangaistus taposta oli yli 8 vuotta, joten syyteoikeuden vanhentumisaika oli 20 vuotta. Ronilla se ylittyisi, kun hän olisi neljänkymmenen. Mutta jos ja kun Julia itse oli käynyt käsiksi ensin, voisi juttu kallistua kuolemantuottamuksen suuntaan. Mikä olikaan rangaistusasteikko silloin? Tero oli nuorena poliisina opiskellut työn ohessa kaksi vuotta oikeustieteellisessä, mutta ne ajat olivat armollisesti unohtuneet.

Ja miksi hän edes mietti rikosten vanhentumisaikoja? Hänhän yritti kaikin keinoin vesittää omaa päätöstään rangaistuksen välttämättömyydestä, hakea epätoivoisesti pakotietä tilanteesta.

Tero jarrutti kotipihan lähestyessä. Nyt oli viisainta keskittyä vain tähän hetkeen, käytännön asioihin, ja palata moraalisiin pohdintoihin henkisesti vahvempana.

Puhelin soi. Marcus soitti Espanjasta, täynnä intoa ja varmuutta siitä, että McLaren saattoi todellakin olla aidosti kiinnostunut Ronista.

* * *

45

Roni katsoi Audinsa renkaita, käytettyjä Michelinin kitkaren-kaita, jotka he olivat isän kanssa yöllä vaihtaneet Bridgesto-nien tilalle hänen autoonsa. Kostea, viileä ilma sai hänet väri-semään.

Isän antiikkiromu lähestyi tiellä orapihlaja-aidan takana ja kääntyi pihalle. Isä pysäköi rupsahtaneen punamultaisen liite-rirakennuksen eteen ja jäi autoon puhumaan puhelimeensa. Il-meestä päätellen kyse ei ollut vakavasta asiasta.

Eilen isä oli vienyt jonnekin hänen farkkunsa, samoin pusa-kan ja käsineet. Roni oli kysynyt minne, mutta isä ei ollut ker-tonut. Parempi kun et tiedä, hän oli sanonut. Roni oli pitänyt puhelimensa suljettuna puhuttuaan Jennin kanssa. Hän ei halun-nut sanoa poliisille sanaakaan ennen kuin olisi keskustellut isän kanssa. He olivat yöllä sopineet kaikesta, mutta Roni oli ollut niin sekaisin ettei muistanut kunnolla yksityiskohtia.

Isä järjestäisi hänelle alibin. Raudanlujan alibin. Helsinki Secu-rity oli tarjonnut monta vuotta myös etsiväpalveluita. Turva-alan ammattilainen ja entinen poliisi osaisi nämä asiat. Vai osaisiko sit-tenkään? Isä ei koskaan ollut puhunut poliisiajoistaan, jotain outoa silloin oli tapahtunut, mutta Roni ei tiennyt mitä. Ehkä isä itse tai hänen pomonsa oli huomannut, ettei pehmosta ole poliisin töihin.

Isällä oli ollut kova ja raskas nuoruus, ja sieltä kumpusi jotain sellaista jonka kanssa isä ei ollut sinut vieläkään, jotain kummaa heikkoutta, joka teki isästä Ronin silmissä väistämättä jonkin-asteisen luuserin. Roni oli joskus suorastaan hävennyt nenä kir-jassa varikolla istuskelevaa isäänsä. Italian kieli, suurten löytö-retkien historia ja merkittävien tiedemiesten elämäkerrat olivat hänen viimeisimmän innostuksena kohteita. Roni tiesi, että isä yritti saada hänetkin näkemään, että elämässä oli muutakin kuin kilpa-autoilu. Isä ihaili formulakuljettajista eniten James Huntia, karismaattista brittiä, joka soitti pianoa ja pelasi tennistä ja suh-tautui koko F1-sirkukseen pilke silmäkulmassaan.

Harmi vain, että isän touhottaminen oli turhaa ja säälittävää. Roni keskittyi oleelliseen.

Puhelun lopetettuaan isä nousi brittiaarteestaan nopeasti ja hätäisen näköisesti eikä näyttänyt alkuunkaan siltä, että hallitsisi tilanteen. Pettymys, huoli ja suoranainen kiukku valtasivat Ronin.

»Kuka se oli?» Roni kysyi.

»Marcus. Palataan niihin asioihin myöhemmin.»

Isä nyökkäsi terävästi oven suuntaan. He menivät sisään samalla ovenavauksella ja pysähtyivät eteiseen.

»Joko ne soittivat?» isä kysyi miltei kuiskaten.

»Ketkä?»

»Poliisit», isä sähähti.

Varma, lupsakka isä oli tiessään, tilalla oli kireä ja pingottunut mies. Roni hermostui itsekin yhä pahemmin.

»Mistä minä tiedän, olen pitänyt puhelimeni kiinni.»

»Hyvä.» Isän ääni leppyi ja hän tarttui Ronia kyynärpäästä, kuin hyvitelläkseen äskeistä ärtyneisyyttään. He menivät olohuoneeseen ja istuutuivat sohvalle rinnatusten, aivan toistensa viereen.

»Muistathan mitä yöllä sovimme?» isä kysyi hiljaa.

»En ehkä kaikkea.»

»Kerrataan. Tulit kotiin kuuden maissa etkä poistunut sen jälkeen mihinkään. Söimme hyvin ja kävimme videolta läpi Monzan kisan. Sitten katsoimme televisiota yhteen asti. Maratoonari-leffan jälkeen menit nukkumaan ja heräsit yöllä Jennin puheluun. Aamulla heräsit kahdeksan maissa.»

Roni nyökkäsi helpottuneena. Isä puhui taas määrätietoisesti ja rauhallisesti, aivan kuin muinoin ajoihin valmistauduttaessa.

»Muistat vastata vain siihen, mitä poliisi kysyy. Yksikin omaaloitteinen sana voi johtaa hankaluuksiin. Kaikki ymmärtävät, että olet järkyttynyt ja siksi niukkasanainen.»

Roni huomasi, kuinka tärkeää isälle oli, että he selviäisivät tästä. *He*, hän ajatteli helpottuneena.

»Kimmo kävi firmassa», isä jatkoi, ääni taas kiristyen.

»Millainen hän… Mitä hän…»

»Oli shokissa, tietenkin. Äänessä ei ollut meidän Kimmomme, vaan vanha Kimmo.»

»Mitä sinä tarkoitat?»

»En mitään. Kimmo on Kimmo. Varo häntä. Hän on… arvaamaton. Ollut aina. Ellen minä olisi aikoinaan palkannut häntä firmaani, hän tuskin olisi saanut elämäänsä järjestykseen. Kovin moni ei palkkaisi entistä linnakundia.»

Toomas Ehaver oli siististi pukeutunut, älykkään oloinen ja komea mies, mutta Kimmon silmissä Sirjen veli näytti vaaralliselta ja hämäräperäiseltä itämafian kätyriltä – ja niin oli nyt hyvä.

»Kuinka se voi olla mahdollista?» Toomas kysyi ja tuijotti ikkunasta kaukaisuuteen. Hän puhui aavistuksen verran heikommin suomea kuin sisarensa.

»Odotan koko ajan, milloin herään tästä painajaisesta», Kimmo sanoi. Hän hieroi parransänkisiä kasvojaan ja kirveleviä silmiään. Hän oli turruttanut shokkinsa ja surunsa tarttumalla pakkomielteisesti ajatukseen murhaajan löytämisestä. Sirje oli parhaan ystävänsä hoteissa Hakunilassa.

Toomas huokaisi raskaasti ja alkoi mättää suodattimeen kahvia keittiössään Herttoniemenrannassa.

Kimmo oli käynyt Toomaksen luona aikaisemmin yhden ainoan kerran. Silloin tämä oli asunut Kontulassa vuokrayksiössä. Herttoniemenrannan uusi kolmio oli hänen omansa, eikä Kimmo sen enempää kuin Sirjekään tiennyt kuinka Toomas oli hankkinut siihen rahat. Toomas oli töissä »logistiikkapäällikkönä» Espoossa pikkufirmassa, jonka omisti varakas venäläinen mies. Mitä Toomas oikeastaan teki, siitä ei koskaan tarkemmin puhuttu – hän hoiti omien sanojensa mukaan huolintaa ja kuljetuksia.

»Onko poliisilla mitään aavistusta tekijästä?» Toomas kysyi.

»Ei poliisi aavisteluistaan minulle kerro. Minähän olen vain uhrin isä», Kimmo tokaisi katkerasti.

»Kyllä he tyypin pian saavat kiinni», Toomas sanoi ja istui pöydän ääreen Kimmoa vastapäätä. Jopa Toomaksen lohdutus tuntui nyt hyvältä.

»Ja entä sitten?» Kimmo kysyi.

»Miten niin?»

»Entä sitten, kun he saavat sen paskiaisen kiinni? Mitä sitten seuraa?»

»Tarkoitat oikeudenkäyntiä...»

»Oikeuden? Poliisi antoi jo nyt ymmärtää, että rikosnimike saattaa olla tappo. Mitä siitä seuraa tekijälle? Muutama vuosi. Ja siitäkin puolet pois.» Kimmo katsoi Toomasta silmiin ja madalsi ääntään. »Onko sinulla vielä... kontakteja?»

»Mitä kontakteja?»

»Tiedät kyllä.»

Toomas vaihtoi asentoaan ja hypisteli lusikkaa.

»Vastaa minulle. Julia oli kummityttäresi.»

Toomas nyökkäsi. Kimmo näki tämän silmien kiiltävän.

»Muistatko?» Toomas kuiskasi. »Sirje oli juuri tullut laitokselta ja minä tulin teille katsomaan hänen pikkuistaan. Toin pitsimyssyn...»

Kimmo nyökkäsi ja joutui taistelemaan kyyneleitä vastaan.

»En ollut koskaan ennen pidellyt vauvaa, kun sain Julian syliini ristiäisissä», Toomas jatkoi ääni vavahtaen.

»Ja nyt joudut kantamaan hänen arkkuaan», Kimmo sanoi hammasta purren.

»Haluan tulla oikeudenkäyntiin, kun tappaja saadaan kiinni. Haluan nähdä hänet silmästä silmään.»

»Silloin on liian myöhäistä.»

»Mikä on liian myöhäistä?»

»Asia pitää hoitaa aikaisemmin.» Kimmon äänestä oli äkkiä kadonnut liikutus täysin, se oli selkeä ja määrätietoinen. »Ei tappajaan enää oikeudenkäynnissä eikä sen jälkeen pääse käsiksi.»

Toomaksen olemus terästyi. Hän katsoi Kimmoa tarkkaavaisemmin kuin aikaisemmin. »Hoitaa mikä? Kostoko?»

»Kosto on väärä sana. Amerikassa hän saisi ansionsa mukaan, päätyisi sähkötuoliin. Mutta ei meillä. Oikeus ei toteudu täällä. Joten oikeus pitää panna toteutumaan. Vai mitä?»

Toomas näytti epäröivältä, mutta sanoi: »Totta kai.»

Heidän välilleen laskeutui hetkeksi hiljaisuus, jonka Toomas katkaisi. »Mutta myös oikeuden toteuttaja voi joutua oikeuteen.»

»Vain jos tunaroi ja jää kiinni.»

Kimmo katsoi Toomasta ja sanoi: »Oletetaan, että joku kontakteistasi lahden takaa tai idästä tulee käymään täällä, hoitaa asian ja palaa takaisin sinne mistä tuli. Mitä mahdollisuuksia Suomen poliisilla on saada hänet kiinni?»

»Mistä ihmeen ’kontakteista’ sinä puhut?»

»Älä leiki minun kanssani.» Kimmo sanoi väsyneesti. »Hoidatko tämän? Se on viimeinen asia, jonka voit kummityttösi hyväksi tehdä. Minä järjestän aseen, jonka kautta kukaan ei pääse tekijän jäljille.»

Toomas katsoi Kimmoa pitkään ja hiljaa. Lopulta hän sanoi: »Ei minulla ole tuollaisia kontakteja. Saatan tuntea jonkun, jolla on, mutta ei minulla itselläni ole. Kun vain tietäisit, miten tylsää työtä teen.»

8.

Kimmo Leivo katsoi vieressään istuvaa poliisia silmiin olohuoneessaan Vantaan Hakunilassa. Asunnossa tuoksuivat liljat, pöydällä ja hyllyssä olevissa maljakoissa oli kukkakimppuja.

Juuri nyt Kimmon väsyneessä ja sekavassa mielessä oli päällimmäisenä tiedonjano, se oli pohjaton, mutta poliisilla oli kertoa niukasti uutta. Sen sijaan hänellä oli runsaasti kysymyksiä Kimmolle – osa typeriä ja loukkaavia.

»Mitä tekemistä vaimoni syntyperällä on tämän kanssa?» Kimmo kysyi.

»Ei mitään. Kysyin vain –»

»Tekeekö se, että tyttäreni äiti on virolainen, hänen murhansa jollain tavalla ymmärrettävämmäksi?»

Empaattinen, osaaottava ilme ei haihtunut Sami Rahnastoksi esittäytyneen rikospoliisin kasvoilta. »Tässä ei tietenkään ole kysymys kansallisuuksista. Tulemme tekemään kaikkemme, että tyttärenne surmaaja saadaan kiinni. Ja sen vuoksi joudumme selvittämään monenlaisia asioita. Mutta päästän sinut nyt lepäämään.»

»Ei, jatkamme nimenomaan nyt», Kimmo sanoi itsensä hädin tuskin hilliten. »Miksi kyselet Sirjestä? Miten vaimoni liittyy tyttäreni murhaan?»

»Kuten sanoin, selvitän surmatun ihmisen taustoja. Sillä, että hänen äitinsä on virolainen saattaa olla merkitystä tekijän löytymisen kannalta, tai sitten ei. Tekijä saattaa tuntea tai tietää uhrin, joten kartoitamme ensimmäiseksi hänen lähipiirinsä.»

Rahnaston rauhallinen ja tiukka sävy rauhoitti Kimmoa. Mies vaikutti sitkeältä ja ammattitaitoiselta, ja se oli hyvä.

»Ymmärrän», Kimmo sanoi hiljaa. »On vain ikävä tonkia asioita, jotka kuuluvat menneisyyteen.»

»Hahmottelemme nyt muun muassa sitä, millaisissa piireissä Julia liikkui. Oliko hänellä poikaystävää?»

»Ei minun tietääkseni. Keväällä oli ehkä jotain viritelmää, mutta ei nyt.»

»Tiedätkö nimen? Oliko muita?»

»Roni. Roni Airas. Mutta en usko –»

»Teemme vain rutiinikartoitusta. Entä muut ihmiset, joiden kanssa hän oli tekemisissä? Oliko ketään, jolla voisi olla rikostaustaa?»

Rahnaston katse oli lempeä ja vakuuttava.

Kimmo huokaisi syvään. »Jos tarkoitat sitä, oliko Julialla jotain tekemistä Sirjen veljen ja tämän kavereiden kanssa, niin sanon: ei ollut. Piste.»

Rahnasto ei reagoinut ehdottomalla äänellä lausuttuun tietoon millään tavalla. Sen sijaan hän nousi ylös.

»Hyvä. Arvostan sitä, että jaksoit puhua kaiken tämän keskellä. Vaimosi kanssa vaihtaisimme muutaman sanan sitten kun hän pystyy siihen.»

»Sirje on aivan tolaltaan.» Kimmo nousi Rahnaston perässä. »Mutta me jaksamme kyllä vastata kysymyksiin. Olemme valmiit kaikkeen mikä auttaa murhaajan löytämisessä.»

»Sopiihan että vilkaisen Julian huonetta?»

»Totta kai.»

* * *

Rahnasto käveli Julian huoneeseen ja katsoi ympärilleen. Pieni huone oli tyypillinen 17-vuotiaan lukiolaisen soppi: julisteita seinillä, paljon pikkutavaraa hyllyillä, kirjoja, olkalaukku sängyn vieressä, iso kannettava cd-soitin sivupöydällä.

Ajatus siitä, ettei huoneen asukas koskaan enää sulkeutuisi sinne koulun jälkeen, oli pakahduttavan surullinen. Nuoren ihmisen surmaan ei koskaan tottunut, vaikka niitä tapahtui yhä useammin.

Rahnasto huomasi nopeasti, että ensivaikutelma oli pettänyt, huoneen asukas ei välttämättä ollutkaan keskiverto lukiolainen. Kirjahyllyssä oli sulassa sovussa huumehouruisimpien rock-legendojen elämäkertoja ja globalisaatiota käsitteleviä kirjoja. Juliasta sai ristiriitaisen vaikutelman – toisaalta katu-uskottavan koviksen, toisaalta fiksun lukutoukan. Erityisesti Rahnaston silmään pisti New Yorkin World Trade Centerin kaksoistornien kuvalla varustettu kirja, joka oli avattuna yöpöydällä. Paksu teos esitteli seikkaperäisesti niitä omituisuuksia, joita syyskuun 11. päivän tapahtumiin väitettiin liittyvän.

Julisteiden lisäksi seinälle oli kiinnitetty nastoilla kaksi lehtileikettä. Toisessa esiteltiin Richard Dawkinsin uskonnonvastaista kirjaa, toisessa oli kuva kilpa-ajajasta. Rahnasto kumartui lähemmäs nähdäkseen kuvatekstin: *Roni Airas Monzan palkintokorokkeella osakilpailun kakkosena. Juuri 19-vuotta täyttänyttä Airasta pidetään ensi kauden mestariehdokkaana GP2-sarjassa, jonka Bernie Ecclestone ja Flavio Briatore loivat F1-sarjan koulutus- ja odotushalliksi.*

Kuvan kuljettaja näytti ikäistään nuoremmalta.

Hän veti muovisormikkaat käteensä ja alkoi tutkia huonetta tarkemmin. Oven takaa kuului ulko-oven ääni sekä naisen ja miehen puhetta, kävelyä huoneistossa ja nyyhkytystä.

Rahnasto avasi komeron ja katsoi hyllyä, jossa oli muutama kirja lisää. Niiden joukossa oli teos Olof Palmen murhasta, ruotsalaisten sukellusvenejahdista, Estonian uppoamisesta ja DC-3-tiedustelukoneen alasampumisesta. Teokset olivat leimojen ja tarrojen perusteella peräisin Tukholman kaupunginkirjastosta, nähtävästi kaukolainana tilattuina.

Rahnasto kumartui kiinnostuneena tutkimaan tarkemmin komeroa.

Kimmo puristi kädessään postilaatikon edestä poimimaansa kirjettä ja itki äänettömästi. Kotiin tullut Sirje kietoi kätensä hänen ympärilleen ja puristi lujaa.

He kävelivät olohuoneeseen rinnakkain, Julian huoneen suljetun oven ohi. Kirje oli ryttääntynyt Kimmon kädessä, hän suoristi sen sohvapöydälle. Se oli tavallinen suoramainoskirje, vastaanottajan kohdalla luki Julia Leivo.

Julia oli aina kieltänyt heittämästä roskiin edes mainospostia.

Pöydällä oli myös toinen paperi, jolle oli kirjoitettu henkirikoksen uhrien läheisten yhdistyksen HUOMA:n vertaistukiryhmän puhelinnumero. Sirje oli puhunut pitkään rikoksen uhrina poikansa menettäneen naisen kanssa.

Kimmo puolestaan tunsi ettei osannut puhua tuskastaan kenenkään kanssa, ei edes Sirjen. Jostain olisi pitänyt ammentaa voimaa, toivoa, valoa… mutta mistä? Toisista lapsista – mutta kun niitä ei ollut…

Oli vain Julia.

Oli vain sopeuduttava siihen, mitä oli jäljellä. Eli ei mitään. Oli sopeuduttava tyhjyyteen.

Kimmo havahtui. »Mitä se nyt tekee?» hän kuiskasi äkkiä.

»Poliisi? Tutkii Julian huonetta… Mistä sinä puhut?»

»Mitä tappaja tekee nyt? Missä se on? Mitä se tekee?» Kimmon kädet puristuivat nyrkkiin.

»Sinun on päästävä vihastasi…»

Julian huoneen ovi avautui ja Rahnasto astui olohuoneeseen entistä vakavamman ja myötäelävämmän näköisenä. Hän esittäytyi ja esitti osanottonsa Sirjelle, mutta ei voinut kätellä. Hänen käsissään oli muovisormikkaat, ja hän piteli valkoista kirjekuorta.

»Tiedättekö Julian rahoista?» Rahnasto kysyi.

»Mistä rahoista?» Sirje ihmetteli.

Kimmo tuijotti kuorta Rahnaston kädessä.

»Onko teillä mitään aavistusta siitä, miksi Julia oli piilottanut 7460 euroa komeron hyllylevyn pohjan alle? Tai mistä hän oli saanut rahat?»

Kimmo ja Sirje katsoivat toisiaan tyrmistyneinä.

9.

Tero laskeutui jännittyneenä kellarin betoniportaita. Epäselvältä kakofonialta kuulostava musiikki kaikui alhaalta raivostuttavan kovaa.

Pienenä Ronilla oli ollut kellarissa verstas, pieni paja, jossa poika oli näperrellyt ja askarrellut. Tero oli moneen kertaan käynyt mielessään läpi Ronin lapsuuden, mutta ainakin väkivallalta poika oli välttynyt. Tero ei muistanut yhtä ainutta kertaa, jolloin Roni olisi saanut häneltä edes luunappia, selkäsaunasta puhumattakaan. Tero itse oli kammonut väkivaltaa väärille raiteille lipsahtaneista nuoruusvuosistaan saakka. Ja työssäänkin hän oli ehtinyt nähdä sitä niin paljon, ettei häntä kiinnostanut edes katsoa verta roiskuvia elokuvia. Eikä hän olisi halunnut Roninkaan katsovan, mutta totta kai poika oli katsonut, ja pelannut räiskintäpelejä joskus liiankin kanssa. Mutta niinhän kaikki lapset tekivät. Tero oli yrittänyt pitää kiinni ikärajoista, mutta se oli toivoton taistelu kun muutamien kavereiden vanhemmat eivät ymmärtäneet piitata niistä.

Tero muisti epämiellyttävästi erään kerran, kun Roni – ehkä noin 12-vuotiaana – oli kaverinsa kanssa uppoutunut johonkin sotapeliin ja yhtäkkiä karjaissut vertahyytävästi: »Mä ammun sut! Mä ammun sulta pään irti!»

Silloin Tero oli marssinut sammuttamaan koneen ja passittanut raivosta kihisseet pojat pihalle potkimaan palloa. Kaverilta lainassa ollut peli oli sovittu palautettavaksi saman tien. Ja sitten oli vielä Ronin melkein maaninen keskittyminen yleensä vain yhteen asiaan kerrallaan… Se oli tuntunut joskus omituiselta. Tero itse oli jo lapsena oppinut isältään, että laaja yleissivistys oli paljon arvokkaampaa kuin yhden pikkuruisen elämän osa-alueen erikoistietämys. Eikä isän myöhempi kohtalo ollut hälventänyt tuota käsitystä, vaikka se Teron teini-iän vaikeuksien keskellä olikin hetkeksi unohtunut. Ja senkin jälkeen… Jos hänellä olisi vain ollut aikaa ja mahdollisuuksia tutustua isän tavoin paljon syvällisemmin historiaan, filosofiaan, taiteisiin ja kulttuureihin… Mutta firman kehittäminen ja perheen perustaminen olivat täyttäneet ajan ja mielen, kunnes kaikki ajatukset edes itseä tyydyttävän humaanin yleissivistyksen hankkimisesta olivat olleet vain kaukaisia haaveita: sitten kun firma on myyty, sitten kun Roni pärjää omillaan…

Ja mitä hän oli tehnyt Ronin ohjaamiseksi sivistyksen tielle? Poika oli rynnistänyt kuin kilpahevonen laput silmillään, suoraan kartingeista yhä tehokkaampien autojen rattiin. Ja tietenkin hän oli halunnut tukea Ronia, tehdä kaikkensa että tämä voisi tehdä sitä missä koki onnistuvansa. Ronin koulu oli tuntunut sujuvan jotenkuten intohimoisen harrastamisen ohessa. Luonteeltaan hän oli aina ollut enemmän tai vähemmän umpimielinen jörrikkä, jonka ajatusmaailmasta tai tunne-elämästä ei tahtonut saada selvää. Kykenikö Roni oikeasti empatiaan? Kykenikö hyvään? Erottiko toisistaan hyvän ja pahan niin kuin normaalin ihmisen saattoi odottaa erottavan? Poika ei juuri koskaan puhunut asioistaan, ei vaikka Tero oli tosissaan yrittänyt kysellä. Varsinkin murrosiässä hän oli tuntenut kadottaneensa aidon yhteyden Roniin saamatta sitä enää kokonaan takaisin. Valtteri oli ollut pojista paljon avoimempi ja puheliaampi, perinyt piirteen kai isältään, kuopiolaiselta metsänhoitajalta, Helin nuoruudenrakkaudelta.

Teron ajatukset vaelsivat Ronin varhaislapsuuteen. Oliko hän pystynyt tarjoamaan tälle tarpeeksi perusturvallisuutta? Tero muisti kuinka hän itse oli istunut lentokoneessa pikkupoikana ja pelännyt koneen putoamista. Isä oli ottanut hänet syliinsä ja näyttänyt ikkunasta alapuolella olevia valkoisia pilviä, jotka olivat näyttäneet peltotilkkujen yllä leijailevilta pumpulivuorilta. Se oli ollut vatsanpohjaa kouraiseva näky, mutta isän sylissä hän oli tuntenut olevansa täysin turvassa. Oliko hän koskaan pystynyt tarjoamaan Ronille sellaisen tunteen? Oli pystynyt, Tero uskalsi vilpittömästi sanoa.

Tero pysähtyi kellarin alatasanteelle takkahuoneen oven taakse. Sisältä musiikin seasta kuului rautojen ja tankojen kilahtelua.

Roni tunsi hikikarpaloiden valuvan otsallaan. Hän nosti painoja Rammsteinin virratessa kaiuttimista. Tummuneilla seinäpaneeleilla roikkui punainen Viipurin maalaiskunnan raanu. Keskiviikkoiltapäivä oli pimentynyt seinän yläosassa olevan kapean ikkunan takana.

Lopulta Roni laski tangon paikalleen ja otti päänauhan. Niskan vahvistaminen oli ollut pitkään hänen erityisen huomionsa kohteena.

Ovi avautui ja isä astui sisään. »Miten menee?» hän kysyi synkällä äänellä ja sammutti musiikin.

Roni tyytyi murahtamaan. Hän näki kuinka isä kamppaili jatkuvasti säilyttääkseen hermonsa.

»Varasin sinulle lennon Malagaan», isä jatkoi.

»Milloin?»

»Perjantaiksi. On parempi, että saat tähän kaikkeen etäisyyttä. Käyt ensin poliisin puheilla kaikessa rauhassa. Mutta sitten pojat tarvitsevat sinua Espanjassa. Soitin Marcukselle, hän pyysi sinua käymään.»

»Pyysikö? Ei hän minulle mitään ole sanonut...»

Isä iski silmää. Ele ei alkuunkaan sopinut hänen totiseen ilmeeseensä. »Avitin vähän, että hän osasi pyytää. Voisitte tavata lyhyesti.»

»Menit vihjaamaan Marcukselle jotakin –»

»En vihjannut yhtään mitään, tietenkään. Ja se mies on luotettava jos kuka. Sanoin vain, että olet loman tarpeessa. Niin kuin oletkin.»

»Loman tarpeessa?» Roni sai hädin tuskin hillittyä itsensä. »Kukahan tässä on loman tarpeessa! Etkö sinä tajua, että tuollaiset möläytykset saattavat kantautua poliisin korviin... Pidä suusi tukossa, kerrankin!»

Ronin puhelin soi. Soitto tuli hänelle tuntemattomasta lankapuhelinnumerosta 09-suunnasta. Hän epäröi.

»Vastaa», isä kehotti rauhallisesti.

Roni vastasi etunimellään.

Rikosylikonstaapeli Rahnasto Helsingin rikospoliisista esitteli itsensä ja jatkoi: »Asiani koskee Julia Leivon surmaa. Pitääkö paikkansa, että tunsit hänet?»

Roni tunsi kurkkunsa kuivuvan. »Pitää», hän sanoi ja oli varma siitä, että kuulosti omituiselta. Mutta kuka ei olisi kuulostanut, jos hänen entinen tyttöystävänsä olisi löydetty surmattuna?

»Sopiiko sinulle, että tulen käymään Kärsämöntiellä illansuussa?»

»Totta kai. Täällä ollaan.»

Roni laittoi puhelimen pois ja katsoi isäänsä. »Poliisi tulee tänne.»

59

»Hyvä.» Isän huolestunut ilme oli jälleen täydellisessä ristiriidassa hänen lausumansa sanan kanssa. »Konsta käy täällä, kysyy kysymyksensä ja lähtee. Se siitä.»

»Niinkö? Se siitä? Siihenkö poliisi tyytyy?» Ronin ääni kohosi. Hän käveli edestakaisin kuntohuoneessa. »Ei petetä itseämme. Poliisi kaivaa asioita niin kauan, kunnes löytää syyllisen. Minä voin yhtä hyvin kertoa totuuden saman tien... Ja sinä myös. Hormoneista.»

Roni ei hetkeäkään ajatellut oikeasti tekevänsä niin – korkeintaan aamuyöllä valvoessa sekin vaihtoehto oli välähtänyt hänen mieleensä – mutta hän halusi testata isää.

Isä astui hänen eteensä. »Ei nyt. Missä sinun hermosi ovat kun niitä tarvitaan? Pidä itsesi yhtä hyvässä kuosissa kuin ohjaamossa.»

Isän epätoivoinen sävy sai Ronin ärsyyntymään. Mutta vielä enemmän häntä ihmetyttivät isän sanat: *Ei nyt*. Ikään kuin tunnustamisen aika tulisi joskus myöhemmin.

Roni veti ilmaa keuhkoihinsa ja puhalsi sen hitaasti ulos. »Minun hermoni pysyvät kasassa. Kunhan omasi pysyvät.»

10.

Kimmo tunsi kädessään muovikassin sileän pinnan ja sen sisällä aseen kylmän metallin. Hän veti pussin esiin ulkohuussin lattian alta ja käveli kauemmas vetämään raikasta ilmaa keuhkoihinsa. Oli säkkipimeää, vaikka kello ei ollut edes viittä. Rannasta kuului pientä kahinaa, kun syystuuli hiveli kaislikkoa. Mökin ikkunasta näkyi kynttilä, jonka Sirje oli sytyttänyt.

Kimmo käveli kosteassa, kylmässä illassa kohti autoa. Äkkiä hänen askeleensa hidastuivat ja kyynelet tulvahtivat silmiin kuumina ja runsaina. Hartiat vavahtelivat tuskan ja surun purkautuessa holtittomasti. Aivan kuin hän olisi unohtanut itkeä, aivan kuin tuska olisi ollut liian kauhea, jotta olisi aiemmin edes osannut itkeä... Hyvä Jumala... Ihmisen ei ole tarkoitus kestää mitään tällaista...

Hän puristi pistoolia ja antoi itkun tulla rajuina aaltoina, jotka vähitellen alkoivat hellittää.

Hän pyyhkäisi silmiään hihaansa ja piteli Berettaa mietteliäänä. Hänellä oli hallussapitolupa Helsinki Securityn pistoolille, mutta Beretta ei ollut kirjoissa eikä kansissa. Hän oli omistanut aseen yli 25 vuotta. Ammattikoulukaveri oli tarjonnut sitä hänen ostettavakseen, ja kaupat olivat syntyneet sen ihmeemmin asiaa pohtimatta. Beretta, tai oikeastaan pelkkä tieto sen olemassaolosta, oli silloin antanut hänelle kaivattua itsevarmuutta, häivähdyksen elokuvien tosimiesten maailmasta.

Kimmo piilotti Berettan takakontin pohjan alle vararenkaan vanteen sisään ja käveli rantaan. Sirje istui mökin terassilla takin kaulukset pystyssä ja katsoi järvelle alastoman koivun oksiston läpi. Kolea tuuli kuljetti taivaalla sinimustia pilviä.

Hyvin verkkaisesti Kimmo nousi portaat terassille.

»Mitä sinä oikein puuhaat?» Sirje kysyi itkun käheyttämällä äänellä.

Kimmo ei vastannut. Hän oli ehdottanut mökillä käyntiä, mitä tahansa, mikä päästäisi heidät pois kotoa.

Hän käveli sisään. Kynttilä ja takassa loimuava tuli valaisivat pienen tuvan. Hän katsoi mäntyrunkoista, kulunutta sohvaa, jolla istui kaksi itse tehtyä mollamaijaa. Julia ei ollut viime vuosina käynyt mökillä erityisen innokkaasti, mutta pienenä hän oli ollut siellä Sirjen kanssa viikkokaupalla Kimmon ollessa töissä.

Kimmo palasi terassille ja istuutui Sirjen viereen, katse suunnattuna mustalle järvelle.

»Yritin tavata Toomaksen uudelleen, mutta hän ei ollut kotona», Kimmo sanoi. »Tai sitten hän ei avannut minulle ovea.»

»Miksi kerrot nyt vasta? Miksi Toomas ei olisi päästänyt sinua sisään?»

»En tiedä. Ehkä samasta syystä, miksi hän ei vastaa soittopyyntöihini.»

»Ehkä hän ei pitänyt ehdotuksestasi ryhtyä tuomariksi.»

Kimmo oli hetken vaiti, kunnes tokaisi: »Toomas ei uskalla puhua kanssani. Eikä sinun kanssasi.»

»Uskalla? Mitä sinä tarkoitat?»

»Rahojen takia.»

Pelkkä maininta Julian huoneesta löytyneistä rahoista sai tunnelman synkistymään entisestään.

»Luulen että Toomas tietää niistä, mutta ei halua puhua», Kimmo sanoi.

»Mitä Toomas niistä muka tietäisi?» Sirje kysyi veljeään puolustellen.

Kimmo tarttui häntä kädestä ja puristi lujaa. »Jos hän tietää niistä jotain, hän saattaa tietää myös jotain surmaan liittyvää.»

Sirje riuhtaisi kätensä irti Kimmon otteesta. »Vihjaatko sinä, että –»

»En tarkoita, että Toomaksella suoraan olisi asian kanssa mitään tekemistä. Mutta jos Julia oli sekaantunut johonkin, jossa pyöriteltiin tuollaisia rahasummia... ja jos murha liittyi niihin asioihin, niin meidän olisi syytä kuulla Toomaksenkin näkemys asiasta. Vai puhutaanko poliisille?»

Sirje kaivoi puhelimen taskustaan. »Kysytään Toomakselta. Ei arvuutella, vaan kysytään suoraan.»

Puhelimen näyttöön syttyi vihertävä hohde. Sirje haki listalta Toomaksen numeron ja painoi kuulokkeen kuvaa.

»Älä sano mitään puhelimessa. Sano vain, että haluat tavata. Pian.»

Kimmo oli tyytyväinen, että sai Sirjen ylipäätään soittamaan. Sirjen välit veljeensä olivat etääntyneet Toomaksen hämärien puuhien takia.

»Ei vastaa.»

»Jätä viesti vastaajaan.»

Sirje istui hetken kuuloke korvallaan ja sanoi: »*Siin on Sirje. Helista mulle, kiire asi.*»

Loivasti kumpuileva, paljas ja kivinen maasto näytti erehdyttävästi vieraan planeetan pinnalta. Kuutamoinen taivas kaareutui kirkkaana aukeuden yllä. Lähin kaupunki, Morón de la Frontera, sijaitsi neljänkymmenen kilometrin päässä.

Autiolla, mutkittelevalla tiellä hohtivat auton valot. Vanha musta Saab kiiti ohi El Cabrilin kukkulan. Sen takana avautui Francon aikana rakennettu vanha sotilaslentokenttä, jonka oli kymmenen vuotta sitten ostanut esteponalainen kiinteistöalan yhtiö.

Saab pysähtyi kenttää ympäröivän verkkoaidan portille. Vaikka aita ja portinpylväät näyttivät ruosteisilta, portti avautui äänettömästi hyvin öljytyn mekanismin ohjaamana.

Siirryttyään yksityisalueelle Marcus Grotenfelt ei malttanut olla kokeilematta turbon sähäkkyyttä. Hän painoi kaasua ja päästi hevosvoimat hetkeksi valloilleen. Se helpotti hiukan myös hänen jännittyneisyyttään. Tapaaminen olisi ratkaiseva.

Dvd-levyllä toimitetut tekniset piirustukset olivat vakuuttaneet kiinalaiset. Marcus itse ei ollut ymmärtänyt mikropiirien ja muun elektroniikan sekamelskasta mitään, mutta hän luotti sataprosenttisesti ruotsalaisiin insinööreihin.

Parakkimainen kenttärakennus tuli vastaan aivan liian äkkiä, ja Marcus pujahti sen pihaan pysäköityjen kahden auton välistä kiitoradalle. Hän tiukensi otettaan ratista, kun nopeusmittarin viisari nousi ripeästi 200 kilometriin tunnissa.

Puhelin soi hänen ihastellessaan ruotsalaisten autonvalmistajien työtä.

»Pois kiitoradalta, he ovat etuajassa», soittaja sanoi huolestuneena, mutta silti kunnioittavaan sävyyn.

»Milloin?»

»Nyt! He joutuvat muuten vetämään yli.»

Vasta silloin Marcus näki peilin kautta kirkkaiden laskeutumisvalojen puhkaisseen pimeyden itäisellä taivaalla. Hän hätkähti itsekin, painoi lisää kaasua ja käänsi keulan kohti parakkia.

Learjet-liikesuihkukone laskeutui lähes samalla hetkellä, kun Marcus pysäköi parakin eteen. Hän suuntasi kenttärakennuksen ohi kiitoradalle, jolla laskeutunut kone mylvi moottorijarrutuksella.

Kävellessään parakin ikkunan ohi Marcus heilautti kättään loisteputkien valossa seisovalle miehelle, joka oli hätistänyt hänet pois kiitoradalta.

Marcus oli jättänyt luotiliivin pois, ei ollut enää epävarmuutta siitä, olivatko kiinalaiset sieltä mistä pitikin. Luottamus oli alkanut rakentua, ja se oli molemminpuolista.

Into ja tyytyväisyys saivat hänen askeliinsa vauhtia.

»Tämä löytyi hänen huoneestaan», rikosylikonstaapeli Sami Rahnasto sanoi ja laski pöydälle muovipussin, jossa oli pieneksi taiteltu kirjekuori. »Se oli teipattu vaatekaapin alimman hyllylevyn alapintaan. Viidensadan, sadan ja viidenkympin seteleitä. Yhteensä 7460 euroa.»

Muut tutkintaryhmän jäsenet katsoivat valkoista, nuhruiseksi kulunutta kuorta, jossa ei lukenut mitään.

Mistä Julia Leivo oli saanut rahat ja miksi? Miksi hän oli piilottanut ne ja salannut kaikilta? Vai oliko? Tiesivätkö hänen vanhempansa niistä, vaikka halusivat jostain syystä antaa ymmärtää, etteivät tienneet?

Rahnasto selasi otoksia paikalta, josta Leivon ruumis oli löytynyt.

»Vajaan kilometrin päässä oli nähty pari päivää sitten joku hiippailija», yksi konstaapeleista sanoi. »Todennäköisesti ei liity tähän mitenkään.»

»Miten niin?» Rahnasto kysyi.

»Hiipparin väitettiin tirkistelleen Sarkakujalla olevien rivitalojen metsänpuoleisista ikkunoista. Mutta Leivolle ei ollut tehty seksuaalista väkivaltaa.»

Rahnasto heitti kuvanipun pöydälle. »Millainen tyttö tämä Leivo oli?»

»Vaikuttaa välkyltä lukiolaiselta, ainakin kavereilta saadun kuvan mukaan. Mutta hänen virolainen enonsa Toomas Ehever on Supon rekisterissä.»

Tieto valpastutti nuutuneita ilmeitä.

»Älkääkä kysykö miksi. Soitin Supoon eikä asia kuulemma liity millään tavalla tähän tapaukseen.»

»Miksi Julia ylipäätään oli metsäpolulla?»

»Ei tietoa. Hän oli lähtenyt parhaan ystävättärensä luota seitsemän maissa ja kertonut menevänsä kotiin. Toisen koulutoverin mukaan Julia oli päivällä kertonut tapaavansa illalla entisen poikaystävänsä. Pojan nimi on Roni Airas.»

Rahnasto katsoi nimilistaa. »Airaksen kuva on vieläkin tytön seinällä.»

»Tuleva F1-kuski, ainakin Jopen mukaan.»

Ylikonstaapeli Jorma Keränen oli legendaarinen formula-tuntija.

»Kimmo Leivo on töissä Airaksen isän entisessä firmassa. Helsinki Security. Älä vain laita Jopea puhuttamaan Airasta, jäävät muuten rikostutkimukset kilpa-autoilun jalkoihin.»

Kimmo hätkähti, kun Sirjen puhelin soi. Tälle tuli yleensä hyvin harvoin puheluja. Kimmo käänsi auton Vihdistä kakkostielle kohti Helsinkiä.

»Kuka?» Kimmo kysyi kun Sirje sai puhelimen esiin taskustaan.

»Tuntematon numero», Sirje sanoi. »Vastaanko?»

»Tietysti.»

Kimmon ote ohjauspyörästä tiukkeni, kun Sirje alkoi puhua viroa.

Toomas.

Puhelu oli lyhyt ja tiukkasävyinen. Sirje laski puhelimen syliinsä ja sanoi: »Tapaan hänet tunnin kuluttua.»

»Missä?»

»Jumbossa.»

»Miksei meillä? Tai hänen luonaan?»

»En tiedä.»

Heidän välilleen laskeutui hiljaisuus. Valaistu mainostaulu hohti tien varressa levittyvien kynnettyjen peltojen keskellä.

»Et voi tosissasi luulla, että Toomaksella olisi jotain tekemistä Julian rahojen kanssa», Sirje sanoi ahdistuneena. »Tai rahoilla murhan kanssa…»

»En luule mitään. Mutta kaikki selvitetään. Kiveäkään ei jätetä kääntämättä.»

11.

Roni katsoi olohuoneen ikkunasta, kun siviilimallinen Ford kääntyi valaistulta tieltä orapihlaja-aidan takaa heikommin valaistulle pihalle. Hän veti syvään henkeä ja suoristi ryhtinsä, aivan kuin olisi ollut istuutumassa kilpa-auton rattiin.

»No niin», isä sanoi hänen takaansa ja rykäisi.

Autosta nousi nahkatakkiin ja farkkuihin pukeutunut vaalea mies, joka suuntasi määrätietoisesti ovea kohti.

Roni antoi poliisin soittaa rauhassa ovikelloa ennen kuin käveli avaamaan.

Mies esitteli itsensä rikosylikonstaapeli Sami Rahnastoksi. Roni ohjasi ystävällisen näköisen miehen olohuoneeseen. Myös isä kätteli Rahnaston.

»Uskomatonta», isä huokaili. »Täysin käsittämätöntä...»

Roni vilkaisi häntä terävästi. Jokainen näytelty ele oli riski, mikä tahansa saattoi mennä yli ja herättää turhaan huomiota – juuri siitä isä oli varoittanut häntä, mutta sortui nyt itse typerään voivotteluun.

»Tällaiseksi tämä on mennyt», Rahnasto sanoi istuutuessaan isän osoittamalle paikalle. »Nuoria ihmisiä tapetaan.»

»Jätän teidät kahdestaan, niin saatte puhua rauhassa. Olen työhuoneessa, jos haluat kysyä minulta jotain. Tunnen Julian isän, hän on töissä entisessä firmassani.»

Rahnasto nyökkäsi ja siirsi katseensa Roniin. »Kuulin, että seurustelit jonkin aikaa Julian kanssa viime keväänä.»

Roni nyökkäsi. »Kävimme elokuvissa ja sitä rataa.» Äkillinen pakokauhu alkoi vallata hänet eikä hän pystynyt katsomaan Rahnastoa silmiin. Huomasiko mies jotain? Kokenut ammattilainen, joka työkseen oli tekemisissä rikollisten kanssa?

»Ei mitään sen vakavampaa», Roni jatkoi ja nosti katseensa väkisin Rahnastoon. »Olin paljon reissussa. Asun osan ajasta Espanjassa.»

»Yritit soittaa Julialle puolilta öin. Miksi?»

»Olisin vain... jutellut.»

»Mistä?»

»Kysellyt mitä kuuluu.»

»Niin myöhään?»

»Ei hän siihen aikaan nukkumassa ole.»

»Missä olit silloin, kun yritit soittaa?»

»Kotona.» Roni vastasi taukoja pitelemättä, silmiin katsoen.

»Teidän seurustelusuhteenne siis jatkui vielä jossain muodossa?»

Roni pudisti päätään. »Se loppui jo kesällä.»

»Kävikö Julia Espanjassa?»

»Kävi. Mutta tapasimme siellä vain lyhyesti pari kertaa. Hän matkusti enonsa kanssa.»

»Tunnetko Julian enon hyvinkin?»

»En juurikaan. Olen vain tavannut lyhyesti pari kertaa.»

»Milloin näit Julian viimeisen kerran?»

Roni oli osannut odottaa kysymystä, ja hän oli valmistautunut siihen huolella. Siitä huolimatta hän pelkäsi punastuvansa tai muulla tavoin paljastavansa, että valehtelee.

»Sunnuntaina kaupungilla», hän sanoi rauhallisesti. »Ohimennen Forumin Hesburgerissa.»

»Eräs Julian ystävistä sanoi, että Julia aikoi eilisiltana tavata sinut.»

»Meidän piti nähdä, mutta peruin tapaamisen. Isä oli varannut muuta ohjelmaa. Yritin vielä soittaa Julialle ja varmistaa, ettei hän suuttunut.»

Roni katsoi poliisia tyynesti silmiin. Hän huomasi valehtelun olevan paljon helpompaa kuin hän oli etukäteen pelännyt.

»Mikset maininnut sitä äsken, kun kysyin soittoyrityksestä?»

»En ymmärtänyt, että se on tärkeää.»

»Jätä tärkeysasteiden arviointi minulle ja kerro kaikki mitä tiedät. Onko sinulla mitään aavistusta siitä, oliko Julialla vaikeuksia jonkun kanssa? Tai joidenkin asioiden kanssa?»

Roni pudisti päätään.

Loput kysymykset olivat rutiiniluonteisia eikä Ronista tuntunut vaikealta vastata niihin.

Lopulta poliisi sanoi: »Vaihtaisin vielä muutaman sanan isäsi kanssa.»

Roni ohjasi helpottuneena Rahnaston isän työhuoneeseen.

Poliisi sulki oven takanaan. Roni jäi seisomaan sen taakse ja painoi korvansa oveen. Hän tiesi kokemuksesta, että puhe kuului läpi.

»Tunnet siis Kimmo ja Sirje Leivon pidemmältä ajalta?» Rahnasto kysyi isältä.

»Otin Kimmon töihin kymmenkunta vuotta sitten turva-alan yritykseeni. Sirjeä en tunne erityisemmin. Emme ole perhetuttuja.»

»Kävikö Julia teillä, kun hän seurusteli poikasi kanssa?»

»Pyörähti hän täällä muutaman kerran. Mutta ei sitä varmaan oikein seurusteluksi voi sanoa. Aika vähän Roni Suomessa keväällä ehti olla. Olemme pitäneet muutaman viime vuoden tukikohtaa Espanjassa ja käyneet sieltä käsin kisoissa.»

»Osaatko kertoa mitään Sirje Leivosta tai hänen taustastaan?»

»Kuten sanoin, tunnen lähinnä Kimmon. Sirjestä minulla on hyvin neutraali kuva.»

»Kiitos. Jatkamme tämän kimpussa ja otamme yhteyttä, jos jotain kysyttävää ilmenee.»

Roni livahti nopeasti pois oven takaa. Hän pyörähti ympäri olohuoneessa ja käveli omasta mielestään täysin luontevasti Rahnastoa vastaan.

Poliisi sanoi hänelle samat loppulauseet kuin isälle, ja Roni lähti saattamaan miestä ulos.

Roni tunsi, että hänen pitäisi ottaa vielä jollain tavalla esiin Julian kohtalo.

Kun Rahnasto avasi autonsa oven, Roni sanoi: »Koettakaa saada kiinni se tappaja.» Ääni tuli juuri sopivan käheänä ja murheellisena.

»Teemme parhaamme. Ja kyllä tällaisissa tapauksissa onnistumisprosentti on käytännössä sata.»

Roni nyökkäsi.

Lause upposi hitaasti mutta uhkaavan varmasti hänen mieleensä.

12.

Sirje istui hermostuneena kahvilan pöydässä kauppakeskus Jumbossa Kehä kolmosen varrella. Hänen silmänsä punoittivat ja kädet tärisivät. Kimmon suhtautuminen murhaajaan oli tarttunut häneenkin – syvin epätoivo oli hetkeksi väistynyt sivummalle. Viha vei ajatuksia surusta, ja vihantunteet oli helpompi kestää.

Kello lähestyi kahdeksaa ja osa liikkeistä valmistautui sulkemaan ovensa. Kimmon ajatus Toomaksen liittymisestä Julialta löytyneisiin rahoihin painoi Sirjeä yhä raskaammin. Se ei ollut kovin kaukaa haettu teoria – Toomas oli käyttänyt kummityttöään elokuvissa, ajeluttanut silloin tällöin harrastuksissa ja ottanut lomilla mukaansa Tukholmaan ja jopa Espanjaan. Tallinnassa Julia oli käynyt Toomaksen mukana useita kertoja, vaikka heillä ei siellä enää lähisukua asunutkaan. Sirje itse ei entisessä kotimaassaan juuri käynyt, viimeksi joulun alla tätinsä hautajaisissa. Samalle hautausmaalle oli 14 vuotta sitten haudattu Sirjen ja Toomaksen vanhemmat sekä moni muu Estonian uhri.

Toomas marssi pöytään vakavana ja hyvin pukeutuneen maailmanmiehen näköisenä. Hänen ympärillään leijui kalliintuok-

72

suinen partavesi. Toomas oli käynyt Sirjen ja Kimmon luona heti tiedon surmasta saatuaan, mutta Sirje ei muistanut veljensä käynnistä juuri mitään.

»Miten sinä jakselet?» Toomas halasi sisartaan.

»Jotenkuten.» Sirje istuutui takaisin pöytään ja niisti nenänsä paperinenäliinaan, jota pyöritteli sormissaan.

»Paremmin kuin Kimmo?»

»Mitä tarkoitat?»

»Tiedät hyvin mitä tarkoitan. Hän ei ole enää oma itsensä.»

Sirje ei vastannut mitään. Toomas arvaisi pian, että Kimmo oli lähettänyt hänet.

»Kävimme hautaustoimistossa», Sirje sanoi. »Valitsimme arkun.»

Toomas puri huultaan. Hänen silmänsä kiiltelivät kyynelistä ja hän laski kätensä Sirjen kädelle.

»Otatko kahvia?» Sirje kysyi niin tavallisella äänellä, että se kuulosti luonnottomalta.

»Ei kiitos. Minulla on kiire.»

»Mennään sitten suoraan asiaan. Saiko Julia sinulta rahaa?»

Toomaksen ilme ei muuttunut. »Miksi olisi saanut?»

»En tiedä. Sitä juuri kysyn sinulta.»

»Mistä olet saanut sellaista päähäsi? Kimmoltako?»

»Näin rahat omin silmin. Onko sinulla jotain tekemistä niiden kanssa?»

Toomas huokaisi. »En halua puhua siitä.»

Sirje puristi Toomaksen kättä. »Sinä siis tiedät rahoista? Puhu minulle... kerro kaikki, se voi auttaa poliisia.»

Toomas katsoi sisartaan pitkään ruskeilla silmillään.

Äkkiä Sirje kiskaisi kätensä pois Toomaksen kädestä kuin sähköiskun saaneena. »Siitäkö tämä kiikastaakin? Onko... tiedätkö jotain...»

»Ei. Rauhoitu. Rahat eivät liity surmaan mitenkään.»

»Et halua puhua niistä, koska pelkäät poliisia?»

»Rahat eivät liity millään tavalla murhaan. Vannon sen. Ei puhuta rahoista. Poliisin ei tarvitse tietää niistä. Niillä ei ole mitään tekemistä tämän kanssa. Enkä minä pelkää poliisia. En ole tehnyt mitään pahaa.»

»Totta kai poliisi tietää rahoista», Sirje sanoi vihaisesti. »Poliisi ne nimenomaan löysi Julian huoneesta. Poliisi on rahoista hyvin kiinnostunut, tenttasi meiltä mistä Julia olisi voinut saada ne.»

»Puhuitteko minusta?»

»Emme. Vielä.»

Toomaksen ilme synkkeni. »Puheesi kuulostaa uhkailulta.»

»Ihan sama miltä se kuulostaa. Meillä ei ole Kimmon kanssa mitään menetettävää. Haluamme vain tappajan kiinni.»

»Selvitän asioita. Soitan sinulle pikapuoliin», Toomas sanoi ja katosi yhtä nopeasti kuin oli saapunutkin.

Kimmo nuokkui ratin takana hämärässä Jumbon pysäköintihallissa. Hän oli väsynyt. Liian väsynyt, nukkuminen oli käynyt miltei mahdottomaksi. Silti hän ei halunnut turvautua unilääkkeisiin, hän pelkäsi niiden turruttavan vaivihkaa myös hänen päättäväisyytensä ja määrätietoisuutensa. Niitä univaje tuntui vain kasvattavan.

Hänellä oli tavoite ja päämäärä, eikä millään muulla ollut väliä. Mutta entä sen jälkeen, entä sitten kun Julian tappaja saisi ansionsa mukaan?

Kimmo havahtui kun Sirje istuutui autoon – hyvin surullisena ja vakavana.

»Toomas tietää rahoista», Sirje sanoi vastahakoisesti.

Kimmo tunsi kaikkien lihastensa jännittyvän.

»Hän ei suostunut sanomaan mitään», Sirje jatkoi. »Lupasi selvittää asioita ja soittaa minulle.»

»Saatanan mafianilkki», Kimmo sihahti.

Sirje istui hiljaa, olkalaukkuaan sylissään puristaen.

»Anteeksi», Kimmo sanoi.

»Kuunnellaan ensin mitä hänellä on sanottavana. En usko, että Toomaksen puuhilla on ollut mitään tekemistä murhan kanssa.»

»Se tästä vielä puuttuisi!»

Kimmo näki uudessa tilanteessa yhden valoisan puolen: hänellä oli nyt yliote Toomakseen. Toomas tulisi entistä varmemmin hoitamaan tappajan hänen tahtonsa mukaisesti.

Kimmon ajatukset vaelsivat pistooliin, joka oli edelleen takakontissa vararenkaan sisällä.

Julian murhaaja tulisi saamaan ansionsa mukaan. Ja hiukan enemmänkin.

Rikosylikonstaapeli Rahnasto istui Julia Leivon parhaimpiin ystäviin kuuluneen Jenni Kivelän kodin keittiössä Vantaan hakunilassa. Hän oli kysellyt tarkasti Julian asioista, ja Jenni näytti varautuneelta.

»Oli hän joskus hiukan... hermostunut», Jenni sanoi. »Enemmän kuin normaalisti, tarkoitan.»

»Tunsiko hän itsensä jollain tavalla uhatuksi?»

Jenni kohautti olkapäitään. »En tiedä. Ei minun mielestäni.»

»Huomasitko hänen toiminnassaan tai käytöksessään muuta tavallisuudesta poikkeavaa?»

Jenni huokaisi. »Joskus hänellä oli aika paljon rahaa. Hän saattoi sanoa, että nyt Jenni, mennään leffaan, tai nyt mennään vaatekauppaan... mutta ei hän silti raaskinut juuri mitään ostaa.»

»Kuinka tiiviisti Roni ja Julia seurustelivat?»

Jenni epäröi hiukan. »Ihan tavallisesti.»

»Kuinka kauan?»

»Muutaman kuukauden. Mutta ovat he senkin jälkeen tapailleet. Julia oli vähän salaperäinen Ronin suhteen.»

»Millä tavoin salaperäinen?»

»Ei puhunut niin hirveästi hänestä. Edes silloin kun he tapailivat. Julia leikki aina mielellään vähän salaperäistä. Monissa asioissa. Ajattelin, että antaa leikkiä, vaikka se olikin välillä ärsyttävää kun mitään oikeasti salaista ei kuitenkaan ollut... Tai niin ainakin luulin.»

»Oliko hänellä salattavaa ehkä muutenkin kuin Ronin suhteen?»

Jenni kohautti olkapäitään. »Hän reissasi virolaisen enonsa kanssa. Ainakin Espanjassa. Ja Ruotsissa.»

Rahnasto odotti jatkoa, mutta Jenni ei joko halunnut kertoa tai ei tiennyt enempää.

13.

Roni nyppi pellille tarttuneita kosteita lehtiä pihavalon lois-
teessa. Hän oli hermostunut ja levoton. Iltaa kohti oli alkanut
sataa kylmää tihkua, mutta hän ei välittänyt siitä vaan antoi sen
kastella kasvonsa.

Äkkiä Roni painalsi avaimen kaukosäädintä. Keskuslukitus
napsahti auki. Hän istuutui ratin taakse, peruutti tielle ja suun-
tasi Kehä ykköselle kohti Myllypuroa, jossa hänen äitinsä asui.
Hän halusi ennen lähtöään tavata äidin, olisi isä siitä mitä mieltä
tahansa.

Roni oli aina tiennyt muistuttavansa enemmän äitiään kuin
isäänsä, vaikka isä oli aina toisin korostanut. Asioista perillä
olevien sukulaisten mielistellen lausuma »isänsä poika» oli mu-
siikkia isän korville, vaikka tämä itsekin tiesi totuuden. Joskus
Ronista oli jopa tuntunut, että isä oli ollut äidille hänestä mus-
tasukkainen. Melkein pahinta mitä isälle oli voinut tehdä, oli ve-
täytyä äidin helmoihin silloin kun isän mielestä olisi ollut syytä
seistä omillaan, tai ainakin yrittää seistä.

Kymmenen minuutin kuluttua hän soitti ovikelloa. Äiti avasi
oven yllättyneenä ja iloisena.

»Sinä!»

Äiti halasi häntä, yllään tuttu ja pehmeä kashmir-neule. Ronin kurkkuun nousi pala. Olisiko äiti halannut, jos olisi tiennyt mitä hänen poikansa oli tehnyt?

Ajatus haihtui jonnekin, kun Roni haistoi äidin parfyymin takaa vanhan viinan hajun. Se sai hänet irrottautumaan halauksesta pettyneenä, melkein väkivalloin.

Äiti kohensi vaaleita hiuksiaan hämmentyneenä ja näytti huomanneen hänen reaktionsa. Roni piti kielensä kurissa ja käveli olohuoneeseen. Kolmio oli kodikas, paikat olivat siistit ja järjestyksessä. Piano vei suuren osan tilasta. Baarikaappia ei ollut eikä näkyvillä ollut mitään muutakaan alhoholiin liittyvää. Äiti oli aina ollut taitava salaamaan juomisensa.

»Kuulin äsken Juliasta... aivan hirvittävää...»

Äiti oli tulossa Ronia kohti lohduttavan näköisenä, mutta Roni vetäytyi kohti sohvaa. »Ei puhuta siitä. En... haluaisi puhua siitä.»

»Ymmärrän.» Äiti olisi selvästikin halunnut keskustella asiasta, mutta loihti kuitenkin kasvoilleen iloisemman ilmeen. »Luin sinusta lehdestä tänään», hän sanoi, äänessään sekoitus kiusoittelevuutta ja ylpeyttä. »Olet kuulemma seuraava suomalainen F-ykkösissä.»

Roni huokaisi kädet taskussaan ja katsoi pihalle. »Toinen juttu on milloin se tapahtuu. Kaikki on niin hidasta vatvomista.»

»Tulit oikeaan aikaan. Minulla on pizza uunissa.»

Roni istahti sohvalle, joka oli peitetty värikkäällä tilkkupeitolla. Hän näki äidin silmissä tarkkailevan katseen. Huomasiko tämä jotain?

Äkkiä Roni olisi halunnut häipyä. »Söin juuri. Tulin vain piipahtamaan –»

»Se on kohta valmis. Tonnikala-katkarapua.»

»Miten sinulla menee?» Roni kysyi.

»Ihan hyvin. Kävin illalla ulkona Marin kanssa, varmaan muistatkin hänet...»

Ei tarvitse selitellä, Roni olisi halunnut sanoa, mutta tyytyi nyökkäämään.

»Olemme lähdössä Jarkon kanssa pitkäksi viikonlopuksi Prahaan.»

»Hieno kaupunki.» Roni yritti pitää äänensä niin luontevana kuin mahdollista. Hän ei ollut koskaan tullut toimeen äidin nykyisen miesystävän kanssa. Tämä ei yrittänyt alkuunkaan parastaan pitääkseen äidin erossa alkoholista.

»Entä sinä?», äiti kysyi tutkiva ilme kasvoillaan. »Miten sinulla menee... oikeasti?»

Äidin äänensävy sai Ronin varpailleen.

»Miten niin *oikeasti*? Ihan hyvin tässä menee, oikeasti tai väärästi.»

»Mennään keittiöön. Otan pizzan uunista.»

Roni antoi äidin mennä edellä. Hän jäi katsomaan seinälle kehystettyä valokuvaa, jossa hän oli 9-vuotiaana polkupyörän selässä äiti rinnallaan. Autokuvista äiti ei ollut koskaan pitänyt. Toisessa kuvassa Roni ja Valtteri seisoivat virvelit kädessään Pitkäkoskessa.

»Oletko kuullut mitään Valtterista?» äiti kysyi varovasti. Hän oli ilmestynyt keittiöstä Ronin taakse.

Roni pudisti päätään. Kaikki energisyys oli kadonnut äidin kasvoilta. Näytti kuin hänen ryhtinsäkin olisi painunut hiukan heti kun puhe siirtyi Valtteriin. He seisoivat hetken hiljaa kuvan edessä – kuvan jonka esittämää ihmistä ei enää ollut. Oli vain vieras nuori mies, joksi Ronin velipuoli oli muuttunut.

Roni tunsi äkkiä vastustamattoman tarpeen puhua – kertoa äidille yksityiskohdatkin, laskea likainen vesi pois. Hän käsitti, ettei voisi pitää kaikkea sisällään koko loppuikäänsä. Hän oli joskus ihmetellyt tapauksia, joissa rikoksen tehnyt tulee vuosien kuluttua poliisin puheille tunnustamaan. Enää hän ei ihmetellyt.

* * *

Vesi rummutti lätäköitä pihavalon loisteessa. Tero lukitsi Aston Martinin ovet ja kiiruhti sateelta suojaan. Eteisessä hän riisui ja ravisteli märän takkinsa.

»Roni!»

Tero jatkoi Ronin huoneen ovelle ja koputti napakasti.

Ei vastausta.

Hän avasi oven. Huone oli tyhjä. Minne Roni oli mennyt? Tässä tilanteessa poika olisi saanut pysyä kotona, tai ainakin ilmoittaa menemisistään.

Huone oli yhtä moitteettomassa järjestyksessä kuin aina, paljon paremmassa kuin Teron oma huone. Joku oli kerran todennut, että Roni oli luonnottoman siisti ja järjestelmällinen.

Tero oli alkanut torjua Ronin teon ajatuksistaan, hän ei halunnut miettiä sen syitä, ei mitään mikä johtaisi hänet tosissaan pohtimaan sitä, millainen ihminen Roni oli – millaisen ihmisen hän oli pojastaan kasvattanut. Ja ennen kaikkea: minkä verran Ronissa oli hänen geenejään, ja hänen isänsä...

Yhtä vähän Tero halusi miettiä sitä, miksi oli valmis pitämään Ronin poissa oikeudesta ja vankilasta – ainakin toistaiseksi. Kai kaikki vanhemmat halusivat lastensa parasta? Mutta mikä oli parasta tällaisessa tapauksessa?

Toisaalta jälkeläisten suojelu oli jo geeneihin kirjoitettu, niin väitettiin, vaikka Tero itse olikin nuorena kokenut poikkeuksen. Biologia voitti yhteiskunnan luomat säännöt, sen Tero tiesi.

Ilman steroideja Roni ei olisi surmannut Juliaa. Ja hormoneita hän oli käyttänyt nimenomaan vastentahtoisesti. Ainakin aluksi. Oikeus saisi ratkaista sen, missä määrin tekoon vaikutti niiden mielialavaikutus. Ja kuurista Tero ottaisi kaiken moraalisen ja juridisen vastuun omille hartioilleen.

Syvällä sisimmässään Tero silti tunnusti, että saattoi antaa steroideille liiankin suuren merkityksen. Niinpä Tero katsoi Ronin huonetta tarkemmin kuin ennen. Miljoonat ihmiset käyttivät steroideja, eivätkä raivonpuuskissaan tappaneet ketään...

Tero avasi summamutikassa kirjoituspöydän laatikoita. Ennemmin tai myöhemmin myös poliisi saattaisi tutkia Ronin huoneen, eikä sieltä saisi löytyä mitään. Hän alkoi tutkia järjestelmällisesti laatikoiden sisältöä. Hän ei koskaan aikaisemmin ollut tonkinut poikansa huonetta, mutta nyt se tuntui itsestäänselvältä.

Tero selasi kalenteria, jonka välissä oli keltaisia muistilappuja. Hän katsoi myös kirjoitusalustan alle, tutki vaatekaapin ja veteli auki lipaston laatikoita. Hän katsoi jopa patjan alle ja hyllyssä olevien kirjojen väliin ja kopeloi matkalaukun sivutaskun.

Siellä oli taiteltuja sekalaisia papereita ja kuitteja, joita Tero ohimennen vilkaisi. Yksi niistä sai hänet pysähtymään.

Paperilapulle oli Ronin käsialalla kirjoitettu kaksi numerosarjaa, joista lyhyemmässä oli myös kirjaimia. Hän oli laittamassa paperin takaisin, mutta jäikin katsomaan sitä yhä mietteliäämpänä.

Numero oli muodoltaan Terolle tuttu. Se oli pankkitilin numero – tarkemmin sanottuna itävaltalaisen pankkitilin.

Terollakin oli Wienissä tili. Roni oli varmaankin sen vuoksi osannut avata tilin juuri itävaltalaisessa pankissa, jossa pankkisalaisuus oli vielä voimissaan.

Mutta miksi ihmeessä Roni oli avannut sinne itselleen tilin kertomatta asiasta mitään Terolle? Vai oliko tili edes Ronin? Miksi hänellä olisi jonkun muun tilitiedot mukanaan? Mitä poliisi ajattelisi asiasta?

Tero poimi käteensä kynän, kopioi numerosarjan paperille ja laittoi lapun takaisin sinne mistä oli sen ottanutkin.

Sen jälkeen hän yritti soittaa Ronille, mutta poika ei vastannut.

Tero yritti saman tien uudelleen. Ei vastausta. Kolmannella kerralla Roni vastasi ärsyyntyneenä.

»Mitä nyt?»

»Missä sinä olet?»

Hetken epäröinti.

»Mitä sitten? Mikä nyt on hätänä?»

»*Missä sinä olet?*»

»Mitä se sinulle kuuluu?» Roni kivahti ja katkaisi yhteyden.

Teroa kylmäsi. Ei Ronin käytös, vaan kuiskaus joka taustalta oli kuulunut.

»*Kuka se on?*»

Helin ääni.

Tero ryntäsi eteiseen ja heitti takin päälleen. Ulkona hän astui juostessaan lätäkköön ja kirosi ääneen housuille roiskahtavaa vettä. Käynnistäessään moottorin hän painoi puhelimensa esivalintanäppäintä ja soitti Ronille.

»Mitä vielä?» Roni kysyi tylysti.

»Kuuntele», Tero sanoi sompaillessaan auton kadulle. »Ethän puhu mitään harkitsematonta?»

Roni löi hänelle uudelleen luurin korvaan.

14.

»Mitä isäsi tahtoo?» äiti kysyi keittiön pöydän ääressä.

»Ei mitään. En tiedä.» Roni mätti mekaanisesti pizzaa suuhunsa. Mikä hätä isällä oli? Oliko jotain tapahtunut?

Tunne siitä, että poliisi saattoi minä hetkenä tahansa tulla noutamaan hänet valtasi äkkiä Ronin. Kuinka sellaisen tunteen kanssa voisi elää... vuosikausia? Koko loppuelämän? Isä väitti että Espanjassa se unohtuisi, mutta isä oli väärässä. Oli asioita, joita ei voisi unohtaa.

»Kerro mikä sinua painaa», äiti sanoi.

Roni naurahti. »Miten niin painaa?»

Äiti näytti vakavalta. »Ehkä olisi parempi, että kuitenkin puhuisit Juliasta.»

Roni melkein säpsähti, kunnes muisti että oli itse pyytänyt ettei tapauksesta puhuttaisi.

Roni ei osannut muuta kuin huokaista.

»Tiedätkö jotain, mikä liittyy murhaan?»

Roni tunsi punastuvansa. Häntä kauhistutti enemmän oma reaktionsa kuin äidin kysymys – punastuisiko hän poliisinkin edessä, jos he tulisivat uudelleen hänen juttusilleen?

»Kuinka minä voisin tietää mitään Julian murhasta?»

»Oletko kuullut jotain? Varmasti muistat, mitä sanoin Juliasta alun perin. Mukava tyttö, mutta ei välttämättä ihan sitä miltä näyttää.»

Roni nyökkäsi. Hän muisti äidin kommentin. Äiti oli aina suhtautunut Kimmoonkin epäluuloisesti.

»En ole nähnyt vanhaa porukkaa pitkiin aikoihin. Jenniä muutaman kerran. En tiedä mitään Juliasta.»

»Ymmärräthän, että sinun pitää mennä poliisin puheille jos tiedät vähänkin sellaista, mistä voisi olla apua heidän tutkimuksissaan.»

»Tietysti.»

Roni katsoi äitiä silmiin. Hän halusi puhua jollekin, hänen oli pakko puhua jollekin, joskus... Isän kanssa ei voinut puhua oikeasti. Isä torjui koko asian ja toimi kuin robotti, tunteensa peittäen. Sen täytyi liittyä jollain tavalla isän omaan nuoruuteen, mutta niistä asioista isä ei puhunut koskaan.

»Taisit olla oikeassa Julian suhteen», Roni sanoi lopulta ääni hiukan värähtäen.

Äiti ei vastannut mitään, vaan odotti hänen jatkavan.

Roni tunsi silmiensä kostuvan. Hillitse itsesi, hän hoki itselleen. Toisaalta itkeminen ei olisi vaarallista. Kaikki ymmärtäisivät sen. Oudompaa olisi, jos hän ei reagoisi Julian kuolemaan.

»Tiedät, että voit puhua minulle ihan mistä tahansa.»

Roni nyökkäsi, entistä isompi pala kurkussaan. Se oli totta, hän oli aina voinut puhua äidin kanssa. Äiti oli luotettava. Liiankin luotettava. Kun Valtteri oli lipunut vääränlaisten kavereiden seuraan, äiti oli tiennyt sen ensimmäisenä. Hän olisi voinut toimia ja kenties estää koko tragedian – mutta hän oli halunnut olla lojaali pojalleen ja piilotella ongelmia isältä.

Ei olisi kannattanut. Äiti oli ainakin alkuvuosina tuntenut asiasta syyllisyyttä, mutta nähtävästi ei tarpeeksi, ainakaan isän mielestä. Isän ja äidin ero johtui Valtterista. Ainakin se oli virallinen syy perheen piirissä. Muita mahdollisia syitä Roni ei ollut halunnut pohtia. Hänelle oli riittänyt, että isä oli tukenut hänen ajamistaan ehdoitta ja että äiti oli ollut aina valmis kuuntelemaan ja ymmärtämään häntä silloin kun välit isän kanssa kävivät kireiksi.

»Mitä sinä tarkoitit?» äiti kysyi. »Että olin oikeassa Julian suhteen? Puhu minulle, vaikka et poliisille haluaisikaan puhua.»

Sanat viilsivät, vaikka Roni tiesi äidin tarkoittaneen ne eri merkityksessä kuin miltä ne hänestä kuulostivat.

»Liittyykö tämä Julian enoon?» äiti jatkoi. »Onko sinulla jotain tietoa virolaisista?»

»En tiedä mitään Julian murhasta, johan sanoin. Mutta Julia yritti…» Ronin ääni sortui ja hän nyyhkäisi rajusti.

Ovikello soi.

Äiti hätkähti. »Kuka se on?»

Roni nousi seisomaan, kiskaisi talouspaperirullasta arkin ja niisti nenänsä.

Äiti avasi oven eteisessä. »Mitä sinä täällä teet?»

»Tulin hakemaan Ronia», isän ääni sanoi.

Tero tunnisti heti vanhan viinan lemahduksen. Kukaan ei voinut käsittää kuinka hän vihasi tuota hajua, se kosketti avointa hermoa hänessä ja sai hänet lamaantumaan epätoivoisesta raivosta.

»Tulit hakemaan Ronia?» Heli kysyi kipakasti ja pysyi oviaukon tukkona. »Miksi?»

Tero katsoi entistä vaimoaan silmiin ja yritti pitää itsensä rauhallisena. He olivat kulkeneet yhdessä pitkän tien, mutta kun Valtterin ongelmat olivat saaneet Helin tarttumaan yhä useammin viinipulloon – »ruokajuomana vain» – oli Teron vallannut täydellinen kauhu ja epätoivo. Heli ei ollut alkuunkaan ymmärtänyt hänen reaktioitaan, eikä Tero voinut edes Helin kanssa puhua nuoruudestaan periytyvästä taakasta. Hän oli yrittänyt kaikkensa, mutta avioliitto oli ollut tuhoon tuomittu.

»Päästä minut sisään», Tero sanoi viileästi.

»Roni on minun luonani kylässä. Et voi tunkea tänne –»

»Päästä minut sisään», Tero toisti astetta käskevämmin ja tarttui hellävaraisesti Heliä kyynärpäästä ohjatakseen hänet sivuun.

Roni kuivasi nopeasti silmänsä. Hän kuuli isän äänen eteisestä ja tunnisti äänensävyn: kohta räjähtää, ja pahasti. Ainakin jos isä haistaisi äidin juhlimisen jäljet – ja taatusti haistaisi. Isän vainu oli näissä asioissa pettämätön.

Roni tunsi olevansa kuin rehtorin tupakalta yllättämä koulupoika.

»Älä koske minuun», äiti kivahti tarpeettoman dramaattisesti, kun isä käveli määrätietoisesti hänen ohitseen keittiöön.

»Mennään.»

Isän ääni ei ollut sen enempää vihainen kuin lämminkään. Se oli yksinomaan toteava.

Roni käveli isän ohi eteiseen ja heitti pusakan päälleen. Äiti katsoi häntä valppaan ja kysyvän näköisenä, mutta ei sanonut mitään. Äiti oli aina halunnut välttää konflikteja Ronin nähden. Mutta kahden kesken isän kanssa – tai luullessaan olevansa kahden kesken – hän oli antanut palaa.

»Tule joku toinen kerta», äiti sanoi Ronille kun hän livahti isän perässä käytävälle.

Kumpikaan ei puhunut portaikossa mitään, Ronilla oli vaikeuksia pysyä harppovan isän perässä.

»Mitä nyt?» Roni kysyi pysähtyessään Audinsa eteen.

»Puhutaan kotona. Vai puhuitko jo äidillesi?»

»En... Mitä sinä tarkoitat?»

»Tiedät hyvin mitä tarkoitan.»

Isä jatkoi omalle autolleen. Mikä häntä vaivasi? Isä ei vaikuttanut vihaiselta eikä kiihtyneeltä, ja se Ronia nimenomaan huolestutti. Tavallisesti isä ei osannut häävisti peitellä tunteitaan.

He ajoivat peräkkäin kohti kotia. Roni mietti, olisiko kertonut äidille kaiken, ellei isä olisi pamahtunut paikalle. Tuskin aivan kaikkea ainakaan.

Miten äiti olisi reagoinut?

Roni ei halunnut ajatella sitä. Hän pysäköi kotipihalle isän auton viereen ja nousi ulos yhtä aikaa tämän kanssa. He kävelivät taloon rinnakkain, sanaakaan sanomatta.

Suljettuaan oven perässään isä pysähtyi niin äkisti, että Roni oli törmätä häneen.

»Miksi menit äidin luokse?»

»Olisi omituisempaa, jos en olisi mennyt.»

Vastaus näytti tyydyttävän isää. »Mitä kerroit hänelle?»

»En mitään, usko jo.»

»Minun on tiedettävä. Sanatarkasti.»

Roni kertoi kaiken. Kun hän lopetti, isä katsoi häntä kummallisen vakavana.

»Mikä tämä on?» hän kysyi vetäen samalla taskustaan paperilapun, jota piti Ronin silmien edessä.

Roni riuhtaisi lapun itselleen. »Mitä siitä? Mitä sinä vauhkoat?»

»Mikä tili se on? Kenen se on?»

»Minun. Miksi helvetissä olet tonkinut tavaroitani?» Ronin ääni kohosi lähes huudoksi.

»Miksi olet avannut tilin Wienissä? Mitä rahoja siellä on?»

»Onko tämä jokin kuulustelu?»

»Ei. Mutta kohta voit poliisin kuulustelussa saada vastaasi samat kysymykset. Olen istuttanut itseni samaan veneeseen sinun kanssasi ja minun on tiedettävä kaikki. *Kaikki.* Ymmärrätkö? Sinulla ei todellakaan ole nyt varaa esittää mitään primadonnaa!»

Roni käsitti isän olevan oikeassa, vaikka kihisikin yhä kiukusta. Tietysti. Isän oli tiedettävä kaikki, kuinka hän muuten voisi pelastaa sen mitä pelastettavissa oli. Äkkiä Ronia hävetti. Isä oli asettanut itsensä hänen puolestaan pahasti likoon, ja hän oli pimittänyt tältä olennaisia asioita.

»Se kaveri Marbellassa, jolta Herkko osti minulle steroideja», Roni sanoi huokaisten. »Hän soitti minulle kerran. Halusi tavata.»

Isän kasvot olivat kiviset, mutta silmissä leiskui vaarallisesti. »Niin?»

»Tapasimme kerran. Hän kysyi, haluaisinko tienata hiukan. Myydä huippuluokan hormoneja jollekin Suomessa. Sanoin, että tienaan vain ajamalla. Sitten joskus. Mutta että saattaisin tietää jonkun, joka voisi olla kiinnostunut ostamaan hänen lääkkeitään.»

Isä katsoi häntä tyrmistyneenä. »Ei voi olla totta. Ohjasit hänet Julian enon puheille?»

»Mistä arvasit? Tunnetko Toomaksen?»

»Ei ole kunnia tuntea. Mutta tiedän sen tyypin. Mitä sinä oikein ajattelit? Saatana sentään, tuollaisen idiootinko minä sinusta kasvatin?»

Isä näytti siltä kuin alkaisi itkeä raivon ja pettymyksen kyyneleitä. »Vain täydellinen typerys riskeeraa kaiken sotkeutumalla tuollaiseen. Saitko sinä siitä rahaa? Eikö sinulla ole ollut muka tarpeeksi sitä?»

»Ei ollut kysymys minun raha-asioistani. Kyse oli Juliasta. Halusin auttaa häntä. Hänellä oli krooninen rahapula.»

»Ja näin hän sai tietää hormoneistasi. Olisit kertonut heti totuuden… Minkä verran Itävallan tilillä on rahaa?»

»Muutama tonni.»

Kun Roni näki isän epätoivoisen ilmeen, hän oli vähällä purskahtaa uudestaan itkuun.

15.

Tero kiihdytti vauhtia noustessaan Helsinki-Vantaan ulkomaan-terminaalin lähtevän liikenteen rampille. Aamu oli vilkkaimmil-laan ja taksit jättivät matkustajia ovien eteen.

»Kun pääset perille, osta varmuuden vuoksi uusi esimaksettu Vodafone ja laita se vanhaan puhelimeesi», hän sanoi. »Minä os-tan täällä sellaisen myös. Ollaan varmuuden vuoksi yhteydessä vain niiden kautta.»

»Mutta ei pelkästään niiden kautta», Roni sanoi. »Käytetään tavallisia liittymiä tavallisiin asioihin. Olisi outoa, jos puhelut loppuisivat kokonaan.»

Tero pinnisti huulilleen jonkinlaisen hymyn. »Hyvin hoksattu. Ja Espanjassa hävität kaiken, mikä liittyy –»

»Tietysti. Älä jankuta. En ole tyhmä.»

Etkö, Tero ajatteli. Ronin steroidikauppa oli niin järjetön ja turha riski, että Teroa kylmäsi ajatella koko asiaa. Entä jos se olisi paljastunut siinä vaiheessa, kun oltaisiin neuvoteltu F1-tal-lien kanssa?

»Käy talo läpi yhtä tarkasti kuin kotietsintää tekevä poliisikin kävisi», Tero sanoi madellessaan jonossa ja odottaessaan vapautu-vaa pysähtymispaikkaa. »Yhdelläkään paperilla ei saa olla yh-täkään sanaa tai numeroa tai mitään sellaista.»

»Kuinka monta kertaa minun pitää sanoa, ettei siellä ole mitään, mikä liittyisi niihin.»

»Mutta ei meidän varovaisuutemme auta mitään, jos Toomas katsoo viisaaksi kertoa poliisille Julian puuhista.»

»Toomas ei missään nimessä puhu näistä asioista. Miksi hän ilmiantaisi itsensä?»

Tero pysähtyi ja Roni astui nopeasti ulos. Tero nousi hänen perässään ja kiersi takaluukulle, josta Roni kaivoi laukkujaan.

»Kun nouset ilmaan, jätä Suomen asioiden murehtiminen. Minä hoidan kaiken täällä kuntoon ja tulen perässä. Ehkä jo ylihuomenna.»

»Älä hoppuile, pärjään yksinkin», Roni vastasi äänellä jonka sävyä Tero ei osannut tulkita.

Roni lähti marssimaan iso laukku mukanaan kohti terminaalin ovea.

Sami Rahnasto katsoi suurelle ilmoitustaululle teipattuja digikuvia Julia Leivon löytöpaikalta metsästä. Salamavalon räikeässä valossa mustikanvarpujen peittämällä sammalikolla lepäsi tytön ruumis tuuhean kuusen vieressä.

»Julian puhelimen soittotietojen perusteella saatiin muutamia aikatarkennuksia», yksi tutkijoista sanoi. »Hän oli soittanut ystävälleen kello 22.18 Kampista. Bussiaseman kameranauhoja kaivellaan parhaillaan. Jos meillä on onnea, tyttö nähdään niissä jonkun seurassa.»

»Entä muu puhelinpuoli?»

»Se vastaamaton puhelu puolilta öin Roni Airaksen liittymästä. Yleisesti ottaen soittoja kotiin ja ystäville. Aika runsaasti myös virolaiselle enolle. Muutama erikoinen puhelu: Ruotsin meriturvallisuusvirastoon ja Suomen onnettomuustutkintakeskukseen. Ne selittyvät uhrin tietokoneesta löytyvällä aineistolla. Hän on setvinyt hyvin seikkaperäisesti Estonian onnettomuutta, jossa hänen äidinpuoleiset isovanhempansa menehtyivät. Eno, Toomas Ehever, on töissä Targa Trading -nimisessä yhtiössä, jonka omistaa venäläinen asekauppias. Ehkä Supon tiedot Eheveristä liittyvät tähän.»

»Onko jotain syytä tutkia enoa tarkemmin?» Rahnasto kysyi.

»Ei tällä hetkellä ainakaan.»

»Yritetään kaivaa silminnäkijöitä tältä tienpätkältä», Rahnasto sanoi Hakunilan karttaa kynällä tökkien. »Tuntuu jotenkin selvältä, ettei hän olisi kävellyt tätä osuutta vaan kulkenut sen autolla.»

»Tai mopon tai moottoripyörän kyydissä», yksi tutkijoista lisäsi. »Saimme autopaikalta kosteasta mullasta tuoreet renkaiden jäljet. Kipsivalos onnistui hyvin. Harvinainen kuvio, Saksasta tuli juuri vastaus. Bridgestone Tornado, jota ei myydä Suomessa. H-nopeusluokan rengas. Olemme ajatelleet varmuuden vuoksi selvittää, millaiset renkaat on autossa, jota Roni Airas käyttää.»

»Haluaisin puhua tämän Ronin kanssa uudestaan.»

»Airas on Espanjassa.»

»Onko isäkin siellä?»

»Ei tällä hetkellä.»

Rahnasto mietti hetken. »Käyn sitten isä-Airaksen luona. Annatko vielä sen rengasraportin.»

Tunnin kuluttua Rahnasto kääntyi jo toisen kerran Airasten pihaan Vartiokylässä. Vanha puutalo sijaitsi metsän reunassa rauhallisella paikalla. Pihapiiri oli hoitamaton ja päärakennus olisi kaivannut maalia. Rahnasto pysäköi vanhan urheiluauton viereen tallirakennuksen eteen.

Tero Airas tuli häntä vastaan ulos ja onnistui näyttämään miltei epäilyttävän ilahtuneelta vieraansa nähdessään. Tervehdysten jälkeen Rahnasto päätti mennä suoraan asiaan.

»Kuinka kauan Roni on Espanjassa?»

»Hän asuu siellä. Viettää suurimman osan ajastaan Espanjassa. Hän tulee ehkä jouluksi. Olen itsekin lähdössä huomenna sinne.»

»Hän ei tule Julian hautajaisiin?»

»En usko.»

Rahnasto huomasi Airaksen olemuksen jännittyneen hieman, mutta se oli ymmärrettävää. Poliisilla oli sellainen vaikutus ihmisiin.

»Mitä autoa Roni käyttää Suomessa käydessään?»

»Se vaihtelee. Tuota muun muassa.» Airas nyökkäsi tummanvihreän vanhan Aston Martinin suuntaan.

»Eikö hänellä ole omaa autoa?» Rahnasto kysyi, vaikka oli selvittänyt tiedot pojan urheilu-Audista, vuosimallia 1999.

»On hänellä omakin. Mutta ei hän sitä hirveästi käytä. Vie kamalasti bensaa.»

»Haluaisin nähdä sen.»

Airas lähti autotallia kohti ja kaivoi kävellessään avaimet taskustaan. Parioven puolikkaan takaa paljastui punainen, huolella vahattu, pyöreämuotoinen Audi TT.

Tero seurasi Rahnaston katsetta. Hänellä oli täysi työ peittää hermostuneisuutensa, vaikka oli moneen kertaan käynyt mielessään tilanteen läpi.

Rahnasto käveli auton sivuoven viereen ja vilkaisi sisään. Tero ei pitänyt hiljaisuudesta, mutta varoi täyttämästä sitä tyhjällä puheella. Jokainen lausuttu sana saattoi olla liikaa, juuri niin hän oli Ronille opettanut. Sama koski pitkälle edenneitä liikeneuvotteluja. Hiljaisuus toimi tehokkaammin ja varmemmin kuin joutavuudet.

»Varsinainen kaunotar», Rahnasto sanoi.

Tero ei ymmärtänyt mitä mies tarkoitti, kunnes huomasi tämän katselevan tallin perällä olevaa vuoden 1958 mallin Jaguar XK 150:stä.

»Siinä on vielä paljon työtä», Tero sanoi ja hymähti.

»Näyttää ruosteettomalta. Mistä se löytyi?»

»St Raphaelista Etelä-Ranskasta. Kuiva ilmasto.»

Rahnasto laski katseensa Audin renkaisiin.

Juuri niin. Nyt oli se hetki.

Rahnasto luki rauhallisesti renkaan kyljestä merkin. Michelin.

Tero valmistautui vastaamaan kysymykseen.

»Kauanko nämä ovat olleet alla?»

»Jaa-a», Tero vastasi niin spontaanisti kuin pystyi. »En ole varma, pitäisi kysyä Ronilta.»

»Onko missään autoistanne ollut koskaan Bridgestonen Tornadot?»

Tero oli miettivinään sekunnin. »Roni huolehtii itse renkaistaan, mutta kuulostaa kyllä tutulta.» Kiistäminen olisi ollut turhaa. Poliisi saisi asian halutessaan selville.

»Ajoiko Roni Audillaan maanantai-iltana?»

»Ei illalla. Hän tuli kotiin kuuden maissa.»

Tero aikoi toistaa Ronin esittämän kertomuksen videon katsomisesta ja koti-illasta, mutta hiljeni. Sitä ei kysytty, ja hän vastasi vain kysymyksiin.

»Oliko muita kotona kuin te kaksi? Muuta perhettä?»

Tero tyytyi pudistamaan päätään. Hän harkitsi mainintaa avioerosta, mutta pysyi vaiti. Sekään ei kuulunut tähän.

»Missä Bridgestonen renkaat nyt ovat?»

»Kaikki renkaat ovat varastossa tallin perällä.»

»Voisinko vilkaista niitä?»

Lauseessa ei ollut sävyäkään kysymyksestä, se oli toteamus johon oli vain yksi vastaus.

Tero lähti kohti varastoa. Renkaiden vaihto oli hätäännyksessä tehty turha ja vaarallinen toimenpide, siitä oli enemmän haittaa kuin hyötyä.

Hän tiesi, että hänen pitäisi luontevuuden vuoksi yrittää tiedustella mistä oli kysymys, mutta silloin mentäisiin heikoille jäille. Hän pelkäsi kuollakseen käyttävänsä väärää äänensävyä tai vääriä sanoja, joten oli parasta olla hiljaa.

Lämmin ilma leuhahti oven takaa. Tero kytki valon katkaisijasta. Lattialla oli pinossa kolme rengaskertaa vanteineen, reunimmaisena Bridgestonet. Seinäkoukuissa roikkui hänen kilon painoinen BH Speedrom -polkupyöränsä, joka oli ajat sitten ollut määrä viedä takaisin kotimaahansa Espanjaan. Ajatuskin huolettomasta vapaudesta pyörän selässä sinisen taivaan alla tuntui nyt tavoittamattomalta haaveelta.

»Näissä on runsaasti pintaa vielä», Rahnasto sanoi. »Miksi ne eivät ole alla?»

»Sitä pitää kysyä Ronilta. Mutta minun ymmärtääkseni hän haluaa säästää niitä ja ajaa Michelinit loppuun. Hän aikoo myydä auton keväällä.»

Rahnasto kumartui lähemmäs pinoa ja katsoi tarkasti ylintä rengasta. Hän kohotti sitä, ja Teron sydän hypähti ikävästi. Hän oli tuntenut tekevänsä naurettavaa ja yliampuvaa työtä kuivatessaan renkaat hiustenkuivaajalla ja säätäessään varaston patterin kuumemmalle, mutta nyt hän kiitti Luojaansa että oli vaivautunut. Muta olisi säilynyt kosteana päiväkausia ja herättänyt uusia kysymyksiä – entistä hankalampia.

»Onko jokin erityinen syy, miksi Ronin renkaat kiinnostavat?» Tero kysyi varovasti.

Rahnasto ei vastannut, vaan laski renkaan paikalleen.

Hänen olisi toistettava kysymys, oltava enemmän ihmeissään, muuten hänen käytöksensä herättäisi epäilyjä.

»Ei kai Roni liity mitenkään surmaan?»

»Teemme rutiinitutkimuksia monella eri suunnalla, ja yksi suunta ovat rengasjäljet. Sen varmaan entisenä poliisina ymmärrät hyvin.»

Tero hätkähti tahtomattaan, silti hän nyökkäsi levollisesti.

»Ottaisin renkaat mukaani, tutkimme niitä hiukan.»

Teron sisällä kytenyt pelko kasvoi Rahnaston nostaessa renkaita autoonsa. Hän olisi halunnut soittaa Ronille heti, kun tämä ehtisi Malagaan ja varoittaa siitä mitä olisi tulossa, mutta hillitsi itsensä. Ronia oli turha hermostuttaa. Ja jos heidän puhelintietojaan tutkittaisiin myöhemmin, soitto saattaisi herättää epäilyjä. Toisaalta olisi kai ymmärrettävää, jos isä poliisin käynnin jälkeen haluaisi puhua poikansa kanssa. Eikö olisi pikemminkin luonnotonta, jos hän ei ottaisi Roniin yhteyttä?

Rahnasto vilkaisi taustapeilistä loittonevaa puutaloa. Hän soitti saman tien tutkinnanjohtajalle.

»Isä-Airas tietää enemmän kuin kertoo», hän sanoi. »Minun mielestäni Roni Airasta pitää kuulustella. Poika saa luvan tulla takaisin Suomeen.»

»Mitä sieltä löytyi?» tutkinnanjohtaja kysyi.

Rahnasto kertoi lyhyesti käynnistään.

»En tiedä milloin ja miksi renkaat on vaihdettu, mutta verrataan niiden kuviota valoksiin.»

Rahnasto lopetti puhelun ja ajoi mietteliäänä. Tero Airaksen tausta oli erikoinen. Rahnasto olisi halunnut selvittää sitä tarkemmin, mutta poliisin omissa rekistereissä oli niukasti merkintöjä. Airaksen ura poliisissa oli katkennut lyhyeen, jotain poikkeavaa oli tapahtunut silloin kun hän oli ollut kovimpaan ammattirikollisuuteen erikoistuneessa atari-toiminnassa. Jos miehestä haluttaisiin tarkempia tietoja, olisi kaivettava esiin joku hänet 1980-luvun alkupuolella tuntenut kollega.

16.

Ainoa valopiste näköpiirissä oli katulamppu, jonka edessä alaston koivunoksa heilui tuulessa.

Kimmo naputteli peukalollaan rattia. Hänellä oli pahoja aavistuksia, joista hän ei halunnut puhua edes Sirjelle, joka oli noussut autosta ulos odottamaan.

Missä Toomas viipyi? Ja miksi hänelle ei ollut kelvannut tapaamispaikaksi heidän kotinsa tai Toomaksen asunto tai edes kahvila? Olivatko he edes oikeassa paikassa?

Joutsamontien loppu, kääntymispaikka. Yksiselitteinen ohje, yksiselitteinen paikka.

Kimmolle ei ollut yllätys, että Toomaksen puuhissa oli jotain hämärää, mutta edes vihje siihen suuntaan, että Juliakin olisi ollut jollain tavalla osallisina niissä ympyröissä oli tyrmäävä vaihtoehto, joka oli selvitettävä perin pohjin. Poliisille asiasta puhuttaisiin sitten, kun nähtäisiin mistä oli kysymys vai oliko mistään. Poliisille ei todellakaan annettaisi turhaan sellaista käsitystä, ettei Julia ollutkaan pelkkä viaton koulutyttö.

Peiliin heijastuivat takaa tulevan auton valot. Kimmo nousi ulos ja kiskaisi takkinsa vetoketjun kiinni. Sirje tuli lähemmäs.

Pieni BMW pysähtyi heidän viereensä, moottori sammui ja Toomas nousi ulos.

»Anteeksi, olen myöhässä», hän sanoi.

»Ei se mitään», Sirje sanoi. »Pääasia että tulit.»

Kimmo pysytteli hiljaa.

»Lupasin puhua. Ja puhun, koska Julia oli teidän lapsenne. Ja minun kummityttöni.»

Toomaksen äänessä kuulsi aito lämpö, joka sai Kimmon liikuttumaan. Hän puri hampaitaan yhteen ja yritti kovettaa itsensä kuulemaan epämiellyttäviä asioita kuolleesta tyttärestään.

»Mutta vain sillä ehdolla, ettette kerro tästä poliisille», Toomas jatkoi hiljaa. »Onko asia sovittu?»

»Tärkeintä on saada Julian murhaaja kiinni», Kimmo sanoi ja yskäisi kurkkunsa selväksi. »Poliisin täytyy saada tietää kaikki tarpeellinen.»

»Viimeksi kun tapasimme, olit sitä mieltä että poliisi ja oikeuslaitos päästävät murhaajan liian vähällä. Ja halusit minut tuomarin sijaiseksi.»

»Poliisia tarvitaan, että tekijä löytyy. Vai tarvitaanko? Jos ei tarvita, niin tilanne on tietysti toinen.»

»En käy kauppaa tällaisilla asioilla. Joko lupaatte, ettette kerro asioista poliisille, tai lähden tieheni. Valinta on teidän.»

Kimmo ei vilkaissutkaan Sirjeä, joka oli tarttunut häntä kädestä ja puristi lujaa.

»Sanoin jo», Kimmo vastasi. »Tärkeintä on, että Julian murhaaja löytyy ja saa ansionsa mukaan. Luulisi sinunkin enona pitävän sitä pääasiana...» Kimmon ääni kohosi ja hän joutui hillitsemään itsensä väkisin. Mikäli hän nyt suututtaisi Toomaksen, tämä ei kertoisi mitään. »Jos murhaaja saadaan kiinni sinun tietojesi avulla, poliisia ei tarvita.»

»Istutaan autoon», Toomas sanoi.

He istuutuivat Leivojen Fordiin, Toomas ja Sirje takapenkille ja Kimmo eteen.

»Julia kysyi minulta kerran, tuntisinko salilla ketään joka tarvitsisi korkeatasoisia hormoneita. Koetin kysellä mistä oli kysymys. Yritin varoittaa häntä. Mutta hän ei ottanut puheitani kuuleviin korviinsakaan.»

Kimmolla oli täysi työ pysytellä hiljaa. Miksi Toomas ei ollut kertonut heille Julian puheista? Jos Toomas oli johdattanut Julian rikolliseen maailmaan... Toomas maksaisi vielä, kunhan tämä kaikki olisi ohi. Tavalla tai toisella.

»Yritin kysellä mistä hän oli saanut huippuluokan steroideja, mutta Julia ei vastannut. Yritti vain sitkeästi myydä niitä. Ja minä tietenkin kieltäydyin yhtä sitkeästi. Hän kielsi puhumasta mitään teille, ja lupasin etten puhu.»

»Etkä saanut selville, mistä hän oli saanut niitä?»

»En», Toomas sanoi, mutta vastaus ei kuulostanut Kimmon korvissa uskottavalta.

»Mikä tässä on niin salaista, ettei se saa päästä poliisin korviin?» Kimmo halusi tietää.

»Etkö käsitä?» Toomaksen ääni kiristyi. »Se, että Julia on edes tarjonnut minulle hormoneita. Millaisen kuvan se antaa poliisille Juliasta? Tai minusta?»

Kimmo nousi autosta samaan aikaan kuin Toomas ja lähti harppomaan virolaisen rinnalla.

»Sinulla on oltava joku aavistus siitä, kuka Julian oli voinut sotkea laittomiin puuhiin... Joltakin hän oli ostanut ja jollekin myynyt, ei hänelle tyhjästä rahaa ollut ilmestynyt.»

Toomas pysähtyi äkisti. »Minullako on oltava aavistus?» hän kysyi kylmällä äänellä. »Minunko pitäisi tuntea Julian asiat ja kaverit? Katsokaa peiliin, eiköhän sieltä näy kuka ne parhaiten tietää. Tai kenen ne ainakin pitäisi tietää.»

»Älä ala soittaa suutasi minulle», Kimmo sihahti, mutta Toomas oli jo astunut pikku-Bemariinsa, starttasi ja lähti paikalta rajusti kaasuttaen.

Tero heräsi olohuoneesta kuuluvaan kolahdukseen. Hän vilkaisi kelloradion vihreitä numeroita. 3:20. Hän ei ollut koskaan edes harkinnut hälytinjärjestelmän asentamista kotiinsa, se tuntui ylimitoitetulta varovaisuudelta. Näin hän ei tietenkään koskaan ollut sanonut Helsinki Securityn asiakkaille, joiden joukossa oli yllättävän paljon myös yksityisiä perheitä. Ihmiset pelkäsivät, vaikka tilastojen valossa siihen ei ollut mitään syytä.

Tero käveli makuuhuoneen ovelle ja työnsi sen varovasti auki. Pimeän käytävänpätkän takana avautui olohuone, jossa hohtivat videolaitteiden ja stereoiden valmiusvalot.

Hän näki tumman hahmon liikahtavan nurkassa.

Tutun hahmon.

Raivon ja pettymyksen aalto kuohahti hänen ylitseen.

»Valtteri», hän karjaisi ja painoi katkaisijasta valot.

Mies livahti kassi kädessään kohti pation ovea. Valtteri oli laihtunut entisestään ja antanut hiustensa kasvaa. Tero säntäsi poikapuolensa perään ja näki vitriininsä oven olevan auki. Hänen katseensa viivähti tyhjissä hyllyissä, joille oli jäänyt vain karttapallo ja kompassi.

»Olet edistynyt», hän sanoi itsehillintänsä viimeiset rippeet kasaten. »Ymmärrät jo varastaa jotain oikeasti arvokasta. Olisit vain tyytynyt taaskin televisioon, nyt se on littana, saatana, on helpompi kantaa... mutta anna vitriinin esineet takaisin!»

Valtteri ehti livahtaa puolittain ulos pation ovesta ennen kuin Tero sai hänen käsivarrestaan kiinni ja kiskaisi hänet takaisin sisään. Valtteri huohotti rajusti, silmissä oli tunteeton katse, olemattomat lihakset olivat kireät ja jännittyneet.

»Kuulitko?» Tero huusi, painoi poikapuolensa seinää vasten

ja kiskaisi tämän kassin lattialle. »Monesko talo tämä on tänä yönä? Oletko käynyt äitisikin luona?»

Valtteri sylkäisi päin Teron kasvoja ja yritti riuhtaista itsensä irti. Tero sylkäisi takaisin.

Valtteri lopetti rimpuilun ja Tero löysäsi varovasti otettaan.

Samassa Valtteri kiskaisi kätensä irti ja ennen kuin Tero ehti kunnolla käsittää mitä oli tapahtumassa, Valtterin käteen oli ilmaantunut veitsi jolla hän sohaisi Teroa kohti. Samassa Tero käsitti, että se oli helmikoristeltu veitsi lasivitriinistä, hänen oman isänsä aikoinaan Etelä-Amerikasta tuoma ase.

Tero vetäytyi oviaukon suuntaan polvet joustaen, selkä kyyryssä. Tunnelma oli muuttunut silmänräpäyksessä. Aiemmasta vihamielisyydestä huolimatta hänen ja Valtterin välillä oli kuitenkin ollut jonkinlainen inhimillinen säie, joka nyt oli katkennut.

»Päästä minut ulos», Valtteri huohotti ja sohaisi uudelleen osuen niin lähelle, että Tero joutui hypähtämään taaksepäin. Samalla hän löi kyynärpäänsä Ronin palkintovitriinin lasioveen, joka helähti säpäleiksi.

Tero teki saman tien äkkinäisen liikkeen tarttuakseen Valtteria veistä pitävästä ranteesta. Valtteri liikautti kättään enemmän sattuman kuin reaktioiden ansiosta ja terä viilsi Teron käsivartta. Se pysäytti Teron liikkeen. Valtteri livahti pation ovesta ulos.

Tero painoi kädellään haavaa kiroten raskaasti ja juoksi kylpyhuoneeseen. Hän paineli haavaa talouspaperitupolla, joka muuttui hetkessä punaiseksi. Järkytys iski Teroon vasta nyt. Haava olisi yhtä hyvin voinut olla hänen sydämensä kohdalla, hän voisi nyt maata kuolleena olohuoneen lattialla. Se olisi ollut jo liian irvokasta – isän tuoma aarre olisi mayojen uhrin asemasta vienyt hänen poikansa hengen.

Tero veti haavan päälle kerroksittain sideharsoa mahdollisimman tiukalle. Jos hän ajattelisi Valtterin parasta, hän ilmoittaisi pahoinpitelystä poliisille. Hän tiesi tehneensä pojalle karhunpalveluksen neljä vuotta sitten pelastaessaan tämän oikeudenkäynniltä narkkariporukassa tehdyn pahoinpitelyn jälkeen. Vaikka vankiloissa liikkui huumeita, ei niitä saanut ilman rahaa, joten käyttö olisi ollut väkisinkin vähäisempää. Helikin oli katunut heidän päätöstään...

Äkkiä Tero unohti haavan kädessään. Hän tuijotti itseään peilistä.

Ajatus yhtä aikaa hyyti häntä ytimiä myöten ja yhtä aikaa helpotti hänen oloaan enemmän kuin mikään muu olisi voinut helpottaa.

Se oli mielipuolinen ja mahdoton ajatus, mutta hän tiesi vuorenvarmasti, että tulisi toteuttamaan sen.

17.

Kimmo heräsi kuudelta aamulla, vaikka oli nukahtanut vasta kolmen jälkeen. Hän nousi ylös ja taisteli pahoinvointia vastaan. Sirjellä oli helpompaa nukahtamislääkkeiden ansiosta. Ulkona ikkunan takana oli pimeää ja märkää. Hakunila nukkui vielä. Kimmo laittoi kahvin tippumaan ja istahti olohuoneen sohvalle. Lehti odotti ovimatolla eteisessä, mutta muun maailman tapahtumat eivät kiinnostaneet häntä eivätkä tulisi enää koskaan kiinnostamaan. Juliasta ei Helsingin Sanomissa olisi kuitenkaan mitään, vain iltapäivälehdet seurasivat tutkimuksia.

Entä jos ne pääsisivät selville hormonikaupoista? Kimmo näki otsikot sielunsa silmin.

Hän otti esiin paperin, johon oli yöllä kirjoittanut Julian kavereiden nimiä. Joku heistä tietäisi varmasti jotain steroidikaupoista. Mutta jos hän alkaisi kysellä niistä, jutut lähtisivät kiertämään.

Kimmo meni Julian huoneeseen. Hän katsoi ympärilleen ties monennenko kerran, yhtä ahdistuneena kuin aiemmillakin kerroilla. Suuri osa Julian kirjoista oli Kimmolle täyttä hepreaa. Tyttö oli kiinnostunut asioista, jotka Kimmo hyppi lehtien sivuilla yli. Kimmoa oli joskus harmittanut, ettei hän pystynyt keskustelemaan Julian kanssa asioista, joista tämä oli innostunut. Mutta onneksi musiikki ja elokuvat olivat kiinnostaneet heitä molempia – niistä he olivat puhuneet aina ja paljon.

Toomaksen tapaamisen jälkeen Kimmo oli yrittänyt löytää jonkin vihjeen siitä, kuka Julian oli laittomiin puuhiin sotkenut. Sillä niihin murhan täytyi liittyä, siitä hän oli varma.

Hänen huomionsa kiinnittyi jälleen kerran seinälle teipattuun lehtileikkeeseen. Hän olisi halunnut jutella Ronin kanssa. Hän oli tavannut pojan muutaman kerran vuosien mittaan, ja nuorten seurustellessa Roni oli pari kertaa käynyt heidän kotonaan. Roni saattaisi tietää jotain.

Tero sujautti keltaiset siivoussormikkaat ostoskärryyn Itäkeskuksen Citymarketissa.

Hän oli hermostunut, mutta ei niin hermostunut kuin aikaisemmin. Renkaiden vaihtaminen oli ollut karkea virhe, mutta hän kääntäisi virheen edukseen tavalla, joka vain lisäisi hänen uskottavuuttaan.

Poliisit rakentaisivat tästä eteenpäin palapeliä, jonka hän oli suunnitellut pala palalta.

Hän vilkaisi vaistomaisesti ympärilleen. Väkeä ei ollut aamun tunteina paljon liikkeellä.

Käsivarren haava oli kipeä, hän oli joutunut tekemään tosissaan töitä saadakseen vuodon tyrehtymään. Haava olisi varmaankin pitänyt ommella.

Äkkiä Teroa alkoi vaivata ajatus, että hänen liikkeensä taltioituivat liikkeen valvontakameranauhalle. Hän tunsi valvontajärjestelmät perin pohjin, ja pelkkä ajatus oli vainoharhainen. Jos mitään erityistä ei myymälässä tapahtuisi, tallenne pyyhkiytyisi uuden tallennuksen alle.

Kumisormikkaita hän tarvitsisi puhdistaessaan auton vanteita. Niin hän sanoisi, jos joku asiaa joskus kysyisi. Ja hän aikoi myös puhdistaa vanteet, jotta selitys olisi uskottava. Hän keräsi kärryyn rekvisiitaksi myös pullon Tolua ja vaahtovillaa. Hänen ajatuksensa askartelivat jo siinä, kuinka hän pääsisi sisään Valtterin asuntoon.

Roni veti ylleen punavalkoista ajohaalaria Jerezin radan varikolla. Tuhansia ihmisiä istui VIP-katsomossa ja tunnelma oli kuin Grand Prix'ssa, vaikka kyse oli vain GP2-sarjan tallien yhteisistä testiajoista. Niihinkin sisältyi lähdön jännitystä, taktikointia ja varikkopysähdysten dramatiikkaa.

Hän astui lähemmäs suurta ikkunalasia. Varikkoalueella hänen alapuolellaan mekaanikot juoksivat edestakaisin autojen seassa tehden viime hetken säätöjään. Kaksi värikkäisiin haalareihin pukeutunutta PR-naista kiiruhti pois heidän tieltään.

Roni vilkaisi kelloaan. Vielä neljä minuuttia.

Miksi isä oli käskenyt hänen soittaa sekunnilleen sovittuna aikana?

Hän veti vetoketjun hitaasti kiinni kaulaan saakka, otti ajokäsineet ja nosti kypärän kainaloonsa.

Äkkiä hän pysähtyi. Hän käveli kohti ikkunaa ja painoi nenänsä melkein kiinni lasiin.

Pisara.

Sen viereen ilmaantui toinen.

Hänen alapuolellaan varikolla toiminta näytti seisahtuvan. Kaikki katsoivat taivaalle.

Roni kääntyi ja huomasi ovelle ilmestyneen päivettyneen, suoraryhtisen miehen, joka tuijotti häntä.

Mitä Marcus Grotenfelt teki täällä?

»Marcus», Roni sanoi yllättyneenä.

»Terve Roni. Tulin toivottamaan menestystä testiajoon.»

»Kiitos», Roni sanoi. Hän oli kuulevinaan Marcuksen äänessä

jotain salaperäistä. »Ovatko nämä jotenkin erityiset testit?»

Penkillä oleva Ronin puhelin alkoi soida.

»Pidän aina silmät auki ja korvat kuulolla.»

Roni nyökkäsi vakavana. Puhelin jatkoi sinikkäästi soimistaan.

»Onnea matkaan», Marcus sanoi ja kääntyi poistuakseen.

»Jollakin taitaa olla tärkeää asiaa», hän nyökkäsi puhelimen suuntaan ennen kuin katosi ovesta.

Roni harppoi sekavassa mielentilassa kohti puhelinta. Oli selvää, että Marcuksella oli jotain mielessään. Oliko hänellä joku rahoittaja seurassaan?

Roni huomasi näytössä suomalaisen numeron, Helsingin verkkoryhmästä.

Hän epäröi hetken, mutta vastasi.

Soittaja oli Kimmo. Ronin jo valmiiksi kiihtynyt pulssi alkoi mennä punaiselle.

»Miten menee?» Kimmo kysyi karhealla äänellä.

Sävy ei ollut epäystävällinen, mutta ei ystävällinenkään.

Roni vilkaisi ulos. Vettä tuli nyt kaatamalla.

»Mikäs tässä, testataan juuri autoa.» Hän vilkaisi kelloaan ja lähti harppomaan portaita alas. Isä odotti hänen soittavan äidille tasan minuutin kuluttua. Hänen olisi saatava Kimmon puhelu loppumaan kohteliaasti.

»Soitan sinulle myöhemmin», hän sanoi. »Joudun menemään radalle.»

Roni painoi puhelimen kiinni ja puristi sitä hermostuneena. Hän avasi varikkotallin oven ja käveli moottoreiden pauhinassa mekaanikkojen lomitse kohti autoaan, joka kykenisi parhaimmillaan kiihdyttämään nollasta 200 kilometriin tunnissa 6,70 sekunnissa. Ja sen hän tänään tekisi, hän näyttäisi Marcukselle. Jospa tämä tietäisi millaisissa hermopaineissa hän oli lähdössä radalle.

»Missä sinä viivyit», Jason kysyi.

Muutkin mekaanikot kääntyivät katsomaan häntä.

»Pieni hetki.» Roni käveli sivummalle ja katsoi kelloaan. 50 sekuntia. Hän poimi pikavalinnan takaa valmiiksi numeron.

Tero katsoi kelloaan ja soitti Helin ovikelloa jännittyneenä. Hän oli puhunut tämän kanssa tuntia aiemmin puhelimessa.

Heli tervehti pirteästi mutta pidättyvästi.

Tero vastasi tervehdykseen yrittämättäkään esittää mitään muuta kuin oli: kiireinen ja huonotuulinen. Haavaa jomotti, ja hän mietti pitäisikö sitä käydä näyttämässä lääkärille. Hän ei missään nimessä halunnut sen tulehtuvan ennen Espanjaan lähtöä. Mutta lääkäri esittäisi kysymyksiä, joihin hän ei olisi halunnut sepittää vastauksia.

Hän seurasi Heliä peremmälle ja katseli vaivihkaa ympärilleen. Kyllä, hän oli muistanut oikein: lankapuhelin oli makuuhuoneessa tietokoneen vieressä.

»Oletko nähnyt Valtteria?» Tero kysyi.

»Mitä sinä sillä tiedolla teet?» Heli napautti.

»Kysyin vain.»

»Miten teillä menee Espanjassa?»

»Paremmin kuin osasin odottaa.»

Heli huokaisi, eikä Tero osannut tulkita huokauksen sävyä.

»Tässä nämä ovat», Tero sanoi vaivaantuneen hiljaisuuden jälkeen ja ojensi yhteiseksi jääneen arvo-osuustilin lopettamista koskevan valtakirjan, johon oli tullut hakemaan allekirjoitusta. Hän oli vasta pitkän pohdinnan jälkeen onnistunut keksimään tekosyyn vierailulle.

Puhelin soi täsmälleen sovittuun aikaan makuuhuoneessa. Roni oli ollut koko ikänsä tekemisissä sekunnin kymmenes- ja sadasosien kanssa, joten muutaman sekunnin marginaalit eivät tuottaneet hänelle ongelmia. Tero ei ollut maininnut Ronille Valt-

terin käynnistä eikä puukotuksesta, pyytänyt vain häntä soitta-
maan sekunnilleen sovittuna aikana äidilleen. Roni oli yrittänyt
kysellä syytä, ja Tero oli luvannut selittää myöhemmin.

Heli hävisi makuuhuoneeseen vastatakseen puhelimeen.

Heti kun hän oli kadonnut näköpiiristä, Tero harppasi
olohuoneen lipastolle ja veti ylimmän laatikon äänettömästi
auki.

Hän katsoi helpottuneena avainkasaa, jonka seassa oli Valt-
terin kaksion avain. Hän oli kerran aiemminkin ottanut sen sa-
masta paikasta, kun he olivat vieneet Valtterille takkahuoneen
vanhan sohvan.

Tero sujautti avaimen taskuunsa, työnsi laatikon kiinni ja kes-
kittyi näyttämään huolettomalta.

Neljänkymmenen minuutin kuluttua Tero työnsi avaimen Valt-
terin oven lukkoon Vuosaaren Majakkasaarentiellä sijaitsevan
kerrostalon portaikossa.

Hän pelkäsi, että joku näkisi hänen menevän sisään ja kertoisi
asiasta Valtterille. Samoin hän pelkäsi sitä, että Valtteri olisi ko-
tona, vaikka olikin Teron soittaessa sanonut olevansa kaverei-
densa luona. Valtteriin ei voinut koskaan luottaa, hän oli äärim-
mäisen taitava valehtelija ja manipuloija. Sen poliisitkin tulisivat
huomaamaan – eikä se olisi lainkaan huono asia.

Tero avasi oven ja astui sisään rauhallisesti, ikään kuin olisi
mennyt asuntoon luvallisesti. Heti kun hän sai oven perässään
kiinni, hänen liikkeensä muuttuivat hätäisiksi. Ensimmäiseksi
hän tarkisti, että huoneisto oli tyhjä. Sitten hän veti käsiinsä kel-
taiset kumisormikkaat.

Kaksio oli pöyristyttävässä kunnossa: pölyä ja roskia kaik-
kialla, tavarat hujan hajan, tiskipöytä likaisten astioiden val-
lassa, seinän vierillä kasoissa ilmaisjakelulehtiä. Makuuhuo-
neessa ei ollut sänkyä vaan pelkkä patja. Viimeksi siellä oli ollut

sänky, minne Valtteri oli hävittänyt sen? Myynyt muutamalla kympillä saadakseen piikin?

Televisio ja dvd-laitteet hallitsivat olohuonetta. Lyttyyn istutulla samettisohvalla, heidän vanhalla takkahuoneen sohvallaan, oli puolityhjä perunalastupussi, oluttölkki ja mytättyjä paperinenäliinoja.

Tero meni kylpyhuoneeseen ja käänsi vaistomaisesti katseensa pois lavuaarin reunalla kuivuvista ruiskuista.

Hän pakotti itsensä palaamaan olohuoneeseen ja veti samalla taskustaan Julian valokuvan, jonka oli löytänyt Ronin albumista. Se oli pieni koulukuva, jossa Julia katsoi kameraan sinisessä paitapuserossaan.

Tero työnsi kuvan piiloon Valtterin pöydän vetolaatikkoon rojun sekaan, katsoi vielä kerran ympärilleen, riisui kumisormikkaat, työnsi ne taskuunsa ja poistui porraskäytävään.

18.

»Renkaat ovat samat», rikoskonstaapeli luki teknisen tutkinnan raportista karusti sisustetussa huoneessa, jossa tuoksui pohjaan-palanut kahvi. »Valokset täsmäävät Airaksen renkaiden kuvioi-hin.»

Rahnasto vilkaisi häntä pöydän toiselta puolelta. »Asia on siis harvinaisen selvä. Ja mitä tulee Audin alla nyt oleviin renkaisiin, pulttien jälkien puhtauden perusteella vanteet ovat olleet alla hy-vin vähän aikaa. Tai ainakaan niillä ei ole ajettu juuri ollenkaan. Taitaa olla aika soittaa Roni Airakselle», Rahnasto sanoi.

Aurinko helotti kuumasti Välimeren yllä. Roni palasi laatoite-tulta patiolta olohuoneeseen paljain jaloin ja oli juuri menossa keittiöön, kun puhelin liversi shortsien taskussa.

Tuntematon numero, näyttö ilmoitti. Ronia puistatti, mutta hän pakotti itsensä vastaamaan. »Haloo?»

»Onko Roni Matias Airas?»

Soittajan uhkaavan virallinen äänensävy sai Ronin sydämen hakkaamaan. »On.»

»Täällä puhuu rikosylikonstaapeli Rahnasto Helsingistä, huomenta.»

»Huomenta», jokin osa Ronista vastasi automaattisesti. Toinen osa käpertyi puolustusasemiin.

»Onko Espanjan aamu lämmin?»

Roni oli erottavinaan miehen äänessä jonkinlaista pottuilua, mutta pakotti saman tien mielikuvituksensa aisoihin. Oli käytettävä vain järkeä, oltava rauhallinen kuin hetkeä ennen starttia.

»Ei valittamista.»

»Arvaatkin varmaan miksi soittelen.»

Sävy kuulosti entistä pahemmalta. Hän ei ollut vain kuvitellut uhkaa äänessä.

»Onko Julian surmasta saatu selville jotain uutta?»

»Sitä haluamme vielä kysyä sinulta. Pääsisitkö tänne huomiseksi?»

»Helsinkiin? Huomiseksi?»

Ronin sydän takoi. Hän huomasi kävelevänsä olohuoneessa ympyrää. »Miksi?»

»Kuulusteltavaksi.»

»Kuulusteltavaksi mistä?»

»Julia Leivon surmasta.»

»Et voi olla tosissasi...»

»Pääsetkö tänne vai tulemmeko me sinne?»

»Tulen sinne, että saadaan tämä asia selväksi», Roni sanoi ja yllättyi itsekin siitä miltä kuulosti: aidon yllättyneeltä, vilpittömän närkästyneeltä, syyttömältä.

Isä oli aina sanonut, että Roni loisti vasta tiukan paikan tullen. Tämän tiukempaa oli vaikea kuvitella.

»Mihin aikaan pääset tänne Pasilan poliisitalolle?»

»Tarkistan ensin lennot. Mihin numeroon voin soittaa?»

Poliisi antoi numeronsa ja Roni lopetti puhelun.

Hän jäi seisomaan hetkeksi paikalleen.

Sitten hän otti pöydältä vanhan Motorolansa, jossa oli ennaltamaksettu SIM-kortti, ja soitti isälle anonyymiin numeroon.

»Poliisi soitti», hän sanoi tyynesti. »Käski kuulusteluun surmasta epäiltynä.»

»Mitä sinä vastasit?»

»Sanoin tulevani huomenna, että saadaan tämä asia selväksi.»

»Hyvä.» Isän ääni värähti hiukan. »Tämä tarkoittaa nyt sitä, että pistän vauhtia myös... muilla suunnilla.»

»Mitä sinä oikein aiot?»

»Sinun ei tarvitse tietää. Vastaat vain omalta osaltasi kaikkeen mitä poliisi kysyy.»

»Voi helvetti», Kimmo tiuskaisi kiskaistessaan takkinsa vetoketjun auki kotinsa eteisessä.

»Mitä nyt?» Sirje kysyi.

Kimmo kumartui ähkäisten riisumaan kenkänsä, käveli olohuoneeseen ja lysähti sohvalle.

Sirje pyöri hänen ympärillään yhä levottomampana. »Mitä Jenni sanoi? Saitko jotain selville?»

Kimmo huokaisi, kuin kerätäkseen voimia puhumiseen.

»Meidän olisi pitänyt tajuta tämä ajat sitten», hän sanoi. »Roni Airas.»

Sirje näytti yllättyneeltä. »Mitä Ronista?»

Kimmo katsoi vain eteensä.

»Et voi olla tosissasi», Sirje sanoi.

»Ronilla on kuntosali kotonaan.»

»Ei... ei silti...»

»Ronilta Julia on saanut hormonit. Jenni vihjaili kaikenlaista... heidän seurustelustaan.»

»Mitä siitä?»

»Se loppui keväällä, mutta he tapailivat silti. Jennin mukaan heillä oli riitoja.

»Mistä?»

»Ei hän tiennyt», Kimmo sanoi synkästi. »Rahasta? Hormonien välityksestä? Ja mihin riita johti?»

Sirje tuijotti häntä epäuskoisena.

»Roni oli ollut kummallinen, kun Jenni oli puhunut hänen kanssaan. Vaisu... Ei tyrmistynyt...»

»Kai Jenni on puhunut poliisille havainnoistaan?»

»Ei kai ole... Onneksi.»

Sirje sulatteli asiaa. »Soitetaanko poliisille?»

»Ei vielä», Kimmo sanoi. »Juttelen vähän muidenkin kanssa.»

»Mutta sitten soitetaan, vai mitä? Tämä kuuluu poliisille eikä meille.»

»Niinkö? Kuuluuko tämä enemmän poliisille kuin minulle? Eikö tämä kuulu minulle lainkaan?» Kimmon ääni kohosi huudoksi, sitten hän rauhoittui hieman mutta sanoi edelleen kiukkuisena: »Älä koskaan enää tule sanomaan minulle, ettei Julian murhaaja kuulu minulle. Hän kuuluu nimenomaan minulle.»

19.

Tero kuunteli Ronin innotonta selostusta erinomaisista kierrosajoista ja Marcuksen ylitsepursuavasta toiveikkuudesta heidän kävellessään kohti lentokentän pikaparkkia koleassa tuulessa. Marcuksen ilmestyminen Jereziin oli ollut Terolle yllätys – hyvin myönteinen yllätys, jonka merkitystä olisi muissa olosuhteissa puitu hartaasti.

»Tiesitkö, että Marcus on tulossa käymään Suomessa?» Roni jatkoi hermostunutta pälpätystään.

»En. Miksei hän ole maininnut minulle siitä mitään?»

»Liikematka, kuulemma. Pikavisiitti. Ei liity kilpa-autoiluun.»

Heti kun he pääsivät autoon, Roni kysyi kireällä äänellä: »Mitä poliisi on saanut selville? Heillä on selvästi jotain konkreettista.»

»Ainakin renkaiden jäljet Suometsän parkkipaikalla. Ehkä silminnäkijähavainto sinun autostasi niillä nurkilla», Tero vastasi ja kiinnitti turvavyönsä.

»Olisi hyvä tietää, kumpi.»

»Lähdetään pahimmasta vaihtoehdosta. Auto on havaittu. Jos

sinut olisi nähty, he olisivat toimineet eri tavalla.» Tero käynnisti auton ja lähti ajamaan kohti Pasilan poliisitaloa.

»Jos auto on nähty, en voi kiistää olleeni siellä.»

»Kyllä voit», Tero sanoi ja kiihdytti vauhtia. »Sinun on pakko kiistää. Koska et ollut siellä. Olit kotona. Olet ennenkin lainannut autoasi Valtterille.»

Roni tuijotti häntä epäuskoisena ja sanoi: »Tuo ei tule onnistumaan.»

»Miksi ei?»

»Miksi poliisit uskoisivat Valtterin ajelleen siellä?»

»Olen hieman järjestellyt asioita. Älä huolehdi siitä puolesta.»

Tero oli palauttanut Valtterin avaimet Helille, se oli sujunut kohtalaisen helposti. Hän oli saanut Helin etsimään Ronin vanhoja karting-kuvia vaatehuoneestaan ja sujauttanut avaimen takaisin laatikkoon tämän penkoessa hyllyjään.

»Entä renkaat?» Roni kysyi.

»Minä vaihdoin ne. Yöllä. Kun Valtteri tuli kotiin ja tajusin mitä oli tapahtunut.»

Roni käsitteli kuulemaansa muutaman sekunnin ja takelteli puhuessaan. »Vaikka kerroit jo poliisille renkaista eri version…»

»Yritin suojella Valtteria. Ja yritän vieläkin. Mutta pian en enää voi. He muodostavat itselleen totuuden Valtterista.»

Autoon laskeutui hiljaisuus. Tero joutui pysähtymään kolmoskehän valoihin.

»Etujarrut ovat alkaneet täristä», hän sanoi rikkoakseen hiljaisuuden.

Vasta silloin Roni huomasi siteen pilkottavan hänen hihansa alta. »Mikä käteesi on sattunut?»

»Sirpale.»

»Mikä sirpale?»

114

»Lasin», Tero sanoi ja kiihdytti valoista. »Hajotin vahingossa vitriinini oven.»

»Mitä –»

»Valtteri kävi kylässä», Tero sanoi vaisusti. »Oikein yökylässä. Kassin kanssa.»

Roni palautti katseensa tiehen, kasvot kivettyen. »Yritti tällä kertaa tyhjentää minun vitriinini», Tero jatkoi katkeruuttaan peittelemättä. »Olisi voinut käydä pahemminkin. Riehui helmiäisveitsen kanssa. Arvaa mitä ajattelin, kun hän oli luikkinut tiehensä?»

»Arvaan kyllä.»

»Tuskin arvaat. Kaduin sitä, että pelastin hänet vankilasta silloin Rastilan aikaan. Sinne hän kuuluisi. Monestakin syystä. Ymmärrätkö?»

»Ymmärrän.»

»Näinköhän. Tarkoitan sitä, että Valtteri kuuluisi vankilaan. Etkä sinä.»

Tero kiihdytti Tuusulanväylälle.

»Poliisi ei luovuta, ennen kuin saa Julian tappajan kiinni», hän jatkoi. »Olemme turvassa vasta silloin, kun tekijä on lukkojen takana. Vasta kun Valtteri istuu siellä, missä hänen olisi pitänyt istua jo ajat sitten.»

Ronin oli selvästikin vaikea ymmärtää kuulemaansa. »Se ei onnistu. Poliisi tutkii hiukkasia ja DNA:ta ja vaikka mitä. Ja alibeja ja –»

»Johan sanoin, että älä huolehdi yksityiskohdista. Kävin erään Valtterin kaverin luona. Valtteri oli omilla teillään maanantai-illan. Eikä niiltä teiltä järjestetä luotettavaa alibia.»

Teron ääni muuttui hiljaisemmaksi. »Ja järjestin muutamia asioita, joista sinun ei tarvitse tietää. Jatkat elämääsi kuten tähänkin asti. Poliisi tutkii asiat. Jos selviää, että Valtterilla on alibi, niin sitten on. Sitten keksitään jotain muuta. Konstit ei

115

lopu, kunhan vastuksia piisaa.» Tero naurahti kireästi. Hänen kevennysyrityksensä ei toiminut alkuunkaan.

Pasilan valkotiilinen poliisitalo kylpi syyspäivän koleassa auringonpaisteessa. Isä pysäytti pääoven lähelle.

»Odotan näillä kulmilla», hän sanoi.

»Ihan turhaan, siellä voi mennä –»

»Mene jo. Minä odotan.»

»En halua että odotat. Mene kotiin, tulen vaikka taksilla.»

Roni pamautti oven kiinni ja jäi paikalleen seisomaan. Kului muutama sekunti, sitten isä ajoi pois.

Roni käveli kohti poliisitalon pääovea. Mustamaija lipui häntä vastaan. Hän sulatteli isän järjetöntä ehdotusta.

Vaikka kyllä hän tiesi, ettei se ollut ehdotus. Se oli päätös.

Roni tunsi, että hänen olisi pitänyt vastustaa ajatusta, mutta hän ei jaksanut. Isä saisi tehdä niin kuin viisaaksi näki. Hän ei siihen puuttuisi.

Avatessaan oven hän huomasi saavansa yhtäkkiä jostain itsevarmuutta – heti kun hän oli joutumassa selkä seinää vasten. Aivan kuin radalla: parhaat ajat tulivat silloin kun hän oli altavastaajana.

Hän ei enää pelännyt punastuvansa poliisin edessä, ei vaikuttavansa syylliseltä. Sen sijaan hän oli järkyttynyt ja surullinen Julian kohtalosta, ja vielä järkyttyneempi siitä, että hänellä epäiltiin olevan jotain tekemistä surman kanssa.

Hän ilmoittautui lasikopissa istuvalle konstaapelille puhelimessa saamiensa ohjeiden mukaan.

»Kuulusteluhuone kakkonen.»

Huoneen oven takana hän tunsi pienen särön itsevarmuudessaan, mutta ei antanut sen kasvaa.

Hän koputti napakasti harmaaseen oveen, jonka takaa kuului vielä napakammin: »Sisään!»

Ahtaassa huoneessa oli muutama tuoli ja kirjoituspöytä, jonka takana vanha tuttu Rahnasto naputteli tietokonettaan. Vaatenaulakossa roikkui harmaa pusakka.

Roni tervehti ja sanoi: »Käskettiin tänne.»

»Istumaan», Rahnasto murahti.

Roni istuutui pöydän taakse. Rahnasto naputteli tekstiä paperilta tietokoneelle, kahdella sormella mutta tavattoman nopeasti.

Roni odotti ja odotti. Oliko tämäkin jotain taktiikkaa?

Huoneessa oli lämmin, joten hän riisui nahkapusakan syliinsä.

Vihdoin Rahnasto löi teatraalisesti pisteen, niputti paperit mappiin ja nosti sen sivuun.

»Mukava että maltoit tulla sieltä etelän lämmöstä.» Miehen äänensävyä oli mahdoton lukea.

»Haluan selvittää asiat perin pohjin. On aivan järjetöntä, että minut liitettäisiin jollain tavalla Julian kuolemaan.»

»Hyvä. Selvitetään pois. Kuten varmasti ymmärrät, sinun on nyt pysyttävä totuudessa.»

Rahnasto kytki nauhurin käyntiin, saneli päivämäärän ja muut litaniat, ja pyysi Ronia kertomaan tarkasti surmaillan ohjelmasta. Roni luetteli päivän tapahtumat tylsimpiäkään rutiineja unohtamatta, ja niistäkin poliisi toden totta oli kiinnostunut.

»Kuuden maissa menin kotiin. Isä oli laittanut ruuan ja söimme. Sen jälkeen katsoimme videolta Monzan kilpailua.»

»Kuinka kauan?»

»Uutisiin asti. Sitten katsoimme leffan dvd:ltä.»

»Minkä?»

»Maratoonarin.»

»Olitte isäsi kanssa koko elokuvan ajan olohuoneessa?»

»Mitä nyt jääkaapilla käytiin.»

»Yrititkö soittaa Julialle isäsi läsnä ollessa?»

»En. Kävin omassa huoneessani.»

»Miksi yritit soittaa hänelle?»

»Peruutin aiemmin tapaamisemme. Olisin varmistanut, ettei hän suuttunut.»

»Ja missä autosi oli tuolloin?»

Nyt alettiin päästä asiaan. Roni rykäisi ja sanoi tahallisesti aiempaa kireämmin. »Tallissa.»

»Entä avaimet?»

»Eteisessä. Puhelinpöydällä tai jossakin.»

»Et ajanut autollasi koko iltana?»

»En.»

»Mitä teit elokuvan jälkeen?»

»Katsoin vähän aikaa golfia Eurosportilta ja menin nukkumaan.»

»Oletko lainannut autoasi jollekin viime aikoina?»

»En viime aikoina. Mutta velipuoleni on ajanut sillä joskus.»

Se oli totta. Valtteri oli ajanut sillä kerran, tai oikeastaan kaksi, kuten Roni oli silloin sanonut: ensimmäisen ja viimeisen kerran.

»Valtteri Airas?» Rahnasto varmisti.

Roni nyökkäsi. Mies oli tehnyt kotiläksynsä.

»Missä Valtteri oli tuona iltana?»

»En tiedä hänen asioistaan. Ei hän ainakaan meillä ollut.»

»Onko mahdollista, että Valtteri olisi lainannut tuona iltana autoa sinun tietämättäsi?»

»Kai se mahdollista on.»

»Kuka muu olisi saattanut käyttää sitä kuin velipuolesi?»

»En tiedä. Hän on ainoa, jolla on avaimet meille.»

Se oli valhe – Valtterilla nimenomaan ei ollut heille avaimia. Hänellä oli ollut, mutta lukot oli jouduttu sarjoittamaan uudelleen.

»Tunsiko Valtteri Julian?»

»Ei minun tietääkseni. Taisivat he kerran tai pari tavata meillä.»

Poliisi suoristi selkänsä.

»Milloin vaihdoit autoosi Bridgestonen renkaiden tilalle Michelinin kitkarenkaat?»

Roni liikahti tahallisen levottomasti ja hypisteli sylissään olevaa nahkatakkia. He olivat isän kanssa käyneet läpi vastaukset moneen kertaan. »Minun kai pitäisi puhua nyt totta...»

»Nimenomaan.»

»En vaihtanut renkaita.»

»Kuka ne vaihtoi?»

Roni huokaisi. »Isäni kai.»

»Miksi?»

»En tiedä. Kysykää häneltä.»

»Milloin huomasit, että ne oli vaihdettu?»

»Tiistaina. Lähdin Itäkeskukseen ja tunsin heti, että jokin oli muuttunut alla. Pysähdyin valoissa ja kurkistin ulos.»

»Mitä teit? Ihmettelitkö asiaa?»

»Tietysti. Soitin isälle ja kysyin mitä ihmettä oli tapahtunut.»

»Mitä isäsi vastasi?»

»Käski olla kyselemättä. Sanoi että kitkoja tarvittaisiin pian kuitenkin.»

»Ja tyydyit siihen?»

Roni nyökkäsi.

Rahnasto jatkoi uuvuttavan tarkoilla kysymyksillä, joihin Roni ainakin omasta mielestään vastasi tyhjentävästi ja luontevasti.

Tero lakaisi pihalla lehtiä ja odotti Ronia, joka oli tulossa taksilla Pasilasta.

Ikään kuin huolia ei olisi jo tarpeeksi, Tero mietti Ronin mainintaa Marcuksen Suomen-matkasta. Teroa ihmetytti miksei

Marcus ollut ottanut häneen yhteyttä, jos kerran oli tulossa Suomeen.

Tero kokosi hetken rohkeutta, kaivoi puhelimensa ja soitti Marcukselle, joka vastasi Malagan kentältä.

»Olen menossa Tukholmaan ja sieltä Helsinkiin», Marcuksen matala, pehmeä ääni sanoi hiukan jännittyneen kuuloisesti. »Pikainen työmatka, en valitettavasti ehdi tavata. Mutta tulen todennäköisesti pian uudelleen. Kyllä me jossain välissä ehdimme käydä mökkisaunallasi.»

Tero kuunteli hyvillään, saunavierailusta oli puhuttu moneen kertaan.

Taksi kääntyi pihalle. Tero vei haravan ulkorakennuksen seinää vasten ja katsoi Ronia, joka maksoi kyydin ja käveli kohti häntä.

»Miten meni?»

»Puhutaan sisällä.»

Ronin olemuksesta huokui hermostuneisuus.

»No?» Tero sanoi kärsimättömänä eteisessä heti kun sai vedettyä oven kiinni.

»En tiedä.»

»Miten niin et tiedä? Kai sinä –»

»En tiedä!»

Ronin karjaisuun sekoittui kolahdus, kun hän potkaisi kenkänsä eteisen nurkkaan.

Tero hiljeni ja katsoi Ronia, joka marssi keittiöön. Roni laski vettä lasiin ja joi sen tyhjäksi muutamalla kulauksella. Samoin toisen lasillisen.

Tero seisoi keittiön ovella ja odotti.

Roni laski lasin tiskipöydälle. »Eivät he ainakaan heti sulkeneet minua putkaan.»

»Kerro kaikki, kun muistat vielä. Jokainen yksityiskohta. Minun vuoronikin voi tulla pian.»

»Se tulee pian. Todella pian, usko pois. Ja Valtterin –»

Teron puhelin soi, hän hamusi sen taskustaan ja vilkaisi näyttöä. Lankapuhelin Helsingin suuntanumerosta. Yskäistyään kurkkunsa selväksi hän vastasi sukunimellään.

Puhelusta tuli lyhyt: rikosylikonstaapeli Rahnasto pyysi hänet kuulusteluun, joka sovittiin seuraavaksi aamuksi kello yhdeksäksi.

Tero laski puhelimen pöydälle ja suoristi ryhtinsä, joka oli puhelun aikana painunut hiukan.

»No niin», hän sanoi hyvin rauhallisella äänellä. »Kerro joka ikinen lause, jonka sanoit kuulustelussa.»

Ja Roni kertoi, niin tarkasti kuin pystyi, sillä heidän kuvailunsa koti-illan tapahtumista piti olla yhteneväinen. Muistamattomuuteen ei voisi vedota liian monta kertaa.

Tero katsoi kuulustelijaansa. Rikosylikonstaapeli Rahnasto istui tietokoneen takana ja kirjasi muistiin hänen vastauksiaan.

»Miksi vaihdoit renkaat Ronin autoon?» Rahnasto kysyi luontevasti kuin olisi puhunut säästä. Vaarallinen mies, Tero totesi mielessään.

Hän loi tahallaan katseensa alas ja antoi pienen hämmennyksen kuvastua olemuksestaan. Hän mietti hetken tavallista pidempään ja rykäisi. »Onko minun pakko vastata tuohon?»

»Vaihdoitko renkaat, koska halusit suojella Valtteri Airasta?»

Tero pysyi vaiti.

»Tiesitkö Valtterin lainanneen Ronin autoa?»

»Tämä on minulle vaikeaa», Tero sanoi hiljaa.

»Ymmärrän sen. Mutta asia on selvitettävä. Vaikka joutuisittekin puhumaan asioista, jotka eivät ole Valtterin edun mukaisia. On pitkän päälle kaikkien parhaaksi, että surmatyö selvitetään.»

Tero kuunteli levottomana ja vakavana.

»Tiedämme Valtterin huumeongelmasta. Et voi suojella häntä loputtomiin. Asiat tulevat kuitenkin ilmi.»

Tero rykäisi uudelleen. »Et voi olettaa, että todistaisin poikapuoltani vastaan.»

»Kysymys ei ole todistamisesta. Vastaa vain kysymyksiini. Me täällä teemme johtopäätökset. Miksi vaihdoit renkaat?»

Tero oli pitkään hiljaa, kunnes lopulta mutisi vastahakoisesti: »Huomasin Valtterin käytöksessä jotain tavallistakin oudompaa, kun hän tuli palauttamaan Ronin autoa. Yritin selvittää, mitä oli tapahtunut. Sain jonkinlaisen käsityksen siitä ja –»

»Minkälaisen käsityksen?»

»En voi puhua siitä. Mutta Valtteri häipyi sekavassa mielentilassa, oli aivan shokissa. Minä päädyin vaihtamaan renkaat, koska ymmärsin että harvinainen rengaskuvio olisi... olisi riski Valtterille.»

Hän antoi äänensä vaipua kuulumattomiin.

»Poikapuolesi siis tunnusti sinulle kotiin tultuaan syyllistyneensä surmatekoon?»

Tero tuijotti eteensä. »Kyllä.»

Sana ei tullut hänen huuliltaan niin kevyesti kuin hän oli etukäteen olettanut. Mutta se tuli, koska sen oli tultava ja niin oli kaikille parasta.

»Älä huolehdi, sinun lausuntoasi ei tulla tarvitsemaan. Meillä on muutakin näyttöä.»

Tero yritti piilotella yllättymisensä. »Mitä näyttöä?» hän silti kysyi, sillä nyt oli luontevin hetki esittää kysymys, myöhemmin se olisi paljon vaikeampaa.

»Muun muassa tekstiviesti uhrille. En voi mennä tutkinnallisiin yksityiskohtiin.»

Tero oli entistä yllättyneempi. Hän pelkäsi sen näkyvän päällepäin.

Mikä tekstiviesti?

20.

Toomas istui työhuoneessaan Targa Tradingissa Espoon Westendissä. Kolmen huoneen toimisto oli rinteeseen rakennetun ison omakotitalon pohjakerroksessa.

Hän vaihtoi rauhattomasti asentoaan eikä pystynyt keskittymään, vaan kuunteli tarkkaavaisesti. Ovi aulaan oli tarkoituksella auki. Yläkerrasta portaikon ja välipohjan läpi kuului askelia, joiden suuntaa Toomas seurasi. Anatoli käveli ympäri taloa vieraansa kanssa ja saattaisi tulla käymään myös alakerrassa.

Kun Toomas oli nähnyt taksista pihalla nousevan miehen, hänen uteliaisuutensa oli herännyt. Tavallisesti Anatoli ei kutsunut asiakkaita kotiinsa, vaan tapasi heitä ympäri maailmaa. Ja nyt taloon oli tullut Espanjasta poikkeuksellisen mielenkiintoinen vieras: ruotsalaistaustainen Marcus Grotenfelt.

Yläkerrasta ei kuulunut mitään uutta, joten Toomas pakotti itsensä työasioiden pariin. Hän katsoi tietokoneensa näyttöruudulla olevaa liitetiedostoon skannattua loppukäyttäjän todistusta. Leimoilla ja allekirjoituksilla varustetussa asiapaperissa Ghanan hallituksen edustaja vakuutti 12 tonnin erän Kalashnikov-rynnäkkökivääreitä, AGS-17-kranaatinheittimiä ja RPG-7-

kevytsinkoja tulevan vain maan omaan käyttöön. Sähköposti-
viestissä luvattiin, että paperiversio dokumentista tulisi DHL:llä
parin päivän sisällä.

Kaikki näytti olevan kunnossa. Loppukäyttäjän todistus oli
tärkein asiapaperi kansainvälisessä asekaupassa. Ilman sitä aseet
eivät liikkuneet virallisesti minnekään. Ja virallista Anatoli Ryb-
kinin bisnes oli, kaikin puolin laillista, siitä pidettiin kiinni kai-
kesta huolimatta. Merikuljetus Rotterdamista Ghanan pääkau-
pungin Accran satamaan voisi lähteä ensi viikolla.

Tietenkään Anatoli – Toomaksesta puhumattakaan – ei voi-
nut olla varma siitä, että asekuljetus ei jatkaisi matkaansa jo-
honkin naapurimaahan, jossa aseellisia konflikteja riitti. Olihan
Ghana myös kansainvälisen huumekaupan merkittäviä kautta-
kulkureittejä ja sen hallinto läpeensä korruptoitunut. Mutta se
ei ollut Targa Tradingin ongelma.

Toomas painoi tulostusnäppäintä ja käveli valoisan aulan
poikki kohti varastohuonetta, jossa tulostin oli. Hän ohitti nah-
kasohvaryhmän ja matalan designpöydän, jonka alla merbau-
parketilla lepäsi jääkarhun talja. Rauhallinen sellokonsertto
kuului auton hintaisista Nautilus-kaiuttimista, mutta hän sam-
mutti musiikin ja pysähtyi ylös vievien portaiden juureen kuun-
telemaan kaukaista puheensorinaa.

Anatolin ääni oli kantava ja matala, mutta sanoista ei saa-
nut selvää. Miehet kävelivät edelleen, lupaavaan suuntaan, ja
Toomas valpastui. Hän herkisti kuuloaan, katse lasiseinän ta-
kaisessa sateisessa maisemassa. Kiemuraisten mäntyjen reunus-
taman kallion laelta näkyi kauas merelle. Oikealla alhaalla pil-
kotti asfaltoitua pihaa, jolla seisoivat Anatolin molemmat autot,
Range Rover ja pieni Alfa-Romeo. Jälleen kerran Toomas tunsi
rauhallisen ympäristön olevan oudolla tavalla ristiriidassa sen
tosiasian kanssa, että hän teki töitä kansainväliselle asekaup-
piaalle. Tähän maisemaan ei aseita olisi voinut kuvitella, eikä

Toomas Anatolin välittämiä aseita yleensä koskaan edes näh-nytkään. Asekauppiaana toimimiseksi ei tarvittu muuta kuin puhelin, tietokone ja pankkitili. Kuka tahansa saattoi ryhtyä myymään ja välittämään aseita, eikä toiminnassa ollut mitään laitonta niin kauan kuin tavaraa ei viety alueille, jotka oli kan-sainvälisissä sopimuksissa kielletty.

Hyviä suhteita sen sijaan tarvittiin, ja niitä Anatolilla riitti. Neuvostoliiton romahdettua entinen puna-armeijan upseeri oli osannut käyttää tilaisuutta hyväkseen. Hän oli ryhtynyt välittä-mään aseita Venäjältä eri puolille maailmaa, ja vakaata hyvin-vointia arvostavana miehenä muuttanut Suomeen.

Äänet loppuivat ylhäällä ja Toomas kiiruhti tulostimen luo varastohuoneeseen. Hän siirsi jakkaran tiettyyn kohtaan hylly-jen eteen, nousi sille seisomaan ja keskittyi kuuntelemaan ka-tossa olevan ilmastointiventtiilin takaa hormista kantautuvia ääniä.

Anatoli keskusteli työhuoneessaan Marcus Grotenfeltin kanssa. Toomas oli kerran sattumalta huomannut, että äänet kantautuivat sieltä hormin kautta alas asti. Ja Grotenfeltin pu-hetta Toomas halusi erityisesti kuulla.

Hän jähmettyi paikoilleen ja vilkaisi vaistomaisesti ympäril-leen, vaikka tiesi ettei talossa ollut muita. Hän pidätti hengitys-tään kuullakseen paremmin. Englanninkielisestä keskustelusta erottui lauseita.

Sanat saivat sydämen takomaan Toomaksen rinnassa, ja hän otti kiihtyneenä tukea hyllystä.

Kaksi poliisipartiota pysähtyi kerrostalolähiössä Helsingin Vuo-saaressa. Tehtävä oli yksinkertainen: Valtteri Airaksen kiinni-otto.

Kaupungin vuokratalojen ankeat rivistöt kohosivat taivaalta putoavien vesipisaroiden lomasta. Pyyhkijä sivalsi pisarat tuulilasin pinnalta ja noutoa johtavan ylikonstaapeli Kuvajan katse tarkentui porraskäytävään 3B.

Samalla hänen mieleensä tulvahtivat Airaksen rekisteritiedot: huumeiden hallussapitoa, näpistyksiä, virkamiehen vastustusta. Ehdotonta vankeusrangaistusta ei ollut vielä tullut, mutta se oli vain ajan kysymys – tämän tapaisilla ongelmilla oli taipumus kasaantua ja pahentua. Kuvajan mielessä hahmottui mielikuva arvaamattomasta, väkivaltaisesta narkomaanista. Nyt miestä epäiltiin Julia Leivon tappamisesta.

Ikävä epävarmuuden aalto kulki Kuvajan läpi. Hän oli kaksi vuotta aiemmin saanut huumeneulasta käsivarteensa erään rutiiniluonteisen pidätyksen yhteydessä ja odottanut hermostuneena verikokeiden tuloksia, jotka pahimmassa tapauksessa kertoisivat hepatiitti- tai hiv-tartunnasta.

Kuvaja käveli ryhmänsä kanssa ohi tyhjän leikkipaikan, josta keinut oli jo jostain syystä viety talvisäilöön. Kauempana kaksi pipopäistä pikkupoikaa rullalautoineen seurasi kuinka poliisit katosivat kerrostalon ovesta sisään.

Kuvaja avasi Airaksen oven huoltoyhtiöstä noudetulla avaimella. Jostain ylemmästä asunnosta kantautui kiivasta keskustelua ja kiroilemista.

Asunto oli tyhjä.

Toomas soitti ovikelloa jännittyneenä ja otti askeleen taaksepäin. Adrenaliini sai veren kohisemaan hänen korvissaan.

Suunnitelma oli syntynyt nopeasti, ja yhtä nopeasti Toomas pani sen täytäntöön. Hän oli odottanut vuosia – enää hän ei aikonut odottaa päivääkään.

Targa Tradingissa kuultu keskustelunpätkä Anatolin ja Grotenfeltin välillä kaikui hänen korvissaan.

Ovi avautui.

Roni katsoi häntä yllättyneenä.

»Mitä sinä täällä teet?» Roni sihahti. »Ala vetää. Otan yhteyttä sinuun myöhemmin.»

Roni alkoi vetää ovea kiinni, mutta Toomas työnsi jalkansa väliin.

Samassa Ronin isä ilmestyi poikansa taakse. »Kuka tämä on?»

Isä-Airas katsoi ensin Toomasta ja sitten Ronia.

»Olen Julian eno. Toomas.»

Puhuessaan Toomas astui kynnyksen yli ja veti oven kiinni perässään.

»Mitä sinulla –»

»Olkaa hiljaa ja kuunnelkaa», Toomas keskeytti. Hän otti taskustaan matkapuhelimen ja ojensi sen Ronin ja Teron kasvojen eteen.

Toomas painoi puhelimen näppäintä ja kaiuttimesta alkoi kuulua nuoren naisen ääni. Se oli Julia.

»Toomas, tapaan myöhään illalla Ronin. Mutta pelkään mitä hän sanoo. Jos hän raivostuu… Toivon että voisit tulla paikalle. Tapaamme Hakunilan S-marketin edessä yhdeltätoista. Ronilla on punainen urheilu-Audi.»

Toomas laittoi puhelimen takaisin taskuunsa.

»Sinä tapoit Julian, Roni Airas», hän sanoi. »Ja tästä tallenteesta poliisi tulee olemaan hyvin kiinnostunut.»

Teron sydän hakkasi niin, että teki kipeää. Hän katsoi Toomasta kauhuissaan. Julian sanat roikkuivat vieläkin ilmassa.

Tero vilkaisi Ronia, jonka kasvoille oli kohonnut kirjava puna.

Hän yritti koota itsensä. Virolaismiehellä oli yliote, mutta sen ei saanut antaa näkyä päälle päin. Tero piti katseensa tiukasti Toomaksen silmissä.

»Voisin mennä saman tien poliisin puheille», Toomas sanoi.

»Mutta on toinenkin vaihtoehto.»

Hän piti tauon, kunnes jatkoi: »Puhelu tuli esimaksettuun liittymään, jota ei voi jäljittää minuun. Löysin viestin tänään, kun vaihdoin kortin puhelimeeni. Mutta kenenkään ei tarvitse tietää puhelusta mitään, jos niin päätän.»

Roni ja Tero vilkaisivat toisiaan.

»Mitä sinä tarkoitat?» Roni sanoi tuskin kuuluvalla äänellä.

»Kimmo painostaa minua organisoimaan Julian surmaajan tappamisen heti kun syyllisyys varmistuu. Olen siis tavallaan henkivartijasi. Pelaan aikaa Kimmon suuntaan.»

Hiljaisuus laskeutui eteiseen.

»Mitä sinä haluat vastineeksi?» Tero kysyi.

»Meillä on Espanjassa yhteinen tuttava. Marcus Grotenfelt.»

»Mitä hänestä?» Tero kysyi pakotetun rauhallisella äänellä.

»Hänellä on tallelokero sveitsiläispankissa Lausannessa. UBC Bank. Haluan että selvitätte lokeron koodin ja toimitatte sen sisällön minulle.»

Tero naurahti epäuskoisena. »Ja miten me tuon kaiken mahdamme tehdä?»

»Se on täysin teidän ongelmanne. Saatte kolme päivää aikaa. Lausanne, UBC. Jos ette toimita lokeron sisältöä minulle, poliisi saa kuulla Julian viestin. Ja Kimmo myös.»

21.

»Voi helvetin helvetti», Tero sanoi tukahtuneella äänellä. Järkytys sai hänet voimaan pahoin.

Roni sulki hitaasti ulko-oven Toomaksen mentyä ja laahusti raskain askelin olohuoneeseen.

»Miksi et tehnyt mitään?» Roni kysyi kireästi.

»Tehnyt mitä? Mitä minä olisin voinut tehdä?»

»Olisit ottanut puhelimen häneltä! Siinähän se oli tarjolla naamasi edessä. Olisit vetänyt sitä jätkää turpaan... Saatanan pelkuri!» Ronin ääni värähti.

»Ja mitä se olisi auttanut? Viesti on operaattorin koneilla, ei puhelimen muistissa.»

»Et ikinä ole valmis nostamaan sormeasikaan! Juokset karkuun kun pitäisi ottaa kraivelista kiinni. Kuinka ihmeessä sinä onnistuit perustamaan vartiointiliikkeen?»

»Juuri siksi. Ei väkivalta auta tässä maailmassa mitään. Pahentaa vain asioita. Ei Toomakseen käsiksi käyminen olisi hyödyttänyt mitään», Tero sanoi rauhallisesti, vaikka hänen olisi tehnyt mieli karjua. »Päinvastoin. Ja olen minäkin aikoinani kraiveleihin tarttunut...»

Hän istuutui sohvalle ja pakotti itsensä hiljaiseksi. Roni retkahti nojatuoliin.

»Mitä Julia tarkoitti?» Tero kysyi. »Mitä hän aikoi kertoa sinulle?»

»Mistä minä tiedän.»

»Totta kai sinä tiedät!»

»No kun en tiedä.»

Tero rauhoitti itsensä. »Mistä Toomas tuntee Marcuksen?»

Roni kohautti hartioitaan.

Tero katsoi poikaansa tiukasti ja pitkään. Roni huomasi katseen, vaihtoi asentoa ja huokaisi syvään.

»Ehkä Toomas on mukana jossain kansainvälisessä rikollisliigassa, jonka lonkerot ulottuvat Espanjaan saakka. Ja kaikki tietävät, ettei Marcus ole ihan pelkällä bisnesvaistolla luonut omaisuuttaan.»

»Tiedätkö Marcuksen puuhista jotain sellaista mitä minä en tiedä?» Tero kysyi.

»En. Mutta mietin vain mitä ihmettä Toomas hänestä tahtoo.»

»Jos kysellään pankkikoodeja, niin kai se on aika selvää mitä halutaan.»

»Meillä ei ole mitään mahdollisuuksia tyhjentää Marcuksen tallelokeroa Sveitsissä», Roni sanoi tuskastuneesti.

Tero nojautui lähemmäs poikaansa. »Eikö? Älä ole pessimisti. Totta kai meillä on keinot.»

Tero yritti kuulostaa määrätietoiselta vaikka tiesi totuuden. Marcuksen lokeroa oli käytännössä mahdotonta tyhjentää. Mutta yhtä mahdotonta oli päästää Toomas poliisin puheille.

»Vaikka jollain ihmeen kaupalla saisimmekin numerokoodin, niin mistä me tiedämme, ettei Toomas siitä huolimatta anna minua ilmi... Kimmolle ainakin. Ja minä suoraan sanottuna pelkään sitä miestä.»

Ronin äänessä kuulsi viimeisen lauseen kohdalla todellinen pelko.

Tero näki Ronin silmissä hätääntyneen, isältään vastausta odottavan pienen pojan katseen. Hän toivoi, että olisi voinut sanoa Ronille jotain rauhoittavaa. Mutta hän ei keksinyt mitään. Ei ollut mitään, millä lohduttaa. Ei yhtään mitään. »Ala pakata», hän tokaisi lopulta. »Varaan lennot illaksi. Käydään Marcuksen puheilla.»

Roni katsoi häntä hölmistyneenä. »Et kai väitä että ottaisimme Toomaksen vaatimuksen tosissamme?»

»Mitä muita vaihtoehtoja meillä on?» Tero kysyi.

Toomas istui autossaan kuin tulisilla hiilillä. Hän oli varma siitä, että oli tehnyt oikean ratkaisun. Terolla ei ollut muita vaihtoehtoja kuin yrittää – ja onnistua.

Toomas oli jo vuosia sitten tutkinut Marcuksen taustaa, mutta se oli äärimmäisen vaikeaa. Käytännössä mahdotonta. Marcuksen silloisesta työpaikasta Ruotsista ei tihkunut minkäänlaisia tietoja.

Hän mietti, millaiset mahdollisuudet Terolla olisi poikansa kanssa saada pankkikoodi selville. Airakset tunsivat Marcuksen hyvin ja pitkältä ajalta. Ja pakko oli paras motivoija.

Vai luovuttaisivatko Airakset kuitenkin?

Epävarmuus kiehui Toomaksen sisällä. Hän ei saanut rauhaa, ennen kuin hapuili puhelimen käteensä ja soitti Ronille.

»Mitä vielä?» hermostunut ääni tiuskaisi.

»Halusin vain tarkistaa, että ymmärsitte minun olevan tosissani.»

»Olemme taksissa matkalla kentälle. Marbella kutsuu.»

»Hyvä», Toomas vastasi ja katkaisi yhteyden.

Tyytyväinen hymy levisi hänen kasvoilleen.

* * *

»Kotoista», rikosylikonstaapeli Rahnasto sanoi kollegalleen katsellessaan Valtteri Airaksen keittiötä, jossa likaiset astiat oli pinottu haisevaksi röykkiöksi tiskipöydälle.

Norppa avasi jääkaapin, jossa oli kolme keskiolutpulloa, kovettunut juustonpala ja puoliksi syöty einespizza.

»Täällä on vähän kiinnostavampaa», Rahnasto huusi kylpyhuoneen ovelta.

»Ei Kuvaja liioitellut», hän jatkoi ja väisti niin, että Norppa pääsi näkemään sisälle.

Syrjään vedetyn suihkuverhon takana seisoi tuuheita ja korkeita kannabis-kasveja.

»Aika komeaa», Norppa totesi.

Viljelmä ei yllättänyt Rahnastoa lainkaan, hän toivoi Airaksen asuntoon tehtävältä kotietsinnältä arvokkaampia löytöjä. Jotain mikä yhdistäisi hänet kiistatta Julia Leivon murhaan.

He jatkoivat kaksion tutkimista. Viiden minuutin kuluttua Rahnasto tuijotti kädessään olevaa kuvaa, joka oli löytynyt pöytälaatikosta rojun seasta.

Julia.

Otos oli selvästikin koulukuva, jossa tyttö katsoi kameraan sinistä taustaa vasten.

Miksi Valtteri Airaksella oli Juliasta kuva? Oliko tyttö ollut jonkinlainen pakkomielle Valtterille? Oliko Julia torjunut hänen lähentely-yrityksensä? Mitään seksuaalirikokseen viittaavaa ei ollut ruumiinavauksessa löytynyt. Mutta silti intohimorikoksen mahdollisuutta ei voinut sulkea pois, varsinkin kun uhri oli Julian kaltainen kaunis tyttö.

22.

Tero antoi Välimereltä puhaltavan lempeän tuulen hyväillä kasvojaan. Se ei tuntunut samalta kuin ennen. Mikään ei enää tuntunut samalta kuin ennen – eikä koskaan tuntuisikaan, Tero ajatteli lohduttomana.

Roni oli pessimisti, hän ei uskonut heidän millään saavan Marcuksen tilinumeroa. Mutta Tero oli parantumaton optimisti. Eikä nyt ollut edes varaa muuhun.

Hän seisoi ylellisen espanjalaishuvilan suurella terassilla valkoviinilasi kädessään. Jo ensimmäisellä käynnillään Marcuksen huvilassa Marbellassa vuosia sitten talo oli tuonut Teron mieleen muiston kaukaa lapsuudesta: hän oli käynyt isän kanssa aivan samanlaiselta vaikuttaneessa villassa meren rannalla Brasiliassa. Isän paikallinen liiketuttava oli kohdellut heitä lämpimästi ja vieraanvaraisesti, myös Teroa. Ei varmaan ollut tuolloinkaan yleistä, että isä otti kymmenvuotiaan pojan mukaansa liikematkalle.

Tero muisti tarkasti, kuinka isä oli illalla istunut nahkatuoleilla talon isännän kanssa rehevässä, lämpimässä puutarhassa, keskustellut vilkkaasti ja suurieleisesti lyhtyjen valossa – ja siemaillut jalon näköisiä juomia, joita sisäkkö oli tarjoillut. Jo silloin Tero oli pelännyt sitä, että vieras setä suuttuisi isään, sillä alkoholia otettuaan tämä muuttui rasittavaksi. Mutta vielä tuohon aikaan isä oli osannut pitää rajansa, vaikka »edustamista» olikin riittänyt. Painajainen oli alkanut muutamaa vuotta myöhemmin, kun öljykriisi oli kääntänyt firman jyrkkään alamäkeen. Frankfurtin ja Lontoon iltakoneet olivat alkaneet tuoda kotiin yhä hoipertelevamman isän, jonka solmio roikkui löysänä ja paita retkotti housun päällä. Salkku oli saattanut unohtua ravintolaan, johon taksimatkalla oli vielä poikettu.

Isän persoonan muuttuminen vastakohdakseen oli kaikkein käsittämättömintä ja pelottavinta. Älykäs, lämmin ja suojeleva isä muuttui rasittavaksi riesaksi, joka saattoi keskellä yötä tulla jauhamaan samoja juttuja poikansa sängynlaidalle. Eikä isä sietänyt minkäänlaista kritiikkiä ollessaan humalassa. Hän suuttui heti mitä pienimmistäkin asioista. Ja kaiken hänelle sanotun hän ymmärsi arvosteluksi. Oli parempi olla vain hiljaa. Sen tiesi myös heidän kodinhoitajansa Helena, joka pysytteli visusti omalla puolellaan isän ollessa juovuksissa.

Lupauksia parannuksesta riitti ja Tero uskoi niitä aikansa, kunnes huomasi, ettei yksikään niistä pitänyt. Jo silloin Tero oli päättänyt, että jos hänellä olisi joskus lapsi, hän ei koskaan pettäisi tälle antamaansa lupausta. Ei yhtäkään. Ei pienintäkään.

Firman konkurssi oli ollut viimeinen niitti. Talo oli ollut firman lainojen vakuutena, samoin huvila. Mikään muu ei säilynyt rytäkässä ennallaan kuin isän juominen, ja sekin paheni. Teron murrosikä oli kirjaimellinen, kaikki murtui hänen ympäriltään. Maailmaa nähneestä hienostolapsesta tuli lähiön katupoika, joka nopeasti käsitti luonnonlait: hänen oli otettava paikkansa kovanahkaisessa poikajoukossa tai alistuttava kiusatuksi. Hän otti paikkansa ja maksoi siitä kovan hinnan.

Mutta pihojen ja poikajengien nahistelut olivat lasten leikkiä sen rinnalla, mitä kodin seinien sisällä tapahtui. Tero joutui huolehtimaan pahasti alkoholisoituvasta miehestä, heillä alkoi Kontulassa pyöriä isän uusia, paikallisia ryyppykavereita, joita isän rehevä luonne veti puoleensa kuin lehmänläjä kärpäsiä. Tero piilotteli ruokarahoja, mutta isä oli uskomattoman taitava löytämään ne. Hän häpesi isäänsä kaupungilla, ja kun isä huomasi sen, hän muuttui yhä katkerammaksi itseään ja poikaansa kohtaan.

Nyrkkeilystä, painonnostosta ja juoksemisesta muodostui Terolle henkireikä. Fyysiset harrastukset ja terävä äly auttoivat häntä nousemaan nopeasti katujengin arvoasteikossa. Tappelut raaistuivat, näpistykset ja myymälävarkaudet tulivat yhä julkeammiksi. Myös isän ryyppykavereihin hän otti kovaotteisen linjan. Kuinka hän vihasikaan niitä miehiä, sitä örvellystä keittiössä. Kavereitaan hän ei voinut koskaan pyytää kotiin, hän viihtyi yhä paremmin kaupungilla. Koulu sujui jotenkuten terävän pään ansiosta. Paine ja kitka kasvoivat isän ja pojan välillä, kunnes erään koulupäivän jälkeen seinä tuli vastaan.

Tero vilkaisi ajatuksissaan valkeiden kivipylväiden kannatteleman kaiteen yli ja näki alhaalla siistille tummanpunaiselle laatoitukselle palmupuiden katveeseen pysäköidyn punaisen Ferrarin. Marcus oli turhamainen mies, joka rakasti autoja ja autourheilua. Ja se oli hyvä asia.

Tero kaatoi tottuneesti valkoviinin parvekkeella olevan magnoliapensaan jättimäiseen ruukkuun. Hän käveli holvikaaren malliselle oviaukolle, veti tuulessa hulmuavan silkinohuen valkoisen verhon syrjään ja astui sisälle.

Hillittyyn hellepaitaan pukeutunut Marcus istui sohvalla kädet leveästi selkänojalla ja jalka toisen päällä. Puisten sälekaihtimien läpi tulevat iltapäiväauringon säteet kiilsivät hänen ruskettuneella puolikaljulla päälaellaan.

Marcuksen kasvoilla paistoi leveä hymy hänen keskustellessaan Ronin kanssa. Tero pani tyytyväisenä merkille, että Marcuksen neljäskin lasillinen oli jo miltei tyhjä.

»Roni juuri kertoi, miten hyvin harjoitukset ovat sujuneet», Marcus sanoi ja iski silmää nojatuolissa istuvalle Ronille, jonka takana seinällä riippui suuri kehystetty mustavalkoinen valokuva 1950-luvun Ferrarin kilpa-autosta ja Alberto Ascarista.

Tero hymyili takaisin. Marcuksen suuri unelma oli päästä mukaan Formula ykkösten kulisseihin. Ja Ronin kautta hänelle vihdoin tarjoutui siihen mahdollisuus.

»Kaikki on sujunut hienosti. Roni on valmiimpi formuloihin kuin arvasimmekaan», Tero sanoi ja kohtasi poikansa kireän katseen.

»Jos Callaghan ei ota yhteyttä lähiaikoina, niin ihmettelen kovasti», Marcus sanoi ja kääntyi jälleen Ronin suuntaan hymyillen entistäkin leveämmin. »Vai kelpaako McLaren sinulle?»

Roni tyytyi hymyilemään vastaukseksi.

»On vain yksi ongelma», Tero sanoi.

»Mikä ongelma?» Marcus sanoi valpastuneena. Hänen silmänsä ja äänensä kertoivat hyvässä nosteessa olevan humalatilan kohottamasta auttamishalusta.

Tero huokaisi. »Kuten sanoin, tulimme illalla Marbellaan. Roni lähti erään kaverinsa kanssa ulos. Ajattelin, että poika on sen ansainnut. Hän tuli myöhään asunnolle ja kertoi aamulla mitä oli tapahtunut.»

»Ja?» Marcus kysyi nojautuen kiinnostuneena eteenpäin ja horjahti hieman. Hyvä.

»He olivat menneet kasinolle.»

»Ahaa», Marcus nauroi rehvakkaasti. »Paljonko hävisit?» hän kysyi Ronilta.

»Kahdeksantuhatta euroa», Roni sanoi vaivautuneena katsettaan nostamatta.

»Roni teki pahan erehdyksen», Tero sanoi. »Mutta se oli ensimmäinen ja viimeinen kerta. Vai mitä, Roni?»

Roni nyökkäsi katse edelleen lattiassa.

»Rahat on maksettava tänään. Emme saa sellaista summaa millään järjestettyä Suomesta tällä aikataululla.»

Tero vaikeni ja jäi jännittyneenä odottamaan Marcuksen reaktiota.

»Tero, älä ole liian ankara. Kuljettajat ovat äärimmäisiä tyyppejä. Vauhti ja riskinotto kiehtovat. Oli kyse sitten kilparadoista, pelipöydistä, liike-elämästä tai naisista, riskinotostahan siinä on kyse», Marcus sanoi omahyväisesti ja siemaisi lasinsa tyhjäksi. »Se on geeneissä. Toiset vain sattuvat tarvitsemaan riskien tuottamaa adrenaliinia tunteakseen elävänsä.»

Tero nyökkäili ikään kuin olisi oivaltanut Marcuksen sanojen suuren viisauden.

»Mutta toisten on parempi keskittyä kilparatoihin ja pysyä erossa pelipöydistä», Tero sanoi.

»Se oli viimeinen kerta», Roni mutisi. »Vannon sen.» Huoneeseen laskeutui odottava hiljaisuus.

»Kahdeksantuhatta?» Marcus sanoi ja kampesi itsensä ylös sohvalta.

»Niin. Vain muutamaksi päiväksi», Tero sanoi. Helpotuksen tunne oli vavahduttava. He olivat vetäneet oikeasta narusta. Yksittäinen pelivelka ei Marcuksen tukea lopettanut. Päinvastoin. Se vain kertoi Ronin ja Marcuksen luonteiden yhtäläisyydestä. Marcus oli ottanut riskejä liike-elämässä ja rikastunut. Tero tiesi, että Marcuksen liiketoimet liittyivät ainakin osaksi Marbellan hämäriin kiinteistökauppoihin. Siksi hänellä oli taatusti runsaasti käteistä kassakaapissa kotonaan. Ja kassakaapissaan hän mitä todennäköisimmin säilytti myös pankkitietojaan.

Helpottuneisuuden tunne katosi nopeasti. Nyt oli alkamassa

suunnitelman haastavin ja epävarmin vaihe.

Parvekkeelta tultuaan Tero oli jäänyt seisomaan lähelle tummapuista ovea, jonka eteen Marcus nyt pysähtyi. Tämä nosti sormensa hälytinpaneelin numerosarjan päälle ja pysäytti liikkeensä hetkeksi.

Tero pidätti tyytyväisenä henkeään. Marcus joutui miettimään numerokoodia hetken. Sydän hakkasi Teron rinnassa. Hän oli nähnyt ja käyttänyt urallaan kymmeniä erilaisia hälytinjärjestelmiä, ja Marcuksella oli ylempään keskiluokkaan kuuluva DPS.

Tero otti yhden askeleen etuviistoon, jotta Marcuksen olkapää ei olisi estänyt näkyvyyttä. Keskity, Tero hoki itselleen. Keskity.

Marcus paineli näppäimiä hitaasti.

9... 2... 5... 6...

Tero painoi numerot mieleensä. Hän oli harjoitellut Ronin kanssa numerosarjojen lukemista koko edellisen illan – Roni oli näppäillyt nelinumeroisia sarjoja puhelimeensa ja Tero oli yrittänyt lukea niitä muutaman metrin etäisyydeltä.

Marcus avasi oven ja heilautti sen kiinni perässään. Tero tunsi liikkuvansa kuin hidastetussa elokuvassa harppoessaan kohti ovea. Juuri ennen sen kiinni loksahtamista hän sai sormensa väliin.

Tero katseli ovenraosta sisään ja kuiskasi samalla äsken näkemänsä koodin Ronille, joka kirjoitti sen ylös pieneen lehtiöön. Tero näki kuinka Marcus seisoi huoneen takaseinällä olevan takan edessä. Hän painoi yhtä takan kivistä, joka kääntyi auki luukun tavoin.

Sen takana oli kassakaappi. Marcus nosti sormensa paneelin numerosarjan päälle ja paineli hieman haparoiden näppäimiä.

3... 3... 6... 5...

Kaapin ovi avautui ja Marcus työnsi kätensä kaappiin.

Tero astui askeleen sivuun ja otti Ronin ojentaman lehtiön ja kynän. Hän kirjoitti koodin ylös ja kohtasi Ronin jännityksestä laajentuneet silmät.

»Tuliko oikein», Roni kuiskasi.

Tero nyökkäsi, vaikka epämiellyttävä tunne valtasi hänet. Etäisyyttä oli liikaa, hän ei ollut kunnolla nähnyt viimeistä numeroa.

Kimmo seisoi jätelavakatoksen varjossa Toomaksen kerrostalon pihamaalla Herttoniemenrannassa. Hän oli seissyt siinä jo toista tuntia, kylmissään mutta rauhallisena ja määrätietoisena.

Beretta painoi hänen takkinsa taskussa. Sen paino sai hänet tuntemaan itsensä yhtä aikaa turvatuksi ja levottomaksi.

Toomaksen autopaikka oli tyhjä. Hän oli aina ollut levoton ja viihtynyt liikkeessä, milloin missäkin. Kuinka sisarukset saattoivat olla niin erilaisia? Sirje viihtyi kotona, hän ei kaivannut muuta kuin hyvän kirjan ja teekupin, ehkä hiukan musiikkia. Sirje oli juossut nuorempana tarpeeksi. Liikaa.

Auton valot kajastivat kadulta. Kimmo vetäytyi syvemmälle katokseen.

Pieni BMW lipui pysäköintiruutuun. Toomaksen tumma hahmo nousi autosta pihalampun heikkoon valokehään. Mies liikkui nopein, äkkinäisin liikkein. Hän lähti harppomaan kohti B-portaan ovea.

»Toomas», Kimmo sanoi ja astui puoli askelta eteenpäin katoksen suojasta.

Toomas hätkähti ja pysähtyi. »Mitä sinä täällä teet?»

»Tule tänne, jutellaan», Kimmo sanoi.

»Ei, nyt ei jutella. Menen nukkumaan, jutellaan huomenna», Toomas sanoi viileästi.

Kimmo astui hänen eteensä käsi taskussa pistoolin kahvalla. »Tässä ei mene kauan. Vastaat vain yhteen kysymykseen. Mitä sinä tiedät Ronin ja Julian hormonikaupoista?»

Toomas naurahti väkinäisesti.»Mistä olet saanut päähäsi –»
»Älä jauha paskaa.» Kimmo otti pistoolin esiin taskustaan.
»Laita ase pois. Mennään autoon puhumaan.» Toomas näytti
kalvenneen hieman.

»Sinä puhut tässä ja nyt.»

Toomas oli hetken hiljaa ja mutisi sitten:»Roni välitti muu-
taman erän kasvuhormonia Julialle.»

Kimmo nielaisi.»Mikset kertonut tästä, saatanan mafioso...
Surma liittyy niihin puuhiin, eikö liitykin? Haetaan Roni talteen,
ennen kuin poliisi ehtii.»

»Ei, meillä on oltava täysi varmuus, ennen kuin... toimimme.
Tuomio on langetettava siten, ettei kukaan huomaa sitä tuo-
mioksi. Antaa poliisin tehdä ensin työnsä. Selvittää, että hän
varmasti on tappaja. Asiat pitää ensin tutkia, sitten vasta hutki-
taan», Toomas sihahti.

Samalla hetkellä Kimmo tunsi räjähtävän iskun vatsassaan.
Yllätys oli täydellinen. Lyönti salpasi hänen henkensä ja hän kä-
pertyi kaksin kerroin. Toomas painoi häntä niskasta ja kuiskasi
hänen korvaansa:»Minua ei osoiteta aseella. Ei koskaan enää.
Ymmärrätkö?»

»Ymmärrän», Kimmo ähkäisi.

»Olemme samalla puolella aitaa. Eikä sinusta ole tällaiseen.
Olet säälittävä. Jätä tämä puoli minulle.

23.

Marbellan katujen ja rakennusten valopisteet välkkyivät sini-violetissa iltahämyssä kuin tähdet. Kumpuileva maasto kohosi kohti vuoria, joilla valot harvenivat kunnes loppuivat koko-naan. Vain vuoren laella hohti pieni valorykelmä ja antenni-rakennelmien punaiset valot.

Meren yllä oli kirkasta, mutta horisonttiviivaa ei erottanut. Kevyt, lämmin tuuli havisutti magnoliapuiden lehtiä.

Tero ja Roni pysäköivät auton loivaan ylämäkeen sadan met-rin päähän Marcuksen kermanvärisestä huvilasta. Talo vaikutti tyhjältä, puolikaaren malliset ikkunat olivat pimeät.

Heidän iltapäiväisen tapaamisensa aikana Marcus oli kerto-nut käyvänsä illalla Marbellan autoklubilla. Hän oli kerran vie-nyt Ronin sinne ja esitellyt ylpeänä suojattinsa arvokkaan herra-kerhon jäsenille autourheilun tulevaisuuden lupauksena.

Roni huokaisi syvään ja raskaasti, mutta ei irrottanut katset-taan Marcuksen huvilasta.

Tero otti puhelimensa ja soitti Marcuksen lankapuhelimeen, mutta kukaan ei vastannut.

Talo oli tyhjä.

»Soitat minulle heti, jos näet jonkun tulevan. En tiedä millainen auto vartiointiliikkeellä on», Tero sanoi Ronille ja nousi autosta.

»Totta helvetissä minä soitan. Ala painua jo.»

Tero käveli nopeasti kohti taloa ympärilleen vilkuillen. Hänen mieleensä palasivat Helsinki Securityn varhaisvuodet – päivät asiakkaita haalimassa, yöt partiossa vartijoiden poissaoloja paikkaamassa. Tietty uhka leijui pimeässä kaupungissa aina, mutta pelolle ei saanut antaa valtaa... Entisiin poliisikollegoihinsa hän ei ollut pitänyt mitään yhteyttä eivätkä nämä liioin häneen. Tapahtumista vanhassa maalitehtaassa Keravalla oli tullut kaikille osapuolille tabu.

Tero pysähtyi huvilan kävelyportin luona, henkäisi syvään ja näppäili Marcuksen yläkerran huoneessa käyttämän koodin.

9256.

Vihreä valo vilahti ja sähkölukko naksahti. Hän huokaisi helpottuneena ja sujahti nopeasti portista lukiten sen perässään. Keinokastelujärjestelmän vehreänä pitämä piha oli valaistu matalilla lampuilla. Tero käveli nopeasti muutaman kymmenen metrin matkan ulko-ovelle, jonka vieressä oli samanlainen paneeli kuin portin vieressä.

Ovi aukeni ongelmitta. Tero harppoi pimeästä eteishallista portaat yläkertaan ja eteni hämärässä huonekaluja väistellen kohti terassiparvekkeen vieressä olevaa ovea. Se oli lukossa, mutta avautui samalla koodilla kuin kaksi aiempaa.

Ulkovaloista lankesi sisään puiden viherryttämä kajo, jonka valossa Tero suuntasi kohti takkaa. Hän painoi yhtä kivistä ja mekanismi avasi kassakaapin suojaluukun.

Tilanne kauhistutti Teroa – hän oli varastamassa Ronin sponsorilta. Hän asetti Ronin uran vaakalaudalle. Mutta se oli jo muutenkin pahasti vaarassa. Ja jos paikka McLarenilla avautuisi, uusia tukijoita ei olisi vaikea löytää.

Numerotaulu hohti vihertävänä. Tero asetti kätensä sen päälle ja valmistautui painelemaan toisen numerosarjan.

Samassa puhelin värisi hänen taskussaan.

Tero kiskaisi sen korvalleen.

»Niin», hän kuiskasi.

»Marcus on tulossa takaisin», Roni sanoi hätääntyneenä. »Kääntyy juuri nyt ajoportille. Äkkiä ulos sieltä.»

Tero kuuli moottorin murahduksen ulkoa kadulta. Hän harppasi ikkunaan katsomaan ja näki kuinka portti alkoi hitaasti lipua sivuun Ferrarin edessä.

»Pysy siellä. Tulen pian», Tero sanoi ja sulki puhelimen.

Hän siirtyi takaisin kassakaapin eteen pakokauhua vastaan taistellen. Hän näppäili numerot henkeään pidätellen.

Kuului vaimea piipahdus ja punainen valo syttyi.

Teroa kylmäsi. Hänen huuliltaan pääsi äänetön kirous.

Kuinka monta väärää yritystä järjestelmä sallisi ennen kuin hälytin pärähtäisi tai vartiointiliikkeeseen menisi tieto yrityksistä?

Tero sulki silmänsä ja kävi mielessään uudelleen läpi numerosarjan. Virheen täytyi olla epäselvimmäksi jääneessä viimeisessä numerossa. Sen täytyi olla keskirivin asemesta alimmassa rivissä, siis kahdeksan eikä viisi.

Tero näppäili uudet numerot henkeään pidätellen: 3368.

Jälleen vaimea piipahdus ja punainen valo.

Ulkoa kuului kolahdus. Autotallin ovi avautui. Marcus olisi hetken kuluttua sisällä.

Virheen täytyi olla edelleen viimeisessä numerossa. Kaksi eikä kahdeksan?

Alhaalta kuului kuinka ulko-ovi avautui.

Tero taisteli paniikkia vastaan. Hän näppäili numerot kädet täristen: 3362.

Kassakaappi ei avautunut, vaan ovessa olevaan ruutuun lävähtivät punaiset digitaaliset kirjaimet: LOCKED.

Tero hätkähti ja painoi takan kiveä, joka kätki kassakaapin taakseen. Hän harppoi ovelle ja kuuli askeleita portaissa. Marcus oli tulossa yläkertaan.

Tero painoi oven kiinni ja meni nopeasti terassin ovelle, joka aukeni ääntä päästämättä. Hän nousi kaiteen yli ja hivuttautui roikkumaan terassiparvekkeen alalaidasta kiinni pitäen. Hän kietoi jalkansa paksun valkoisen pylvään ympärille ja tarrasi siihen käsillään kiinni, liu'uttaen itseään hiljalleen alaspäin, kunnes pystyi hyppäämään turvallisesti nurmikolle.

Alas tullessaan hän teki pyörähdyksen ruumiiseensa kohdistuvan iskun vaimentamiseksi ja jäi hetkeksi nurmikolle selälleen. Marcusta ei näkynyt parvekkeella.

Hän nousi ylös ja juoksi kohti porttia, livahti kadulle ja hidasti vauhtinsa kävelyksi. Heti kun hän sai auton oven kiinni, Roni käynnisti moottorin, teki ärhäkkään u-käännöksen ja lähti ajamaan kohti Calle de Balmesia, poispäin Marbellasta.

»Saitko sen?» Roni kysyi.

Tero tuijotti hiljaisena kohti etäällä siintävää tummaa vuorijonoa. Piennarvalleilla törrötti kuivuneita pensaita ja vasemmalla kohoavien vuorten rinteillä olevien mainostaulujen takaa pilkisti sitkeää kasvillisuutta.

»En», Tero sanoi lopulta. »Kassakaapin koodi ei ollut oikein.»

Roni polkaisi kaasupoljinta ja auto ampaisi eteenpäin mutkikkaalla tiellä.

»Koko yritys oli alunperinkin pelkkä oljenkorsi», Roni sanoi.

»Eli on keksittävä jokin toinen keino.»

»Toinen keino? Toomas odottaa tilinumeroa huomenna.»

Tero ei vastannut.

»Mitä jos vain jatkettaisiin ajamista, ei palattaisi enää koskaan Suomeen», Roni sanoi.

»Pakeneminen ei ole ratkaisu.»

Tero ei voinut sanoa, että Roni joutuisi sovittamaan rikoksensa myöhemmin, kilpauransa jälkeen. Mutta nyt, juuri tällä hetkellä, Toomaksen vaatimuksen täyttäminen oli välttämätöntä – sillä saatiin pidettyä sekä Kimmo että poliisi poissa Ronin kimpusta.

»Kimmo tappaa minut», Roni sanoi synkästi. »Ellen minä sitten tapa häntä ensin.»

Tero katsoi poikansa kasvojen sivuprofiilia joka piirtyi silhuettina katuvaloja vasten. Hän etsi merkkejä vitsailusta, mutta mikään Ronin ilmeessä ei viitannut leikinlaskuun. Kauhu valtasi Teron. Oliko Roni sittenkin mieleltään sairas? Saattoiko hänen poikansa olla kylmäverinen tappaja?

Samassa Roni irvisti hänelle hermostuneesti.

»Ei ollut hauskaa», Tero ärähti.

Roni palautti katseensa tiehen. »Anteeksi. Olen niin... peloissani. Emme selviä tästä.»

»Meidän on saatava lisäaikaa Toomakselta.»

Roni ei vaivautunut vastaamaan.

Markettien ja autoliikkeiden valot loistivat kelmeinä iltaruskoista taivasta vasten. Välimeri pilkahteli liikerakennusten takaa. Auton lämpömittari näytti 22 astetta.

Tero huomasi kuinka auton keskikonsoliin heitetyn puhelimen näyttöruutu alkoi vilkkua.

MARCUS, näytössä luki.

Tero pelkäsi heti pahinta. Oliko Marcus sittenkin nähnyt hänet parvekkeella? Vai oliko talossa kuitenkin ollut valvontakameroita, vaikkeivät he Ronin kanssa olleet niitä huomanneet? Kameran todistus olisi kiistaton ja siinä tapauksessa Ronin rahoittaja oli mennyttä. Tai vielä pahempaa – jos ja kun Marcus oli mukana myös rahanpesussa tai muussa järjestäytyneessä rikollisuudessa, he saattaisivat saada tappajat peräänsä. Yhdet lisää, Tero ajatteli katkerasti.

»Kuka se on?» Roni kysyi.

»Ole hiljaa», Tero kivahti ja tarttui puhelimeen. Hän yritti tosissaan keskittyä puhumiseen.

»Terve, Tero. Onko velat maksettu?»

Marcus kuulosti hyväntuuliselta. Tero rentoutui silmänräpäyksessä. Hän vilkaisi kojetaulun kolossa olevaa kirjekuorta, jossa pullotti sadan ja kahdensadan euron seteleitä.

»Kiitos, kaikki on kunnossa. Ajelemme juuri kasinolta kohti Fuengirolaa. Suuri kiitos. Hoidamme sinulle rahat pian takaisin.»

»Ei mitään hoppua, sain juuri sovittua muutaman liiketapaamisen. Harmi että olette täällä, olen nimittäin menossa huomenna taas Helsinkiin. Käyn samalla Tukholmassa ja palaan parin päivän kuluttua Sveitsin kautta takaisin.»

Ajatukset sinkoilivat Teron päässä.

»Niinkö?» hän kysyi ehkä hieman turhankin innokkaasti. »Se sattui itse asiassa todella sopivasti, olemme palaamassa aamulla Helsinkiin.»

Roni vilkaisi häntä terävästi.

Marcus kuulosti yllättyneeltä. »Ymmärsin, että aiotte olla täällä hieman pitempään.»

»Se kasinohairahdus muutti vähän aikatauluja.»

»Ei rahoilla ole kiirettä, älkää niiden takia stressatko.»

»Arvostan suurpiirteisyyttäsi. Mutta Suomessa on muutama muukin asia hoitamatta... Ja haluan hoitaa myös velkamme mahdollisimman nopeasti. Saat rahasi takaisin huomenna Helsingissä.»

»Tero, ethän ymmärtänyt väärin? En minä sen takia ryhtynyt soittelemaan...»

»Et tietenkään. Mutta kun kerran tulet Suomeen, niin sinun on vihdoin tultava saunomaan mökille.»

»Siitä on puhuttu niin monta kertaa, että pakko kai se olisi.

Mutta ei taida olla aikaa –»

»Paikka on aivan lähellä Helsinkiä», Tero sanoi hilpeyttä tavoitellen. »Otetaan kunnon löylyt, pulahdetaan järveen ja juodaan jääkylmää vodkaa.»

»Entäs *vasta*?»

Marcus äänsi sanan suomeksi Teron muinoin opettamalla tavalla.

»Tehdään sellaiset piiskat, että nahka lähtee lastuina.»

»Kuulostaa hyvältä», Marcus nauroi. »Koneeni lähtee 7.45. Olemme varmaan samassa koneessa.»

»Meillä on lento Amsterdamin kautta. Millainen aikataulusi on?»

»Minulla on tapaaminen illalla yhdeksältä.»

»Hyvä, meille jää monta tuntia. Soittelen tarkemmin, haemme sinut kentältä niin säästyy aikaa.»

Tero lopetti puhelun kasvot punoittaen.

»Mitä nyt?» Roni kysyi. »Mitä sinä aiot?»

»Kaikki menee hyvin», Tero vakuutteli enemmän itselleen kuin Ronille. »Kaikki menee hyvin.»

TOINEN OSA

24.

Rikosylikonstaapeli Rahnasto astui hissistä ja valmistautui soittamaan Leivojen ovikelloa.

Hänen oli tasapainoiltava kahden ristiriitaisen tavoitteen välillä: toisaalta hänen olisi oltava paljastamatta tutkinnallisia seikkoja, toisaalta taas saatava mahdollisimman paljon tietoja, joita Julian vanhemmilla saattoi olla. Eikä tietoja yleensä saanut, ellei itsekin puhunut jotain.

Hän huokaisi syvään oven edessä ja valmistautui surevien vanhempien kohtaamiseen.

Kimmo katsoi huolestuneena Sirjeä, kun ovikello kilahti. Sirje oli kalpea ja väsynyt, Kimmo sääli vaimoaan.

Hän avasi oven ja päästi Rahnaston sisään. Poliisi oli soittanut tuntia aikaisemmin ja sopinut käynnistä.

Rahnaston ilmeestä ei voinut päätellä oliko hänellä hyviä vai huonoja uutisia.

»Miten tutkimukset etenevät?» Kimmo kysyi heti kun kaikki olivat istuutuneet. »Onko syyllinen varmistunut?»

»Puhuiko Julia koskaan Valtteri Airaksesta», Rahnasto kysyi.

Kimmo vilkaisi häkeltyneenä Sirjeä, sitten taas Rahnastoa.
»Teillä täytyy olla jokin väärinkäsitys. Paha väärinkäsitys...»
»Auttaisi kovasti, jos vastaisitte kysymykseeni.»
»Ei. Ainoastaan Ronista», Kimmo sanoi hermostuneesti.
»Mikä saa teidät epäilemään tätä Valtteria?»
»En voi mennä tutkinnallisiin yksityiskohtiin. Mutta Valtteri oli tapahtumailtana lainannut velipuolensa autoa. Muun muassa. Ja Julian puhelimesta löytyi surmaa edeltävänä päivänä lähetetty tekstiviesti Valtteri Airakselta.»
»Mikä tekstiviesti?» Kimmo miltei huusi.
»Viesti jossa varoitettiin Juliaa.»
»Varoitettiin?» Sirje kysyi ja tuntui havahtuvan horroksestaan. »Mistä?»
»Siinäpä se. Valtteri käyttää huumeita. Hän saattaa olla myös jollain tavalla mukana huumekaupassa. Varoituksen voisi tulkita liittyvän niihin kuvioihin. Mutta toisaalta...»
Rahnasto näytti punnitsevan, mitä sanoisi seuraavaksi.
»Niin?» Kimmo liikahti levottomasti. »Mitä toisaalta?»
Rahnasto kaivoi povitaskustaan jotakin.
Kimmo katsoi pientä muovitaskussa olevaa valokuvaa, jonka Rahnasto käänsi häntä ja Sirjeä kohti.
»Tiedättekö miten Valtteri oli saanut tämän?»
Kimmo tuijotti tyrmistyneenä Julian kuvaa. Sirje purskahti itkuun, nousi ylös ja katosi makuuhuoneeseen.
Kimmo otti käteensä koulukuvan, joka oli onnistunut harvinaisen hyvin. Julia oli siinä parhaimmillaan.
»Mistä hän on voinut saada tämän?» Rahnasto toisti.
»Ei aavistustakaan.» Kimmo tunsi äänensä kiristyvän vihasta.
»Milloin ja missä kuva on otettu?»
»Koulussa viime vuonna. Julia itse piti tästä kuvasta. Mistä te saitte tämän?»

»Se löytyi Valtteri Airaksen asunnosta kotietsinnän yhteydessä.»

Sirje palasi sohvalle itsensä jotenkuten koonneena. »Julia sanoi antavansa näitä kuvia vain parhaimmille ystävilleen», hän sanoi ääni vapisten.

»Eikä Valtteri Airas teidän käsityksenne mukaan lukeutunut heihin?» Rahnasto kysyi.

»Ei tietenkään», Sirje sanoi. »Ehkä kuva on päätynyt hänelle Ronilta. Ronilla se on voinut hyvinkin olla...»

Kimmo tuijotti kuvaa herkeämättä. »Saattoiko...» hän haki sanoja nousevan raivon myllertäessä hänen sisällään. »Saattoiko Julia olla Valtterille jonkinlainen... pakkomielle?»

»Tässä vaiheessa on vielä vaikea sanoa mitään.» Rahnasto ojensi kätensä Kimmon suuntaan. »Tarvitsemme kuvaa.»

Kimmo ojensi sen hitaasti Rahnastolle. »Mitä tämä Valtteri on sanonut kuulusteluissa?»

»Se tässä epäilyjä lisääkin. Emme ole saaneet häneen yhteyttä. Hän on kadonnut.»

»Teillä on nähtävästi häntä vastaan oikeaakin näyttöä?» Kimmo kysyi.

Rahnasto nousi ylös. »Näyttää siltä, että juttu saadaan syyttäjälle.»

Kimmo käveli Rahnaston perässä eteiseen ja kysyi hiljaa: »Onko Juliallakin jotain tekemistä huumekuvioiden kanssa?»

»Emme tiedä vielä. Mutta siihenkin vaihtoehtoon joudumme ehkä varautumaan. Pidän teidät ajan tasalla.»

Kimmo sulki hitaasti oven Rahnaston jälkeen. Kääntyessään hän kohtasi olohuoneen oviaukossa seisovan Sirjen lohduttoman katseen.

Kimmo meni hänen luokseen ja kietoi kätensä hänen ympärilleen.

»Se paskiainen» Kimmo sanoi ääni värähtäen. »Tapan hänet.

Etsin hänet ja tapan omin käsin.»

»Minä en kestä tätä enää.» Sirje alkoi nyyhkyttää hysteerisesti ja irtaantui Kimmon otteesta.

Kimmo seisoi hetken paikoillaan, kääntyi sitten hitaasti ja iski nyrkkinsä raivoisasti seinään.

25.

Espanjan- ja englanninkieliset kuulutukset kaikuivat Malagan lentokentällä. Aurinko oli hädin tuskin noussut isojen ikkunoiden takana, mutta muut matkustajat näyttivät Teron silmissä energisiltä. Hän istui pöydässä väsyneenä ja katsoi Ronia, joka tuli wc:stä ja istuutui tyhjän kahvikuppinsa taakse.

»Mitä mietit», Tero kysyi pirteää esittäen.

»Hyvä on, Marcuksella saattaa olla pankin numerokoodi mukanaan. Kukaan ei luota muistiinsa tällaisessa asiassa. Mutta entä jos hänellä on esimerkiksi lukollinen salkku? Tai jos emme löydä numeroa mistään?»

Tero huokaisi. »Emme me voi muuta kuin toivoa parasta.»

»Entä jos se ei riitä? Sitten joudumme kiskomaan hänestä tiedon väkisin.»

»Mitä tarkoitat?»

Roni ei vastannut vaan käänsi katseensa kohti kentällä nousukiidossa olevaa konetta.

»En halua kuulla enää koskaan tuollaisia heittoja», Tero sanoi vihaisesti. »Tiedät mitä ajattelen –»

Puhelin soi Teron taskussa.

Heli, hän huomasi yllättyneenä.

Helin ääni oli ohut ja kireä. »Poliisi kävi täällä äsken», hän sanoi ja oli selvästi poissa tolaltaan. »He etsivät Valtteria...» Puhe katkesi hetkeksi. »Tämä on aivan hirveää, häntä epäillään Julian tappajaksi...»

»Ota rauhallisesti», Tero sanoi pala kurkussaan. »Tiesitkö sinä tästä?»

»Poliisi vei Ronin Audin renkaat. Ne täsmäsivät tapahtumapaikalla olleeseen autoon. Valtteri lainasi autoa sinä iltana.»

Tero kuunteli Helin itkua ja yritti hillitä omat tunteensa. Hän painoi puhelimen mahdollisimman tiukasti korvaansa vasten, jotta Roni ei olisi kuullut äitinsä hätää. Mutta Roni näytti silti kuulevan. Hän ponkaisi ylös ja lähti kävelemään kohti kahvion kassaa.

»Heli, rauhoitu nyt. Tiedät, että Valtteri ajautuu itsetuhoon nykymenolla ennemmin tai myöhemmin. Vankila voi olla hänen ainoa mahdollisuutensa. Tämä voi olla parasta mitä hänelle on sattunut pitkään aikaan. Hän istuu vankilassa muutaman vuoden eikä menetä elämässään mitään. Päinvastoin. Se voi olla uusi alku.»

»Miten sinä voit sanoa noin? Etkö tajua että Julia on *kuollut*? Mitä me teimme väärin? Miten me kasvatimme tällaisen hirviön, joka riistää hengen toiselta ihmiseltä...»

»Emme me tehneet mitään väärin. Lapset ovat yksilöitä. Valtteri joutui väärään seuraan... ajautui. Se oli vain huonoa onnea. Ei hän olisi ilman huumeita päätynyt tällaiseen...» Tero huomasi oman äänensäkin pettävän.

»Miten kaksi poikaa voivatkaan olla niin erilaisia? Toisesta ei ole muuta kuin murhetta, toisesta pelkkää iloa.»

Tero katsoi merkitsevästi Ronia, joka palasi pöytään urheilujuomapullo kädessään.

»Ja pelkään, että menetämme Roninkin. Odotan joka kisan aikana sydän kylmänä, että jotain tapahtuu. Ja jos hän jonain päivänä päätyy ykkösiin, niin paineet ovat aivan hirveät... liian kovat.»

»Heli, se on hänen unelmansa. Se on hänen elämänsä. Emme me voi riistää sitä häneltä.»

Heli huokaisi. »Pidäthän Ronista hyvää huolta?»

»Voit olla siitä varma», Tero sanoi katse edelleen Ronissa.

»Milloin tulette Suomeen?»

»En tiedä. Ronilla on tärkeät harjoitukset edessä.»

»Kerro hänelle rakkaita terveisiä.»

»Totta kai.» Tero halusi lopettaa puhelun. Nopeasti. Hän ei enää kestänyt tilanteen irvokkuutta.

»Äidiltä terveisiä», Tero sanoi suljettuaan puhelimen.

Roni oli hiljaa ja käänsi sitten katseensa kohti lähtevien koneiden monitoria. Hän jäi tuijottamaan sitä tuskastuneena.

»Tämäkin vielä.»

»Mitä?» Tero kysyi ja käänsi katseensa ilmoitustaululle.

»Koneen lähtö viivästyy.»

Toomas tunsi kihelmöivää jännitystä. Tero oli kuulostanut puhelimessa vakuuttavalta – hän todella uskoi saavansa Marcuksen pankkikoodin tänä iltana.

Sade piiskasi maisemaikkunoita ja mereltä puhaltava navakka tuuli lennätti nurmikolla vaahteranlehtiä. Toomas yritti keskittyä päätteen ääressä työasioihin, vaikka se oli vaikeaa.

»Toomas», ovelta kuului.

Pienikokoinen, syömällä rypyttömänä pysynyt viidenkymmenen ikäinen mies pysähtyi oviaukkoon ja jatkoi: »Onko sinulla illalla kiireitä?»

»Ei sen kummempia», Toomas sanoi. Hän oli jo ajat sitten oppinut, että Anatolille kannatti vastata myöntävästi aina kun se vain oli mahdollista.

»Grotenfelt tulee tänne erään toisen tapaamisen jälkeen, vanhan ystävänsä luota mökiltä. Jos voisit noutaa hänet Askolasta. Se on jossain Porvoon suunnalla.»

Toomas lupasi hoitaa asian, ja Anatoli palasi takaisin kerrosta ylemmäs. Heidän välinsä olivat aina olleet etäiset ja muodolliset, se sopi hyvin molemmille.

26.

Taksi kaartoi Tikkurilan Alkon eteen. Tero ja Roni hyppäsivät melkein vauhdissa ulos ja harppoivat lätäköitä väistellen kohti liikkeen ovea. Aamulento Malagasta Amsterdamiin oli ollut teknisen vian vuoksi myöhässä, ja he olivat hädin tuskin ehtineet Amsterdamissa Helsingin-koneeseen.

Kaiken huipuksi Marcus oli tekstiviestillä ehdottanut, että ehkä olisi parempi jättää saunareissu toiseen kertaan. Tero oli vastannut että ei missään tapauksessa – he olivat jo muka pilkkoneet puita ja juuri aloittaneet saunan lämmityksen. He vaativat, että Marcus tulisi heittämään edes pikaiset löylyt.

Harppoessaan myymälään Tero sanoi: »Sinä haet oluet, minä kossun.»

»Tuskin Marcus siihen koskee, jos hänellä kerran on illalla liiketapaaminen.»

»Marcus ei sylje lasiin, oli tilanne mikä tahansa.»

Hetken kuluttua he kiiruhtivat ulos Alkosta kohti taksia, jonka kuljettaja napsautti takaluukun auki nähdessään olutkorin. Takapenkille istuuduttuaan Tero vilkaisi kelloaan. »Heti kun pääsemme kotiin, minä otan auton ja lähden saunan lämmitykseen ja sinä lähdet hakemaan Marcusta kentältä. Ehdimme juuri ja juuri.»

Tero kumartui kohti kuljettajaa. »Maksamme viisikymppiä ylimääräistä, jos ajat ylinopeutta.»

Taksi ampaisi liikkeelle Alkon pihasta. Sade oli lakannut, mutta liikenne nosti tien pinnasta kostean pilven.

Tero seurasi tyytyväisenä Marcuksen ja Ronin vilkasta keskustelua kuuman saunan lauteilla. Pienestä ikkunasta kajasti sisään heikko syyspäivän valo, Tiiläänjärven pinta kajasti tyynenä rantakoivujen takana.

»Carlo tuntee yhden Williamsin mekaanikon ja väittää kivenkovaan, että koko vakoilujupakka oli lavastettu», Roni sanoi.

»Luotan McLarenin johtoon enemmän kuin Williamsin...»

Tero kaatoi lisää kirkasta viinaa Marcuksen snapsilasiin.

»Annahan olla jo», Marcus sanoi, mutta ei kuitenkaan estellyt vaan tarttui lasiin. »Te suomalaiset olette hulluja... *Skål*!»

Roni ei juonut alkoholia – ei yleensäkään, eikä varsinkaan nyt. He olivat sopineet, että hän veisi Marcuksen isomman tien varteen, josta tämän liikekumppanin kuljettaja noutaisi hänet Helsinkiin.

Marcus ja Roni jatkoivat autokeskusteluaan ja Tero sanoi hakevansa lisää olutta. Hän pujahti saunan eteiseen, sulki oven huolella ja harppoi jännittyneenä Marcuksen takille, joka roikkui naulakossa. Takin taskussa oli kalenteri-puhelinmuistio. Tero selaili sivuja nopeasti läpi. Nimet ja numerot eivät kertoneet hänelle mitään eikä muistiossa ollut mitään tilinumeroksi tulkittavaa. Tero kaivoi toisesta taskusta lompakon ja selasi sisältöä kiireisin sormin.

Hän kuuli kuinka oven takana rupateltiin ja heitettiin lisää löylyä. Nopeasti hän tutki penkille viikattujen housujen taskut, joista löytyi ainoastaan nippu avaimia.

Levottomuus kasvoi Teron mielessä. Hän tutki jopa Marcuksen kengät tarkasti. Sitten hän otti vyön ja varmisti, ettei siinä ollut vetoketjulla suljettua piilotaskua, jonne paperinpalan olisi voinut kätkeä.

Ei mitään.

Eikö Marcuksella sittenkään ollut numeroa mukanaan? Tero tunsi heikotuksen aallon kehossaan. Mitä helvettiä hän nyt tekisi. Sisältä kuului entistä äänekkäämpää keskustelua, aiheena se miksi Suomesta tuli kilpa-autoilijoita mutta Ruotsista ei.

Teron silmät pysähtyivät muistion välistä pilkottavaan kuulakärkikynään, jonka runko oli tavallista paksumpi. Pikemminkin mielijohteesta kuin harkinnan seurauksena hän tarttui kynään ja kiersi sen auki. Patruunan ympärille oli kiedottu paperisuikale.

Tero avasi sen hätäisesti. Paperilla oli kirjaimia ja numeroita: CHL6LUBCDC 911963.

Teron jalat notkahtivat helpotuksesta. CH viittasi kaiken järjen mukaan Sveitsiin, L mahdollisesti Lausanneen ja UBC pankkiin, kuten Toomas oli sanonut. Hän otti kynänsä esille ja kopioi tekstin paperille.

Marcuksen ääni alkoi äkkiä lähestyä oven takana. »Nyt on todella huono olo. Pakko saada raitista ilmaa.»

Roni kysyi Marcukselta jotain ja tämä jäi vielä vastaamaan.

Tero kiersi nopeasti kynän takaisin kiinni, sujautti sen muistion väliin ja pudotti muistion takin taskuun. Sitten hän tarttui olutpulloihin.

»Hyvä, ei sitten enää löylyä», kuului Ronin huuto saunasta. Se oli sovittu merkki – Tero tiesi, ettei Roni enää pystynyt pidättelemään Marcusta.

Saman tien saunan ovi avautui ja Marcus hoiperteli ulos.

»Riittää jo», Marcus puhalteli.

Tero sihautti olutpullon auki ja ojensi sen Marcukselle, joka tarttui siihen ahnaasti ja rojahti höyryävänä penkille istumaan.

Roni ilmestyi saunan ovelle huolestuneen näköisenä.

Tero nyökkäsi hänelle vaivihkaa ja otti esiin paksun kirjekuoren, jossa oli samat setelit jotka Marcus oli lainannut heille Marbellassa.

»Kiitos, Marcus. Maksaisimme velkamme.»

27.

Toomas oli hermostunut istuessaan pomonsa pienen Alfa Romeon ratissa Askolan koillispuolella. Autoa todella piti ajaa, ja konepellin alla kehräsi vaikuttava määrä hevosvoimia. Hän kytki vilkun ja hidasti vauhtia kääntyäkseen hylätyn kaupparakennuksen pihaan, josta Anatoli oli käskenyt noutamaan liikekumppaninsa.

Laatikkomaisen, mineriittilevyillä päällystetyn rakennuksen edessä seisoi vanha urheiluauto, jonka tavaratilasta Roni nosti juuri matkalaukun. Hänen vieressään seisoi Marcus Grotenfelt.

Toomas pysäköi urheiluauton viereen, nousi autosta ja nyökkäsi Ronille, joka näytti yllättyneeltä hänet nähdessään.

Toomas kätteli punakan Marcuksen ja Roni nosti tämän matkalaukun Alfa Romeon takakonttiin.

Marcus asettui hieman vaivalloisen näköisesti etupenkille.

»Roni, kiitos saunasta, palataan asioihin Marbellassa.»

Toomas siirtyi ohjauspyörän taakse ja lähti ajamaan kohti Porvoonväylää ja Espoota.

»Hulluja nuo suomalaiset», Marcus huokaisi. Hän otti puhelun Espanjaan eikä Toomas ymmärtänyt puheesta kuin hajanaisia, merkityksettömiä sanoja sieltä täältä.

Tie nousi ja laski kumpuilevassa metsämaastossa, muuta liikennettä oli niukasti. Toomas huomasi takaa tulevat ajovalot, jotka lähestyivät. Auto oli seurannut heitä jo jonkin aikaa, ja nyt asia alkoi huolestuttaa Toomasta.

Tie muuttui yhä mutkittelevammaksi. Toomas kiihdytti tasaisesti vauhtia, mutta valot lähestyivät edelleen. Marcus puhui puhelimessa keskittyneesti eikä huomannut mitään.

He sukelsivat metsäsaarekkeeseen ja nousivat samalla kalliomuodostelman päälle vievää ylämäkeä.

Samassa takana ajava auto kiihdytti aivan heidän peräänsä, vaihtoi pitkät ajovalot ja häikäisi peilien kautta Toomaksen näkyvyyden.

Toomas lisäsi vaistomaisesti nopeutta, mutta joutui saman tien hiljentämään jyrkän mutkan takia. Äkkiä hän näki pysäköidyn traktorin edessään keskellä tietä. Sekunnin murto-osassa hän käsitti, ettei mitään ollut tehtävissä. Silti hän survaisi jarrun pohjaan ja yritti kääntää rattia. Juuri ennen törmäystä hän ehti huomata, että edessä oleva traktori näytti tyhjältä.

Toomaksen kauhunhuuto katosi korviahuumaavan jysähdyksen ja metallin kirskunnan sekaan. Samalla hetkellä hänen edessään räjähti valkoinen pilvi, jonka sisään hän retkahti. Hänet täytti viiltävä kipu, joka sekoittui musertavan paineen tunteeseen.

Pimeyden seasta alkoi vähitellen kuulua tipahteleva ääni. Kipu ja rinnassa tuntuva paine tunkeutuivat hänen tajuntaansa yhä suuremmalla voimalla. Hän tunsi jotain kosteaa valuvan kasvoillaan. Hän avasi silmänsä ja räpytti niitä hätäisesti muutaman kerran.

Marcus retkotti hänen vieressään elottomana, silmät avoimina. Toomas yritti kääntää päätään, mutta se ei liikahtanut.

Kipu alkoi yltyä sietämättömäksi eikä hän pystynyt liikkumaan eikä puhumaan. Hän oli puristuksissa kasaan painuneessa ohjaamossa.

Hän erotti peilin kautta liikettä auton sivulla. Oven viereen pysähtyi kookas tummapusakkainen mies. Toomas yritti huutaa apua, mutta hän ei saanut suutaan liikkumaan. Hän yritti räpytellä silmiään kiinnittääkseen miehen huomion, mutta tämä oli kävelemässä Marcuksen puolelle. Pian mies toteaisi hänet kuolleeksi ja palaisi auttamaan Toomasta.

Mies veti pusakkansa taskusta esiin jotain.

Kumihansikkaat, Toomas huomasi. Mihin hän tarvitsi kumihansikkaita? Mies alkoi tunnustella Marcuksen ruumista ja penkoi läpi tämän lompakon jokaisen kolon.

Kauhu syrjäytti hetkeksi kivun Toomaksen mielessä. Mies ei ollut auttaja. Eikä törmäys ollut onnettomuus.

Miehellä oli harmaat huolellisesti leikatut hiukset, avoinna olevan pusakan alta näkyi musta poolopaita. Kasvot näyttivät kuuluvan noin viisikymmentävuotiaalle miehelle. Mies kolusi yhä Marcuksen taskuja ja nosti lopulta esiin kuulakärkikynän. Hän kiersi sen auki, veti sisältä esiin ohuen paperisuikaleen ja tutki sitä tarkasti.

Toomas ei enää yrittänyt liikkua eikä puhua, vaan oli niin hiljaa kuin pystyi, yritti olla edes hengittämättä.

Mies kohotti nopeasti päätään. Toomas sulki silmänsä. Oliko tämä ehtinyt huomata hänen katseensa?

Samassa tieltä kuului lähestyvän auton ääni.

Toomas odotti hetken ja avasi varovasti uudelleen silmänsä. Mies oli jo katoamassa metsän uumeniin.

Toomas tunsi veren maun suussaan ja hänen katseensa sumeni. Lopulta hän menetti tajuntansa.

28.

»Miksi Toomas ei soita», Tero sanoi tuskastuneena keittiön pöydän ääressä. Hänen edessään oli paperi, jossa oli vaivoin ja riskejä kaihtamatta hankittu numerosarja.

»Soita sinä hänelle», Roni sanoi. »Hän poimi Marcuksen Askolasta ajat sitten, ei hän ainakaan ratissa enää ole.»

Tero pyöritteli puhelintaan kädessään. »Toomas sanoi nimenomaisesti, että hän soittaa meille. Ehkä hän on vieläkin Marcuksen seurassa eikä halua vastata. Odotetaan rauhassa.»

He istuivat hetken hiljaa, kunnes Roni sanoi: »Entä sen jälkeen, kun Toomas pääsee käsiksi tallelokeroon? Eikö hänelle kumppaneineen voi tulla houkutus hiljentää meidät, jotka tiedämme asiasta?»

»En usko. Hän tietää, että taatusti pidämme suumme kiinni. Tietyistä syistä.»

Tero tuijotti kädessään olevaa paperia ja Roni jatkoi:

»Mutta jos kyseessä ovat aivan huikeat rahasummat? Mistä me tiedämme, millaisissa hämäräpuuhissa Marcus on mukana... Jos ja kun hän kerran on liikesuhteessa Toomaksen pomoon. Entä jos Toomas kumppaneineen tyhjentää lokeron, jossa on miljoonien eurojen arvosta jotakin, jonka takia mekin saamme vielä Marcuksen kautta hämäräheikit kannoillemme –»

»On turha pohtia tuollaista. Emme voi muuta kuin antaa pankin koodin Toomakselle ja toivoa, että hän pitää sanansa. Ja onhan meilläkin yhtä ja toista, jonka paljastamisella voimme uhata jos näyttää siltä, ettei hän pidä sanaansa.»

Roni huokaisi. Pöydän ympärille laskeutui uudelleen hiljaisuus.

Tero vilkaisi kelloa. »Soitan Marcukselle ja kysyn miten hän on toipunut saunareissusta. Yritetään käyttäytyä mahdollisimman normaalisti.»

Tero näppäili Marcuksen numeron.

»Haloo», puhelimesta kuului suomeksi.

Tero hätkähti. Ääni ei ollut Marcuksen.

»Olen ylikonstaapeli Simola. Kuka soittaa?»

Miksi suomalainen poliisi vastasi Marcuksen puhelimeen? Oliko Marcus pidätetty? Tero olisi halunnut sulkea puhelimen, mutta soitto jäljitettäisiin, jos se katsottaisiin tarpeelliseksi.

»Onkohan tämä Marcus Grotenfeltin numero...»

»On. Kuka te olette?»

»Olen Marcuksen ystävä. Tero Airas.»

»Minulla on valitettavasti ikäviä uutisia. On tapahtunut onnettomuus. Marcus Grotenfelt menehtyi autokolarissa.»

Tero tarrasi toisella kädellään kiinni pöydän reunasta. »Menehtynyt kolarissa», hän toisti typertyneenä ja tuijotti Ronia, jonka silmät olivat laajentuneet.

»Tunsitteko hänet hyvinkin?»

Miksi poliisi kyseli tuollaista? Tero mietti kuumeisesti olisiko järkevää kertoa saunareissusta, mutta se saattaisi selvitä kuitenkin myöhemmin. Silloin olisi epäilyttävää, jos hän olisi vaiennut asiasta.

»Hän oli mökillämme saunomassa iltapäivällä. Mitä on tapahtunut?»

»Auto törmäsi tielle sammuneeseen traktoriin. Autoa kuljetti henkilö nimeltä Toomas Ehaver. Tunnetteko hänet?»

»En», Tero haki mahdollisimman luontevaa äänensävyä. »En tunne häntä. Miten hänelle kävi?»

»Hän on elossa, täpärästi. Hänet vietiin Töölön sairaalaan ja sieltä edelleen Meilahteen. Mutta tilanne ei kuulemma näytä valoisalta. Saisinko yhteystietonne varmuuden vuoksi.»

Tero ei voinut muutakaan kuin antaa numeronsa.

»Otamme yhteyttä, jos ilmenee kysyttävää. Osanottoni ystävänne poismenosta.»

Tero laski puhelimen pöydälle ja yritti käsittää, mitä oli tapahtunut ja mitä se heille merkitsi.

»Kolari», hän kuiskasi Ronille. »Marcus on kuollut ja Toomas sairaalassa.»

Roni veti henkeä kasvot kalpeina. »Niin kauan kuin Toomas on poissa pelistä, kukaan ei ole meidän kimpussamme. Kuinka pahoin hän mahtaa olla loukkaantunut?»

»Pahasti. Ei välttämättä selviä.»

Roni käänsi katseensa pöydällä olevaan paperiin ja siihen kirjoitettuihin numeroihin.

Tero aavisti mitä Ronin mielessä liikkui. Hän tarttui paperiin, taitteli sen ja työnsi taskuunsa.

»Mitä aiot tehdä sille?» Roni kysyi.

»Viedä sen Toomakselle.»

»Entä jos hän... ei selviä?»

»Meillä ei ole siinä tapauksessa tallelokerolle enää käyttöä.»

Se oli valhe. Tero aikoi säilyttää tilinumeron siltä varalta, että Toomaksella oli kumppaneita, jotka tulisivat esittämään vaatimuksia.

»Palaamme mahdollisimman nopeasti alkuperäisiin aikatauluihin. Poliisi etsii Valtteria, sinua ei täällä kaivata.»

Roni nyökkäsi vakavana.

29.

Pimeyden läpäisi ensin yksi veripisara, sitten toinen. Mies makasi autonromun seassa pahoin loukkaantuneena.

Jokin liikahti. Mies yritti nostaa päätään. Hänen kasvonsa olivat ruhjoutuneet. Hän katsoi suoraan kohti, hänen huulensa näyttivät liikkuvan. Niiltä saattoi erottaa avunpyynnön.

Mutta jostain ilmestyi käsi, joka tarttui miehen päähän ja alkoi painaa hänen kasvojaan vasten esiin lauennutta turvatyynyä.

Toomaksen hengitys kiihtyi. Kliininen tuoksu tunkeutui hänen sieraimiinsa. Hän ponkaisi pystyyn, kipu välähti halki hänen rintakehänsä.

Valkoisiin pukeutunut hahmo lähestyi häntä nopeasti ja kehoitti rauhoittumaan.

»Olit pahassa kolarissa», naisääni sanoi. »Sinun on levättävä.»

Toomas katsoi äänen suuntaan pelokkaana ja erotti lempeät kasvot. Nainen tarttui häntä olkapäästä ja otsasta ja alkoi päättäväisesti painaa häntä kohti tyynyä. Häneen oli kiinnitetty johtoja ja kanyyleja. Toomas jännitti kivusta huolimatta ruumistaan ja taisteli vastaan kaikin voimin. Hän tarttui nopeasti naisen ranteeseen ja näki häkeltyneen ilmeen tämän kasvoilla.

Samassa Toomas tunsi jälleen musertavaa kipua rinnassaan. Hän päästi otteen irti ja lysähti takaisin makuulle.

Vasta silloin hän huomasi, että hoitajan takana seisoi mies – Tero Airas.

Samalla hetkellä kaikki palautui hänen mieleensä.

»Lankonne haluaa tavata», hoitaja sanoi Toomakselle ja jatkoi Teron suuntaan ystävällisesti, mutta päättäväisesti: »Hyvin lyhyesti.»

Tero katsoi järkyttyneenä johdoilla ja letkuilla mittalaitteisiin kytkettyä Toomasta. Virolaisen kasvoissa ei näkynyt poskipään peittävän siteen lisäksi ulkoisia vammoja, ilme sen sijaan oli tuskainen ja hämmentynyt. Mutta mies oli tajuissaan, ja se oli pääasia. Tero halusi täyttää oman osansa sopimuksesta ja pitää huolta siitä, että Toomas täyttäisi omansa.

»Toomas, miten menee?» hän sanoi ja yritti kuulostaa rohkaisevalta. »Te virolaiset olette sitkeitä.»

Ennen kuin Toomas ehti sanoa mitään, Tero ojensi häntä kohti suljetun kämmenensä. »Se on tässä. Muistat varmaan mikä?»

»Muistini ei onneksi mennyt», Toomas vastasi niin hiljaa, että ääni oli hukkua sairaalaelektroniikan huminan taakse. »Saitteko sen?»

Tero kumartui lähemmäs ja kuiskasi: »Saimme. Ja nyt haluaisin, että poistamme vastaajastasi erään viestin.»

»Tero…» Toomaksen ääneen ilmestyi outoa kiihkeyttä. »Tule lähemmäs…»

Tero kumartui aivan Toomaksen kasvojen eteen. Hän tunsi desinfiointiaineen ja jonkin lääkkeen tuoksun.

»Mene Lausanneen, lokerolle. Tuo sisältö tänne…»

»En voi enkä halua osallistua tähän enää millään tavalla»,

Tero sanoi tiukasti. »Tämä ei kuulu minulle. Tein jo oman osuuteni, ja nyt –»

»Et ymmärrä. Tämä kaikki liittyy Juliaan. Roni ei tappanut häntä, vaan he... Tiedän sen nyt.»

»Ketkä *he*?» Tero kysyi epäuskoisesti.

»Jos haluat oikean tappajan kiinni, mene Lausanneen ja tuo lokeron sisältö minulle... Älä puhu tästä kenellekään, älä edes Ronille. He eivät kaihda mitään keinoja...»

»Sinä hourailet. Olit kolarissa. Marcus kuoli...»

»Marcus tapettiin. Ja häneltä vietiin sinulla oleva numerosarja. Minun on saatava lokeron sisältö... ennen kuin Marcuksen tappajat saavat sen. Ymmärrätkö?»

»En ymmärrä. En alkuunkaan.»

»Pysy erossa tästä, jos et halua kokea Julian ja Marcuksen kohtaloa. Ja jos haluat pelastaa Ronin tulevaisuuden. Käyt vain pankin lokerolla ja tuot sen sisällön minulle, muuta sinun ei tarvitse tietää.»

Tero kuuli Toomaksen äänestä, että tämä oli tosissaan. Hyvin tosissaan.

»Anteeksi, hänen pitää nyt levätä», Teron taakse ilmestynyt hoitaja sanoi.

Tero kohottautui hitaasti sängyn vierestä puristaen nyrkissään lappua, jolla oli sveitsiläispankin tallelokeron numero.

30.

Aurinko paistoi siniseltä taivaalta Lausannen keskustaan ja sai Geneven-järven takana kohoavat Alppien lumiset huiput hohtamaan. Tero ei kiinnittänyt huikaisevan kauniiseen maisemaan pienintäkään huomiota, vaan katsoi kelloliikkeen ikkunasta heijastuvaa kuvaansa, kohensi solmiotaan ja varmisti, että puku istui mahdollisimman hyvin. Joskus muulloin hän olisi mennyt tutkimaan ikkunaan asetettua vanhaa Breitlingiä, mutta nyt hän jatkoi matkaansa kadun yli kohti UBC-pankin koristeellista vanhaa kivirakennusta.

Tero ei voinut käsittää mitä Toomas oli tarkoittanut sanoillaan »oikeasta» tappajasta. Mutta hän halusi uskoa Toomasta, kaikesta sydämestään. Pelkkä ajatus siitä, ettei Roni olisikaan surmaaja, täytti hänet käsittämättömällä riemulla ja toivolla. Hän oli katsonut viisaimmaksi noudattaa Toomaksen ohjetta eikä ollut kertonut edes Ronille, mille asioille oli lähtenyt – sanonut vain olevansa koko päivän auttamassa Haarasta Helsinki Securityn toimistossa.

Leveiden portaiden päässä Tero pysähtyi katsomaan jyhkeää pääsisäänkäyntiä. Pyöröovesta tuli ulos ihmisiä, joiden varallisuus näkyi heidän itsetietoisessa olemuksessaan ja hillityn tyylikkäässä vaatetuksessaan.

Hän puristi tyhjän salkkunsa kahvaa ja nousi portaat rauhallisesti, silti viivyttelemättä. Holvimainen suuri aula huokui menneen ajan henkeä, jolloin pankkiasiointi oli vielä arvokas toimitus. Nytkin asiakkaat liikkuivat ja käyttäytyivät maltillisesti. Kivilattia kiilsi ja univormuun pukeutunut vartija seurasi aulan tapahtumia kädet selän takana ja katse valppaana.

Tero käveli marmoritiskille silmälasipäisen miehen eteen ja tervehti tätä mahdollisimman vakuuttavasti.

»Kävisin lokerollani», Tero sanoi ja laski numerosarjan kiillotetulle tiskille.

Virkailija otti paperin. »Pieni hetki.»

Mies näppäili tietokonetta ja hymyili sitten pidättyvästi.

»Olkaa hyvä, tätä tietä», hän sanoi ja lähti kävelemään kohti aulan toista päätyä. Siellä hän päästi Teron tiskin toiselle puolelle ja pyysi edelleen seuraamaan. He laskeutuivat puolikkaan kerroksen alas ja saapuivat tallelokero-osastolle.

»Olkaa hyvä ja odottakaa tässä», virkailija sanoi ja osoitti yhtä sermeillä erotetuista tiloista, jossa oli pöytä ja kaksi nojatuolia. Samanlaisia karsinoita oli useita.

Tero istuutui ja näki kuinka virkailija avasi holvin raskaan oven. Hän selaili levollisin liikkein mutta mitään näkemättä esitettä, jossa kaupattiin eksoottisen näköisiä sijoitusrahasto-osuuksia. Hänen ajatuksensa pyörivät Toomaksen sanoissa. Keitä olivat »he»? Miksi joku olisi halunnut surmata Julian?

Virkailija palasi metallinen tallelokero mukanaan. Tero tuijotti sitä uteliaisuutensa hädin tuskin hilliten.

Saman tien virkailija poistui näköyhteyden ulottumattomiin.

Lukitun metallilokeron päässä oli pieni numeropaneeli. Tero näppäili koodin ja lokeron kanteen syttyi vihreä valo.

Hetkeäkään epäröimättä Tero avasi laatikon, jossa oli vain

paksu mutta kevyt kirjekuori. Hän laittoi pehmustetun kuoren salkkuunsa, sulki lokeron ja nousi seisomaan. Hän halusi päästä avaamaan kirjekuoren. Heti.

Samalla hetkellä pankkisaliin astui harmaahiuksinen keski-ikäinen mies, joka mustan poolopaitansa ja pikkutakkinsa sekä okranväristen housujensa takia toi mieleen arkkitehdin. Suoraryhtinen mies käveli määrätietoisesti tiskille ja tervehti.

»Kävisin tallelokerollani», mies sanoi englanniksi.

Naisvirkailija otti miehen ojentaman paperin ja näppäili numerot tietokoneelle. Hän tuijotti koneen ruutua ymmällään.

»Tämän mukaan lokerolla käytiin juuri hetki sitten.»

»Mitä tarkoitatte?»

Nainen tuijotti ruudulla olevaa kollegansa merkintää. Hän nosti katseensa ja näki kollegan kättelevän pukuun sonnustautunutta miesasiakasta holviosaston portaikon vieressä. Samalla hetkellä nainen käsitti tehneensä virheen, mutta se oli jo liian myöhäistä: hänen edessään seisova mies vilkaisi hänen katseensa suuntaan.

Mies otti paperin tiskiltä takaisin itselleen. »Tulen myöhemmin uudelleen.»

Juuri lokerolla käynyt mies poistui pyöröovesta salkku kädessään. Harmaahiuksinen mies suuntasi ripein askelin hänen peräänsä.

Tero harppoi kohti kelloliikkeen eteen pysäköimäänsä Renault Mégane Sportia, jonka oli vuokrannut Geneven lentokentältä.

Hän istuutui kuljettajan paikalle ja laski salkun viereiselle istuimelle päättäen tutkia lokeron sisällön sittenkin vasta hotellissa, se olisi turvallisinta. Mitä niin arvokasta kuoressa saattoi olla, että Toomas noin ehdottomasti halusi saada sen haltuunsa?

174

Tero lähti ajamaan. Jyrkkää, mutkikasta katua noustessaan hän vilkaisi vaistomaisesti taustapeiliin. Toomas oli selvästi ollut tosissaan varoittaessaan »heistä» – keitä sitten lienevätkin.

Jonas Hellevig nousi farmari-Mersullaan jyrkkää mukulakivikatua. Päästyään mäen päälle hän jarrutti äkisti. Renaultia ei näkynyt missään.

Hän hieraisi jykevää leukaansa ja teki nopean tilannearvion. Oikealle johti yksisuuntainen asuinkatu ja suoraan edessä oli pysäköintialue, joten auton oli täytynyt kääntyä vasemmalle kohti rantaa laskeutuvaa katua.

Hellevig pyöräytti kiroillen nopealla ohjausliikkeellä auton vasemmalle ja kiihdytti alas kapeaa katua ohittaen pysäköidyt autot muutaman sentin etäisyydeltä.

Tullessaan korkeiden muurien ja kermanväristen rakennusten reunustamaan risteykseen Hellevig ehti juuri ja juuri nähdä vilahduksen Méganen peräpäästä oikealle nousevassa mäessä. Hän lähti nousemaan kiemurtelevaa, edellistäkin kapeampaa yksisuuntaista mukulakivikatua.

Tero painoi kaasupoljinta ja vaihtoi kaistaa nopealla, hallitulla ohjausliikkeellä.

Hän vilkaisi jälleen kerran taustapeiliin ja näki viininpunaisen C-mallin farmari-Mercedeksen kiihdyttävän sitkeästi takanaan. Hän oli mielestään nähnyt samanlaisen auton jo pankin edessä.

Tero keskittyi edessään avautuvaan katunäkymään. Hotellin liittymä tulisi yllättäen, hän oli ensimmäisellä kerralla ollut ajaa sen ohi.

Hellevig piti katseensa Méganessa, joka eteni ketterästi muutaman auton päässä hänen edellään.

Äkkiä Méganen kuljettaja kytki vilkun ja livahti ahtaalle pysäköintialueelle, joka kuului hieman ylempänä rinteessä sijaitsevalle hotellille. Hellevig jarrutti, mutta joutui ajamaan pysäköintialueen liittymän ohi, ettei kuljettaja näkisi häntä. Hän huomasi Méganen ahtautuvan kapeaan taskuparkkiin.

Hellevig kirosi uudestaan Lausannen sekavat, kukkulaiset kadut ja kiihdytti vauhtiaan, kunnes pääsi kääntymään takaisin yksisuuntaisen kadun päähän johtavalle reitille. Hän joutui väistämään nivelbussia, joka otti virtansa katolle kiinnitetyillä joustavilla aisoilla ilmajohdoista. Heti väylän vapauduttua Hellevig ajoi niin lujaa kuin pystyi, kämmenpohjat hiestä kostuen.

Kiireestä huolimatta hän ei voinut välttyä ajatustensa harhailemiselta: kuka ja kenen asialla lokerolla käynyt mies oli? Oliko Marcus ennen kuolemaansa kertonut tallelokeron sisällöstä jollekin? Vai oliko hän mahdollisesti antanut jollekulle toimintaohjeet kuolemansa varalta?

Hotelli Reginan vastaanottoaulassa Teroa tervehti hymyillen tiskin takaa nuori tummahiuksinen nainen. Tero vastasi hymyyn, tervehti englanniksi ja pyysi huoneensa avaimen. Hän oli kentältä tullessaan hätäisesti ostanut puvun ja käynyt vaihtamassa sen ylleen hotellihuoneessa – hän olisi tuntenut olonsa epävarmaksi jos olisi pyrkinyt tallelokerolle farkuissa ja vanhassa nahkatakissa.

Virkailija toivotti mukavaa päivää ojentaessaan avaimen ja Tero harppoi kokolattiamatolla päällystetyt portaat kolmanteen kerrokseen salkku tiukasti kädessään.

Huoneeseen päästyään Tero riisui puvuntakin ja kiskaisi solmion kaulastaan. Sen jälkeen hän avasi malttamattomana salkun ja katsoi paksua pehmustettua kuorta.

Empimättä hän repäisi sen auki, työnsi kätensä sisälle ja tunnusteli kovaa muoviesinettä. Hän veti sen ulos.

Vhs-kasetti.

Tero vilkaisi kuoren sisälle. Siellä oli toinen kuori, jonka hän avasi ja veti esiin valokopion. Se oli otettu jonkinlaisesta pankkitositteesta, jossa mainittiin summa – 6,9 miljoonaa Ruotsin kruunua – ja nimi: Anders Helström, Zentech AB.

Tero lysähti hämmentyneenä sängylle istumaan. Millä tavalla nämä tiedot liittyivät Julian surmaan?

Useiden täpärien väistöliikkeiden jälkeen Jonas Hellevig kääntyi hotellin pysäköintialueelle, jolla tuttu Mégane onneksi vielä oli. Hän lähti kävelemään kohti piparkakkutaloa muistuttavaa hotellia. Moniulotteisen kivirakennuksen täytyi olla peräisin 1800-luvulta, mutta se oli vastikään saanut pintaansa uuden savenpunaisen värin. Puiset ikkunaluukut ja -laudat hohtivat kirkkaan valkoisina ja niitä piristivät keltaiset ja siniset kukat.

Heti aulaan astuttuaan Hellevig antoi katseensa kiertää hotellivieraissa, mutta Mégane-miestä ei näkynyt. Hän oli jo autossa alkanut hahmotella selkeää toimintasuunnitelmaa, jota täydensi paikan nähtyään.

Kyse saattoi olla sekunneista. Hänen oli saatava lokeron sisältö haltuunsa ennen kuin mies ehtisi tutustua siihen. Piste.

Ensimmäiseksi olisi selvitettävä miehen huoneen numero. Hellevig väisti puheliasta turistiryhmää, joka kääntyi vastaanottotiskiltä matkalaukkuineen kohti hissejä. Hän lähestyi tummahiuksista jakkupukuista nuorta virkailijaa, joka hymyili hänelle lämpimästi.

Hellevig tiesi saavansa vastaanottovirkailijalta avuliaan vastaanoton; hän oli ulkonäöltään juuri sellaista varakkaan ja määrätietoisen näköistä johtajatyyppiä, joka sai hyvää palvelua missä tahansa. Harmaat hiukset ja kasvoissa olevat uurteet tekivät hänet 51 ikävuottaan vanhemman näköiseksi, mutta kookkaan miehen suoraryhtinen olemus kertoi urheilullisuudesta ja itsekurista, menestyksen varmoista mittareista.

Tero kurkisti hotellin tyhjään neuvotteluhuoneeseen. Pitkällä pöydällä oli ryhmä virvoitusjuomapulloja laseineen, katossa roikkui hiljaa huriseva videotykki, joka oli suunnattu kohti valkokangasta.

Tero oli hetkeä aiemmin soittanut hotellin vastaanottoon kysyäkseen, missä hän voisi katsoa vhs-kasetin. Neljännen kerroksen neuvotteluhuoneessa oli kuulemma vhs-nauhuri, mutta siellä oli alkamassa muutaman minuutin kuluttua kokous, ja tila vapautuisi vasta kahta tuntia myöhemmin. Tero oli päättänyt silti tulla neuvotteluhuoneeseen, sillä hän saattaisi ehtiä vilkaista kasetin sisältöä edes hiukan.

Huoneen vastakkaisessa nurkkauksessa television alla oli dvd-soitin ja vhs-nauhuri. Hän syötti kasetin laitteeseen ja jäi uteliaana seisomaan monitorin eteen.

Kuvaruudussa näkyi kuitenkin vain mustaa. Hän oli juuri kumartumassa painamaan kuvallisen pikakelauksen näppäintä, kun monitoriin ilmestyi jotakin. Tero kumartui eteenpäin ja yritti hahmottaa mitä siinä oli. Kuvassa näkyi kuitenkin vain epämääräistä vihreänsävyistä pimeyttä. Ruudun alakulmassa oli päivämäärä vuodelta 1994 ja kellonaika juoksi sen alla.

Kamera näytti liikkuvan omituisen hitaasti. Tero pudisteli päätään turhautuneena ja katkerasti pettyneenä. Tästä kasetista tuskin olisi apua hänelle ja Ronille. Oliko Toomas tietoisesti huijannut hänet Sveitsiin?

Samassa Tero käsitti, että otos oli sukeltajan ottamaa kuvaa. Valokeila liikkui pitkin tasaista vaaleaa pintaa veden alla, kunnes kuvassa näkyi jotain tummaa.

Tero siristi silmiään ja yritti hahmottaa näkemäänsä. Mustat merkit olivat valkeaan pintaan kirjoitettuja kirjaimia. Viistosta kulmasta hahmottuivat kirjaimet I ja A. Hiljalleen valokeilaan ilmestyi lisää kirjaimia, kunnes koko teksti näkyi.

ESTONIA.

31.

Tero hätkähti. Hän katsoi uudelleen päivämäärää. 29.9.1994. Kello 23.52.

Hänelle tuli epämukava olo. Miksi ihmeessä Estonian hylkyä kuvaava videonauha oli sveitsiläisen pankin tallelokerossa? Ja miksi se oli ollut Marcuksella?

Ja kaikkein kummallisin yhteensattuma tuli äkkiä Teron mieleen: Julian isovanhemmat olivat kuolleet Estonian onnettomuudessa.

Käytävältä neuvotteluhuoneen oven takaa kuului puhetta. Tero tuijotti tv-ruutua, jolla sukeltaja eteni hylyn uumeniin. Hänen mieleensä tulvahti muisto siitä, kuinka hän oli onnettomuusaamuna ollut kotona television ääressä, ennen töihin lähtöä.

Estonian ympärillä oli vuosia pyörinyt kaikenlaisia salaliittoteorioita. Saattoiko videonauha liittyä niihin?

»Anteeksi», ovelta kuului ranskaksi.

Tero säpsähti ja käännähti nopeasti äänen suuntaan.

Ovesta kurkisti kiharahiuksinen pukuun pukeutunut mies. Hänen takanaan seisoi lisää ihmisiä. Tero käsitti, että sisään oli tulossa neuvotteluhuoneen varannut ryhmä.

»Anteeksi, pieni hetki», Tero sanoi englanniksi ja painoi nau-

180

hurin eject-nappia. Hän hapuili käteensä ulos liukuvan kasetin ja poistui kohteliaasti hymyilevien kokousvieraiden ohi käytävälle. Hissi pysähtyi kerrokseen samalla hetkellä kun Tero harppoi portaikkoon.

Hellevig astui hissistä käytävälle ja lähti kävelemään oikealle kohti neuvotteluhuonetta. Matto pehmensi hänen määrätietoiset askeleensa. Hän oli kysynyt vastaanottovirkailijalta kuuluiko minkään huoneen varusteisiin vhs-nauhuri. Ei kuulunut. Sellainen oli vain neuvotteluhuoneessa, joka tosin olisi varattuna pariksi tunniksi. Virkailija oli maininnut, että asia oli hetkeä aiemmin selvitetty eräälle hotellivieraalle, joka oli sattumoisin kysynyt samaa.

Hellevig pysähtyi neuvotteluhuoneen ovelle. Sisältä kuului vaimeaa puhetta. Hän avasi oven epäröimättä. Pöydän äärestä kääntyi päitä hänen suuntaansa. Hellevig antoi katseensa kiertää huoneessa ja rekisteröi vhs-nauhurin huoneen nurkassa.

»Anteeksi», Hellevig sanoi ranskaksi ja painoi oven kiinni.

Hän oli helpottunut: huone oli varattuna joten mies ei ollut todennäköisesti vielä nähnyt kasetin sisältöä.

Tero laski kasetin huoneensa pöydälle ja yritti ymmärtää, mitä sen sisältö merkitsi.

Kuinka Toomaksen väite siitä, että lokeron sisältö liittyisi Julian surmaan, saattaisi pitää paikkansa? Ja miksi kasetti oli ollut Marcuksella? Ennen siirtymistään ulkomaille Marcus oli työskennellyt ainakin joidenkin huhujen mukaan Ruotsin armeijan palveluksessa.

Tero siirsi katseensa vhs-kasettiin. Kyseessä täytyi olla väärinkäsitys. Toomas oli erehtynyt lokeron sisällöstä. Sillä ei voinut olla mitään tekemistä Julian kanssa. Mitä hänen pitäisi tehdä? Viedä kasetti poliisille? Miten hän selittäisi saaneensa sen haltuunsa?

Yhteydenotto poliisiin tuntui kaikin puolin huonolta vaihto-ehdolta. Ehkä kasetin voisi lähettää nimettömänä Estonian tut-kintakomissiolle.

Tero vilkaisi kelloaan. Joka tapauksessa hän katsoisi parin tunnin kuluttua nauhan kokonaan ennen kuin päättäisi mitä te-kisi sille. Hän avasi television ja otti sen päältä kaukosäätimen ja langattoman näppäimistön. Siniselle ruudulle ilmestyivät vaihto-ehdot: info, tv, pay-tv ja internet. Tero valitsi jälkimmäisen, kuit-tasi nettiyhteyden avaamisen lisämaksua vastaan, avasi Googlen ja etsi tietoja Estonian onnettomuudesta.

Hän silmäili rivejä. Alus oli uutena liikennöinyt Viking Sally -nimellä Turun ja Tukholman välillä. Myöhemmin monien vai-heiden jälkeen se kulki Estonia-nimisenä Tallinnan ja Tukhol-man väliä, kunnes upposi 35 kilometrin päässä Utön saaresta 28. syyskuuta 1994 mukanaan 852 ihmistä.

Mitä enemmän Tero kasettia ja koko tilannetta ajatteli, sitä hämmentyneemmäksi hän tuli. Hän luki läpi perustiedot onnet-tomuudesta. Estonia oli lähtenyt Tallinnasta iltaseitsemän jäl-keen kohti Tukholmaa. Merellä tuuli oli yltynyt. Yhden jälkeen yöllä miehistön jäsenet sekä useat matkustajat olivat kuulleet ja tunteneet voimakkaan tärähdyksen ja raapivan äänen, ja sa-maan aikaan aluksen vauhti oli pysähtynyt. Oli kuulunut useita epätavallisia kolahduksia ja pamahduksia. Alus oli alkanut kal-listua voimakkaasti ja liikkuminen ahtailla käytävillä ja por-taikoissa oli ollut vaikeaa, useimmille mahdotonta. Monet jäi-vät loukkuun hytteihinsä. Portaissa kaiteet olivat repeytyneet irti niissä roikkuvien ihmisten painosta. Ulkokannelle olivat sel-vinneet vain vahvimmat, pääasiassa nuoret ja keski-ikäiset mie-het. Aluksen kallistuessa lisää ihmiset olivat kiivenneet kaiteiden yli laivan kyljelle. Estonia oli kadonnut paikalle kiiruhtaneiden alusten tutkasta kello 01.42, mutta oli palannut vielä hetkeksi näkyviin. Lopullisesti tutkakuva oli menetetty kello 01.50.

Teksti oli järkyttävää luettavaa. Oli liian kamalaa kuvitella millainen pakokauhu laivalla oli vallinnut. Tero karisti ahdistavat mielikuvat mielestään ja luki loppuun tekstin, jonka mukaan paikalle tulleet alukset ja helikopterit olivat äärimmäisen vaikeissa oloissa onnistuneet poimimaan merestä 138 ihmistä. Tero palasi takaisin hakusanoihin ja silmäili listaa alaspäin. Hän avasi raportin, jossa arvosteltiin voimakkaasti kansainvälisen tutkintakomission työtä. Teksti oli kriittistä ja hyökkäävää. Toisen linkin takana kerrottiin aluksella mahdollisesti tapahtuneista räjähdyksistä. Samassa yhteydessä muistutettiin, että heti uppoamisen jälkeen julkaistut uutiset oli syytä ottaa huomioon, sillä tutkintakomissio ei vielä tuolloin ollut monopolisoinut näkökulmaansa ainoaksi oikeaksi totuudeksi. Tero oli automaattisesti sulkemassa sivuston, mutta avasi kuitenkin linkin Helsingin Sanomien uutiseen, joka oli julkaistu kaksi päivää uppoamisen jälkeen:

HS – Kotimaa – 30.9.1994

Estlinen Viron toimitusjohtaja:»Törmäys tai räjähdys»

TALLINNA –»Estonian upotti jokin epänormaali tekijä: räjähdys tai vedenalainen törmäys.» Laivalinjan Viron puolen toimitusjohtaja Johannes Johanson on varma asiastaan.

»Tapahtuma on muuten käsittämätön. Estonian kokoinen autolautta ei kaadu, vaikka kaikki rekat pinottaisiin sen toiselle kyljelle», Johanson sanoo.

Kaikkein oudointa on hänen mielestään se, että alus keikahti ympäri viidessä minuutissa. Johanson pitää ihmeellisinä pelastuneiden kertomuksia siitä, että pinnan tuntumassa olisi näkynyt jokin karia muistuttava. Kareja ei ole uppoamispaikan lähimaillakaan.

Venäjän Baltian laivaston kapteeni Aleksander Gorbatshuk kertoi

183

BNS-uutistoimistolle, ettei alueella ollut Venäjän laivaston laivoja tai sukellusveneitä.

Tero jatkoi otsikoiden silmäilyä ja klikkasi auki artikkelin Ruotsin television ajankohtaisohjelmassa, Uppdrag Granskningissa, marraskuussa 2004 esitetystä tullimiehen tunnustuksesta. Tullivirkailija Lennart Henriksson oli kymmenen vuotta kantanut huonoa omaatuntoa, ja Estonian muistojuhlan aikoihin hän oli vihdoin ottanut yhteyttä ohjelman toimittajaan. Nyt eläkkeellä oleva Henriksson oli esimiehineen kutsuttu syyskuussa 1994 tullijohdon puheille ja käsketty olla tarkastamatta erästä Estonialla saapuvaa ajoneuvoa. Henrikssonin mielestä hänen käskettiin tehdä virkavirhe, mutta hän oli silti noudattanut käskyä. Farmarimallinen Volvo oli ajanut laivasta ulos ilman tarkastusta. Hän oli kuitenkin ottanut ylös auton kuljettajan nimen ja rekisterinumeron. Auton oli vuokrannut Ericsson-konserniin kuuluva Ericsson Access. Kuljettajan nimi oli todennäköisesti tekaistu.

Suurempi ja tukevammassa lastissa ollut pakettiauto oli päästetty läpi ilman tullitarkastusta vain viikkoa ennen Estonian onnettomuutta. Televisioryhmän salaa nauhoittamassa tullivirkailijan ja tämän esimiehen puhelinkeskustelussa esimies myönsi, että Ruotsiin tuotiin materiaalia »puolustusvoimien käskystä». Esimies oli kuitenkin kieltäytynyt televisiohaastattelusta.

Henrikssonin paljastuksen jälkeen ruotsalaisille oli valjennut ensimmäisen kerran, että heidän hallituksensa oli valehdellut ja tarkoituksella piilotellut tosiasioita. Aiemmin huhuiksi leimatut valtiollisen tason salakuljetukset saivat lopullisen vahvistuksen kun Henrikssonin tunnustus pakotti Ruotsin hallituksen reagoimaan ja määräämään hovioikeuden presidentin Johan Hirschfeldtin tutkimaan väitettyjä salakuljetuksia. Hän vahvisti raportissaan asian tammikuussa 2005, ilmoitti polttaneensa tutkimusmateriaalinsa – ensimmäisen kerran uransa aikana – ja julisti tiedot lasteista salaisiksi 70 vuodeksi.

Seuraavaksi Tero avasi muistion, jonka ruotsalainen kansanedustaja Lars Ångström oli tehnyt vaatiessaan uutta tutkintaa. Teron silmiin osui lause, jonka hän luki moneen kertaan: *Sukeltajat kävivät hylyssä salaa heti onnettomuuden jälkeen.* Hänen katseensa siirtyi hitaasti pöydällä lepäävään mustaan kasettiin.

Samassa ovelta kuului terävä koputus. Tero hätkähti niin rajusti, että näppäimistö oli luiskahtaa hänen sylistään lattialle.

»Kuka siellä?» hän kysyi.

»Huonepalvelu», miehen ääni sanoi oven takaa.

»En ole tilannut mitään.» Tero nousi ylös irrottamatta katsettaan ovesta.

»Minun on tarkastettava huoneesta eräs tekninen asia, en häiritse kuin hetken.»

Puhujan sävy ei ollut kohteliaan nöyrä, kuten hotellin työntekijöillä yleensä. Pikemminkin vaativan itsevarma. Lisäksi puhuja oli hyvin matalaääninen, sekään ei vastannut mielikuvaa palvelualalla toimivasta ihmisestä.

»Minulla on kiire. Huone vapautuu kohta, olen lähdössä ulos.»

Tero otti kasetin pöydältä ja tunki sen kuoreen.

»Kuten sanoin, tässä menee vain hetki.»

Tero ajatteli, kuinka epätoivoisella vimmalla Toomas oli halunnut saada haltuunsa lokeron sisällön. Eikö siis joku muukin kuin Toomas saattanut olla sen perässä yhtä epätoivoisesti? Ja miksi Toomas oli vannottanut häntä salaamaan käyntinsä lokerolla jopa Ronilta…

Tero käveli ovelle. Hän liu'utti hiljaa sivuun ovisilmää peittävän läpän ja yritti katsoa käytävälle, mutta näki vain pelkkää pimeyttä. Tai ei aivan pelkkää pimeyttä – linssin reunalla näkyi liikahdus ja aavistuksenomainen valonhäivähdys.

Joku piti sormeaan ovisilmän päällä.

32.

Sisään ei ollut pyrkimässä hotellin henkilökuntaan kuuluva ihminen. Tero oivalsi silmänräpäyksessä, millaisiin mittasuhteisiin hänen ongelmansa olivat kasvaneet.

Ovelta kuului jälleen terävä koputus. »Olkaa hyvä ja avatkaa.»

Teron päässä kaikuivat Toomaksen varoitukset. Lokeron sisältö olisi sen haltijalle elämän ja kuoleman kysymys. Mahtipontiselta kuulostanut väite sai äkkiä uutta painoarvoa.

Oven takaa kuului rapinaa. Pelko sai Teron jähmettymään hetkeksi paikoilleen. Mies sormeili lukkoa – vaikka tiesi hänen olevan sisällä...

Tero kaappasi puhelimen käteensä, mutta käsitti saman tien, ettei siitä olisi mitään hyötyä.

Lukko rapsahteli edelleen. Tero kytki varmuusketjun. Samalla hetkellä kun hän sai ketjun paikoilleen, ovi avautui. Ketju kilahti kireäksi ja ovi raottui.

Tero huomasi katsovansa silmiin suunnilleen itsensä ikäistä kookasta miestä, jolla oli harmaat hiukset ja hätkähdyttävän vakava, tyly ilme. Miehellä oli yllään musta poolopusero ja samanvärinen pikkutakki.

Tero työnsi oven kiinni hetkeäkään empimättä ja pyörähti takaisin huoneeseen. Lukko alkoi rapista uudelleen.

Tero pysähtyi keskelle lattiaa ja yritti pakokauhultaan ajatella järkevästi. Samassa ovi avautui. Varmuusketju helähti rajusti kerran ja heti perään toisen kerran.

Tero nappasi kuoren mukaansa, harppasi ikkunalle, avasi sen nopeasti ja katsoi alas pienelle muurien ympäröimälle takapihalle, jossa ei ollut autoja eikä edes roskasäiliöitä. Hän vilkaisi sivulle ja huomasi valkoisen, peltisen syöksytorven.

Eteisestä kuului pahaenteistä, metallista kirskuntaa. Tero nosti nopeasti jalkansa ulos ja huomasi että televisioruudulle jäi näkyviin tekstiä Estonian sukelluksista. Sille ei voinut nyt mitään, ei sillekään että salkku unohtui, onneksi siellä ei ollut mitään tärkeää. Hän tarrasi syöksytorvesta kiinni käsillään ja jaloillaan. Putken elementit oli sidottu toisiinsa rautalangoilla, joiden terävät päät tunkeutuivat hänen kämmeniinsä. Kivusta huolimatta hän alkoi liu'uttaa itseään alaspäin.

Päästyään maahan hän kuuli terävän, kimmahtavan napsahduksen vierestään pihan asvaltilta. Hän hypähti sivuun ja katsoi samalla ylös. Hänen huoneensa ikkunasta kurkotteli ulos mies, joka tähtäsi häntä aseella.

Tero juoksi muutaman askeleen ovelle, jonka päällä oli pieni lippa. Hän käänsi kahvaa, mutta ovi oli lukossa. Se oli ainoa poistumisreitti suljetulta pihalta.

Hän hakkasi ovea ja näki mielessään, kuinka ampuja oli jo matkalla alas. Hän poimi maasta tuhkakuppina käytetyn metallimaljan, löi sillä hetkeäkään epäröimättä rikki oven lasin ja kurkotti kätensä sisäpuolen kahvaan.

Hän työntyi sisään pieneen eteiseen peläten joka hetki saavansa vastaansa aseen ja sitä pitelevän miehen tylyt silmät. Hän juoksi seuraavalle ovelle, joka avautui hänen edessään ennen kuin hän ehti edes koskea kahvaan.

»Mitä täällä –»

Tero juoksi henkilökuntaan kuuluvan naisen ohi työntäen hänet sivuun. Nainen huusi kollegalleen jotain. Tero näki matkalaukkuja edessään ja käsitti olevansa hotellin vastaanoton matkatavarasäilössä. Hän ryntäsi tiskin taakse ja aulaan virkailijan huudoista välittämättä. Ulos päästyään hän kaivoi avaimet taskustaan ja hyppäsi autoonsa samalla hetkellä, kun hotellin ovesta juoksi ulos harmaahiuksinen mies.

Tero painoi kaasua ja kääntyi kapealle mukulakivikadulle torven soidessa vasemmalla. Vasta koskettaessaan vaihdekeppiä ja rattia hän huomasi, kuinka veriset hänen kätensä olivat.

Toomas havahtui siihen, kun hänen nimeään toistettiin hiljaa.

Hän avasi silmänsä ja näki sängyn viereen kumartuneen valkotakkisen silmälasipäisen miehen.

»Hyvä, olet hereillä. Miltä vointisi tuntuu?»

Toomaksen suu oli kuiva. Hän vastasi muutaman sekunnin viiveellä: »Väsyttää…»

»Sinulla on vahva rauhoittava lääkitys.»

Lääkäri katsoi häntä arvioivasti. Toomas sulki silmänsä.

»Minun on kysyttävä erästä asiaa», mies sanoi hiljaa. »Miksi pyysit hoitajaa ilmoittamaan sinua tavoitteleville henkilöille, että olet kuollut?»

Toomas piti silmänsä kiinni ja yritti keskittyä uupumuksesta huolimatta. Hän ei ehtinyt vastata, kun lääkäri jatkoi: »Ymmärrät varmasti, ettemme missään tapauksessa voi toimia niin. Voimme korkeintaan laittaa sinusta tietojenluovutuskiellon.»

»Pyytäisin, ettei luokseni päästettäisi muita vieraita kuin ne, jotka itse pyydän.»

»Hoitohenkilökunnalla ei ole mitään mahdollisuuksia valvoa vierailijoita. Mutta kun laitamme tietojenluovutuskiellon, kukaan ei tiedä missä huoneessa olet. Miksi olet huolissasi vierailijoista? Oletko varma, ettet halua puhua poliisin kanssa?»

»Ei poliisia.» Toomas lipaisi kuivia huuliaan, edelleen silmät suljettuina. Hän pinnisteli kaikki voimansa pystyäkseen keskittymään. Hän tajusi olevansa tilanteessa, jossa oli ainoastaan huonoja vaihtoehtoja. Oli vain valittava vähiten huono.

»Poliisi haluaa meistä riippumatta keskustella onnettomuusauton kuljettajan kanssa, koska kyseessä oli vakava onnettomuus», lääkäri sanoi.

»Toinen mies autossa… Miten hänelle kävi?»

»Hänen pelastamisekseen ei kuulemma ollut tehtävissä kolaripaikalla enää mitään. Olen pahoillani.»

Vaikka lauseen sisältö ei ollut yllätys, sen kuuleminen teki pahaa.

Toomas avasi silmänsä. Sängyn viereen oli ilmestynyt hoitaja, sama kuin aiemmin. Lääkäri poistui.

Hoitaja kohensi Toomaksen peittoa ja kysyi hänen vointiaan.

»Haluaisin soittaa pari puhelua.»

»Vähän myöhemmin, nyt on syytä vain levätä ja –»

»Tuo minulle puhelin, ole hyvä.»

Hoitaja vilkaisi häntä tutkivasti ja lähti hakemaan puhelinta.

33.

Tero astui metallinpaljastimen läpi Geneven lentokentällä ja poimi vhs-kasetin sisältämän muovikassin hihnalta. Kirjekuoren hän oli taittanut lompakkonsa väliin. Hän oli pessyt kentän wc:ssä haavansa ja peittänyt ne paperipyyhkeillä, joita huomasi turvatarkastusvirkailijoiden katsovan epäluuloisina.

Tero suuntasi yhteen myymälöistä ostamaan laastaria. Hän oli kiihdytellyt ja pujotellut liikenteen seassa kaikella taidollaan ja oli varma, ettei asemies seurannut häntä. Mutta ei ollut vaikea arvata Teron pyrkivän lentokentälle, joten hän oli varuillaan ja hätkähti jokaista harmaahiuksista miestä.

Tero pesi wc:ssä kätensä uudelleen ja laastaroi haavat. Lähtöselvitys oli jo alkanut, hän pääsi suoraan koneeseen. Päästyään paikalleen matkustamon takaosaan hän tuijotti hiljaisena eteensä istuinrivien ylitse. Hänestä tuntui kuin hän olisi yhä syvemmällä synkässä umpikujassa, josta ei ollut poispääsyä. Eikä mikään tuntunut todelliselta... Ja kuitenkin kauhu ja pelko olivat todellisempia kuin mikään muu pitkään aikaan.

Lentoemännät kulkivat käytävällä ja sulkivat täyteen ahdettujen säilytyslokeroiden kansia. Kapteenin kuulutus ilmoitti kaiken olevan valmista lähtöä varten.

Teron puhelin soi juuri kun hän aikoi kaivaa sen esiin sammuttaakseen virran. Puhelu Helsingin verkkoryhmästä.

»Tässä on Toomas», käheä ääni sanoi.

Tero sävähti suoraksi istuimellaan.

»Saitko lokeron sisällön?»

»Sain», Tero vastasi ääni yhtä käheänä.

»Oliko siellä kasetti ja jokin pankkikuitti?»

»Miten kasetti liittyy Juliaan?»

»Tuo se minulle, niin kerron. Mitä vähemmän tiedät sitä ennen, sitä parempi.»

Toomas katkaisi puhelun. Lentoemäntä käveli käytävällä tarkistaen, että kaikkien istuinvyöt olivat kiinni.

Tero epäröi hetken ja soitti Ronille Helsinkiin.

»Hanki jostain vhs-nauhuri», hän komensi.

»Mitä sinä höpiset?»

»Tee kuten sanoin. Tule hakemaan minut lentokentältä kello 14.50», Tero sanoi ja sulki yhteyden.

Sirje nosti Hakunilan S-marketin hihnalta kassiin jauhelihapaketin, maitopurkin, paprikan ja juustopakkauksen, pitäen katseensa erossa iltapäivälehden lööpistä. LUKIOTYTÖN SURMAAJA EDELLEEN VAPAANA. Kimmo oli jo aamulla ostanut lehdet, joissa ei ollut tutkinnasta mitään uutta. Maksettuaan ostokset hän käveli hitaasti ulos tihkusateeseen.

Puhelin soi hänen takkinsa taskussa.

Soittaja esittäytyi hoitajaksi Meilahden sairaalasta. Sirje ei kyennyt peittämään säikähdystään.

»Ei mitään hätää. Veljenne on tullut tajuihinsa ja toivoisi teidän tulevan vierailulle.»

Sirjeltä pääsi pitkä ja helpottunut huokaisu. »Millaisessa kunnossa hän on? Jääkö hänelle pysyviä vammoja?»

»Hänellä on aivotärähdys ja useita luunmurtumia jaloissa.

Sydänongelmat ovat jo kurissa. Hänen rintakehänsä oli aikamoisessa puristuksessa, joten seuraamme tarkkaan sydämen ja keuhkojen toimintaa. Mutta omasta mielestään hän on jo kovasti parempaan päin, ja sehän on hyvin tärkeää.»

»Kiitos soitosta, et arvaakaan, kuinka onnellinen olen», Sirje sanoi liikuttuneena. »Kerro Toomakselle, että tulen heti.»

Sirje kiiruhti kohti kotia. Hän oli pyörtyä hissiin päästyään, silmissä musteni hetkeksi.

»Pitäisi syödä, pitäisi muistaa syödä», hän mutisi hengästyneenä itsekseen. Hän ihmetteli yhtäkkistä tarmokkuuttaan. Ikään kuin huoli Toomaksen voinnista olisi painanut surun taka-alalle, mieli yritti selvästi pelastautua pahimmalta turvaamalla pienempään ja käsiteltävissä olevaan pahaan. Ihan miten vain, Sirje ajatteli. Pääasia että hänen toimintakykynsä oli palautunut.

Hän laski kassin eteisen lattialle ja huusi: »Kimmo!»

Kimmo ilmestyi huolestuneena olohuoneen ovelle.

»Toomas on tajuissaan. Laita ruuat jääkaappiin, vaihdan vaatteet.»

Roni käveli bensiinimittarilta kassaa kohti Itäkeskuksen Shellillä. Hän pysähtyi moottoriöljypullojen viereen vastaamaan puhelimeen. Soittaja oli ylikonstaapeli Rahnasto.

Roni tervehti miestä mahdollisimman asiallisella ja levollisella äänellä.

»Haluaisimme kuulustella sinua vielä liittyen Julia Leivon surmaan. Voisitko tulla tänä iltana tänne Pasilan poliisitalolle?»

Roni hätkähti. Hän pelkäsi äänensä tärisevän ja yritti kuulostaa kiukkuiselta.

»Kävin jo siellä. Mistä nyt on kysymys?»

»On tullut ilmi asioita, joiden vuoksi haluamme kuulla sinua uudelleen. Tule tänne kello 19.»

Roni sanoi tulevansa ja sulki hermostuneena puhelimen. Mitä

oli tapahtunut? Pahat aavistukset saivat hänen ihonsa kananlihalle. Oliko poliisi saanut tietää jotain uutta? Kuulosti siltä kuin epäilyt kuitenkin nyt kohdistuisivat häneen.

Anatoli Rybkin siveli pyöreää, sileäksi ajeltua leukaansa Töölön sairaalan neuvonnassa. Hänen aiemmin puhelimitse saamansa tiedon mukaan kolareiden uhrit tuotiin Töölön sairaalan ensiapuun, mutta miespuolinen hoitaja tiskin takana ei tiennyt mitään Toomas Eheveristä.

Anatoli otti puhelun kumppanilleen ja kertoi tilanteen. Lyhyen keskustelun lopputulos oli selvä: etsimistä oli jatkettava.

Toomas vaihtoi vuoteellaan asentoa kärsimättömästi. Kipulääkkeet tehosivat hyvin, hänen ajatuksensa kulkivat kirkkaina. Hän oli huolella suunnitellut mitä sanoisi.

Vihdoin huoneen ovi avautui ja hoitaja ohjasi sisään Sirjen. Kimmo käveli hänen perässään kalpeana ja väsyneen näköisenä.

»Kuinka täällä jaksellaan», Sirje yritti kysyä reippaasti, mutta hänen ilmeensä paljasti huolen ja pelästymisen. Hän laski kukkakimpun yöpöydälle ja tarttui Toomasta kädestä.

»Et näytä ollenkaan niin pahalta kuin luulin», Sirje sanoi urheasti hymyillen.

»Olet kohta tolpillasi», Kimmo murahti.

»Istukaa.» Toomaksen ääni oli voipunut, mutta määräävä.

Kimmo veti kaksi tuolia sängyn viereen.

»Lähemmäs. Kuunnelkaa tarkasti.»

»Rasitut puhumisesta. Sinun pitäisi levätä ja –»

»Ota tuosta laatikosta lompakkoni.»

Sirje veti yöpöydän laatikon auki ja otti esille mustan nahkalompakon.

»Siellä on valokuva», Toomas sanoi.

Sirje veti lompakosta paperin, joka oli kopio valokuvasta. Kuvassa näkyi laivan lastausta – autoja ja miehiä ison aluksen keularampilla.

Sirje loi nopean, yllättyneen katseen Toomakseen, joka kysyi: »Tunnistatko siitä ketään?»

Sirje katsoi kuvaa uudelleen.

»Isä», hän kuiskasi ja katsoi Toomasta silmät laajentuneina, koko olemus sävähtäen.

Kimmo otti kuvan Sirjeltä.

»Se on kuva Estonian lastauksesta», Toomas sanoi hiljaa. »Sen ajan tapahtumien takia minut yritettiin tappaa. Kolari ei ollut onnettomuus, vaan murhayritys.»

»Mitä sinä oikein hourailet?» Kimmo kysyi epäuskoisena.

Toomas kokosi voimiaan hetken.

»Ja Estonian takia Julia murhattiin», Toomas sanoi pystymättä katsomaan Sirjeä tai Kimmoa silmiin.

34.

Tero näki välittömästi Ronin ilmeestä, että pojalla oli ongelmia. He kävelivät hiljaisina Helsinki-Vantaan tuloaulasta kohti pikaparkkia, jonne Roni oli jättänyt auton. Tuuli puhalsi koleasti.

Vasta taksijonon jälkeen kun ketään ei ollut lähellä, Roni kysyi: »Missä olet ollut? Mitä käsillesi on tapahtunut?»

»Selitän myöhemmin.» Tero vilkaisi kämmeniään, joiden laastarit olivat täynnä kuivuneita veritäpliä. »Mikä täällä on hätänä?»

»He haluavat minut uuteen kuulusteluun. Jotain on tapahtunut.»

Ronin ääni oli tasainen ja kylmä. Sanat saivat Teron tuntemaan voimatonta epätoivoa, hän käveli kuin robotti Ronin vieressä, kykenemättä puhumaan.

Roni painoi avaimenperästä keskuslukituksen auki ja Tero istuutui autoon.

»Kohta he soittavat sinullekin», Roni sanoi käynnistäessään moottorin.

Samalla hetkellä Teron puhelin soi.

Hän haparoi laitteen käteensä ja valmistautui kuulemaan poliisin kuivan virallisen äänen.

»Kiitos vaan», Valtteri sanoi kitkerästi.

Teron sydän alkoi hakata.

»Kiitos mistä?» hän sanoi häkeltyneenä. »Valtteri, missä sinä olet?»

»Se renkaiden vaihto oli olevinaan näppärä temppu», Valtterin ivallinen ääni jatkoi. »Mutta minulla on todistajia. He kertoivat poliisille, että en minä mitään autoa ole lainannut. En ollut edes ajokunnossa.»

Tero oli hiljaa. Tilanteeseen sopivia sanoja ei löytynyt mistään.

»Yrität lavastaa minut syylliseksi. Tiedätkö mitä minä sellaisesta tykkään? Tai poliisi. He ovat aika kiinnostuneita sinusta. Ja Ronista.»

»Kaikki ei ole sitä miltä näyttää. Olen aina tehnyt kaikkeni sinun parhaaksesi –»

»Minun parhaakseni!» Valtterin ääni kohosi. »Yrität saada minut näyttämään syylliseltä! Olisin istunut siitä monta vuotta –»

»En ymmärrä mistä sinä puhut... Tule käymään niin jutellaan –»

»Yrität pelastaa Ronin uhraamalla minut.»

»Oletko sinä sekaisin?»

»Harmi vain, ettei se onnistunut. Kerroin poliisille Ronista ja Juliasta kaikenlaista. Muun muassa heidän hormonikaupoistaan.»

»Mitä helvettiä –»

»Minun piireissäni kuulee kaikenlaista. Yritin varoittaa Juliaa ja Ronia. Enkö minä saisi puhua näistä asioista poliisille?»

»Mitä sinä olet mennyt tekemään?» Tero sanoi äänellä, joka oli sekoitus raivoa ja vaikerointia.

»Ihan saman kuin sinäkin. Maksan tässä vain samalla mitalla. Niin, tämä keskustelu meni muuten poliisin nauhalle.»

»Mitä?»

Linjalta kuului kahinaa, sitten toisen miehen ääni. »Tässä on ylikonstaapeli Rahnasto. Pyytäisin tulemaan tänne Pasilaan. Puhutaan hiukan lisää.»

Tero tuijotti eteensä.

»Kuulitteko? Tulette tänne välittömästi. Tai lähetämme partion hakemaan teitä –»

Tero sulki puhelimen.

Toomas näki Sirjen ja Kimmon katsovan typertyneinä toisiaan. Kimmo pudisti Sirjelle vaivihkaa päätään ja sanoi Toomakselle: »Sinun on nyt levättävä, puhutaan huomenna...»

»Olen täysissä järjissäni.»

»Niinkö?» Kimmo sanoi ääntään korottaen ja palautti kuvan Sirjelle. »Mitä sinä tarkoitat? Julian murhako liittyy Estonian uppoamiseen? Paniko kolari pääsi noin sekaisin?»

»Sirje, kuuntele minua», Toomas pyysi Kimmosta välittämättä.

»Sinulla on ennenkin ollut erinäisiä salaliittoteorioita», Sirje sanoi varovasti. »Sinun on ollut mahdotonta hyväksyä isän ja äidin kuolemaa. Mutta et voi olla niin sekaisin, että sotket Julian –»

»Ole hiljaa ja kuuntele.» Toomaksen ääni hiljensi Sirjen kuin raipan sivallus. »Haluatteko te tietää mitä Julialle tapahtui vai ette?» hän jatkoi hieman rauhallisemmin.

»Anna tulla sitten äläkä arvuuttele», Kimmo ärähti.

Toomas yritti rauhoittaa itseään. Kipulääkkeet pitivät tuskan loitolla ruumiista, mutta eivät mielestä.

»Tietääkö hän?» Toomas kysyi Sirjeltä.

»Suunnilleen. Mutta ei kaikkia sinun... teorioitasi.»

Toomas keräsi voimia. »Aloitan alusta. Teidän on tiedettävä nyt kaikki, molempien.» Hän veti syvään henkeä ja katsoi vuoroin Kimmoa, vuoroin sisartaan. »Palataan syysyöhön vuonna

1994... Osasin jo pelätä pahinta, kun sain aamuyöllä tiedon Estonian uppoamisesta. Silti tieto äidin hukkumisesta oli shokki. Mutta tilannetta helpotti isän nimen löytyminen sairaalan vahvistamalta pelastautuneiden listalta...»

Sirje laski toisen kätensä Toomaksen kämmenselälle kyyneleitä silmissään.

»Lista koottiin kysymällä jokaiselta pelastuneelta henkilötiedot», Toomas jatkoi ja yritti saada äänensä tasaantumaan. »Isän nimi oli listalla, mutta hän ei koskaan tullut kotiin. Ei, vaikka muilla pelastuneilla oli hänestä silminnäkijähavaintoja. Miten se oli mahdollista? Sinä hyväksyit kaiken tosiasiana, minä en. Varsinkin kun alkoi se huhumylly. Yritin kaivaa kaiken mahdollisen tiedon esiin, mutta se oli mahdotonta...»

Toomas hiljeni hetkeksi, kunnes jatkoi: »Kansainvälisen käytännön mukaista normaalia ja avointa onnettomuustutkintaa ei tehty. Päinvastoin. Asioita pimitettiin alusta saakka. Virolainen alus upposi kansainvälisille vesille, mutta ruotsalaiset pitivät yksinoikeutenaan tutkia hylkyä. He tekivät kaikkensa, ettei mikään muu taho pääsisi paikalle. Tutkintakomission suomalainen edustaja ilmoitti julkisuuteen väärät uppoamispaikan koordinaatit. Oikeat olivat vain Ruotsin ja Suomen armeijan tiedossa. Miksi meneteltiin näin?»

»Sinulle tuli Estoniasta pakkomielle», Sirje sanoi.

Toomas yritti kostuttaa kuivia huuliaan. »Antaisitko vettä.»

Ennen kuin Sirje ehti liikahtaa, Kimmo ponkaisi pystyyn ja tarttui pöydällä olevaan vesilasiin. Hän työnsi pillin nopeasti Toomaksen suuhun. Toomas imaisi pillistä ja Kimmo seurasi malttamattomana, kun neste kulki pillin sisällä.

Toomas työnsi kielellään pillin suustaan ja jatkoi: »Kyllä... On kai puhuttava pakkomielteestä, jos kaikin voimin yrittää tehdä jotain, jota muut pitävät turhana ja hulluna.»

»Ei mennä nyt niihin asioihin», Sirje pyysi tuskastuneena.

»Anna hänen puhua», Kimmo sanoi kärsimättömänä.

»Nimenomaan niihin asioihin nyt mennään.» Toomas sai voimaa Kimmon avoimesta kiinnostuksesta, hän osoitti sanansa enemmänkin Kimmolle kuin sisarelleen. »Yksi näistä asioista tietäviä on pomoni Anatoli Rybkin. Hän on asekauppias.»

»Siitäkö onkin kysymys?» Sirje kysyi pelästyneenä.

»Ei Targa Trading tee mitään laitonta. Ja minä kaikkein vähiten, järjestelen vain kuljetuksia. Mutta ennen minun aikaani, 1990-luvun alussa, Anatolilla oli hämäriä liiketoimia Tallinnasta käsin idän ja lännen välillä. Hänen huhuttiin sekaantuneen venäläisen sotilas- ja avaruustekniikan laittomaan myyntiin. Osa laitteiden kuljetuksista tehtiin Estonialla.»

Kimmo veti tuoliaan lähemmäs Toomasta ja vilkaisi Sirjeä.

»Toivoin, että saisin hänen kauttaan urkittua esiin jotakin ja järjestin itseni Anatolille töihin. En kertonut hänelle mitään isän ja äidin kohtalosta. Anatolin liiketuttaviin kuului Marcus Grotenfelt, Marbellassa asuva ruotsalainen liikemies. Yritin alkuvuosina päästä tekemisiin Grotenfeltin kanssa, mutta Anatoli hoiti liikesuhteensa mieheen hyvin vaivihkaisesti. Ja nyt...» Toomaksen ääni hiljeni edelleen. »Olin kuljettamassa Grotenfeltiä Anatolin luo kun kolari sattui. Paitsi että se ei ollut kolari. Grotenfelt murhattiin onnettomuuden varjolla.»

»Murhattiin», Kimmo toisti ja tuijotti Toomasta.

»Grotenfelt oli Ruotsin sotilastiedustelun MUSTin entinen virkailija. Niin ainakin puhuttiin. Minulla oli vahvat epäilyt hänen ja Anatolin osallisuudesta Estonialla tehtyihin salakuljetuksiin. Väitteet Ruotsin armeijan ja tullin tekemistä salakuljetuksista leimattiin tietenkin huhuiksi, kunnes ruotsalainen tullimies vahvisti tiedot. Mutta ruotsalaiset viranomaiset pimittivät asiaa, vaikka kuinka soittelin heille, lähettelin kirjeitä ja vaadin lisätietoja.»

»En osannut ottaa vakavasti niitä Tukholman-reissujasi», Sirje sanoi. »Olit raivoissasi ruotsalaisille, ja minä olin yhä enemmän huolissani salaliittovouhotuksistasi...»

Toomas ei noteerannut Sirjeä vaan jatkoi: »Vihdoin viime keväänä tapahtui käänne. Eräs isän vanha tuttava otti yhteyttä Tallinnasta. Hän oli kuullut, että yritin selvittää isän kohtaloa. Hän oli toiminut Tallinnan satamassa vartiointipäällikkönä. Nyt hän oli sairaalassa yhä pahenevan munuaisvian takia ja halusi keventää minulle sydäntään. Hän kertoi kätkeneensä kesämökilleen arkaluontoisia valokuvia. Kävin hakemassa kuvat ja tuo on yksi niistä.»

Sirje ja Kimmo katsoivat uudelleen kopiota mustavalkoisesta kuvasta, jossa Toomaksen ja Sirjen isä seisoi heijastinliivi yllään autokannella rampin luona, mitä ilmeisimmin lastausta valvomassa, papereita kädessään. Hän oli kumartuneena kuorma-auton ikkunaan päin ja näytti puhuvan kuljettajan kanssa.

»Näettekö miehen lastaussillan kupeessa?»

Siellä seisoi vaalea, keskikokoinen mies.

»Hän on Marcus Grotenfelt. Katsokaa päivämäärää kuvan alalaidassa.»

27.9.1994, klo 18.13.44.

»Siinä lastataan Estoniaa viimeiselle matkalleen», Toomas sanoi käheästi. Puhuminen otti hänen voimilleen, vaikka kipuja ei ollutkaan. »Hänen vieressään seisoo toinen ruotsalainen sotilastiedustelun virkailija...»

Mies oli nuorempi, hänellä oli pitkähköt vaaleat hiukset sekä poikkeuksellisen pieni nenä ja leveät huulet.

Samassa ovelta kuului ääniä. Hoitaja tuli sisään.

»Potilaamme pitää levätä, vierailu on nyt ohi.»

»Hetki vielä», Kimmo sanoi hoitajalle.

»Ei, minun pitää nyt pyytää teitä lähtemään.»

»Aivan pieni hetki, ei tässä muutamasta minuutista voi olla kyse», Kimmo ärähti.

»Kaksi minuuttia», hoitaja sanoi yhtä ärtyisästi. »Tulen kohta takaisin.»

»Nopeasti», Kimmo hoputti Toomasta valpas ilme kasvoillaan. »Miten Julia liittyy tähän kaikkeen?»

»Grotenfelt vieraili jokin aika sitten Anatolin luona Espoossa. Kuulin pätkän heidän keskustelustaan. He riitelivät. Grotenfelt sanoi, että hänellä oli Estoniaan liittyvää todistusaineistoa pankin tallelokerossa Lausannessa. Jotain, joka toimi hänen henkivakuutuksenaan, niin ymmärsin. Sirje...»

Toomas keräsi voimia päästäkseen vaikeimpaan asiaan. »Olet aina leimannut epäilyni Estoniasta huuhaaksi. Et ole koskaan uskonut minua. Mutta Julia halusi auttaa minua. Hän halusi selvittää isoisänsä kohtalon.»

Tunnelma huoneessa sähköistyi. Kimmo siirtyi vieläkin lähemmäs Toomasta.

»Miten?»

Toomas piti pienen tauon ennen kuin pystyi jatkamaan. »Julia oli valtavan kiinnostunut Estoniaan liittyvistä asioista. Muut katsoivat Salaisia kansioita, hän tutki niitä oikeassa elämässä. Mutta minun jäljilläni oltiin jo siinä vaiheessa, vaikka en tiennyt sitä...»

»Kuka oli jäljilläsi?»

Toomas puri huultaan ja keräsi voimia jatkaakseen. Kipu alkoi palata jalkoihin ja koko ruumiiseen.

»Ne, jotka haluavat pitää piilossa Estonialla tehdyt salakuljetukset. Tuo kuva...» Hänen äänensä sortui. »Teillä ei ole aavistustakaan kuinka tulenarka se on... Siinä on kaksi Ruotsin sotilastiedustelun MUSTin virkailijaa. Ja todennäköisesti auto, jolla viedään jotakin salamyhkäistä laivaan. MUST oli päässyt perille kuva-aineiston vuodosta Tallinnassa. Siellä on väkeä, joka tietää kuljetuksista... Tämä asia jakaa myös virolaisia. Minua seurattiin Helsingissä, niin minusta ainakin tuntui.»

Toomaksen ääni heikkeni eikä hän saanut siihen enää pakottamallakaan voimaa. »Sitten Anatolille tuli vieras, jonka ymmärsin liittyvän Marcukseen ja Estoniaan... Jotain oli tekeillä. Mutta en voinut seurata heitä, koska he tunsivat minut. Julia...»

Toomas joutui vetämään henkeä ennen kuin pystyi jatkamaan. »Mitä Juliasta?» Kimmo kysyi nopeasti. Hänen synkkä ilmeensä pelotti Toomasta.

»Julia tarjosi apuaan... hän ei ottanut kuuleviin korviinsakaan minun määräystäni pysyä erossa asiasta. Enkä ollut tarpeeksi tiukka...»

»Mitä sinä tarkoitat?» Kimmo korotti ääntään. Sirje tuijotti eteensä ikään kuin ei olisi nähnyt mitään.

Toomas keskittyi vetämään henkeä. Hänen oli pakko kertoa totuus, hänen oli pakko saada ihmiset toimimaan...

»Julian piti vain seurata miehiä, katsoa mitä oli tekeillä. Hän soitti minulle ja kertoi miesten olevan varastohallissa Anatolin toimiston lähellä...»

Toomas näki Kimmon ja Sirjen katsovan toisiaan järkyttyneinä. Toomas pakotti itsensä jatkamaan, vaikka hän oli murtumaisillaan. »Käskin Julian pois sieltä, mutta hän ei totellut. Uskokaa minua...»

»Jatka», Kimmo sanoi.

»Menin paikalle ja vein hänet kotiinsa. Komensin hänet pysymään erossa asiasta, kaikki oli liian vaarallista... Palasin varastolle, joka näytti hiljaiselta. Enkä voinut ottaa riskiä sisään yrittämisestä, siellä oli todennäköisesti hälyttimet....»

Kipu yltyi, Toomas huokaisi syvään. »Seuraavana päivänä varoitin puhelimessa Juliaa uudelleen... Illalla kävin vielä varaston lähellä, paikka näytti autiolta. Mutta Julia meni sinne omin päin vielä toisen kerran, olen varma siitä. Soitin hänelle ja hän yritti pitää puhelun lyhyenä...»

Toomaksen ääni murtui ja hengitys kiihtyi.»Julia oli varastolla tai menossa sinne. Ja samana yönä hän... Ajattelin vain olevani vainoharhainen. En voinut uskoa, että Julian surma liittyi näihin asioihin...»

Kimmo istui pingottuneena, kasvot pelottavan ilmeettöminä. Hän näytti pakottavan itsensä suurin ponnistuksin rauhalliseksi.»Puheesi kuulostaa täysin järjettömältä...»

»Kun makasin loukkaantuneena autonrojun keskellä sinne ilmestyi mies, jonka tunnistin... Hän oli Anatolin aiempi vieras. Hän tutki Marcuksen taskut, etsi tallelokeron numeroa, olen varma siitä. Hän tiesi, että Marcuksella on jotain tallessa henkivakuutuksenaan...»

Toomas puristi käsiään nyrkkiin, vaikka kanyylin neulan ympärillä tuntui kipua.»Mies luuli minun kuolleen... Olin liikahtamatta eikä hän ymmärtänyt minun näkevän. Hän olisi varmistanut minunkin kuolemani, ellei paikalle olisi tullut ihmisiä. Olen varma, että sama mies tappoi myös Julian.»

Vaikka puhuminen uuvutti Toomasta, hän tunsi kivuista huolimatta olonsa helpottavan.»En usko, että Julia kertoi minulle puhelimessa kaikkea, mitä näki varastohallilla. Hän pelkäsi minun estelevän... Hän *tiesi* minun estelevän... »

»Älä selittele», Kimmo sähähti.»Miten helvetissä annoit Julian sotkeentua tuollaiseen...» Kimmo siirtyi raivoaan nieleskellen ikkunan ääreen.

Sirje tuijotti Toomasta.»Miksi et ole puhunut tästä aikaisemmin?»

»En halunnut paljastaa, että vaaransin Julian turvallisuuden ottamalla hänet mukaan Estonia-selvityksiini. Ja kaikkein vähiten saatoin puhua suomalaiselle poliisille Ruotsin sotilastiedustelun virkailijoista, jotka hiippailevat perässäni... Minut olisi leimattu sekopääksi. Estonian tutkintakomissio ja media ovat juurruttaneet ihmisten mieleen sen, että kaikki muut kuin komission jäsenet ovat Estonia-asioissa pelkkiä hörhöjä. Olen tavattoman pahoillani...»

Sirje tuijotti Toomasta kyyneleisin silmin. Toomas ei pystynyt kohtaamaan sisarensa katsetta, vaan sanoi kattoon tuijottaen: »Sain lokeron numeron selville Tero Airaksen avulla. Hän tuo lokeron sisällön tänne. Se on ratkaisevan tärkeää sekä Estonian totuuden paljastumisen että Julian kannalta...»

Ovi avautui ja sisään tuli hoitaja seurassaan Toomasta hoitava lääkäri.

»Valitettavasti vierailuaika on päättynyt. Olen pahoillani, mutta teidän on poistuttava», lääkäri sanoi tiukasti.

Toomas nyökkäsi vaisusti. »Haluaisin lisää kipulääkettä...»

Hän käänsi katseensa Sirjeen ja sanoi vaivalloisesti viroksi: »Ota avaimeni yöpöydän laatikosta... Otin muutamista Tallinnan satamakuvista kopiot, ne ovat piilossa autoni takaistuimen alla. Hakekaa ne talteen... Auto on kadun varressa Westendissä, Targa Tradingin lähellä. Tiiratie 8. Ota Herttoniemen avain myös. Mapit ovat makuuhuoneen hyllyssä, tutkikaa niitä. Ja ottakaa ne vakavasti.»

35.

Tero katsoi ratin takana istuvaa Ronia, joka kääntyi Tuusulan-
tieltä länteen Kehä ykköselle. Hänen poikansa näytti päättä-
väiseltä, kasvot olivat kireät, terävä katse pysyi tiukasti tiessä.
Mutta mitä mahtoi liikkua tuon ulkokuoren alla?

Tero oli päättänyt mennä ensimmäiseksi Toomaksen luo Mei-
lahteen kuullakseen mistä oli kysymys. Kotiin he eivät aikoneet
mennä toistaiseksi, sillä nyt ei ollut oikea hetki joutua poliisin
puheille.

»Ottaisit vähän rauhallisemmin», Tero sanoi Ronille, jonka
ajaminen muuttui nykiväksi ja aggressiiviseksi.

Roni hiljensi vastahakoisesti vauhtia. »Mitä sanoit Valtterista
poliisille?»

Tero tunsi olonsa ahdistuneeksi ja syylliseksi eikä olisi halun-
nut puhua koko asiasta. Ronin oli kuitenkin tiedettävä. »Väitin
hänen lainanneen autoa sinä iltana kun Julia kuoli. Mutta Valt-
teri väittää, että hänellä on todistajia sille ajankohdalle.»

»Kuka uskoo sekopäisen narkkarin väitteitä?»

»Toivottavasti kukaan ei ainakaan usko hänen väitteitään si-
nun steroidikaupoistasi.»

»Missä sinä kävit? Miten voit tällaisessa tilanteessa kadota ja jättää minut yksin?»

Roni näytti vaihtavan heti puheenaihetta. Tero punnitsi tilannetta. Hän ei voinut olla kertomatta totuutta, pelotteli Toomas millaisilla seurauksilla tahansa. Roni olisi kuitenkin koko ajan hänen seurassaan, joten oli parempi että poika tietäisi totuuden. Jos Terolla olisi tappaja perässään, Roni olisi vain suuremmassa vaarassa ellei lainkaan tietäisi mitä on meneillään.

»Toomaksen mukaan Marcuksen tallelokerossa oli aineistoa, joka liittyy Julian surmaan. Menin Lausanneen ja hain lokerosta vhs-kasetin ja kirjekuoren.»

Roni vilkaisi häntä yllättyneenä mutta palautti saman tien katseensa tiehen.

»Ehdin nähdä kasetin alkua hotellissa», Tero jatkoi. »Siinä on Estoniaan liittyvää sukelluskuvaa.»

Roni näytti hölmistyneeltä. »Sen laivanko?»

»Joku muukin on kasetin perässä. Ja se joku yritti saada minulta kasetin väkisin. Mies oli valmis tappamaan minut.»

Roni näytti epäuskoiselta.

»Pakenin hotellihuoneen ikkunasta ja joku yritti ampua minut. Toomas varoitti minua, että lokeron sisällön haltijan henki on höllässä. Hän kielsi puhumasta asiasta jopa sinulle.»

Roni sulatteli asiaa hetken ja kysyi sitten: »Mitä kirjekuoressa oli?»

»Kopio jostakin pankkikuitista.»

»Ja miten ihmeessä kaikki tämä muka liittyy Juliaan?»

»Kohta kuulemme. Toomas saa luvan kertoa, jos aikoo saada lokeron sisällön.»

Ronilla oli selvästi vaikeuksia uskoa kuulemaansa, mutta hän yritti parhaansa. Hän kääntyi Hämeenlinnantielle kohti Meilahtea.

»Oliko Marcuksella jotain tekemistä Estonian kanssa? Mitä

hän ylipäänsä puuhasi? Mistä hän sai rahansa?» Roni kysyi.

»Kaikenlaisia huhuja liikkuu.»

»Että hän on pessyt rahaa kiinteistökaupoilla?»

»Niin.»

»Ja mistä rahat ovat peräisin? Mafialta?»

»Kai Marcus itsekin saattoi tehdä hyviä liiketoimia», Tero sanoi.» Hän muutti Espanjaan 90-luvun puolivälissä, kuumin kiinteistöbuumi oli silloin vasta tulossa. Mutta alun perin hän oli Ruotsissa armeijan palveluksessa. Huhujen mukaan jonkin sortin tiedustelumies. Kyllä sillä kielitaidolla ja teflonilla pärjäsi hyvin liike-elämässäkin. Ja Ruotsin sotilastiedustelu junaili venäläisen huippuluokan aseteknologian salakuljetuksia länteen. Myös Estonialla.»

»En usko noita juttuja alkuunkaan.»

»Ei siitä ole mitään epäselvyyttä. Kuljetuksia oli, sitä ei kukaan enää kiistä. Tästä on olemassa Ruotsin oikeuskanslerin tutkinta. Ruotsalaiset vain yrittivät ensiksi salata ne.»

»Tarkoitatko, että sinua uhannut tappaja voisi olla *ruotsalainen*?»

»En tarkoita mitään. Meidän on turha tuhlata voimiamme ylimääräisiin ongelmiin. Kunhan saamme vanhatkin ratkaistua.»

Sirje astui Kimmon perässä hissistä Meilahden päärakennuksen ala-aulaan. Sirje ei ollut pysyä miehensä vauhdissa väistellessään potilaita ja vierailijoita ruuhkaisessa tilassa. Hän oli täysin hämmentynyt kaiken sen jälkeen, mitä Toomas oli kertonut. Ja niin näytti Kimmokin olevan – hänen parransänkisille kasvoilleen oli noussut luonnoton puna, liikkeet olivat hätäisiä ja ennakoimattomia.

Sirje vilkaisi portaikon suuntaan kävelevää mustaan nahkatakkiin pukeutunutta miestä. Aivan kuin miehessä olisi jotain tuttua.

»Kimmo», hän sanoi nopeasti.

Kimmo pysähtyi ja kääntyi kärsimättömän näköisenä.

»Tuo mies, tuo joka on menossa portaikkoon», Sirje sanoi.

»Mikä mies?»

Sirje kääntyi katsomaan, mutta portaiden edessä seisoi vain kaksi iäkästä rouvaa kukkakimppujen kanssa.

»Mistä sinä puhut?»

»Olin... olin näkevinäni sen Toomaksen valokuvassa seisseen ruotsalaisen. Pieni nenä, leveät huulet...»

»Kuule nyt», Kimmo huokaisi tuskastuneesti ja otti häntä hellästi kädestä. »Yritetään rauhoittua ja saada Toomaksen puheista yhdessä jotain tolkkua. Vai mitä? Mennään kotiin, puhutaan rauhassa ja syödään jotain.»

Sirje nyökkäsi epävarmasti. Hän vilkaisi vielä kerran portaikon suuntaan, mutta siellä ei ollut edelleenkään ketään.

Mustaan nahkatakkiin, Diesel-farkkuihin ja katulenkkareihin pukeutunut Claus Steglitz seisoi porrastasanteella ja katsoi vielä kerran matkapuhelimensa näyttöruudulla olevaa kuvaa kadulla kävelevästä miehestä.

Toomas Ehaver, kuvan alla luki.

Steglitz painoi mieleensä miehen kasvonpiirteet mahdollisimman tarkasti. Asiassa ei ollut varaa erehtyä. Hän painoi näppäintä peukalollaan ja kuva vaihtui toiseen henkilöön. Noin neljänkymmenen ikäinen mies oli juuri astumassa Renault Megáne -henkilöautoon. Kuvan oli ottanut hänen kollegansa Lausannessa.

Tero Airas.

Tallelokeron sisältö oli tällä hetkellä todennäköisesti jommankumman miehen hallussa.

Steglitz sulki puhelimen ja haroi pitkähköt vaaleat hiuksensa taaksepäin pois otsalta. Hän tunki rintataskustaan roikkuvat iPodin kuulokkeet pois näkyviltä ja sipaisi ylähuulensa alta nuus-kamällin roskakoriin. Hän nousi loput askelmat, käveli osaston vastaanottotiskin ohi ja ripusti takkinsa naulakkoon. Sitten hän jatkoi matkaansa tuoleilla istuvien potilaiden ohi ovelle, jossa luki *Henkilökunta – Personnel*.

Hetkeäkään epäröimättä hän avasi oven, jonka takaa pal-jastui käytävä. Hän käveli sen päähän ja avasi seuraavan oven. Sen takana istui kahvipöydän ääressä muutamia sairaanhoitajia, jotka kääntyivät katsomaan tulijaa.

»Anteeksi», Steglitz sanoi englanniksi. Samalla hän loi pikai-sen silmäyksen kahvihuoneen takana oleviin oviin, jotka mitä ilmeisimmin veivät sinne, minne hän pyrki: henkilökunnan pu-keutumistiloihin. Palatessaan käytävää pitkin takaisin hän ko-keili muutamaa sivuovea – varastotiloja, iso siivouskomero jossa oli työntökärryjä ja niissä pesuaineita.

Vihdoin näytti lupaavalta: yhden oven takaa paljastui vaate-komeroa muistuttava tila, jossa oli pyykkisäiliöitä.

36.

Tero piti kasetin ja kirjekuoren sisältävää muovikassia polviensa välissä ja painoi desinfiointiainetta käsiinsä oven vieressä olevasta automaatista. Hän yritti tunnollisesti hieroa kämmeniään julisteessa opastetulla tavalla, vaikka se oli laastareiden takia mahdotonta. Roni teki samoin hänen vieressään.

»Meidän olisi pitänyt katsoa ensin kasetti kokonaan», Roni kuiskasi.

»Ei ole aikaa. Toomaksen tiedot ovat nyt tärkeämmät. Hän tietää paljon enemmän kuin on antanut ymmärtää.»

He jatkoivat käytävälle ja katsoivat potilashuoneiden numeroita. Uteliaisuus poltteli Teron sisällä, mutta siihen sekoittui myös pelkoa.

He pysähtyivät huoneen 6147 oven eteen. Tero koputti ja astui sisään. Toomas makasi vuoteessa huonovointisen näköisenä, mutta hänen äänensä oli vahva.

»Tero, et arvaa kuinka olen odottanut sinua.» Toomas yritti kohottaa kättään.

Ennen kuin Tero ehti sanoa mitään, Toomas jatkoi katsoen hänen muovikassiaan: »Onko sinulla kasetti? Katsoitko sen jo kokonaan?»

»En. Tulemme suoraan kentältä.»

Roni siirsi kaksi tuolia sängyn viereen ja molemmat istuutuivat.

»Näytä pankin tositetta», Toomas pyysi.

»Kaikki aikanaan. Nyt kerrot mistä on kysymys.»

»Kuten näit jo kasetin alusta, kysymys on Estonian uppoamisen jälkeisistä tapahtumista», Toomas sanoi.

»Väitätkö, että Estonia ei uponnutkaan keulavisiirin irtoamisen takia?»

»Kuuntelisit mitä minä puhun... Sanoin, että kysymys on Estonian uppoamisen *jälkeisistä* tapahtumista. Silloinen pääministeri Carl Bildt ei muista, mistä sai tiedon uppoamisesta. Eivät myöskään hänen kaksi läheistä avustajaansa. Totta kai Bildt oikeasti muistaa, mutta ei halua kertoa. Miksi?»

Tero näki Toomaksen silmissä kiihkeästi palavat lieskat.

»Siksikö, että tieto tuli sotilastiedustelupalvelu MUSTilta?» Toomas jatkoi hiljaa. »Ja miksi MUST oli niin hyvin perillä Estonian asioista? Siksi, koska se salakuljetti aluksella venäläistä huipputekniikkaa länteen. Venäläisten tiedettiin suhtautuvan vihamielisesti salakuljetuksiin, joten ruotsalaiset pelästyivät todella pahasti kun alus upposi. Ajateltiin tietenkin, että kaiken takana saattoi olla jokin muu kuin onnettomuus...»

Toomas keskeytti ja veti henkeä. Hänen kasvojensa kalpeuden ja puheensa kiihkeyden epäsuhta sai Teron katseen vaeltamaan nesteytyspussien etiketteihin. Saiko hän kipuihinsa morfiinia tai jotain vastaavaa? Kuinka vakavasti hänen puheensa oli syytä ottaa?

»Ja vaikkei uppoamisen takana olisi ollutkaan mitään hämärää, piti salakuljetukset pimittää. Kukaan ei saanut tietää, että Ruotsin armeija käytti tavallista matkustaja-alusta arkaluontoisimpiin mahdollisiin kuljetuksiin... Tuhat siviiliä oli ruotsalaisten vakuutuksena kuljetuksia esteleviä venäläisiä vastaan. Ymmärrättekö?»

Tero nyökkäsi ja vilkaisi Ronia, joka kuunteli Toomasta epäuskoinen ilme kasvoillaan.

»Niinpä ruotsalaiset päättivät kiinnittää heti ihmisten huomion keulavisiiriin ja 'tekniseen syyhyn', vaikka pienintäkään todistetta ei tietenkään siinä vaiheessa ollut... Alus oli ollut pohjassa 14 tuntia, kun pääministeri tiesi jo ennen minkäänlaisen tutkinnan aloittamista kertoa onnettomuuden syyn: tekniset puutteet keulavisiirissä ja rampissa.»

Toomas korjasi asentoaan. »Siitä saakka visiiriteoria oli ainoa ja oikea virallinen totuus, joka sopi kaikille osapuolille... aluksen merikelpoisuudesta vastanneille Ruotsin ja Viron viranomaisille, varustamolle, miehistön jäsenten omaisille. Mutta ennen kaikkea 'tekninen syy' sopi Ruotsin hallitukselle ja armeijalle.»

»Tekikö tutkintakomissio sinun mukaasi siis tilaustyötä?»

»Komissio toimi sen tiedon varassa, mitä ruotsalaiset katsoivat viisaaksi sille antaa», Toomas huokaisi. »Komissio ei noudattanut kansainvälisen merenkulkujärjestön määrittämää onnettomuustutkintamenettelyä. Eikä komission kokoonpano täyttänyt alkeellisimpiakaan esteettömyysvaatimuksia... Jo puheenjohtajana oli Estonian osaomistajan hallintoneuvoston puheenjohtaja, jäsenistä puhumattakaan. Ei ole ihme, että komissio keskittyi loppuraportissaan vain ja ainoastaan yhden teorian oikeaksi todistamiseen. Visiiriteoriaa tukevat faktat otettiin mukaan ja sen vastaiset faktat jätettiin huomiotta... Ainoa varma keino asioiden selvittämiseksi... Arvatkaa käytettiinkö sitä?»

Tero alkoi vasten tahtoaan kiinnostua Toomaksen puheista. Samoin näytti käyneen Ronille, joka kuunteli kaikkea hievahtamatta.

»Kun Pan Amin lentokone räjähti ja putosi mereen Lockerbien edustalle 40 metrin syvyyteen, hylkyyn tehtiin yli 4 600 sukellusta. Estonia upposi 58–85 metrin syvyyteen. Kuinka monta sukellusta hylkyyn tehtiin? Yksi. Yksi ainoa virallinen sukellustutkinta, joka tehtiin yhdeksän viikkoa uppoamisen jälkeen. Siihen osallistuneilta sukeltajilta vaadittiin elinikäinen vaitiololupaus. Miksi?»

Tero valpastui, kun puheeksi tulivat sukellukset.

»Pan Amin tutkijat halusivat kaikin keinoin tutkia hylkyä. Ruotsalaiset viranomaiset halusivat kaikin keinoin *estää* hylyn tutkimisen. Mikä oli virallinen syy, jonka vuoksi he eivät 'voineet' nostaa hylkyä tai edes uhreja? Se, että ruumiit olisivat olleet huonossa kunnossa. Hyvin kummallinen ja epäuskottava syy, mutta parempaakaan ei näköjään keksitty...»

Toomaksen voimat näyttivät palaavan sitä mukaa kun hän pääsi itselleen läheiseen aiheeseen.

»Pitääkseen muut kuin omat sukeltajansa poissa hylyltä Ruotsin valtio päätti olla omaisten kannan vastaisesti nostamatta vainajia, vaikka se olisi teknisesti ollut mahdollista. Hawaijin edustalle uponneen Ehime Marun uhrit nostettiin 670 metrin syvyydestä... Koska hukkuneiden nostamista vastustavia asia-argumentteja ei ollut, ruotsalaiset viranomaiset joutuivat aloittamaan ala-arvoisen ja aggressiivisen kampanjan, jossa kuvailtiin vainajien kuntoa ja haisevan hylyn kuljettamista saariston läpi.»

Toomaksen ääni värähti halveksunnasta ruotsalaisia kohtaan.

»Pelko jatkotutkimuksista oli kuitenkin olemassa, joten ruotsalaiset aikoivat peittää hylyn betonilla muka hautarauhan turvaamiseksi, ensimmäistä kertaa merenkulkuonnettomuuksien historiassa. He ehtivät valuttaa rungon päälle satoja tonneja hiekkaa... Piilottaakseen jotain? Reiän rungossa?»

»Ei tuhlata aikaa spekulointeihin...»

»Vasta kansalaisten vaatimuksesta järjetön betonihanke keskeytettiin. Edelleenkin hylylle voitaisiin koska tahansa sukeltaa ja tutkia se kunnolla, mutta sitä ei sallita. Jos mitään salattavaa ei olisi, uusia sukelluksia olisi jo ajat sitten tehty spekulaatioiden tukahduttamiseksi. Ja sukeltajien vaitiolositoumus olisi purettu.»

»En yhtään ymmärrä mitä ajat takaa», Tero sanoi kärsimättömästi. »Minä puolestani sanon, että luotan täysin suomalaisiin onnettomuustutkijoihin.»

»Sanoinko, että minä en luota suomalaisiin onnettomuustutkijoihin?» Toomas kivahti. Väri oli palannut hänen kasvoilleen. »Harmillista ja hyvin kummallista on se, ettei yksikään suomalaisista ollut mukana sillä ainoalla virallisella sukelluksella, joka hylylle tehtiin. Miksi?» Toomas henkäisi kiihtyneenä. »Kun kaksi Estoniasta kirjoittanutta henkilöä mainitsi komission suomalaisjäsenen olleen paikalla sukellusten aikaan, tämä vaati hyvin ärhäkkäillä kirjeillä välitöntä oikaisua ja anteeksipyyntöä, ikään kuin hänen olisi väitetty osallistuneen hyvinkin hämäriin puuhiin.»

»Mitä sinä tarkoitat?»

»Sitä, ettei ole mikään ihme, että suomalaiset haluavat pestä ainoasta virallisesta sukellusoperaatiosta kätensä. Niin kummallista se puuha oli... Ruotsin merenkulkulaitoksen osastopäällikkö Börje Stenström heitti mereen visiirin pohjalukon kappaleen, kun sukeltajat olivat hitsanneet sen irti ja tuoneet pintaan. Tutkintakomissio tai mikään muukaan taho ei puuttunut asiaan. Eikö todistuskappaleen tuhoaminen ollut rikos? Juuri visiiriteorian kannalta se olisi ollut keskeisen tärkeä... Ja sen vuoksi esine tietysti heitettiin menemään, nähtävästi siitä olisi selvinnyt teorialle epäedullisia seikkoja...»

Ennen kuin Tero ehti sanoa mitään, Toomas jatkoi: »Mutta vielä oudompaa on se, että sukeltajat etsivät esimerkiksi kannella 6 nimenomaista salkkua. Se myös löytyi, ja sukeltaja tavasi siinä olleen nimen kirjain kirjaimelta... Kaikki tämä on luettavissa ja kuultavissa alkuperäislähteistä. Sukellusta johtanut ruotsalainen myöntää salkkuun kiinnitetyn huomion, mutta ei anna sille mitään selitystä. Sekö on avointa tutkintaa? Tai miksi komentosillalla olleiden vainajien henkilöllisyyttä ei edes yritetty selvittää univormujen perusteella, vaikka onnettomuustutkinnan peruslähtökohtana olisi ollut selvittää mitä komentosillalla tapahtui ja keitä siellä oli?»

Tero pudisteli päätään epäuskoisena, mutta Toomas jatkoi sitkeästi:»Komission suomalaista jäsentä komentosilta kuitenkin kiinnosti niin paljon, että hän halusi tutkia sen sukellusrobotilla ruotsalaisten tietämättä, Suomen ympäristökeskuksen organisoiman öljyntyhjennyksen yhteydessä. Lisäksi oli määrä käydä autokannella mittaamassa säteilytaso. Mutta tekniset syyt estivät aikeet.»

Tero kohotti kädessään olevaa kasettia.»Entä tämä?» Päivämäärä sukellusvideossa on 1.10...»

»Jotkin sukeltajat kävivät hylyllä salaa, ennen virallista sukellusta. Kasetti liittyy todennäköisesti siihen.»

Roni puuttui ensimmäistä kertaa puheeseen.»Jos hylyllä käytiin salaa, niin kuinka sinäkin tiedät siitä?»

»Suomalaiset kuvasivat hylkyä robottikameralla neljä päivää uppoamisen jälkeen. Otoksista huomattiin myöhemmin, että keularampin kaiteet oli leikattu irti ja tietyt vaijerit oli irrotettu rampista. Koska ne oli kiinnitetty Tallinnassa eikä niihin ole mahdollista päästä käsiksi merimatkan aikana, sukeltajien oli täytynyt irrottaa ne uppoamisen jälkeen. Mitään muita vaihtoehtoja ei ole. Mutta tämä havainto ei kiinnostanut tutkintakomissiota eikä muita viranomaisia. He vartioivat 'hautarauhaa', mutta heitä ei kiinnostanut pätkän vertaa se, että hylyssä oli käyty... Ei tietenkään, koska he itse kävivät siellä. Vasta myöhemmin ruotsalainen kansanedustaja Lars Ångström ja virolainen syyttäjä Margus Kurm halusivat salaisesta sukelluksesta lisätietoja. Voi hyvin olla, että tällä kasetilla on nimenomaan kuvia kaiteiden irrottamisesta ja vaijereiden katkaisusta.»

Tero kuunteli valppaana. Jos Toomaksen väitteet pitivät paikkansa, sukelluskasetti olisi todella tulenarkaa materiaalia.

»Miksi sukeltajat olisivat tehneet hylyllä tuollaisia töitä?»

»Saadakseen ramppia avattua. Päästäkseen autokannelle.»

»Mikä taho olisi organisoinut salaiset sukellukset?»

»Ruotsin armeija. Kansanedustaja Ångström on koonnut listan, jolla on lueteltu sukeltajien nimiä. Hän toivoo, että heidän salassapitovelvoitteensa purettaisiin, mutta pyyntöihin ei ole suostuttu. Politiikka ja ulkosuhteet painavat enemmän kuin yli 850 ihmishenkeä vaatineen onnettomuuden perinpohjainen selvittäminen.»

Roni tönäisi Teroa kylkeen ja mutisi hermostuneena: »Eikö päästäisi jo asiaan?»

Toomas katsoi Ronia kiukkuisesti. »Olemme asiassa koko ajan, sinä et vain välttämättä hoksaa sitä. Minun on pakko nähdä kasetti täällä jossain.»

»Ei, me katsomme sen ensin. Sinä ehdit kyllä», Tero sanoi. Hän kaivoi puhuessaan esiin kuoren ja ojensi sieltä Toomakselle paperin. »Entä tämä? Joku Zentech-niminen firma on maksanut miljoonia miehelle nimeltä Anders Helström. Mistä on kysymys?»

»Olettaisin, että myös siinä on kyse ruotsalaisten salaisista kuljetuksista Venäjältä. Sotilaselektroniikkaa ja vastaavaa. Osa kauttakulkuna länteen, osa omaan käyttöön. Ruotsin asevoimien materiaalivirasto tilasi yksityisiltä yhtiöiltä venäläisten suihkuhävittäjien komponentteja, erityisesti tutkatekniikkaa. Nämä pienet yhtiöt hankkivat osat suhteillaan, lahjomalla ja varastamalla. Pomoni, Anatoli Rybkin, oli alun perin mukana hankinnoissa ja välitystoiminnassa. Hän on entinen puna-armeijan majuri, joka aloitti siviiliuransa myymällä aseita venäläisten varikoilta.»

Teron oli vaikea tajuta kuulemaansa. Miten Julian surmasta alkanut painajainen oli yhtäkkiä paisunut tällaisiin mittoihin?

»Sitten Anatoli keskittyi MiG- ja Suhoi-hävittäjien osiin, joita kohtaan Ruotsissa tunnettiin suurta mielenkiintoa Gripen-hävittäjän kehitystyön takia. Ystävänne Marcus Grotenfelt työskenteli sotilastiedustelu MUSTin riveissä kunnes siirtyi tavaraa Venäjältä Ruotsin armeijan materiaalivirastolle välittävän yksityisen firman palkkalistoille. Siellä pyöri merkittävästi rahaa.»

»Jos kerran tiedät noin tarkasti ruotsalaisten asioista, niin mikset ole tuonut niitä julkisuuteen?»

Toomas huokaisi nyt jo uupuneemmin. »Viro oli idän ja lännen kuumimmalla kitkapinnalla 90-luvun alkupuolella. Tallinnan sataman kautta salakuljetettiin kaikkea mahdollista huumeista sotilastekniikkaan... Isäni sai lahjuksia hoitamalla joitain järjestelyjä Estonialla salakuljetusten vuoksi. En tiennyt silloin mistä rahat olivat peräisin. Enkä tiedä kaikkea nytkään, lähimainkaan. Vain sen mikä on ollut julkisuudessa. Armeijan materiaaliviraston ja yksityisen hankintayrityksen väliset sopimukset julkistettiin 2002. Sopimusten kopiot olivat ruotsalaisissa lehdissä, riviäkään ei jäänyt epäselväksi. Mutta mitään ei tapahtunut. Ruotsin hallituksen mukaan mitään sellaista ei ole ilmennyt, mikä aiheuttaisi uusia tutkimuksia.»

»Mutta tämä tosite ei ole Estonian onnettomuuden ajoilta, vaan tältä keväältä.» Tero näytti Toomakselle päivämäärää pankin tositteessa.

Toomas näytti epävarmalta. »En tiedä tarkalleen mistä on kysymys. Mutta sen tiedän, että Julian kohtalo liittyy tähän kaikkeen...»

Tero kuunteli hämmentyneenä Toomaksen kertomusta Julian halusta selvittää isoisänsä kohtalo ja Anatolin luona käyneestä miehestä, jota Julia oli seurannut espoolaiseen varastohalliin.

Toomaksen olemus alkoi lopulta käydä tuskaiseksi ja ääni heiketä. »Jos olisin tajunnut kuinka suurista ja vaarallisista asioista on kysymys, en ikinä olisi antanut Julian sekaantua tähän... Olen varma siitä, että näihin kuvioihin liittyvät paskiaiset tappoivat Julian», Toomas kuiskasi. »Ja siitä, että jäljet johtavat Ruotsiin.»

Tero huomasi Ronin tuijottavan häntä kiihtyneenä. »Isä, se mies metsässä Julian luona, kun palasin takaisin... Hän ei löytänytkään Juliaa sattumalta, vaan oli tullut tappamaan hänet. Juuri kuten sanoin heti aluksi, muistatko?»

Tero nyökkäsi hätäisesti. Niin Roni oli väittänyt. Teron sisällä risteilivät toisaalta hämmästys ja epäily, toisaalta uskomaton huojennus. Voisiko tämä olla totta? Roni oli syyllistynyt pahoinpitelyyn ja heitteillejättöön ja ansaitsisi rangaistuksen. Mutta se oli kuitenkin aivan eri asia kuin tappo. Toomaksen väite oli kuin yössä lentävä toivonkipinä, johon ei kuitenkaan aivan uskaltanut uskoa. Silti Tero tunsi itsensä virtaavan aivan uudenlaista voimaa ja energiaa – hän ei halunnut mitään muuta maailmassa niin paljon kuin uskoa Toomaksen väitteisiin. Ne olisi vain saatava todistettua.

Ja hän hankkisi todisteet, vaikka se olisi hänen viimeinen tekonsa. Hän tarttui yöpöydällä olevaan kasettiin ja tunsi yhä vahvemmin sen olevan heidän pelastuksensa.

37.

Steglitz käveli käytävää pitkin pyykkisäiliöstä ottamansa valkoinen lääkärintakki yllään.

Hän pysähtyi huoneen 6147 kohdalle ja odotti kahden sairaanhoitajan menevän ohitseen. Sen jälkeen hän vilkaisi uudelleen ympärilleen. Tyhjä käytävä kylpi loisteputkien valossa, ketään ei näkynyt.

Hän raotti ovea varovasti. Potilasvuoteen vieressä oli kaksi miestä, nuorempi ja vanhempi. Vanhemman kuvaa hän oli hetki sitten katsonut matkapuhelimensa näyttöruudulta.

Steglitz näki, kuinka Tero Airas otti yöpöydältä vhs-kasetin ja sujautti sen pehmokuoreen ja kuoren muovikassiin.

Tero vilkaisi vaistomaisesti ovea kohti, joka loksahti kiinni samalla hetkellä.

»Kuka siellä oli?» hän kysyi Ronilta.

»En tiedä. Joku kai yritti väärään huoneeseen.»

Tero puristi muovikassia kädessään. Ehkä sairaanhoitaja tai joku muu henkilökuntaan kuuluva oli kääntynyt takaisin huomattuaan Toomaksella olevan vieraita.

»Voiko tällä videokasetilla olla jotain sellaista, jota ei ole missään muualla?» Tero kysyi Toomakselta.

»Kasetit ovat yksi iso sotku. Ruotsin merenkulkuviraston virkamies myönsi videomateriaalin muokkaamisen ja kertoi poistojen syyksi sen, ettei ruumiita haluttu näyttää. Eli suuronnettomuustutkinnan keskeistä tutkinta-aineistoa sorkittiin, mutta kukaan ei puuttunut siihen. Suomalaiset komission jäsenet eivät nähtävästi edes ymmärtäneet, että kyseessä ei ole alkuperäismateriaali. Ja kun Ruotsin keskusrikoslaboratorio vihdoin vaati kasetit kesäkuussa 2006 tutkittavakseen, ruotsalainen virkamies pahoitteli ettei kaikkia kasetteja löytynyt, vaan osa oli 'kadonnut mystisesti'. Mutta tämä Lausannen kasetti ei kuulu millään tavalla viralliseen materiaaliin, se on päivämääränkin perusteella tehty salaisella sukelluksella.»

Tero oli luottanut suomalaisiin viranomaisiin, mutta Toomaksen esittelemät faktat saivat hänet epäröimään: kun yli 850 ihmistä menee laivan mukana meren pohjaan, järjestetäänkö avoin tutkinta ja sukelletaanko hylylle niin monta kertaa kuin tarve vaatii – vai tehdäänkö »hautarauhasta» suojakilpi, jonka taakse kaikki epämiellyttävät kysymykset piilotetaan?

Tero kääntyi katsomaan Toomasta. »Mikä sitten sinun mukaasi upotti Estonian?»

»En tiedä. Ehkä osasyynä todellakin oli visiirin pettäminen. Mutta mikä sen alun perin aiheutti... Jotain suuntaa voi antaa se, mitä pelastuneet kertoivat. Lausunnoissa oli yhteisiä nimittäjiä: luonnottoman kova, metallisen jysähtävä ääni, äkillinen pysähdys joka heitti ihmiset lattiaan, raapivat äänet ja voimakas kallistuminen. Mikä aiheuttaa sellaista?»

Tero odotti Toomaksen omaa vastausta.

»Räjähdys. Tai törmäys. Ne olisivat aiheuttaneet reiän runkoon, ja se selittäisi tavan jolla laiva upposi. Komissio ei puhu rungossa olevasta reiästä, vaikka Ruotsin merenkulkuviraston edustajat myönsivätkin sellaisen olemassaolon.»

»Kuka olisi räjäyttänyt matkustajalaivan? En usko alkuunkaan tuollaisiin väitteisiin.»

»Räjäytykset on voitu tehdä myös uppoamisen jälkeen, kun ramppia autokannelle on yritetty avata tai tehdä muuta vastaavaa. Kyljessä keulavisiirin ja rampin sivulukkojen kohdalla oikealla puolella on aukko. Samassa kohtaa vasemmalla puolella kylki on ehjä, mutta robottisukelluskuvassa siinä näkyy kuutiomainen oranssi esine, joka riippumattomien räjähdeasiantuntijoiden mukaan on räjähdelataus. Komission jäsenten mukaan se on rikkoutuneen kuormalavan puinen osa, joka videokameran värivirheen vuoksi näyttää oranssilta.»

Tero alkoi käydä kärsimättömäksi, mutta Toomas jatkoi: »Hylystä irrotetuissa metallinäytteissä todettiin kolmessa eri laboratoriossa kiistattomasti räjäytyksen jälkiä. Neljännessä laboratoriossa koe tehtiin eri menetelmin, joissa ei käytetty alkuperäisiä näytteitä, kielteisin lopputuloksin. Ja siihen poikkeamaan komissio vetoaa. Mutta komission uskottavuus katosi näissä asioissa jo siinä vaiheessa, kun he yrittivät selvittää vedenalaista räjähdystä kemiallisilla menetelmillä. Eivätkö he muka tienneet, ettei kyseinen analyysimenetelmä anna luotettavaa lopputulosta vedessä viikkokausia olleesta kohteesta? Se ilmeni jo Pan Amin tutkinnan aikana. Pitää tutkia metallin kiderakenteita.»

»En osaa ottaa tällaisiin asioihin kantaa. Mutta sanoin jo, että luotan enemmän komission suomalaisiin jäseniin kuin ulkomaisiin laboratorioihin. Ja se törmäys kuulostaa vielä oudommalta kuin räjähdys. Mihin laiva muka olisi törmännyt?»

»Esimerkiksi sukellusveneeseen. Se selittäisi monta asiaa: pelastuneiden havainnot, salaiset sukellukset heti uppoamisen jälkeen, amerikkalaisten hallussa olevan salaisena pidettävän aineiston. Itämeri erottaa idän lännestä, se on yksi maailman vahvimmin aseistetuista alueista. Siellä toimii ja toimi kymmenittäin eri maiden sukellusveneitä, varsinkin niinä vuosina kun Estonia upposi.»

»Eikö sukellusvene olisi vaurioitunut ja uponnut yhtä lailla?»

Toomas pudisti päätään. »Sukellusveneiden ja laivojen törmäyksiä tapahtuu jatkuvasti. Sukellusvene on suunniteltu ja rakennettu kestämään painetta, syvyyspommeja, jäitä, törmäyksiä laivoihin ja muihin sukellusveneisiin. Jos ja kun Estonialla oli uppoamisyönä poikkeuksellisen tärkeä lasti matkalla länteen, niin on mahdollista että sillä oli myös saattajanaan sukellusvene. Ruotsalaiset ja amerikkalaiset tiesivät, että venäläiset olivat hyvin vihaisia koska heidän salaisinta tekniikkaansa kuljetettiin länteen.»

»Mitä me sitten teemme nyt, käytännössä?»

»Käykää katsomassa kasetin sisältö ja piilottakaa se varmaan paikkaan. Siitä pitäisi ottaa kopio, mutta se ei taida olla helppoa.»

»Kasetti kannattaisi ajaa tietokoneelle ja siirtää dvd:lle», Tero ehdotti.

»Jos saatte kopioitua sen niin tuokaa yksi kopio minulle. Ottakaa ainakin paperista muutama kopio. Menkää jo.»

»Poliisi etsii Ronia ja minua», Tero sanoi. »Aika alkaa käydä niukaksi. Toivotaan, että kasetilla on jotain joka saa poliisin uskomaan meitä.»

»Älä laske mitään poliisin varaan. Suomalaiset viranomaiset auttavat ruotsalaisia kaikessa Estoniaan liittyvässä salailussa.»

Tero ei uskonut Toomasta, mutta ei alkanut inttää vastaan vaan nousi ylös.

»Tulkaa takaisin mahdollisimman nopeasti ja pitäkää minut ajan tasalla», Toomas sanoi.

Tero ja Roni poistuivat käytävälle ja suuntasivat kohti hissiä. Tero tunsi askeleensa kevyemmiksi kuin pitkään aikaan. Oliko todella niin, että Roni oli alusta saakka ollut oikeassa: kun Roni oli palannut Julian luokse, tämän luona oli ollut todellinen surmaaja?

Tero huomasi Ronin vilkaisevan hänen käsiään.

»Noihin pitäisi hakea jotain, nyt kun kerran ollaan täällä», Roni sanoi.

Tero ei vastannut, mutta tiesi Ronin olevan oikeassa. Jos haavat tulehtuisivat, voisi tulla todellisia ongelmia.

He astuivat hissiin, jossa oli ennestään nuori sairaanhoitaja. Juuri kun hissin ovet olivat sulkeutumassa, valkotakkinen mieslääkäri työnsi kätensä väliin ja hissin ovet avautuivat uudelleen.

Lääkäri astui sisään ja Tero väisti seinää vasten. Ovet sulkeutuivat ja hissi nytkähti liikkeelle. Tero katsoi alaspäin ja huomioi mieslääkärin katulenkkarit ja muotifarkut. Lääkärikunnankaan pukeutumissäännöt eivät olleet enää yhtä tiukat kuin aiemmin. Tero nosti katseensa hiljaisessa hississä ja totesi lääkärin olemuksen olevan muutoinkin vähemmän tyypillinen: noin 40-vuotiaalla miehellä oli vaaleat, pitkähköt hiukset, jotka oli vedetty pään yli taaksepäin. Leveät huulet, pieni nenä ja hieman vinot silmät saivat hänet näyttämään kireältä ja kärsimättömältä ihmiseltä. Ja vasemmassa etusormessaan hänellä näytti olevan erikoinen sormus.

»Anteeksi», hoitaja rikkoi hiljaisuuden ja sanoi miehelle: »Missähän päin täällä on osasto 27?»

Lääkäri ei reagoinut millään tavalla.

»Siis osasto 27?» nainen toisti epävarmasti.

Vasta silloin mies käsitti tämän puhuvan hänelle.

»*I'm sorry*», hän sanoi. »*I don't understand.*»

»*Department twenty-seven*», nainen sanoi punastuen hiukan.

Lääkäri pudisti päätään. »*Sorry. I'm just a visitor.*»

Hissi pysähtyi ja lääkäri väisti väkinäisesti hymyillen sivummalle päästääkseen hoitajan ulos. Tero ja Roni menivät hänen perässään.

Matkalla ulko-ovelle Tero pysähtyi ystävällisen näköisen miespuolisen sairaanhoitajan eteen. »Anteeksi, loukkasin hiukan käsiäni ja ajattelin kysyä löytyisiköhän näihin haavoihin jostain puhdistusainetta ja sidetarpeita? Meillä on vähän kiire, olisiko täällä apteekkia?»

Mies vilkaisi Teron käsiä. Haavat joissa ei ollut laastaria punoittivat jo ikävästi ja tuntuivat kipeiltä.

»Nuo pitäisi tosiaan puhdistaa huolella. Tuolla viereisessä rakennuksessa on apteekki. Kierrätte ensin ulkokautta C-portaan ohi ja sitten... Tai tulkaa tänne, jos teillä kerran on kiire.»

Nuorukainen otti muutaman askeleen ja osoitti teräsovea. »Suorin reitti on henkilökunnan tunnelin kautta. Menette portaat alas ja jatkatte suoraan. Käytävän päässä olevalla hissillä ensimmäiseen kerrokseen, aulassa on opasteet.»

»Kiitos», Tero sanoi vaisusti. Hän ei olisi halunnut tehdä isolta kuulostavaa mutkaa, mutta ei kehdannut muuttaa mieltään kun hoitaja avasi avaimellaan heille teräsoven.

He laskeutuivat valkeiksi maalatut betoniportaat ja tulivat pitkälle hämyiselle käytävälle, jota reunustivat siellä täällä työnnettävät sairaalavuoteet. Ylivirittynyt loisteputki piti häiritsevää sirisevää ääntä. Muita ei näkynyt.

»Meidän on selvitettävä tarkemmin kuka löysi Julian ruumiin ja mihin aikaan», Roni sanoi.

»Totta kai. Mutta mistä me sen selvittäisimme? Emme ainakaan poliisilta, se on tutkinnallista tietoa. Sitä eivät välttämättä edes Kimmo ja Sirje tiedä.»

»Jos ja kun se mies Julian luona ei ollutkaan sama kuin hänen löytäjänsä, jos Toomas onkin oikeassa...»

»Ei innostuta liikaa», Tero sanoi pyrkien piilottamaan oman

toiveikkuutensa. »Jos tämä onkin jotain Toomaksen peliä? Hän haluaa meidän luulevan, että Julian tappaja on joku muu saadakseen meidät tekemään puolestaan jotain selvityksiään...»

Ovi loksahti heidän takanaan. Vaistomaisesti molemmat vilkaisivat taakseen. He erottivat kaukaa valkotakkisen hahmon tulevan ovesta ja lähtevän kävelemään käytävällä heitä kohti.

Roni hiljensi ääntään. »Jollain Ruotsin salaisella palvelullako olisi muka jotain tekemistä asian kanssa? Hekö muka olisivat jonkin Estoniaan liittyvän syyn takia tappaneet Julian?»

»Tiedän, kuulostaa oudolta. Mutta outoja ne Lausannen tapahtumatkin olivat.»

Tero kuuli takaa tulevien askelten lähestyvän määrätietoisesti. Hän vaikeni hetkeksi ja hidasti vauhtiaan päästääkseen valkotakkisen ohitseen.

Juuri kun askeleet olivat heidän kohdallaan, Tero tunsi niskassaan äkillisen vihlovan kivun. Hän ehti rekisteröidä Ronin hämmästyneen ilmeen ennen kuin kaikki pimeni.

Pimeyden läpi Tero tunsi lamaannuttavan, jyskyttävän tuskan säteilevän takaraivosta koko hänen kehoonsa. Hän avasi hitaasti silmänsä ja ymmärsi menettäneensä hetkeksi tajuntansa. Samassa hän huomasi Ronin makaavan lattialla vieressään.

Äkkiä varjo peitti katosta lankeavan lampun valon ja joku kumartui Teron ylle. Valkotakkinen mies. Onneksi lääkäri oli jo paikalla.

Mutta mies työnsikin kätensä hänen povitaskuunsa, jossa oli kasetti. Voimansa äärimmilleen ponnistaen Tero tarrasi miestä ranteesta ja näki tämän yllättyvän vastarinnasta. Hän tunnisti miehen samaksi englantia puhuvaksi lääkäriksi, joka oli hetkeä aiemmin ollut heidän kanssaan hississä. Tero tarttui mieheen toisellakin kädellään, veti polvensa nopeasti koukkuun ja potkaisi kaikin voimin molemmilla jaloillaan.

Mies paiskautui päin tyhjää sairaalavuodetta, joka kolisi rytisten seinää vasten. Tero yritti nousta ylös, mutta viiltävä kipu päässä pysäytti hänet.

»*Roni*», hän sanoi ja lähti ryömimään kohti poikaansa. Hän kohottautui vaivalloisesti polvilleen ja yritti kääntää vatsallaan lattialla makaavaa Ronia.

Äkkiä hän vaistosi liikettä takaansa. Luja potku osui häntä ristiselkään. Hän lennähti vatsalleen ja kasetti sinkoutui hänen takkinsa povitaskusta muutaman metrin päähän lattialle.

Henkeä haukkoessaan Tero näki valkotakkisen miehen harppovan hänen ohitseen kohti kasettia.

Mies kumartui nostamaan sen. Kuohuva raivo otti Teron valtaansa. Hän kiskaisi itsensä ylös ja heittäytyi koko painollaan selkänsä hänelle kääntäneen miehen päälle. He kaatuivat yhtenä kimppuna lattialle.

»Auttakaa», Tero karjui. »Tulkaa auttamaan!»

Mies suuntasi terävän nyrkiniskun kohti Teroa, joka vihlovasta kivusta ja suuhunsa leviävästä veren mausta huolimatta piti hyökkääjästä tiukasti kiinni. Mies kierähti nopeasti hänen päälleen ja nousi polvilleen. Tero roikkui edelleen hänen vaatteissaan.

»*You idiot*», mies sähisi hampaidensa välistä. »*I could kill you. Just like that*», hän sanoi ja napsautti sormiaan aivan Teron kasvojen edessä.

Samassa Roni syöksähti heidän ohitseen ja kumartui ottamaan lattialla olevan kasetin. Mies tönäisi Teroa rajusti ja lähti Ronin perään.

Tero kompuroi ylös ja näki miehen saavuttavan Ronia nopeasti. Juuri kun mies oli tarttumassa Roniin, poika pysähtyi äkisti ja heilautti pyörillä kulkevan tyhjän tarvikehyllyn miehen eteen. Samalla hän avasi vieressään olevan oven ja katosi näkyvistä.

Tero juoksi ontuen ja verta nieleskellen kohti miestä, joka kiskaisi oven auki ja meni Ronin perässä sisään.

»Apua», Tero huusi, mutta ketään ei näkynyt. Edes turvakameroita ei ollut katon rajassa.

Hän tuli ovelle ja kiskaisi sen auki. Vastassa oli täydellinen pimeys. Hän pujahti nopeasti sisään ja sulki oven.

Tero seisoi säkkipimeässä ja kuunteli, mutta erotti ainoastaan sydämensä jyskytyksen korvissaan. Roni ei voisi puhua hänelle paljastamatta olinpaikkaansa. Oliko Roni heti sisään päästyään särkenyt kattolampun? Pojalla oli paineensietokykyä ja rautaiset hermot. Tilanteesta huolimatta Tero tunsi ylpeydenpuuskan – Roni oli selviytyjä, häneen voisi luottaa pahassakin paikassa.

Tero alkoi tunnustella ympäristöään käsillään. Hyllyillä oli muoviin käärittyjä sidetarpeita. Hän haparoi seinää edetessään pimeässä. Hänen kätensä osuivat pieniin laatikoihin, jotka valuivat rymisten lattialle.

Samassa valot syttyivät huoneen takaosassa. Valkotakkinen hyökkääjä seisoi siellä takanaan pienempi varastohuone, jonka valokatkaisijan hän oli löytänyt.

Roni seisoi miehen lähellä, katse ja koko olemus valppaana, polvet joustoasennossa. Varastohuoneen seiniä peittivät korkealle katon rajaan ulottuvat hyllyt täynnä erilaisia sairaalatarvikkeita. Lattialla oli useita liikuteltavia potilasvuoteita.

Roni katsoi miestä haastavasti ja levitti tälle kätensä. »*Look... no cassette...*»

Samassa hän ampaisi juoksuun kohti ovea, jonka vieressä Tero seisoi. Mies näytti arvioivan tilannetta silmänräpäyksen: kasetti saattoi olla piilotettuna hyllyihin, mutta sen löytämiseen kuluisi liian paljon aikaa.

Tero oli avaamassa ovea, kun mies syöksyi Ronin perään ja taklasi tämän takaapäin. Roni kaatui korkeaa hyllyä vasten ja valtava määrä sairaalatarvikkeita satoi heidän niskaansa. Hyökkääjä tarttui Ronia vaatteista ja löi häntä kasvoihin. Roni ähkäisi kivusta ja nosti kätensä suojakseen.

Tero liikahti kädet nyrkissä miestä kohti, mutta tämä sihahti raivoissaan englanniksi: »Pysy paikallasi tai poikasi kuolee.»

Uhkaus pysäytti Teron.

»Missä se on?» mies kysyi Ronilta, joka vain tuijotti häntä uhmakas katse silmissään.

Tero tarttui vieressään olevaan sairaalavuoteeseen ja työnsi sitä rajulla liikkeellä kohti miestä. Mies irrotti kätensä Ronista ja yritti ottaa vastaan painavan sängyn, joka vyöryi häntä kohti. Vuoteen pääty iskeytyi mieheen ja rusensi hänet vasten hyllyä.

»Mene», Tero karjui Ronille. »Juokse!»

Samalla Tero ruhjoi putkisänkyä miestä vasten, kunnes tämä horjahti lattialle ja sai kunnon iskun päähänsä sängyn kulmasta.

Tero tunnisti hyllyltä pudonneet pakkaukset – antiseptisesti pakattuja kirurginveitsiä.

Niiden joukossa lojui puhelin, jonka näyttöruudulla oli kuva Terosta.

38.

Tero tuijotti kuvaansa puhelimen ruudulla.

»Pysy siinä!» hän huusi englanniksi lattialta ylös pyrkivälle miehelle. »Kuka sinä olet? Miksi tuossa on minun kuvani?»

Tero otti puhuessaan yhden lattialle pudonneista pakkauksista ja repäisi sen auki. Hän kyykistyi miehen viereen ja painoi kirurginveitsen tämän kurkulle.

»Vastaa», hän sihahti englanniksi silmittömän raivon vallassa. »Mistä tässä kaikessa on kyse?»

Hän puristi ohutta veitsenkahvaa tärisevässä kädessään. Terä osui sen verran ihoon, että miehen kaulasta alkoi tihkua verta.

»Mikä kasetilla on niin tärkeää, että yrititte tappaa minut Lausannessa?»

Mies tuijotti häntä sanomatta sanaakaan.

»Isä...» Tero kuuli Ronin hämmentyneen äänen takaansa. Tämä käveli seinän vieressä olevan sairaalavuoteen ääreen ja otti kasetin patjan alta.

»Näetkö sen?» Tero sanoi miehelle. »Tämän enempää et sinä eivätkä toverisi tule kasetista koskaan näkemään. Ette ikinä.»

Tero riuhtaisi miehen kyljelleen pitäen veistä yhä tämän kaulalla.

»Kaiva esiin jotain, jolla saamme sidottua hänet», hän sanoi Ronille.

Roni aukoi steriilejä pusseja ja veti rullasta valkoisia siteitä, jotka kiskoi tiukasti miehen ranteiden ja nilkkojen ympärille. Tero kävi läpi miehen taskuja ja löysi iPod-soittimen, autonavaimet, nuuskarasian ja lompakon.

»Voi helvetti», Tero sanoi lompakkoa tutkiessaan. Katso.» Hän näytti Ronille ajokorttia.

»Ruotsalainen», Roni sanoi.

Tero käänsi katseensa lattialla makaavaan mieheen. »*Talar du svenska?*»

Mies katsoi häntä halveksiva ilme kasvoillaan.

»Se voi olla väärennetty», Tero sanoi ja tunki taskuunsa miehen puhelimen, ajokortin ja autonavaimet sillä aikaa kun Roni kiersi sidettä monta kierrosta miehen pään ympärille ja suun editse.

»Mennään», Tero hoputti.

He sulkivat oven takanaan ja lähtivät kävelemään käytävää pitkin. Tero huomasi Ronin poskessa ilkeännäköisen ruhjeen.

He nousivat portaat ylätasanteelle. Tero aisti Ronin järkyttyneisyyden, josta vähäisin osa ei varmastikaan johtunut hänen väkivaltaisesta toiminnastaan.

»Vedän vähän henkeä.» Tero nojasi seinää vasten, hänen jalkansa tärisivät holtittomasti ja häntä huimasi, mutta hän yritti peittää heikotuksensa Ronilta. Suussa tuntui edelleen veren metallinen maku.

»Aulassa oli vesiautomaatti», Roni sanoi. »Käyn hakemassa mukillisen, voit pyyhkiä naamaasikin.»

»Ei, anna olla. Kyllä tämä tästä. Ja tämähän on sairaala, on täällä verta totuttu näkemään.»

»Isä», Roni kuiskasi. »Mihin me oikein olemme joutuneet?»

Tero yritti ryhdistäytyä ja saada Ronin rauhoittumaan. Hän

laski kätensä pojan olkapäälle ja puristi kevyesti.»Kyllä me tästä selviämme.»

»Niinkö?» Ronin kasvoilta kuvastui pelko.

Tero katsoi poikaansa silmiin ja sanoi rauhallisesti:»Lupaan sen.»

Saman tien hän katui lupaustaan. Oli tyhmää luvata sellaista mitä ei voisi välttämättä pitää. Se hänen olisi pitänyt isältään oppia, jos mikä.

He kävelivät ovesta aulaan ja jatkoivat sen halki ulko-ovesta pihalle. Tero veti raikasta ilmaa keuhkoihinsa, kaivoi ruotsalaismiehen autonavaimen taskustaan ja antoi sen Ronille. Avaimessa oli VW:n tunnus.

»Uudehko Volkkari, varmaan Passat», Roni sanoi avainta vilkaisten.

Kumpikin tähyili autoja pysäköintialueella.

»Alan vähitellen uskoa Toomaksen puheita», Tero mutisi.

»Voi se olla pienempikin volkkari. Kierrä sinä tien puoleiseen osaan, minä menen vasemmalle», Roni sanoi autorivejä katsoen ja alkoi painella lukituksen kauko-ohjainta.

Tero ei ehtinyt kuin kymmenen metrin päähän, kun Roni vihelsi lyhyen, terävän vihellyksensä, jonka osaamisesta oli ylpeillyt jo koulupoikana.

Hän kiiruhti punaisen Volkswagen Passatin luokse, jonka oven Roni oli avannut.

Tero istuutui nopeasti kuljettajan paikalle. Hän veti syvään henkeä, ikään kuin se toisi voimia ja auttaisi keskittymään. Lyöminen ja lyödyksi tuleminen oli avannut vanhat haavat. Hän olisi halunnut puhua kaikesta menneestä Ronille, mutta ei pystynyt.

Tero vilkaisi tyhjälle takapenkille ja avasi sitten hansikaslokeron, josta otti esiin autovuokraamon pahvikansion. Hertzin papereista selvisi vuokraajan nimi, joka oli sama kuin ajokortissa:

Bengt Broman, Skördevägen 56, Stockholm.

Tutkittuaan takakontin Roni istuutui matkustajan paikalle ja kiskaisi oven kiinni. Hänen kädessään oli musta nahkakotelo, josta hän veti hitaasti ja varovasti esiin käsiaseen. Sig Sauer P226, Tero pani merkille. Ammattimies.

»Se mies oli valmis tappamaan», Roni sanoi hiljaa ja työnsi aseen takaisin koteloon. »Yhden kasetin takia. Miksi hän ei ottanut asetta mukaansa?»

»Ei ehkä uskonut tarvitsevansa.»

»Tai luuli, että suomalaisessakin sairaalassa saattaa olla metallinpaljastin.»

Tero nousi ylös. »Jätä pyssy autoon.»

Roni työnsi aseen hansikaslokeroon ja paiskasi oven kiinni. Tero lukitsi oven, heitti avaimet auton alle ja lähti harppomaan omaa autoaan kohti Roni perässään. Taivas näytti siltä että pian sataisi vettä.

Tero lysähti Aston Martinin ohjauspyörän taakse ja otti ruotsalaismiehen puhelimen ja ajokortin taskustaan. Roni istuutui hänen viereensä.

Teron sydän hakkasi edelleen haljetakseen. Hän tuijotti omaa kuvaansa puhelimen näytöllä ja vilkaisi ajokorttia. Kuvassa oli siisti, insinöörin tai ekonomin näköinen mies, paljon nuorempana kuin nyt.

Bengt Broman.

Tero antoi puhelimen Ronille ja käynnisti auton. »Katso mistä numerosta kuvaviesti on lähetetty hänelle. Ja kirjoita ylös numerot, joista hänelle on soitettu ja mihin hän on soittanut. Onko siellä tekstiviestejä?»

Roni ei tehnyt elettäkään Teron peruuttaessa pysäköintiruudusta.

»Kuulitko sinä?»

»Haluan ensin tietää mihin me menemme», Roni sanoi.

»Kentälle.»
»Ja mihin sieltä?»
»Arvaa.»

39.

»Ei täällä mitään kuvia ole», Kimmo tuhahti turhautuneena. Hän oli irrottanut Toomaksen BMW:n takapenkin kokonaan ja tuijotti pölyisiä metallipintoja. Istuin itsessään oli kiinteä muovinen elementti, jonka sisään ei voinut kätkeä mitään.

»Älä luovuta noin helposti, siellä on pakko olla jotain», Sirje sanoi.

Kimmo työnsi kätensä uudelleen istuimen ja takakontin väliseen tilaan, vaikkei uskonutkaan löytävänsä mitään. Tieto Toomaksen työskentelystä asekauppiaan palkollisena ei ainakaan lisännyt hänen jo entuudestaan vähäistä luottamustaan kälyynsä. Mutta hän piti epäilynsä omana tietonaan, hän ei halunnut loukata Sirjeä.

Auto seisoi Toomaksen taloyhtiön pihalla Herttoniemenrannassa. He olivat noutaneet sen kadun varresta Westendistä ja ohittaneet samalla Toomaksen työpaikan – modernin, kalliin talon, josta käsin venäläisen asekauppiaan saattoi hyvinkin kuvitella toimivan. Sirje oli soittanut Toomakselle ja varoittanut häntä sairaalassa näkemästään tutun näköisestä miehestä, vaikka Kimmo oli estellyt.

Kimmo liu'utti sormiaan istuimen alla nopeasti ja varmana

siitä ettei löytäisi mitään. Samassa hän tunsi kädessään jotain. Hän veti esiin ruskean kovitetun kirjekuoren.

Hän avasi huolella liimatun kuoren ja veti sieltä esiin nipun valokuvia. Sirje tuli uteliaana hänen viereensä. He tuijottivat kuvia, joissa oli meneillään Estonian lastaus.

Päivämäärä kuvien oikeassa alareunassa oli 27.9.1994, aluksen viimeinen lähtöpäivä Tallinnasta.

Äkkiä Sirje säpsähti ja vei yhden kuvista lähemmäs silmiään.

»Mitä nyt?» Kimmo kysyi.

»Tuo mies», Sirje osoitti sormellaan Volvon edessä seisovaa miestä. »Se todella on sama, jonka näin äsken sairaalassa.»

Kimmo pysyi vaiti.

»Tiedän mitä ajattelet», Sirje sanoi vaisusti. »Mutta –»

»Ei anneta mielikuvituksen laukata, vaikka Toomaksen puheet sellaiseen yllyttävätkin.»

»Jos Julialle kävi huonosti näiden asioiden takia, niin Toomaskin voi olla vaarassa.»

»Sirje, se oli vain joku samannäköinen mies. Ja kuvan ottamisesta on jo yli vuosikymmen.»

Kimmo laittoi takaistuimen takaisin paikoilleen ja lukitsi auton.

»Käydään katsomassa niitä Toomaksen mappeja», Sirje sanoi.

Kimmo suostui, osittain siksi koska näki Sirjen saaneen hiukan voimia kun pystyi suuntaamaan ajatuksensa Estonian arvoituksiin, ja osittain siksi, koska Toomas oli saanut hänetkin kiinnostumaan, vaikka kaikki vaikuttikin liian uskomattomalta.

Toomaksen asuntoon päästyään he menivät suoraan makuuhuoneessa olevan hyllyn eteen. Kimmo oli nähnyt Estonia-mapit ennenkin ja tuhahdellut niille mielessään. Sirje katsoi huolella merkittyjen kansioiden selkämyksiä: PELASTUNEIDEN LAUSUNNOT, VISIIRI, KASETIT, ROBOTTISUKELLUKSET...

Sirje poimi hyllystä vihreän kansion ja Kimmo kansainvälisen tutkintakomission loppuraportin, noin sentin paksuisen hiirenkorville kuluneen kirjasen, jonka välit olivat täynnä keltaisia liimatarroja. Kimmo avasi raportin satunnaisesta kohdasta sivulta 61, jolla kerrottiin komission tavasta käsitellä todistajalausuntoja. Toomas oli alleviivannut muutaman lauseen:

Eräät yksityiskohdat poikkeavat siitä, mitä todistajat todellisuudessa sanoivat. Sekaannusten välttämiseksi komissio on muuttanut eräiden kertomusten yksityiskohtia...

Kimmo luki lauseet tyrmistyneenä uudelleen. Toomaksen puheet ja väitteet saivat äkkiä aivan uutta painoarvoa. Hän avasi raportin toisesta kohtaa, sivulta 129, jossa käsiteltiin sisätilojen kuntoa. Toomas oli alleviivannut kohdan:

Autokantta ei tutkittu, koska sukeltajien työskentely siellä olisi ollut riskialtista. Sen vuoksi ei tiedetä, olivatko kiinnitykset pystyneet pitämään rekat paikallaan.

Viereen kiinnitettyyn keltaiseen lappuun Toomas oli kirjoittanut:»Valhe. Autokantta tutkittiin, ks. videonauha D13, 3.12.1994, kohta 1h 32min, ja kommentti sukelluspöytäkirjassa.»

Kimmo otti raportin välistä arkin, johon oli koottu keskeistä komissiota kohtaan esitettyä kritiikkiä: *Jos totuus olisi haluttu avoimesti ja ammattimaisesti selvittää, olisi kaikille pelastuneille esitetty yhtenäinen, systemaattinen kysymyspatteristo. Sen sijaan avaintodistajana käytettiin vahtimatruusia, joka muutti kertomustaan useita kertoja mm. tapahtumien järjestystä kuvaavien kriittisten aikamääreiden osalta. Myöhemmin kyseinen todistaja antoi valaehtoisen lausunnon, jossa kertoi Viron turvallisuuspoliisin edustajan painostaneen häntä muuttamaan nimenomaan aikamääreitä lausunnossaan.*

Komission ruotsalaisen valtuuskunnan jäsenen, psykologi Bengt Schagerin, ehdotusta todistajien kuulemisesta ei komis-

siossa hyväksytty. Schager erosi, hän ei halunnut olla vastuussa tutkinnasta, jossa olennaisen tärkeitä todistajia ei haluttu kuulla.

Eikö komissio halunnut kuulla matkustajia, koska heidän todistajalausuntojensa keskeinen sisältö olisi ollut ristiriidassa komission itsensä ajaman näkemyksen kanssa? Komissio jätti huomiotta esimerkiksi ne 11 pelastuneen lausunnot, joissa kuvattiin autokannen alapuoliselle hyttiosastolle tulvinutta vettä heti onnettomuuden alkuvaiheessa, jo ennen voimakasta kallistumaa. Komission loppuraportin kuvaus ykköskannen tapahtumista on ristiriidassa yksiselitteisten todistajalausuntojen kanssa. Veden tulo ykköskannelle selittyisi rungossa olevalla reiällä.

Kimmo tarttui aiempaa kiinnostuneempana yhteen Toomaksen kansioista, avasi sen keskivaiheilta ja silmäili valokopiota: *Kiistämätön fakta on se, että Ruotsin armeija käytti Estoniaa, siviilialusta, äärimmäisen kiistanalaisen venäläisen sotilaallisen huipputeknologian salakuljettamiseen ja tällä tavoin räikeästi vaaransi matkustajien ja miehistön turvallisuuden.*

Riippumatta uppoamisen syystä, nämä kuljetukset yritettiin salata. Näin ollen on ymmärrettävää, että onnettomuuden jälkeisissä toimenpiteissä keskeinen rooli oli Ruotsin puolustusvoimilla. Pääministeri Carl Bildtin neuvonantajana välittömästi uppoamisen jälkeen toimi mm. asevoimien materiaalivirastossa aiemmin työskennellyt komentaja. Komission ruotsalaisen osapuolen puheenjohtajana toimi puolustusministeriön virkamies. Ruotsalaiset hoitivat visiirin etsinnän salaisena operaationa, jossa oli mukana peräti laivaston komentaja. Viranomaisten ja uhrien omaisten yhteydenpito siirrettiin puolustusministeriön alaiselle Psykologisen puolustuksen laitokselle, joka on erikoistunut medianhallintaan, psykologiseen sodankäyntiin, mielipiteenmuokkaukseen ja propagandan käsittelyyn. 1997 eronneen puheenjohtajan tilalle nimitettiin seuraaja puolustusministeriön lainopilliselta osastolta.

Kimmo havahtui Sirjen ääneen:»Tämä oli isän kohtalon takia Toomaksen suurimpia mielenkiinnon kohteita.»

Sirje räpytteli kyyneleitä silmistään ja avasi mapin, jossa oli valokopio päivälehdestä: Aftonbladet Extra, 28.9.1994, sivu 17. Onnettomuuspäivän lehti, erikoisnumero.

»Tästä Toomas jaksoi puhua...»

Kimmo silmäili koko sivun uutista, jossa haastateltiin Bergan laivastotukikohdasta uppoamispaikalle saapunutta pintapelastaja Kenneth Svenssonia. Kuvassa oli alle kolmenkymmenen ikäinen mies, jonka märät hiukset olivat liimautuneet päänahkaa vasten. Juttu oli tehty tuoreeltaan, muutama tunti uppoamisen jälkeen. Haastateltu oli saanut hälytyksen pian kahden jälkeen, ja hänen kopterinsa oli saapunut onnettomuuspaikalle tuntia myöhemmin. Hän kertoo pelastaneensa ensimmäisellä lennolla kopterin kyytiin kahdeksan ihmistä, jotka vietiin Huddingen sairaalaan.

»Mihin tämä liittyy?» Kimmo kysyi.

Sirje huokaisi.»Toomaksen mukaan nämä ensimmäiset uutiset ovat luotettavimpia. Mutta tästä Kenneth Svenssonin kuvailemasta pelastuslennosta ei ole mitään mainintaa loppuraportissa. Sitä ei yksinkertaisesti muka tehty. Tähän loppuraportin kaavioon on koottu kaikki pelastuslennot ja kerrottu pelastuneiden lukumäärät.»

Sirje antoi sormensa lipua taulukossa, jonka mukaan Svenssonin kopteri pelasti yhden ihmisen.

»Jompikumpi valehtelee Toomaksen mukaan», Sirje sanoi.»Joko pintapelastaja Svensson valehteli onnettomuuspäivän aamuna toimittajalle tehdäkseen itsestään sankarin. Tai tutkintakomissio antaa virheellistä tietoa.»

Kimmo otti mapin ja selasi sitä eteenpäin. Miltei heti hän pysähtyi.»Nähtävästi ainakaan Svensson ei valehdellut.»

Kopio oli lehtijutusta, jossa kerrottiin kuinka pintapelastaja

Svensson sai urhoollisuusmitalin toiminnastaan Estonian onnettomuudessa – hän oli tekstin mukaan pelastanut yhden uhreista.

»Toomas jaksoi aina mainita myös sen, että mitalin ojentaja on sama mies, joka sopi asevoimien päällikkönä tullin kanssa salaisista kuljetuksista.»

»Ja mitä tämä kaikki Toomaksen mielestä tarkoittaa? Sitäkö, että isänne pelastettiin helikopteriin muutaman muun joukossa, ja koko ryhmä katosi?»

»Olen aina ajatellut, että kaikki on vain Toomaksen mielikuvituksen tuotetta. Mutta jos hänellä kuitenkin on oikeita perusteita käsityksilleen?»

»Meidän on pidettävä nyt huomio Juliassa –»

»Julia yritti selvittää isoisänsä kohtaloa. Kaikki liittyy kaikkeen.»

Sirje vaikutti yhtäkkiä vahvalta ja päättäväiseltä, mikä sai Kimmon yhtä aikaa huojentumaan ja huolestumaan. Sirje otti hyllystä toisen mapin ja Kimmo jatkoi omansa selaamista. Oli kieltämättä erikoista, että pelastuneita matkustajia kohdeltiin Tukholmassa kuin rikollisia. Ruotsin viranomaiset eristivät sairaalaan tuodut matkustajat niin täydellisesti, että Viron Tukholman suurlähetystö esitti kolme päivää uppoamisen jälkeen Ruotsin ulkoministeriölle nootin. Virolaiset vaativat selitystä sille, miksi Ruotsin viranomaiset kieltäytyivät antamasta lähetystöneuvos Alar Streimanille Estonialta pelastuneiden ja Ruotsin sairaaloihin vietyjen henkilöiden nimiä ja estivät vierailut heidän luokseen.

Todellakin: miksi ihmeessä? Entä jos Malagan bussiturman aikaan Espanjan viranomaiset olisivat kieltäytyneet antamasta tietoja pelastuneista suomalaisista eivätkä olisi päästäneet suomalaisia viranomaisia sairaalaan heidän luokseen – menneet niin pitkälle, että Suomen ulkoministeriö olisi joutunut esittämään Espanjalle asiasta nootin? Olisiko asia kuitattu noin vain, ihmettelemättä, ilman lisäselvityksiä?

»Katso näitä», Sirje sanoi ja näytti kansiossaan olevia kopioita. »Estonialla tehtiin Tallinnassa lähtöpäivänä tekninen tarkastus, jonka aikana kaksi Ruotsin merenkulkuviranomaista koulutti virolaisia tarkastustehtäviin. Ongelmat kirjattiin tarkastuspöytäkirjaan.»

Sirje näytti saraketta, johon oli käsin kirjoitettu runsaasti merkintöjä. »Tämä sarake täytetään vain silloin, kun alus on pidettävä satamassa niin kauan kunnes puutteet on korjattu. Tämän alkuperäisen tarkastuspöytäkirjan mukaan Estonia oli siis merikelvoton.»

Kimmo katsoi kun Sirje käänsi sivua. »Tämä pöytäkirjalomake taas on komission raportin liitteenä. Siitä puuttuvat kriittiset merkinnät.»

Kimmo oli yllättynyt. Kun tieto jälkikäteen tehdyistä muutoksista oli ilmennyt, komission olisi tietenkin pitänyt tutkia asia perusteellisesti. Mitään ei kuitenkaan tehty.

»En tiedä mitä ajatella», Kimmo huokaisi. »Miksi Julia ei puhunut meille siitä, että tutki Estoniaan liittyviä asioita?»

Sirje sanoi Kimmoa katsomatta: »Kyllä hän puhui. Pyysi joskus viime vuonna kertomaan kaiken, mitä muistan tuon ajan tapahtumista. Kiertelin ja kaartelin, kun tajusin Toomaksen puhuneen hänen kanssaan. En halunnut, että hän saa Julian innostumaan huuhaateorioistaan. En puhunut sinullekaan mitään. Tiedän, miten suhtaudut Toomakseen.»

»Eli Juliallakin voi olla Estonia-aineistoa jossain. Missä hän sitä pitäisi?»

»Tietokoneella varmaan.»

»Poliisi tutki sen.»

»Miten poliisi olisi osannut etsiä tätä aineistoa tai ymmärtää sen merkitystä?»

Kimmo havahtui ulko-ovelta kuuluvaan rapinaan. Joku avasi lukkoa.

241

»Kuka se on?» Sirje kysyi kuiskaten.

Kimmo ehti eteiseen samalla hetkellä kun rakoselleen avautunut ovi suljettiin nopeasti.

Tulija oli huomannut hänet. Kimmo harppoi ovelle ja avasi sen nopeasti. Joku juoksi portaita alas.

Kimmo veti oven huolestuneena kiinni ja palasi makuuhuoneeseen, jossa Sirje odotti pelästyneenä.

»Kuka se oli?»

»Ei aavistustakaan. Otetaan muutama mappi mukaan ja häivytään täältä.»

Kimmo alkoi pinota syliinsä kansioita hyllystä. Hän oli hetken harkinnut juoksevansa tunkeilijan perään, muttei halunnut jättää Sirjeä yksin. Alkoi näyttää siltä että Toomaksen teorioissa oli jotain perää.

40.

Claus Steglitz makasi hikisenä ja avuttomana sairaalan pimeässä varastohuoneessa. Hän oli yrittänyt rimpuilla itseään irti, mutta nuori suomalaismies oli sitonut hänet kuin vanha tekijä. Kirurginveitsiä sisältäneet pakkaukset miehet olivat poistuessaan heittäneet varaston toiselle puolelle. Steglitz oli kuitenkin toivonut että veitsiä sisältäviä pakkauksia löytyisi hyllyiltä lisää.

Hän oli potkinut hyllyjä yksi toisensa jälkeen. Tavaroita oli satanut hänen ympärilleen, mutta mikään niistä ei sisältänyt mitään terävää.

Kuinka hän oli saattanut epäonnistua näin surkeasti? Kasetin nappaamisen olisi pitänyt olla helppo tehtävä. Huomatessaan Airaksen laittavan kasetin kassiin Toomaksen potilashuoneessa hän oli mielessään kiittänyt onnekasta käännettä. Hän oli päättänyt yksinkertaisesti vain napata kassin, jossa kasetti oli. Hän oli jäänyt odottamaan käytävälle ja pian miehet olivat tulleet ulos ja menneet hissiin, jossa joku typerä nainen oli alkanut kysellä häneltä jotain.

Seuratessaan miehiä autiolle käytävälle hän oli epäröinyt; turvakameroita ei ollut, mutta hänen aseensa oli autossa ja miehiä oli kaksi. Kokemus oli osoittanut, että aseen kanniskelua oli

Suomen tapaisessa maassa syytä välttää, sillä sen hallussapito johtaisi väistämättä ikäviin tutkimuksiin.

Steglitz oli päättänyt toimia, myöhemmin se olisi saattanut olla vielä vaikeampaa. Ei ollut mitään syytä käyttää turhaa väkivaltaa, vain sen verran että hän saisi kasetin ja kuoren haltuunsa ja Airakset taintuisivat hetkeksi. Tarpeen vaatiessa miesten vaientamisen olisi voinut hoitaa myöhemmin ja suunnitellusti.

Steglitz tiesi syyllistyneensä klassiseen virheeseen: vastustajan aliarvioimiseen.

Äkkiä varaston ovi kolahti. Steglitz säpsähti. Hän siristeli silmiään käytävälle avatusta ovesta tulvivassa valossa.

Oviaukossa seisoi nainen, jolta pääsi säikähtynyt huudahdus.

Steglitz yritti mumista jotakin suutaan peittävän siteen takaa. Hetken näytti siltä kuin hoitaja pyörähtäisi ympäri, mutta onneksi hän rohkaistui tulemaan lähemmäs.

»Mitä ihmettä täällä on tapahtunut?»

Steglitz odotti kärsimättömästi, että nainen sai irrotettua siteen.

»Ei mitään hätää», Steglitz kähisi englanniksi. »Pari miestä kävi kimppuuni. Etsivät varmaan lääkkeitä.»

»Soitan vartijan», nainen sanoi ja alkoi hapuilla puhelintaan.

»Irrotetaan ensin loputkin siteet. Veri ei kierrä käsissä enää ollenkaan.»

»Miehet voidaan vielä saada kiinni –»

»Ei. Avaa ensin siteet, olen maannut täällä jo kauan. Eivät hyökkääjät enää täällä ole.»

Hoitaja kaivoi taskustaan pienet sakset ja alkoi katkoa siteitä.

»Kuka te olette? Kuinka päädyitte –»

»Olen tohtori Wiklöf, vierailijana Karolinska Institutetista.»

»Kysyn siksi, kun ei teillä ole henkilökorttia rintapielessä…»

»Veivät kai senkin.»

Hoitaja sai siteet irti ja auttoi Steglitzin pystyyn.

»Kiitos», Steglitz sanoi ja poimi nuuskarasian sekä iPodin taskuunsa. Kaiken muun suomalaiset olivat vieneet. »Mennään ylös setvimään tätä», hän jatkoi itsevarmalla äänellä. »Lukitkaa varaston ovi siksi aikaa.»

Heidän päästyään sairaalan aulaan Steglitz antoi naisen kävellä edellään ja suuntasi itse ripein askelin ulko-ovesta pihalle. Hän hengitti syvään syysilmaa ja alkoi hamuta nuuskarasiaa taskustaan.

»*Viimeinen kuulutus Finnairin vuorolle AY326 Tukholmaan. Lähtöportti 23.*»

Tero tuhahti kärsimättömästi. Hän oli jälleen lyönyt väärää näppäintä, ja hakukone antoi virheilmoituksen.

»Meidän pitäisi mennä jo», Roni sanoi nettipisteen toisen tietokoneen ääreltä. Heidän takanaan oli vuoroaan odottavia matkustajia.

»Löytyykö mitään?» Tero kysyi Ronilta samalla kun vilkaisi uudelleen pankin tositetta ja näppäili harkitun hitaasti saajan nimeä Googlen hakukenttään: Z-e-n-t-e-c-h...

»Skördevägen on Tukholman kaakkoispuolella», Roni sanoi päätettään katsoen.

»Katso löytyykö Bengt Bromanista mitään.»

Ruudulle Teron eteen avautui lista, jossa oli useita linkkejä Zentech Consulting -nimisiin yhtiöihin. Hän avasi ylimmän, joka ohjasi jonkinlaiseen yrityshakemistoon.

»*Matkustajat Airas, ilmoittautukaa viipymättä lähtöportilla 23. Kone lähtee*», kaiuttimista kuului yhä vaativammin.

»Bengt Bromaneja on sivukaupalla. Pitäisi rajata jotenkin.» Tero sulki puhuessaan selaimen. »Pakko mennä», hän jatkoi ja otti kolikoilla toimivan tulostimen kaukalosta nipun dokumentteja, jotka oli hätäisellä haulla löytänyt netistä.

He kiiruhtivat kohti porttia, jota oltiin parhaillaan sulkemassa. Virkailija vilkaisi heitä kaikkea muuta kuin ystävällisesti.

Saatuaan lipputositteensa Tero otti puhelimensa ja näppäili numeron heidän kävellessään matkustajasiltaa pitkin koneeseen.

»Niin», Toomaksen ääni sanoi.

»Sanooko nimi Bengt Broman sinulle mitään?» Tero kysyi koneen ovella lentoemäntien ilmeistä välittämättä.

»Broman», Toomas toisti. »Ei sano mitään.»

»Hän hyökkäsi sairaalassa kimppuumme», Tero sanoi hiljaa matkustamon käytäväjonossa. »Tai ainakin se nimi oli hänen ajokortissaan. Hän yritti viedä lokeron sisällön vähän sen jälkeen kun olimme lähteneet huoneestasi.»

Tero pujottautui omalle paikalleen ikkunan viereen. »Olemme koneessa lähdössä Tukholmaan. Meillä on miehen puhelin, jonka muistissa oli meidän molempien kasvokuvat. Ja muutama tekstiviesti, joista ei saa irti mitään erityistä.»

»Anna miehen tuntomerkit.»

»Keskikokoinen, hiukan omituinen nenä, siniset silmät. Runsaat huulet —»

»Odota. Sirje soitti hetki sitten. Oli mielestään lähtiessään nähnyt Estonia-kuvissa olevan miehen sairaalan aulassa. Pieni nenä, turpeat huulet...»

Roni pukkasi Teroa kylkeen. Lentoemäntä pysähtyi heidän viereensä.

»Olkaa hyvä ja sulkekaa puhelin.»

»Pitää lopettaa, soitan kohta Arlandasta.»

Toomas puristi puhelinta korvaansa vasten vuoteessaan.

»Kuinka sinä voit?» hänen työnantajansa kysyi lämpimän

empaattisella äänellä, joka sai kylmät väreet kulkemaan Toomaksen selkäpiissä.

»Voisinko auttaa jotenkin?» Anatoli jatkoi. »Tuoda jotain sairaalaan? Olen ollut hyvin huolissani, kun et ole soittanut minulle. Missä sairaalassa olet?»

»Kaikki on kunnossa... Lääkäri tulee juuri, joudun nyt lopettamaan.»

Toomas katkaisi hätäisesti yhteyden ja jäi ahdistuneena makaamaan.

Hän vilkaisi puhelimensa kelloa – Tero ja Roni olisivat pian Arlandassa. Hän rukoili täydestä sydämestään, että he onnistuisivat paremmin tietojen saamisessa kuin hän itse oli vuosien mittaan onnistunut.

Toomas tiesi, että mitä tahansa Estonian taustalta paljastuisikin, se ei välttämättä olisi hänen isänsä kannalta mairittelevaa. Siitä huolimatta hän halusi tietää totuuden.

Isä oli jäänyt Toomakselle arvoitukselliseksi hahmoksi. Vaativa ja särmikäs persoona oli ollut paljon poissa kotoa Toomaksen ollessa pieni. Vasta teini-iässä hän oli kunnolla päässyt tutustumaan isään, kun tämä oli loukkaantunut epämääräisissä olosuhteissa ja maannut kotona useita kuukausia. Silloin Toomakselle oli vähitellen valjennut, ettei isä ollut joutunut ampumavälikohtaukseen sattumalta, vaan rikollispiireissä liikkumisen seurauksena.

Niinpä tieto siitä, että isä oli Estonialla työskennellessään ottanut lahjuksia salakuljetusjärjestelyjen hoitamisesta, ei ollut tullut yllätyksenä. Mutta oliko lahjusten ottamisella yhteys isän katoamiseen, siitä Toomas ei edelleenkään ollut varma. Fakta oli kuitenkin se, että varustamo Estline, Viron Punainen Risti ja Viron sisäministeriö olivat kaikki ilmoittaneet hänen pelastuneen. Ruotsalaiset sairaalaviranomaiset olivat tarkistaneet tiedot moneen kertaan, koska pelastuneiden listalla ei yksinkertaisesti saanut olla virheitä.

Ruotsin suurlähetystöstä oli soitettu Toomakselle ja Sirjelle ja vahvistettu isän pelastuminen, mutta hän ei tullut ilmoitetulla lennolla Tukholmasta Tallinnaan. Ei myöskään seuraavilla lennoilla. Hänen nimensä poistettiin pelastuneiden listalta ja hänet ilmoitettiin kadonneeksi.

Toomas oli vakuuttunut siitä, että isä oli seitsemän muun joukossa ensimmäisiin kuuluneella pelastuslennolla, sillä joka sensuroitiin pois tutkintalautakunnan raportista. Kaikki muutkin alun perin eloonjääneiksi ilmoitetut, mutta myöhemmin kadonneiksi osoittautuneet henkilöt olivat virolaisia – joko Estonian miehistön jäseniä tai aluksen tarjoamiin palveluihin liittyviä henkilöitä.

Tunnetuin heistä oli Estonian toinen päällikkö Avo Piht, joka uppoamisyönä oli aluksessa vapaavuorolla matkalla Tukholmaan. Uppoamispäivänä tallinnalainen radioasema esitti haastattelun, jossa Ruotsin Punaisen Ristin avustustyöntekijä kertoi keskustelleensa pelastushelikopterissa Pihtin kanssa. Kaksi päivää myöhemmin Ruotsin merenkulkuviraston turvallisuuspäällikkö Bengt Erik Stenmark kertoi uutistoimisto Reutersille, että onnettomuustutkijat olivat puhuneet Pihtin kanssa. Stenmark sen enempää kuin Reuters eivät oikaisseet sanomisiaan. Stenmark sai myöhemmin lähteä virastaan. Myös Viron poliisi uskoi Pihtin olevan elossa ja etsintäkuulutti hänet Interpolin kautta.

Katoamisten olisi kaiken järjen mukaan pitänyt sysätä liikkeelle perusteellinen tutkinta, mutta Estonian tapauksessa havaintoa seurasi vain hiljaisuus.

Hajanaisten tiedonjyvien kokoaminen loogiseksi tapahtumaketjuksi edellytti aukkopaikkojen täyttämistä. Mitä oli esimerkiksi pääteltävissä siitä, että Estoniaan lastattiin viime hetkellä kaksi vartioidussa saattueessa Tallinnan satamaan saapunutta kuorma-autoa? Myöhemmin todettiin, että varustamon lastiluettelosta puuttui yksi kuorma-auto ja toinen oli lisätty siihen käsin ilman lisätietoja – ja Nordström & Thulin, Estonian osaomistaja, oli tilannut aamuksi Ruotsin tielaitokselta erikoiskuljetussaattueen satamasta Arlandan lentokentälle. Siellä puolestaan odotti edellisenä iltana Amsterdamista tyhjänä tullut, Bermudalle rekisteröity Boeing 727. Kone lähti Ruotsin ilmailuviranomaisten tietojen mukaan uppoamispäivän iltana Amsterdamiin mukanaan neljä rekisteröimätöntä matkustajaa.

Kaksi tuntia myöhemmin Arlandaan laskeutui Yhdysvaltoihin rekisteröity Gulfstream 4 -piensuihkukone, joka lähti seuraavana aamuna Yhdysvaltain Bangoriin mukanaan viisi rekisteröimätöntä matkustajaa. Koneen omistava leasingyhtiö kieltäytyi myöhemmin kertomasta mikä taho tuolloin operoi heidän konettaan. Arlandan lentokentän mukaan konetta koskevat laskut lähetettiin Yhdysvaltain Tukholman-lähetystöön. Myöhemmin, vuonna 2001, USA käytti vastaavaa Gulfstream-konetta siepatessaan Tukholmasta kaksi terrorismista epäiltyä egyptiläistä.

Toomas oli itse tarkistanut tiedot Ruotsin ilmailulaitokselta, ne pitivät paikkansa. Oliko isä kuljetettu pois Ruotsista? Mitä hänelle oli tapahtunut?

Mikäli isä oli sekaantunut salakuljetuksiin, joista haluttiin vaieta – liittyivät ne uppoamiseen tai eivät – niin isän ei haluttu puhuvan. Ja jos isä itsekin oli tajunnut salakuljetusten jollain lailla liittyneen uppoamiseen, oli myös ymmärrettävää, että hän ei halunnut setviä asioitaan poliisin kanssa.

41.

Tero istui Arlandan kentältä vuokratussa pikku-Saabissa, jota Roni ajoi. Pilvipoutainen ilta hämärsi keskiluokkaisella omakotialueella Tukholman kaakkoispuolella.

Poliisi oli yrittänyt soittaa heille molemmille Helsingistä, mutta he eivät olleet vastanneet. Teron sylissä oli papereita, jotka hän oli tulostanut netistä Arlandan kentällä Toomaksen puhelimitse antamien ohjeiden mukaan. Tero yritti niiden avulla muodostaa vastapuolestaan edes jonkinlaisen käsityksen, ja ainakin osa tuota vastapuolta oli Toomaksen väitteiden mukaan Ruotsin asevoimien salainen tiedustelu- ja turvallisuuspalvelu MUST, Militära Underrättelse- och Säkerhetstjänsten, ja ennen kaikkea sen huippusalainen erikoistoimien yksikkö KSI. Kontoret för särskild inhämtning toimi suoraan asevoimien päällikön alaisuudessa.

KSI:n toiminnasta ei tiedetty juuri muuta kuin se, että heillä oli vaativimmissa tehtävissä kentällä toimivia agentteja, tosielämän jamesbondeja. Ajatus kansankodin hämärissä kulisseissa toimivista vakoilun ja väkivallan ammattilaisista oli pelottava. Mutta toisaalta: maailmalla rauhan, ystävyyden ja solidaarisuuden kyyhkynä esiintyvä Ruotsi oli yksi maailman suurimmista kehittyneimpien ja tappavimpien aseiden tuottajista.

»Sen täytyy olla seuraava katu», Roni sanoi ja hiljensi vauhtia.

Tero nyökkäsi mietteissään ja jatkoi tulosteiden selaamista. Toomaksen hurjilta tuntuneet väitteet olivat papereiden mukaan totta ainakin siltä osin kuin ne koskivat suurvaltasuhteita. Myös Yhdysvalloilla oli intressinsä Estonian tapahtumissa. USA:n suurimmalla tiedusteluorganisaatiolla NSA:lla oli kolme dokumenttia – seitsemän sivua – jotka koskivat Estonian uppoamista. Dokumentit oli luokiteltu salaisiksi, koska niiden julkistaminen voisi aiheuttaa vakavaa vahinkoa Yhdysvaltain kansalliselle turvallisuudelle.

Myös Toomaksen tiedot Ruotsin armeijan materiaaliviraston FMV:n toimeenpanemista salakuljetuksista pitivät paikkansa. Esimerkiksi venäläisen hävittäjäkoneen tutkalaitteiston hankintatehtävä annettiin Exico AB -nimiselle yritykselle. Laitteita hankittiin sekä varastamalla että maksamalla suuria lahjussummia venäläisille kontakteille.

Tero havahtui Ronin kääntyessä hiljaiselle kadulle, jota reunustivat siistit omakotitalot nurmikoiden takana.

»Skördevägen», Roni sanoi. »Tämä se on.»

Teron hermostunut katse lipui hyvin hoidetuissa isoissa pihoissa, joille oli pysäköity maasturi-Volvoja ja farmari-Saabeja. Pitkänhuiskea poika heitteli koripalloa lähimmän autotallin edessä.

Ristiriita Teron lukemien raadollisten faktojen ja ympäristön pikkuporvarillisen idyllin välillä ei olisi voinut olla suurempi. Hän mietti Marcusta ja Anatoli Rybkiniä, Toomaksen venäläistä työnantajaa. Oliko todellakin niin, että myös nämä olivat osallistuneet FMV:n puuhiin ja salakuljetuksiin, jotka liittyivät Estonian uppoamiseen?

Ajatus oli hyytävä. Oliko Zentech samanlainen hämäräfirma kuin Exico, joka toimi Ruotsin sotilastiedustelukoneiston laskuun? Mutta kuinka oli mahdollista, että Lausannen tallelokerossa olleen pankkitositteen päivämäärä oli niin tuore?

»Tuossa on numero 11», Roni sanoi. »56:n täytyy olla sillä puolella katua.»

Teron puhelin soi. Hän hätkähti nähdessään soittajan nimen.

»Pakko kai tähän on vastata», hän mutisi.

Helin ääni oli oudon tunteeton. »Tero, sano ettei se ole totta... Miksi Roni teki sen?»

»Roni on syytön.»

»Aavistin jotain jo silloin kun hän kävi täällä. Ja sinä tiesit koko ajan, siksi hait hänet pois ja –»

»Etkö kuullut mitä minä sanoin? Roni on syytön!»

»Ja Valtteri syyllinen? Niinkö?» Helin ääni kohosi falsettiin. »Valtteri kertoi minulle! Kuinka sinä saatoit yrittää jotain niin järjetöntä ja julmaa ja epäoikeudenmukaista», Heli huusi hysteerisesti.

Tero vei puhelimen kauemmas korvaltaan ja vilkaisi Ronia, joka kuiskasi: »Poliisi voi jäljittää puhelimen sijainnin. Kannattaisi lopettaa.»

Se oli totta. Tero painoi puhelun viivyttelemättä poikki, vaikka se tuntui pahalta. Helillä oli kaikki oikeus olla vihainen ja poissa tolaltaan... Teron pitäisi selittää hänelle kaikki. Mutta myöhemmin.

»Vaikka Toomas olisi oikeassa ja Julian olisi tappanut joku muu, et silti ole syytön», Tero muistutti puhelun kirvoittamana yhtä paljon itselleen kuin Ronille. »Syyllistyit pahoinpitelyyn ja jätit uhrin heitteille.»

»Luuletko etten tiedä tuota?»

He jatkoivat Skördevägeniä eteenpäin hiljaisina ja katsoivat kylttien numeroita. Tunnelma autossa muuttui painostavammaksi jokaisen ohitetun numerokyltin jälkeen. Lopulta talot päättyivät harvaan lehtipuumetsikköön.

Roni pysähtyi. »Se siitä sitten. Keksitty osoite.»

»Eikö netin kartasta näkynyt kadunnumeroita?»

»En tiedä, en ehtinyt katsoa», Roni tiuskaisi.

»Okei. Mietitään rauhassa mitä meillä nyt on», Tero sanoi yrittäen rauhoittaa tunnelmaa.

»Ei mitään. Miehen puhelinnumero on tuntematon, kaikki hänen soittamansa ja vastaamansa puhelut ovat tuntemattomasta numerosta, eikä tekstiviesteistä saa mitään irti. Bengt Bromania ei ole olemassakaan.»

»Mutta minun kuvani on lähetetty tunnistettavasta numerosta.»

»Jonka omistaja on salainen.»

»Toistaiseksi», Tero sanoi ja yritti kuulostaa toiveikkaalta. »Jos Toomaksen puheissa on perää, niin tästä 'Bengt Bromanista' tiedetään jotain Ruotsin sotilastiedustelussa. Tai siinä firmassa, jolta MUST tilasi venäläistä tekniikkaa. Zentech. Mutta ensimmäiseksi meidän pitää päästä katsomaan kasetti.»

Roni katsoi häntä vakavana ja väsyneenä. »Isä... tämä on toivotonta.»

Syksyinen merituuli puhalsi mäntyjen keskellä seisovan modernin valkoisen talon ympärillä Espoon Westendissä. Ison maisemaikkunan takana olevan työpöydän ääressä työskenteli pienikokoinen, tukeva mies.

Anatoli Rybkin syötti faksiin arkin, jossa oli tavanomaisen näköisiä käyriä myynnin suhteesta aikaan. Käyrästöjen grafiikkaan oli piilotettu tietoja, jotka vastaanottaja Tukholmassa pystyi lukemaan yksinkertaisen visuaalisen koodiavaimen avulla.

Anatoli ei ottanut kommunikoinnissa Ruotsin suuntaan pienintäkään riskiä – radiotiedustelulaitos FRA, Försvarets Ra-

dioanstalt, valvoi sähköposteja, puheluita, fakseja, pikaviesti-
ja vertaisverkkoliikennettä sekä voip-puheluita. Laitos oli vast-
ikään hankkinut yli kahdeksan miljoonaa euroa maksaneen su-
pertietokoneen, joka oli hankintahetkellä maailman viidenneksi
tehokkain. Sen avulla FRA purki muun muassa sähköpostien
salauksia.

Saatuaan faksin lähetettyä Anatoli käveli Toomaksen huonee-
seen hoitamaan työtehtäviä, jotka olivat onnettomuuden jälkeen
rästissä. Anatoli ei ollut ehtinyt vielä selvittää Toomaksen olin-
paikkaa, mutta se olisi tehtävä viipymättä.

Hän vastaili tanskalaisen ja hollantilaisen huolitsijan viestei-
hin ja teki tilauksia. EU-maat saarnasivat ihmisoikeuksista, va-
kaudesta ja kehityksestä, mutta veivät samaan aikaan miljar-
dien eurojen arvosta aseita kehitysmaihin. Asetehtaat olivat val-
tioiden erityisessä suojeluksessa, mutta kansalaisille syötettiin
kaunopuheista hurskastelua. Kärjistynein tilanne oli Ruotsissa,
jonka vientituotteita olivat rauha, aseistariisunta ja aseet. Pasi-
fistisen maan kukoistava aseteollisuus riippui viennistä, tiukat
asevientilait olivat pelkkää kulissia.

Anatoli ei ollut koskaan oppinut ymmärtämään, kuinka pis-
kuinen yhdeksän miljoonan asukkaan valtio tuotti niin hillit-
tömän määrän niin korkealaatuisia aseita ja asejärjestelmiä.
Kockumsin telakan valmistama Gotland-luokan hyökkäyssukel-
lusvene oli maailman ensimmäinen ja ainoa AIP-järjestelmällä
varustettu sukellusvene, jonka jopa Yhdysvallat vuokrasi har-
joituksiinsa Tyynellemerelle. Neljännen sukupolven hävittäjä-
lentokoneen valmistaminen oli voimainponnistus suurvalloille-
kin, ja ainoana YK:n turvallisuusneuvoston pysyvän jäsenistön
ulkopuolisena maana sellaisen tuottamiseen löytyi halua ja ky-
kyä Ruotsista.

Siellä tuotettiin myös suunnattomat määrät perinteisiä aseita
ja räjähteitä. Viimeaikaisiin menestyksiin kuuluivat Saabin val-

mistamat ADM 401 -kranaatit, joita USA käytti Irakissa. Singolla ammuttavat kranaatit lähettivät matkaan 1100 pientä terävää nuolta, jotka oli tarkoitettu »pehmeitä maaleja» eli ihmisiä vastaan.

Anatoli oli luonut suhteet ruotsalaisen aseteollisuuden sisäpiiriin 1990-luvun alkuvuosina ja huomannut vuosien mittaan, kuinka paljon ruotsalaiset tarvitsivat ulkopuolisia tahoja erinäisissä operaatioissaan – vakoilumateriaalin hankkimisesta lahjusten välittämiseen. Myös perinteinen asekauppa sujui Anatolilta nykyisin paremmin kuin koskaan, mutta hän halusi jäädä jo eläkkeelle. Ja tilaisuuden eläkepäivien taloudelliseen turvaamiseen olivat tarjonneet – jälleen kerran – ruotsalaiset.

Valokiila liukui pitkin laivan kylkeä sameassa vedessä. Toisinaan ilmakuplat peittivät näkyvyyden äänettömässä vedenalaisessa maailmassa.

Tero ja Roni seurasivat valokiilan etenemistä kuvaruudulla herpaantumatta, he eivät halunneet pienimmänkään yksityiskohdan menevän heidän silmiensä ohitse. He olivat ostaneet vhs-nauhurin ja kytkeneet sen hotellin televisioon.

»Nämäkö ovat Ruotsin armeijan sukeltajia?» Roni kysyi.

Tero nyökkäsi hitaasti katse tiukasti kuvaruudulla. »Toomaksen mukaan. Ainakin päivämäärän perusteella nuo ovat ensimmäiset sukeltajat uppoamispaikalla. Virallinen totuus on, ettei näitä sukelluksia ole koskaan tehty.»

Kuva pimeni, mutta sitten ruutuun ilmestyi useita sukeltajia, jotka näyttivät vääntävän jotain suurilla työkaluilla. Taaempana säihkyi hohtavan kirkas vedenalaisen hitsausliekin valo.

»Mitä he oikein tekevät?»

Tero seurasi sukeltajien toimintaa hetken ennen kuin vastasi. »En tiedä. Joku ammattilainen tietäisi. Ehkä he yrittävät avata ramppia saadakseen autokannelta jotain.»

Tuntui uskomattomalta ajatella, että heti onnettomuuden jälkeen hylyllä työskenteli määrätietoisesti sukeltajia. Heidän työnsä jatkui vielä jonkin aikaa, kunnes kuva siirtyi toiseen paikkaan. Valaistus oli heikompi ja kuvassa hädin tuskin erottui tumma metallipinta, jossa oli naarmuja ja nirhaumia. Kamera lipui sukeltajan kädessä pintaa pitkin, kunnes otos pysähtyi irti vääntyneeseen metalliosaan. Sitten kuva pimeni.

Roni liikahti malttamattomasti ja vilkuili Teroa. »Mitä tuo oli olevinaan?»

»Ei hajuakaan», Tero sanoi ja otti kasetin ulos nauhurista. Hän ei halunnut sanoa ääneen ajatuksiaan: mitä tahansa tärkeää nauhalla olikin, he olivat nyt nähneet sen – ja se merkitsisi vaikeuksia.

Roni oikaisi itsensä vuoteelle ja Tero soitti Toomakselle. Hän kuvaili tälle kasetin sisällön niin tarkasti kuin pystyi ja sanoi kireästi: »En minä löydä tästä mitään yhteyttä Julian surmaan. Olemme yhä nollapisteessä. Estonia merkitsee sinulle paljonkin, mutta minulle Ronin syyttömyyden todistaminen on ykkösasia. Eikö olisi järkevintä, että hoidettaisiin tämä kasetti suomalaisviranomaisille mahdollisimman nopeasti – »

»Älä ole hullu.» Toomaksen ääni oli lähes ivallinen, mutta hän rauhoittui saman tien. »Ei vielä. Kuuntele Tero... Haluan saada ruotsalaiset vastuuseen siitä mitä he tekivät kummityttärelleni. Ja siitä mitä he eivät ole tehneet isäni kohtalon selvittämiseksi. Sinä puolestasi haluat vapauttaa Ronin vääristä epäilyistä. Jos otamme nyt yhteyttä viranomaisiin ja luovutamme kasetin, menetämme ainoan valttikorttimme. Syylliset katoavat emmekä saa heitä koskaan kiinni. Niin kauan kuin kasetti on meillä...»

»... Julian murhaajatkin ovat kannoillamme», Tero jatkoi jäätävästi. »Ronin henki on vaarassa, ja minun. Ja näköjään sinunkin.»

»Sinun on nyt vain pidettävä hermosi kurissa. Unohda viranomaisten apu. Emme voi tietää ketkä kaikki ovat juonessa mukana.»

»Eivät ainakaan suomalaiset. Et voi vakavissasi väittää, että suomalaiset olisivat osallisina –»

»Suomalaiset ovat olleet tässä asiassa ruotsalaisten pompoteltavina. Samoin virolaiset. Olen väittänyt vuosien mittaan erinäisiä asioita, joita moni ei ole ottanut vakavasti. Ei edes Sirje. Mutta monessa niistä olen ajan myötä huomannut olleeni oikeassa. Ja nyt totuus alkaa jo häämöttää. Meillä ei ole mitään muuta mahdollisuutta kuin jatkaa loppuun saakka. Onko sinulla kynä ja paperia?»

Tero otti kynän ja kirjoitti muistiin Toomaksen saneleman numeron.

»Soita tälle miehelle», Toomas sanoi. »Bertil Sjögren on sotilastiedustelun virkailija, jolta yritin saada tietoja muutama vuosi sitten, tosin turhaan. Jo hänen puhelinnumeronsa saaminen oli työvoitto. Sovi hänen kanssaan tapaaminen, mutta älä ota kasettia mukaan. Äläkä Ronia. Jos et palaa ajoissa tapaamisesta, Roni soittakoon minulle.»

42.

Sirje istui kellarikomeron oven vieressä ja katsoi vihkoa, johon oli teipattu ja liimattu lehtiartikkeleita ja valokopioita. Hänen edessään oli Ilta-Sanomista leikattu uutinen, päivämäärä oli 19.12.2006.

Estonia-komitea: Viro ei tiennyt Estonian sotatarvikelasteista

Viron parlamentin Estonia-komitea ei löytänyt todisteita siitä, että Viron hallitus tai viranomaiset olisivat tienneet sotatarvikekuljetuksista, joita Estonialla tehtiin ennen sen uppoamista.

Tämän perusteella komitea päättelee, että Ruotsin sotilaallinen tiedustelu- ja turvallisuuspalvelu MUST saattoi järjestää operaation virolaisten tietämättä. Toissa keväästä lähtien asekuljetusväitteitä tutkinut komitea julkisti loppuraporttinsa tänään.

Lehdistötilaisuudessa puheenjohtaja Margus Leiwo korosti, että johtopäätösten perustana ovat pelkästään ne faktat, jotka on pystytty todistamaan.

– Huhut on karsittu pois, Leiwo sanoi.

Viron parlamentti perusti komitean sen jälkeen, kun ruotsalaisselvitys paljasti Estonialla kuljetetun Ruotsiin tutka- ja kuuntelulaitteistoa syyskuun 14. ja 20. päivinä 1994, hieman ennen Estonian uppoamista mutta ei kuitenkaan onnettomuusyönä.

MUSTin entinen tiedustelujohtaja Erik Rossander kertoi viime kesänä komitealle, että kuljetukset tapahtuivat yhteistyössä virolaisten kanssa.

Komitea ottaa raportissa kantaa myös sitkeisiin huhuihin, joiden mukaan osa onnettomuudessa kadonneista olisi yhä elossa.

Nämä väitteet tulivat haastatteluissa esille niin monta kertaa, että komitea kehottaa Viroa vielä jatkamaan mahdollisten eloonjääneiden etsintää. Perusteena on, että heillä voisi olla olennaista tietoa Estoniaan liittyvistä kysymyksistä.

– Tämä ei silti tarkoita, että komitea uskoisi Estonian kapteenin Avo Pihtin tai jonkun muun henkilön olevan elossa, Leiwo painotti.

Sepp uskoo salaliittoteoriaan

Komitean varapuheenjohtaja Evelyn Sepp jätti raporttiin eriävän mielipiteen. Sepp uskoo, että Estonian uppoaminen liittyi nimenomaan asekuljetuksiin, ja siksi niitä koskevaa tietoa on salattu.

Sepp uskoo myös, että kapteeni Piht pelastui ja elää nyt »jossain länsimaassa» tekaistun identiteetin turvin. Mitään todisteita tästä hänellä ei tosin ole.

(STT)

Julia oli tehnyt tekstiin alleviivauksia punakynällä. Sirje taisteli silmiinsä pyrkiviä kyyneleitä vastaan.

»Kaikki muut vihot ovat vanhoja», Kimmo sanoi kellarikomerosta, jossa oli laatikkokaupalla Julian ikivanhoja tavaroita: askartelutöitä, piirustuksia, leluja, pieneksi jääneitä vaatteita, joihin kumpikaan heistä ei pystynyt koskemaan. Kuin sanattomasta sopimuksesta he välttivät puhumasta ääneen niistä muistoista joita Julian tavarat toivat heille mieleen, ja keskittyivät vain selvittelytyöhönsä.

Päällimmäisessä laatikossa oli ollut kokeita ja kouluvihkoja, joista yksi oli kiinnittänyt heidän huomionsa – sen värit olivat kirkkaammat, se oli näyttänyt uudelta. Sirje käänteli sivuja eteenpäin; mukana oli kopioita Dagens Nyheteristä, Expressenistä, kirjoista, nettisivuista. Julia oli tehnyt artikkeleiden marginaaliin huutomerkkejä ja kirjoittanut kommenttejaan.

Sirje selasi vihkoa eteenpäin kunnes pysähtyi tyrmistyneenä viimeiselle merkintöjä sisältävälle sivulle.

Siinä oli päivämäärä, joka oli Julian kuolinpäivä.

»Katso», Sirje kuiskasi. »Tietoja laivavuorosta... Silja Symphony. Julia on tehnyt tähän vihkoon merkintöjä samana päivänä kun... Ja kai tämä on auton rekisterinumero. HCG-557. Päivämäärä on... huominen.»

Sirje katsoi Kimmoa ja toisti hämmästyneenä. »Tässä on huominen päivämäärä.»

Kadunkulmassa sumun seassa seisoi mies, hiukan katulampun luoman valokehän ulkopuolella, kädet työnnettyinä puolitakin taskuihin.

Tero hidasti vauhtiaan ja yritti lukea kadunnimikylttiä, josta ei tihkusateen kasteleman ikkunan läpi saanut selvää. Hän pysähtyi, vilkaisi uudelleen kadun toiselle puolelle ja huomasi hahmon lähteneen liikkeelle – suoraan kohti hänen autoaan.

Tero puristi ohjauspyörää. Hän tunsi epämääräistä väkivallan uhkaa, samanlaista kuin oli tuntenut nuorena poliisina, kun oli mentävä paikkoihin joista saattoi ilmestyä mies ase ojossa. Hän ei ollut tunnustanut kenellekään pelänneensä, häntä oli pidetty kovana äijänä. Ja kova hän oli ollutkin, tai ainakin yrittänyt olla – liiankin kova. Se oli ollut syynä vanhan maalitehtaan tapahtumiin, joista oli tullut hänen siihenastisen elämänsä käännepiste.

Tero katsoi ympärilleen rivitaloalueella. Ketään ei ollut liikkeellä enää näin myöhään, mutta pensasaitojen takana häämötti valaistuja ikkunoita.

Mies pysähtyi auton viereen ja avasi matkustajanpuoleisen oven. Autoon istuutui Teroa vanhempi, hyväkuntoisen näköinen mies, jonka vanhahtavaan tyyliin leikatut hiukset olivat tihkusateen kevyesti kastelemat.

»Sinäkö soitit?» mies kysyi.

»Jos olet Bertil Sjögren.»

»Lähde liikkeelle. Pidän työasiat ja vapaa-aikani erillään enkä pidä siitä, että niitä sotketaan.»

Sjögrenin sävy oli hyvin rauhallinen ja hyvin itsevarma. Tero painoi kaasua ja lähti jatkamaan katulamppujen ja pensasaitojen reunustamaa märkää tietä. Hän oli avaamassa suunsa kun Sjögren kysyi: »Onko sinulla aineisto, josta mainitsit?»

Kysymys varmisti Terolle, että hänen vieressään todellakin istui Ruotsin sotilastiedustelun MUSTin virkailija, jonka kanssa hän oli sopinut tapaamisen Toomaksen ohjeiden mukaan.

»Kyllä. Minulla on kasetti, jolla sukeltajat käyvät Estonian hylyllä ennen virallista sukellusta.»

Sjögren katsoi häntä valppaasti.

Tero yritti peittää hermostuneisuutensa. »Lisäksi minulla on pankin alkuperäinen tosite, joka todistaa huomattavan suuret rahasiirrot Zentech-nimisen yhtiön ja erään yksityishenkilön välillä. Aineisto on hyvässä tallessa. Jos minua ei kuulu määräaikaan mennessä takaisin, kaikki toimitetaan tiedotusvälineille.»

Ruotsalaisen kasvot kivettyivät. »Liikut vaarallisilla vesillä. Et arvaakaan kuinka vaarallisilla.»

»Ei minun tarvitse arvata, minä tiedän. Mutta kuten huomaat, olen väsynyt ja epätoivoinen. Älä luota kykyyni tehdä rationaalisia päätöksiä. Poikaani syytetään nuoren tytön surmasta, jota hän ei tehnyt.»

»Miten se meihin liittyy?»

»Haluan Ruotsin sotilastiedustelun tunnustavan, että se murhasi Julia Leivon peitelläkseen osallisuutensa Estonia-tapaukseen.»

Sjögren puhkesi raikuvaan nauruun. »Oletko sinä sekaisin?» »Eli haluat mieluummin asian julkisuuteen?»

Sjögren vakavoitui. »En ole koskaan kuullutkaan Julia Leivosta. Voin vakuuttaa, että MUSTilla ei ole mitään tekemistä yhdenkään suomalaistytön murhan kanssa. Pelkkä ajatus on luvalla sanoen naurettava.»

»Niinkö?» Tero yritti pysyä tyynenä. »Kun ottaa huomioon, mihin kaikkeen MUST on ollut valmis Ruotsin valtion etuja puolustaessaan? Ja Estonian tapauksessa näyttää olevan kyse varsin isoista eduista. Olette näköjään menneet salailussa jo niin pitkälle, ettei paluuta enää ole. On jopa tapettava ja yritettävä tappaa jälkien peittämiseksi...»

»Käänny tuosta oikealle», Sjögren sanoi nyökäten kohti edessä näkyvää risteystä. »En tiedä mistä sinä puhut enkä haluakaan tietää. Voin vain toistaa, että emme ole tappaneet ketään. Jos haluat toimittaa aineiston julkisuuteen, niin siitä vaan. Kiistämme kaiken. Sinut leimataan hourupääksi, joita Estonian ympärillä riittää. Pysäytä auto, jään tässä pois.»

Tero katsoi kuinka Sjögrenin selkä katosi sumuun. Hän aisti miehen puhuneen totta ja tunsi kuinka orastanut toivonkipinä alkoi taas sammua.

Meilahden sairaala oli hiljentynyt. Vieraiden olisi pitänyt jo lähteä, mutta Toomas oli puhunut hoitajan ympäri, ja Sirje ja Kimmo istuutuivat Toomaksen vuoteen viereen yölampun valokehään.

»Olisit voinut kertoa, että sait Julian näin perin pohjin innostumaan Estoniasta», Sirje sanoi katkerasti pidellen vihreäkantista vihkoa kädessään.

»Yritin hillitä häntä, kieltääkin», Toomas puolusteli. »Mutta asioista muodostui hänelle pahempi pakkomielle kuin minulle. Julia teki perusteellista työtä. Tarkisti kirjoissa ja netissä esitettyjä tietoja. Kopioi, lähetteli sähköposteja sinne ja tänne...»

»Täällä niitä kaikkia on», Sirje sanoi ja avasi vihon viimeisen aukeaman kohdalta. »Mutta tämä meitä eniten askarruttaa. Julia on tehnyt tämän merkinnän kuolinpäivänään.»

Sirje näytti sivua Toomakselle. »Silja Symphony, huomisen päivämäärä ja auton rekisterinumero.»

Toomaksen kasvoille kohosi järkyttynyt ilme.

Tero makasi hotellihuoneen vuoteessa kattoa tuijottaen. Peli oli pelattu.

»Otetaanko huomenna lento Malagaan?» Roni kysyi sävyttömällä äänellä. »Karistetaan kaikki kannoiltamme. Aloitetaan uusi elämä.»

Tero ei sanonut mitään. Ajatus oli käynyt hänenkin mielessään, mutta sitä hän ei Ronille myöntäisi. Aurinkorannikolla oli paljon lain kouraa välttelevää väkeä.

»Sinä syyllistyit pahoinpitelyyn ja heitteillejättöön. Kuinka hyvillä mielin makaisit loppuikäsi rannalla?»

Roni oli vuorostaan hiljaa.

Teron puhelin soi. Toomas. Tero kuuli heti hänen äänensävystään, että jotain erityisen merkittävää oli tapahtunut.

Kimmo ja Sirje olivat löytäneet Julian muistivihon, jonka merkintöjä Toomas oli pohtinut.

»Tämä voi kuulostaa oudolta», Toomas sanoi, »mutta tulkaa huomenna kello 17 Tukholmasta lähtevällä Silja Symphonylla Helsinkiin. Sama laivavuoro on mainittu Julian muistiinpanoissa.»

»Älä viitsi... Eikö tässä ole jo juostu turhaan ympäriinsä ihan tarpeeksi», Tero huokaisi, mutta Toomas ei ottanut hänen sanomisiaan kuuleviin korviinsa.

»Olen ollut väärässä. Anatoli-Marcus-kuvion taustalla täytyy olla jotain ajankohtaisempaa kuin suoraan Estoniasta juurensa juontavat asiat. Mikä on kaiken avain, mikä yksi yhteinen nimittäjä on kaikella sillä, mihin olemme törmänneet?»

Tero kuunteli hiljaa.

»JAS Gripen», Toomas sanoi. »Tämä on selvää nyt. Gripeniä varten tehdyt salakuljetukset olivat Estonian tapahtumien salailun taustalla. Ja Gripenistä on nytkin kysymys.»

43.

»Kylläpä tuulee», Silja Symphonyn yläkannella värjöttelevä keski-ikäinen perheenäiti sanoi. Hänen pieni poikansa ja tyttärensä nauttivat hiusten hulmuamisesta ja kurkottelivat alas nähdäkseen aluksen kyljen.

Tero nojasi heidän vieressään kaiteeseen ja katsoi hermostuneena kentälle, jolla pitkän katetun kävelysillan alla jonotti usealla kaistalla laivaan tulevia autoja. Hän oli Ronin kanssa yrittänyt autokannelle, mutta sinne ei päässyt ennen kuin autoja alettaisiin ottaa sisään.

»Älkää kurkkiko», äiti torui lapsiaan ja kääntyi miehensä puoleen. »Minua alkaa jo pelottaa, kun sattui näin tuulinen ilma.»

»Höpö höpö», mies mutisi häpeissään vaimonsa sanoista, jotka muutkin kuulivat. »Ei tällainen tuuli tunnu missään tämän kokoisessa laivassa», hän sanoi ja vilkaisi lähellä seisovia miehiä.

Tero katsoi tummien pilvien alla lepäävää Tukholmaa. Kerrostalot nousivat portaittain yhä korkeammalle sataman takana olevalla kalliolla ja tv-torni vilkutti punaista valoaan kaukana kaupungin yllä. Hän oli tehnyt Ronin kanssa yhteisen päätöksen tarttua Toomaksen tarjoamaan oljenkorteen. Jos tuloksia ei seuraisi, heillä olisi Helsingissä edessään valinta – poistuminen saman tien uudelleen maasta ja pakoilu, tai poliisitutkinta, pitkälliset oikeusprosessit ja mahdollisesti vuosien vankeustuomio rikoksesta, jota Roni ei ollut tehnyt. Ja Tero saisi tuomion avunannosta, he kantaisivat yhdessä rikollisen leimaa loppuelämänsä.

Teroa huimasi kun hän ajatteli, mihin kaikkeen hänen lahjakkaalla pojallaan olisi ollut mahdollisuuksia. Oli selvää ettei Callaghan ollut turhaan liikkeellä, vaan McLaren oli aidosti kiinnostunut Ronista.

Tero havahtui katsomaan Ronin ilmettä, kun poika tuli kannelle. Roni oli kertonut käyvänsä vain vessassa, mutta kiihtyneen olemuksen perusteella hän oli saanut selville jotain tärkeää.

»Soitin Jennille», Roni sanoi päästyään Teron viereen. »Hänelle oli poliisin puheista jäänyt käsitys, että Julian ruumis löytyi kahdelta yöllä. Minä olin paikalla vähän yli kahdeltatoista. Kaikki osuu kohdalleen. Se ihminen, jonka minä näin, ei ollut hänen löytäjänsä.»

Tero katsoi edessään seisovaa Ronia, jolla oli sydäntäsärkevän innostunut ilme kasvoillaan. »Et voi todistaa mitään. Voit vain kertoa mitä näit.»

»Ja sitä kukaan ei usko. Ei ainakaan enää.» Innostus Ronin olemuksesta hiipui saman tien.

Tero vilkaisi kaiteen yli terminaalin autokentälle. »Autoja aletaan ottaa sisään. Mennään.»

He laskeutuivat hissillä aluksen uumeniin ja astuivat punaisen metallioven eteen. Moottorit jymisivät rautaseinien takana. Portaat jatkuivat edelleen alemmas halvimpaan hyttiluokkaan, jonka ikkunattomat hytit sijaitsivat autokannen ja vesirajan alapuolella. Tero ei voinut olla ajattelematta niitä Estonian matkustajia, jotka olivat olleet turmayönä nukkumassa vastaavissa hyteissä. Ja nyt hän tiesi, että nimenomaan autokannen alapuolella matkustaneita pelastui sen vuoksi, että oudot äänet ja käytävälle ilmestynyt vesi saivat heidät pakenemaan henkensä edestä. Mutta tutkintakomissio oli tehnyt kaikkensa, ettei alimmilla kansilla ollutta vettä huomioitaisi, tai niitä alhaaltapäin kuuluneita raapivia, törmäykseen viittaavia ääniä, jotka olivat havahduttaneet lähinnä pohjaa matkustaneet ihmiset.

Roni painoi seinässä olevaa punaista puolipalloa ja kuului sihahdus, kun metallovi liukui auki heidän edessään. Autokannelle saapui keulaportista kansimiesten viittomana autoja, joista nousi matkustajia kaivelemaan tavaroitaan viedäkseen ne hytteihinsä. Keskikaistat olivat täyttyneet perä perään ajetuista rekoista ja busseista. Ulommat kaistat olivat henkilöautoille. Tero katsoi vaivihkaa rekisteritunnuksia.

»Okei», Roni sanoi niin hiljaa että ääni oli hukkua ympärillä kaikuviin kolahduksiin ja meteliin.

»Yksinkertainen työnjako. Lähde sinä vasemmalle, minä lähden oikealle. Tavataan kannen toisella puolella samassa kohtaa.»

Tero oli jälleen ylpeä pojastaan, josta yhä löytyi kaiken uupumuksen ja turhautumisen keskelläkin tahdonvoimaa ja päättäväisyyttä. Hän yritti hymyillä Ronille rohkaisevasti ja lähti omaan suuntaansa. Farmari-Skodan vieressä perhe kinasteli siitä, mitkä tavarat oli otettava mukaan ja mitkä ei.

Hyvin pian Tero huomasi, että tehtävän suorittaminen ei kävisi järin nopeasti. Autot oli ajettu niin lähekkäin, että niiden väliin oli kumarruttava pystyäkseen näkemään rekisterinumeron.

Kansi alkoi vähitellen tyhjentyä matkustajista eikä uusia autoja enää tullut. Kansimiehet ryhtyivät valmistelemaan keularampin sulkemista.

Äkkiä Tero huomasi, että jonkinasteinen esimies seurasi kiinnostuneena hänen toimintaansa. Parrakas, vaaleanvihreään heijastinliiviin pukeutunut mies tuli valosauva kädessään häntä kohti. Tero yritti välttää miehen katsetta.

»Onko auto hukassa?»

»Ei auto, mutta avain.»

»Voi hemmetti», mies sanoi myötätuntoisesti. »Yritä löytää se, ennen kuin joudumme sulkemaan autokannen matkustajilta.»

»Joo, eiköhän se löydy.»

Samalla Tero huomasi Ronin lähestyvän häntä nopeasti autojen välissä puikkelehtien, kiihtynyt ilme kasvoillaan.

»Se on tuolla, valkoinen paketti-Mersu», Roni huohotti.

He lähtivät ripeästi takaisin Ronin tulosuuntaan. Heidän päästyään lähelle keulaa Roni pysähtyi ja kehotti Teroa katsomaan etuviistoon kohti viereistä autojonoa.

Tero näki valkoisen Mercedes Viton, jossa oli tummennetut ikkunat. Se oli iso tila-auto eikä pakettiauto.

Matkustajia ei näkynyt lukuun ottamatta auton edessä seisovaa kahta miestä, jotka keskustelivat ja naurahtelivat keskenään. Kuulosti siltä, että miehet puhuivat venäjää. Keulaportti oli juuri majesteetillisen hitaasti sulkeutumassa ja haalaripukuiset miehet häärivät sen ympärillä.

»Ne sulkevat kohta autokannen», Roni sanoi matalalla äänellä. »Meidän on päästävä lähemmäs vilkaisemaan autoa.»

Roni kiersi Opelin edestä ja lähti kävelemään kohti Vitoa. Tero seurasi häntä. Juuri kun hän oli Opelin konepellin edessä, hän sattui vilkaisemaan Viton suuntaan ja hätkähti.

Kahden miehen seuraan oli liittynyt kolmas mies – jonka hän tunnisti. Sama harmaapää oli yrittänyt tappaa hänet Lausannessa.

Tero kyykistyi Opelin eteen. Havainto tuntui melkein fyysiseltä iskulta. Oliko mies ehtinyt nähdä ja tunnistaa hänet?

Tero katsoi hammasta purren kuinka Roni lähestyi Vitoa pahaa aavistamatta. Tämä käveli auton kohdalle ja antoi katseensa liukua hitaasti pitkin auton kylkeä.

Roni, katso tänne, Tero rukoili mielessään ja heilautti kättään toivoen kiinnittävänsä poikansa huomion.

Kun Roni oli päässyt Viton eteen, hän vilkaisi taakseen ja ilmeisesti huomasi miehet. Samalla hän näki myös Teron epätoivoisen viittoilun. Roni ei reagoinut ilmeellään mutta käännähti kuitenkin nopeasti kannoillaan. Hän käveli rampin edessä olevan kansimiehen luokse ja kysyi tältä jotain. Saatuaan vastauksen hän lähti ripeästi kävelemään kohti hyttitiloihin vievää ovea vilkaisemattakaan Teroa tai Viton rinnalla seisovaa kolmea miestä.

Tero hiipi ulommaisen autojonon taakse ja lähti sitten kulkemaan selkä kumarassa poispäin miehistä. Hän astui ulos liukuovesta, jonka takana ahtaassa porrasaulassa hän kohtasi Ronin kysyvän katseen.

»Ylös», Tero sanoi ja viittoi Ronia menemään edeltä.

He nousivat harppoen portaita ohittaen kasseineen ja laukkuineen hyttejään etsiviä matkustajia, jotka täyttivät aulat ja käytävät. Lopulta he tulivat seitsemännen kerroksen vilkkaalle Promenadelle, jonka varrella oli ravintoloita ja liikkeitä. Tero syöksyi ovelle ja edelleen ulos kannelle, jolla entisestään voimistunut tuuli riepotteli heidän vaatteitaan. Ulos uskaltautunut nuoripari tuli heitä vastaan hymyillen, käsi kädessä, ilmavirrassa horjuen.

Tero ja Roni siirtyivät vastatuuleen nojaten kaiteen viereen, josta he saattoivat nähdä alhaalla pärskyvän veden moottoreiden puskiessa alusta ulos satamasta. Saaristopujottelun jälkeen avautuisi avomeri, missä kovan tuulen vaikutus alkaisi tuntua toden teolla.

»Mitä nyt?» Roni kysyi. »Mitä sinä –»

»Kolmas mies Viton lähellä», Tero sanoi kaiteesta kiinni pitäen. »Hän on sama mies, joka yritti ampua minut Lausannessa.»

Ronin silmät laajenivat, kun sanojen merkitys upposi hänen tajuntaansa.

»Meidän on pysyttävä piilossa», Tero sanoi. Hän oli yhtä aikaa kauhuissaan ja hyvillään. He eivät olleet tulleet laivalle turhaan, heillä oli nyt ainakin teoriassa tilaisuus selvittää, mitä kaiken takana oli – kenties selvittää jopa se heidän kannaltaan kaikkein tärkein asia: kuka oli Julian todellinen surmaaja. Mutta heidän vastassaan oli miehiä, jotka olivat valmiita kylmäverisesti tappamaan kenet hyvänsä heidän tielleen tulevan.

»Ehtikö hän nähdä sinut?» Roni kysyi.

»En tiedä. Mutta jos ehti, hän saattaa saada selville hyttimme sijainnin.»

»Tai se on jo hänellä selvillä.»

»Meidän on saatava uusi hytti. Tai etsittävä toinen piilopaikka.»

Teron puhelin soi. Näytössä oli pitkä ulkomainen numero. Hän epäröi hetken, mutta vastasi kuitenkin yrittäen kuulostaa mahdollisimman kiireiseltä.

Soittaja oli McLarenin kykyjenmetsästäjä Tim Callaghan.

»Tapasimme Monzassa, muistatko vielä?» britti kysyi vakavalla äänellä.

Teron sydän hypähti rinnassa. »Totta kai...»

»Olen järkyttynyt, kuulin juuri Marcuksen onnettomuudesta. Tiedätkö siitä tarkemmin?»

Tero kokosi ajatuksensa niin hyvin kuin pystyi ja yritti olla puhumatta sivu suunsa. Callaghan kyseli tarkemmin ja Tero vastaili ympärilleen pälyillen. Välillä hänen katseensa viivähti Ronin kasvoissa. Hän ei olisi koskaan uskonut, että joutuisi joskus puhumaan McLarenin edustajan kanssa toivoen koko ajan vain puhelun loppumista.

»Puhuin Marcuksen kanssa Ronista useaan otteeseen», Callaghan sanoi. »Nyt haluaisin keskustella sinunkin kanssasi. Sekä tietysti Ronin. Pääsisittekö käymään täällä Wokingissa ensi viikolla? Vaikka torstaiaamuna?»

Tero mietti sekunnin. »Ilman muuta.»

»Hienoa. Nähdään silloin ja puhutaan lisää.»

Tero tuijotti Ronia, joka oli kuullut tarpeeksi arvatakseen mistä oli kysymys.

»Callaghan haluaa tavata meidät ensi viikon torstaina», Tero sanoi ilmeenkään värähtämättä.

Roni katsoi häntä muutaman sekunnin ja nyökkäsi. Hänen lohduton ilmeensä oli murtaa Teron sydämen.

Toomas tuijotti sairaalahuoneen kattoa ajatukset Teron hetki sitten kertomissa tiedoissa pyörien. Lausannessa tallelokeron sisällön perässä ollut mies oli nyt laivalla matkalla Helsinkiin.

Julia oli jostakin saanut selville päivämäärän, reitin ja ajoneuvon, jolla... jolla mitä? Kuljetettaisiin jotain tai joku? Siinäkö oli syy, miksi Julia oli surmattu?

Toomas kääntyi hiukan ja otti vaivalloisesti yöpöydältä kynän ja paperia. Hän hahmotteli paperille yksinkertaisen kaavion, johon merkitsi tiedossaan olevat asiat laatikoiden ja nuolien avulla: sukelluskasetti-Estonia-MUST; pankkisiirto-Zentech-Gripen; Marcus-Anatoli...

Toomas tuijotti kaaviotaan.

Voisiko se olla mahdollista?

Vastaus oli koko ajan ollut hänen silmiensä edessä, mutta vasta nyt hän oivalsi sen merkityksen.

44.

Tero istui hytissä vuoteen reunalla puhelin korvallaan ja katsoi ulos ikkunasta, josta avautui näkymä alas matkustajia täynnä olevalle värikkäälle Promenadelle. Ihmisiä virtasi ravintoloihin ja kauppoihin, lapset juoksentelivat leikkipaikkaan ja pelihalliin, yökerhon ja kasinon valotaulu välkkyi ostoskadun etuosan yllä. He olivat aikoneet vaihtaa hyttiä, mutta vapaita olisi ollut vain autokannen alapuolella, ja tässä tilanteessa oli tuntunut paremmalta vaihtoehdolta pysytellä ihmisten ilmoilla.

Tero kuunteli Toomaksen rauhallisia, painokkaita lauseita. Virolainen ei puhunut mitään turhaa, vain välttämättömimmän. Se oli tarpeeksi. Tero ymmärsi mitä hän tarkoitti.

»Mitä nyt?» Roni kysyi omalta vuoteeltaan, kun Tero oli lopettanut puhelun.

Tero pysyi vaiti. Hän tunsi raskaan painon rintakehässään. Toomas oli oikeassa.

Oli enää yksi keino, jonka avulla hän voisi pelastaa Ronin ja saada totuuden julki. Siihen sisältyi suunnaton riski, mutta se oli ainoa mahdollisuus. Heillä ei ollut enää mitään menetettävää.

»Kuulitko? Mitä nyt?» Roni kohottautui vuoteeltaan.

Tero oli hiljaa ja kokosi voimiaan. Hänen olisi kyettävä rationaaliseen ajatteluun ja toimintaan. Tunteet oli haudattava, samoin muistot. Oli kyettävä tekemään se, mikä oli välttämätöntä. Hän tunsi lievän tärinän leviävän jäseniinsä.

»Mikä sinua vaivaa?» Roni katsoi häntä huolestuneena.

»Mitä Toomas sanoi?»

Tero nousi ylös ja alkoi laittaa kenkiä jalkaansa.

»Mihin sinä menet?» Roni kysyi.

»Tulen pian takaisin.»

»Mitä –»

»Pysy täällä.» Tero avasi oven ja oli jo poistumassa käytävälle, mutta kääntyi takaisin. Hän otti pöydältä videokasetin ja kirjekuoren sisältävän muovikassin ja työnsi sen patjan alle piiloon.

Roni lohkaisi Tobleronea suuhunsa ja joi pullosta vettä päälle. Hän oli huolissaan isän käytöksestä. Mihin isä oli mennyt? Hän oli viipynyt jo neljännestunnin.

Lukko rapisi vihdoin. Vaistomaisesti Roni jännitti lihaksiaan kunnes näki isän astuvan kynnyksen yli tax free -myymälän muovikassi kädessään.

»Missä sinä kävit?»

Isä ei vastannut vaan nosti kassista pöydälle sahalaitaisen leipäveitsen ja kiepin oranssia nylonköyttä.

Roni tuijotti niitä ihmeissään. »Mitä sinä puuhaat? Mistä sinä nuo sait?»

»Veitsi on ravintolasta. Köyttä laivassa on kaikkialla.»

»Se on pelastusrenkaasta.»

Isä katsoi häntä silmiin. »Pelastusrengas on tarkoitettu hätätilanteisiin. Nyt on sellainen.»

Roni alkoi huolestua toden teolla. »Mitä sinä aiot?»

»Näemme tuskin noita miehiä tämän laivamatkan jälkeen»,

isä sanoi kummallisen rauhallisesti. »Nyt on viimeinen tilaisuutemme. Ymmärrätkö?»

Roni nyökkäsi epävarmasti.

Tarjoilija pysähtyi pöydän ääreen ja asetti laskun suoraselkäisen harmaahiuksisen miehen eteen Silja Symphonyn kuudennella kannella sijaitsevassa skandinaavis-provencelaisessa Bistro Maxime -ravintolassa.

Simpukkaillallisen nauttinut Jonas Hellevig kaivoi lompakkonsa esiin. Hän oli jättänyt kaikki luottokorttinsa pois tämän matkan ajaksi, ettei edes epähuomiossa maksaisi niillä. Joskus oli käynyt niinkin. Merenkäynti oli entisestään voimistunut ja liian lähelle toisiaan asetetut viinilasit kilisivät toisiaan vasten pöydällä. Parhaimpiinsa pukeutuneet illallisvieraat hymyilivät epävarmasti tarjoilijoiden horjahtelulle.

Nykvist ja Makarin olivat ehdottaneet drinkkejä näköalabaarissa, mutta Hellevig oli sanonut haluavansa nukkua kunnolla. Huomenna olisi vaativa päivä, ja alkoholi heikensi hänen unenlaatuaan. Vaikka hän oli erinomaisessa kunnossa, hän oli iän myötä oppinut tunnustamaan heikkoutensa. Yksi lasillinen hyvää ranskalaista valkoviiniä riitti hänelle.

Toivottavasti Nykvist, todellinen naistenmies, osaisi pysyä edes tämän illan erossa yökerhosta ja tanssiseurasta, Hellevig ajatteli, vaikka tiesikin että huoli oli turha. Ja olihan hänellä seurassaan »Mr. Smile», totinen ja huumorintajuton Sergei Makarin, joka taatusti tulisi pitämään Nykvistinkin kaidalla polulla.

Hellevig poimi lompakostaan kaksi 50 euron seteliä ja laittoi ne laskun väliin. Hän oli kehottanut kumppaneitaan lähtemään baariin, mutta sopinut tapaamisen hyttiinsä runsaan puolen tunnin kuluttua. Silloin he kävisivät vielä kerran läpi huomisen ohjelman. Hellevig tiesi kollegojensa pitävän hänen täsmällisyyttään niuhottamisena, mutta mitään ei saanut jättää sattuman varaan – ei yleensäkään, eikä varsinkaan tällä kertaa.

Nykvistillä ja Makarinilla ei ollut aavistustakaan, kuinka paljon hänellä oli pelissä. Hän ei antaisi pienimmänkään yksityiskohdan pilata suunnitelmaa, jolla hän pelastaisi elämänsä. Oli kulunut vain muutama viikko siitä kun hän oli saanut tiedon firman konkurssiuhasta. Se oli ollut täydellinen yllätys. Sotilaselektroniikkaan erikoistuneen malmöläisyhtiön oli pitänyt olla vuorenvarma sijoitus. Niin yksi perustajista, hänen pitkäaikainen ystävänsä, oli sanonut – tulevaisuus oli THEL-laserissa. Niin ehkä olikin, mutta vastoin kaikkia odotuksia, Tactical High Energy Laseriin liittyvä prototyyppi ei ollut toiminut ja päärahoittajat olivat vetäytymässä. Piensijoittajilla ei ollut mitään mahdollisuutta pelastaa tilannetta.

Hellevig oli viime vuosina ehtinyt jo kerätä pienen omaisuuden, mutta nyt hän oli menettämässä kaiken. Ja Lisalla, hänen uudella avovaimollaan, oli kyltymättömän kallis maku. Lisalle olisi kauhistus, jos heidän huoneistonsa Östermalmissa ja huvilansa Vaxholmissa pitäisi myydä. Eikä Lisa edes vielä tiennyt että ne olivat vaarassa – eikä tulisi koskaan tietämäänkään. Tällä yhdellä operaatiolla hän saisi kaiken takaisin, ja enemmänkin. Paljon enemmän.

Hellevig vilkaisi lompakossaan olevaa valokuvaa. Tummahiuksinen nainen kesämekossaan istui rivitalon vehreällä pihalla tyttö ja poika sylissään. Nainen hymyili ja kipristi nenäänsä hauskasti. Kuva oli otettu Agnethasta ja lapsista melkein kymmenen vuotta sitten.

Hellevig tajusi yhä vahvemmin, että hän halusi tuon ajan takaisin. Hän halusi takaisin Agnethan, ja lapset. Vidar ja Emilia olivat jo vieraantumassa hänestä, eivätkä salainen työ ja sen vaatimat matkat olleet helpottaneet tilannetta. Yhdellä työmatkoistaan hän oli tavannut myös amerikkalaisen Lisan, lähes kaksikymmentä vuotta itseään nuoremman mainostoimiston yhteyspäällikön. He olivat tutustuneet Tel Avivissa Hiltonin yökerhossa; Lisa oli ollut asiakasta tapaamassa, Hellevig tekemässä turvallisuuskartoitusta lasertekniikkaan erikoistuneessa yhtiösä...

Hellevig siemaisi kivennäisvesilasinsa tyhjäksi. Ei ollut aikaa ryhtyä tunteilemaan ja pohtimaan, mitä hän pohjimmiltaan halusi elämältään. Hän tiesi vain sen, että operaation oli onnistuttava. Sen jälkeen kaikki olisi mahdollista.

Hellevigin huomio kiinnittyi lasiseinän takana käytävällä kulkevaan äänekkääseen japanilaisturistien ryhmään. Parisenkymmentä keski-ikäistä japanilaista herraa ja rouvaa, joista jokaisella oli kädessään jäätelötötterö, seisoi muumipeikko-julisteen edessä. Ryhmän jäsenet matkivat sormi suussa olevaa muumipeikkoa ja nauroivat makeasti.

Juuri kun Hellevig oli nousemassa pöydästä, hän tunnisti käytävällä japanilaisten ohi kävelevän miehen.

Hellevig yllättyi niin, että joutui ottamaan tukea pöydästä. Oliko hän nähnyt oikein?

Samalta suomalaiselta hän oli turhaan yrittänyt saada videokasetin Lausannessa. Sama mies oli livahtanut hänen kollegansa käsistä Helsingissä. Ja nyt Tero Airas oli samalla laivalla hänen kanssaan.

Kuinka se oli mahdollista?

Hellevig lähti rynnimään miehen perään sellaisella vauhdilla, että tajusi ihmisten tuijottavan häntä ja hidasti hieman suunnatessaan kohti ravintolan uloskäyntiä.

Hän ehti nähdä vilahduksen Airaksesta ennen kuin mies katosi kulman taakse. Saattoiko tämä olla pelkkää sattumaa? Jos niin oli, kyse oli aikamoisesta tuurista – heillä olisi kenties jopa mahdollisuus saada kasetti haltuunsa.

Vai oliko Airas jotenkin saanut vihiä asioista? Se tuntui mahdottomalta. Mutta kaikissa tapauksissa oli ryhdyttävä toimenpiteisiin. Onneksi laivoilla katosi toisinaan ihmisiä mystisesti...

Hellevig näki Airaksen nousevan portaita. Hän seurasi sopivan välimatkan päästä, kunnes suomalainen katosi vilkkaalle Promenadelle. Hellevig pysähtyi parfyymiliikkeen edessä ja katsoi ympärilleen, mutta ei ihmisvilinässä enää erottanut Airasta. Maisemahissit nousivat ja laskivat ulokemaisten ikkunarivien täyttämillä seinustoilla. Keskelle kävelykatua oli kerääntynyt runsaasti väkeä seuraamaan kimalteleviin pukuihin sonnustautuneen venäläisen akrobaattiryhmän esitystä, jota säesti kovaääninen diskomusiikki.

Samassa hän huomasi Airaksen, joka yritti puikkelehtia yleisön joukossa eteenpäin parfyymiliikkeen toisella puolella. Päästyään ruuhkasta hän näki kohteensa kääntyvän kävelykadun päässä oikealle ennen yökerhon ja kasinon sisäänkäyntiä.

Hellevig nousi varovasti kerrostasanteelle. Airaksen jalat vilahtelivat ylempänä. He tulivat kannelle kymmenen.

Suomalaista ei näkynyt. Hellevig kurkisti kulman taakse ja näki Airaksen kävelevän vaaleansinisiin sävyihin maalattua käytävää pitkin. Hän seurasi miestä aulaan ja jatkoi kohti laivan takaosaa johtavaa hyttikäytävää. Lopulta suomalainen pysähtyi käytävän päähän, otti avainkortin taskustaan ja astui hyttiin.

Oven sulkeuduttua Hellevig säntäsi kapeaan käytävään. Hän pysähtyi Airaksen hytin eteen ja kuunteli, mutta sisältä ei kuulunut mitään. Hän kävisi hakemassa kollegansa ja he tunkeutuisivat vähin äänin hyttiin.

Äkkiä jostain ilmestyi hänen eteensä vakavannäköinen nuori mies.

»Oletko hukannut jotain?» nuorukainen kysyi englanniksi.

Hellevig katsoi häntä silmiin. Miehessä oli jotain tuttua...

Äkkiä nuorukainen veti esiin leipäveitsen. Se oli täydellinen yllätys, mutta Hellevig reagoi salamannopeasti. Hän tarttui kiinni veitsimiehen ranteeseen ja potkaisi samalla tätä vatsaan. Mies ähkäisi ja veitsi irtosi hänen kädestään.

Hellevig vilkaisi molempiin suuntiin käytävällä. Ei ketään. Hän poimi veitsen lattialta, kiepautti nuorukaisen vaivattomasti eteensä ja painoi veitsen kärjen tämän sydämen kohdalle.

»Lähdemme nyt haukkaamaan raitista ilmaa», hän sihahti. Pitäen veistä piilossa nuorukaisen ja itsensä välissä hän talutti vankiaan rinnallaan kohti käytävän takaosassa olevaa ulko-ovea, jossa kyltti varoitti putoamasta laivasta. He tulivat ovesta heikosti valaistulle kapealle, tyhjälle kannelle. Edelleen yltynyt tuuli ja keinuminen saivat heidät horjahtelemaan, mutta Hellevig piti nuorukaisen tiukassa otteessaan. Hän työnsi miehen niskasta kiinni pitäen kaidetta vasten niin että tämä näki alhaalla aluksen perässä potkureiden nostamat vaahtoavat aallot mustalla merellä.

»Olet Tero Airaksen poika, eikö niin?» Hellevig kysyi englanniksi. »Missä Lausannen tallelokeron sisältö on? Onko se hytissänne?»

Puhuessaan Hellevig painoi miehen kasvoja kaidetta vasten. Tämä ynisi kivusta, mutta äänet hukkuivat tuulen sekaan. Hellevig käänsi nuorukaisen ympäri ja painoi hänen selkänsä kaidetta vasten. Hetken kuluttua suomalainen makasi kaiteen päällä jalat ilmassa, ylävartalo vaahtoavan meren ja tyhjyyden yläpuolella. Putoamisen esti ainoastaan Hellevigin ote hänen rinnuksistaan.

»Miten te päädyitte tälle laivavuorolle? Sinulla on viisi sekuntia aikaa vastata tai putoat.»

Nuorukainen haukkoi henkeään ja käänsi päätään sivulle.

»Voin kysyä samat kysymykset isältäsi hetken kuluttua, joten en tarvitse sinua yhtään tämän enempää.»

Roni näki allaan pimeydessä aluksen perässä kohisevan vaahdon ja jännitti kaikkia lihaksiaan miehen otetta vastaan.

Äkkiä ruotsalaisen ote kirposi. Ronin vatsaa kouraisi tippumisen humahdus, kunnes hän saman tien tunsi otteen rinnuksissaan. Käsi veti hänet turvaan.

Roni näki ensin kannella makaavan harmaahiuksisen miehen, josta hän kohotti katseensa ylös. Isä heitti rikkinäisen olutpullon mereen kuin se olisi polttanut hänen sormiaan.

»Oletko sinä kunnossa?» isä kysyi rajusti huohottaen, kasvot kalpeina.

Roni vajosi istumaan ja vapisi kauttaaltaan.

»Nopeasti», isä hoputti ja tarttui ruotsalaista kainaloiden alta. »Mikset koputtanut oveen, niin kuin oli puhe?»

»En ehtinyt», Roni sanoi ääni täristen. »Mies oli uskomattoman nopea.»

Roni otti miehen käden olalleen toiselta puolelta ja isä toiselta. Miehen takaraivosta vuosi verta. Roni näki isän järkytyksen, jonka tämä yritti kaikin voimin peittää. Isä kävi häntä sääliksi – väkivallan vihollinen oli itse joutunut hänet pelastaakseen jälleen turvautumaan väkivaltaan, mutta helppoa se ei näyttänyt olevan.

He olivat juuri raahaamassa hyökkääjää ovesta sisään, kun heitä vastaan tuli iäkäs suomalaispariskunta, joka katsoi heitä kauhuissaan.

»Ruotsalaiset», isä sanoi pariskunnalle. »Tulevat laivalle tappelemaan ja kännäämään. Viemme hänet ensiapuun.»

Käytävällä ei onneksi näkynyt muita.

»Ota pyyhe ja tyrehdytä verenvuoto», isä sanoi hengästyneenä heidän päästyään hyttiin.

Roni noudatti isän käskyä samalla kun tämä alkoi sitoa miehen nilkkoja ja ranteita.

Valkoinen suihkupyyhe värjäytyi punaiseksi Ronin yrittäessä tukkia verenvuotoa ilkeästä haavasta, jonka olutpullo oli viiltänyt miehen takaraivoon.

* * *

Tero kiskaisi oranssiin nylonköyteen solmun ja tuijotti ahtaan hytin lattialla makaavaa miestä.

Hän ei ollut saada ääntä suustaan ja joutui ponnistelemaan sanoessaan Ronille:»Mene pesemään kätesi.» Hän ei voinut katsoa Ronin verisiä käsiä eikä punaiseksi värjäytynyttä pyyhettä.

Roni vilkaisi kämmeniään ja harppasi miehen ja kynnyksen yli wc:n lavuaarille.

Tero puristi omia käsiään nyrkkiin. Entä jos mies ei tulisikaan tajuihinsa? Entä jos tämä olisi vajonnut koomaan?

Tero käsitti olevansa jonkinlaisessa shokissa nopeasti edenneiden tapahtumien takia. Hän oli lähtenyt Ronin kanssa laivan julkisiin tiloihin etsimään Lausannessa näkemäänsä miestä ja nähnyt tämän illastamassa kahden kumppaninsa kanssa. Odotuksen jälkeen kaksi muuta olivat poistuneet baariin ja kolmas oli jäänyt hoitamaan laskun. Silloin he olivat toimineet: Roni oli mennyt heidän hyttinsä lähettyville odottamaan veitsen kanssa ja Tero oli käyttänyt itseään syöttinä. Ronin oli pitänyt uhata miestä veitsellä ja koputtaa oveen merkiksi, jolloin heidän oli pitänyt yhdessä pakottaa mies hyttiin. Mutta koputusta ei ollut kuulunut, vain sekavaa meteliä. Avatessaan oven Tero oli nähnyt miehen työntävän Ronin ulos ovesta. Lähtiessään heidän peräänsä Tero oli huomannut hytin oven viereen jätetyn tyhjän olutpullon, joka oli saanut kelvata aseeksi.

Roni astui ulos wc:stä ja istuutui vastapäiselle vuoteelle. Tero käänsi taas katseensa hytin lattialla makaavaan harmaahiuksiseen mieheen ja palautti mieleensä totuuden: tuo mies oli aikonut tappaa hänet ja hänen poikansa.

Mies avasi silmänsä niin äkkiä, että Tero säpsähti. Katse oli aggressiivinen ja kylmä. Tero käsitti miehen olleen tajuissaan jo aiemmin.

»*Vem är du?*» Tero kysyi ja kumartui lähemmäs.

Mies liikahti uudelleen, mutta köydet pitivät hänet otteessaan. Tero kopeloi miehen taskusta lompakon ja tutki sen. Vain käteistä rahaa, kuvallinen ruotsalainen ajokortti nimellä Johan Andersson ja valokuva tummahiuksisesta naisesta kaksi lasta sylissään.

Tero kurotti ottamaan patjan alta muovikassin.

»Näitäkö sinä etsit?» Tero otti kuoresta esiin kasetin ja kirjekuoren. »Näidenkö vuoksi olit valmis tappamaan minut? Ja poikani?»

Tero laski esineet pöydälle hitaasti, miestä silmiin tuijottaen. Roni seurasi hänen käytöstään huolestuneen näköisenä. »Näidenkö vuoksi tapoitte Julia Leivon?»

Miehen kasvot pysyivät ilmeettöminä, mutta silmissä vilahti Teron mielestä pikemminkin ivallinen ja halveksiva kuin pelästynyt katse.

»Kuka sinä oikeasti olet, Johan Andersson?» Tero kysyi uudelleen pystymättä enää peittämään raivoaan.

Mies vain tuijotti häntä ylimielisesti silmiin.

Tero kumartui ja vei kasvonsa aivan miehen kasvojen eteen. »Oletko varma, ettet halua puhua?»

Kolmenkymmenen ikäinen mies, jolla oli yllään väljä avonainen kauluspaita, seisoi hyttioven takana vihreän sävyisellä yhdeksännellä kannella ja koputti. Hänellä oli leukaa koristava parransänki, kultainen korvarengas ja kaulaketju.

»Outoa», Martin Nykvist sanoi vieressään seisovalle Sergei Makarinille. »Tämä ei ole lainkaan Hellevigin tapaista.»

Nykvist joutui ottamaan laivan keinumisen takia tukea seinästä. Hän vilkaisi puhelimensa näyttöä, mutta kenttää ei ollut. Toisinaan yksi tai kaksi pylvästä ilmestyi näyttöön sijainnista tai olosuhteista riippuen. Hän huokaisi turhautuneena.

»Jos hän ei ole hytissään, niin missä sitten?» Makarin kysyi englanniksi, venäläisittäin korostaen. Tummasilmäinen »Mr. Smile» samettisessa pikkutakissaan näytti entistäkin totisemmalta. Millintarkasti ajellut kasvot kertoivat tarkkuudesta – Nykvist oli kuullut Makarinin ajavan kasvonsa joka aamu terällä, jättämättä koskaan naarmuakaan. Voimakastuoksuista partavettä venäläinen käytti liian runsaasti.

»Mennään info-tiskille ja pyydetään kuuluttamaan häntä», Nykvist sanoi.

Makarin ei vaikuttanut lainkaan ilahtuneelta ehdotuksesta. Mutta ei heillä ollut juuri vaihtoehtoja. Laivoilla saattoi tapahtua mitä tahansa.

45.

Roni katsoi isänsä toimia kasvavan huolen vallassa. Isä oli käskenyt häntä sitomaan miehen kädet kiinni suihkuhanaan, itse tämä oli sitonut ruotsalaisen nilkat sängynjalkaan. Ikkunaverhot he olivat vetäneet alas. Kylpyhuoneen oven korkea kynnys jäi miehen niskan alle. Hän näytti aavistavan mitä oli tulossa.

»Paskiainen», mies sihahti englanniksi. Se oli ensimmäinen sana, joka hänen suustaan tuli.

Roni kiristi solmun ja kohottautui ylös. Laivan keinuminen sai hänet voimaan huonosti.

»Ota puhelimesi esiin», isä komensi.

Roni hamusi laitteen taskustaan. Isän käytös oli kummallinen sekoitus hermostuneisuutta ja määrätietoisuutta, hän ei ollut enää alkuunkaan oma itsensä.

»Puhelimessa on äänitaltiointi», isä sanoi miehelle englanniksi. »Haluan sinulta nyt tiedon siitä, kuka murhasi Julia Leivon. Todistat, että poikani on syytön.»

Vastausta odottamatta isä meni sängylle, kiskaisi tyynyn käteensä ja otti tyynyliinan irti. Mies alkoi raivoisasti riuhtoa itseään vapaaksi.

»Isä, mitä sinä aiot?» Roni kysyi nopeasti.

Kasvot peruslukemilla isä tunki tyynyn miehen niskan alle, laski liinan tämän kasvoille ja otti suihkun irti kannattimestaan. Vasta silloin Ronin mieleen tulivat lehtijutut vesikidutuksesta, CIA:n tehokkaimpana pitämästä ikivanhasta kuulustelumenetelmästä, jota olivat käyttäneet jo jesuiitat. Hän katsoi miltei pelokkaana isäänsä, joka oli muuttunut vieraaksi ihmiseksi. Lattialla makaava mies oli lopettanut rimpuilun, vain valkoinen tyynyliina nousi ja laski nopeasti sierainten kohdalla.

Isä vei kätensä suihkuhanalle ja kuiskasi miehelle: »Varmaan tiedätkin, että waterboardingia on testeissä kestetty keskimäärin 14 sekuntia. Se on pidempi aika sinulle kuin minulle.»

Roni tuijotti isää lamaantuneena. Mies makasi hiljaa.

Isä oli paikallaan muutaman sekunnin, avasi sitten hanan ja suuntasi veden tyynyliinalle. Mies alkoi reuhtoa kuin järkensä menettänyt ja heitellä rajusti päätään puolelta toiselle.

»Pidä hänen leukansa paikoillaan», isä komensi ääni sortuen. »Kaksin käsin.»

Roni ei pystynyt liikahtamaan. Tyynyliina oli jo läpimärkä ja miehen pää teki refleksin voimasta rajuja nykäyksiä. Roni näki heidän toimintansa seinällä olevasta peilistä ja näky oli kauhistuttava. Mitä he olivat tekemässä?

»Kuulitko?» Isän kasvot muuttuivat kirjaviksi. »Tämä ei vahingoita, mutta aiheuttaa hukkumisentunteen. Paniikin. Toimi!»

Roni pakotti itsensä tarttumaan miestä leuasta.

Samalla hetkellä miehen puhelin soi.

Roni katsoi isää, joka antoi veden valua tyynyliinalle. Soittoäänien välillä kuului vain miehen kiivastahtinen, nykivä hengitys.

»Sammuta se», isä kuiskasi. »Nopeasti.»

* * *

Hyttikäytävällä seisova Nykvist nosti kätensä kohti yhä epäluuloisemmaksi käyvää Makarinia ja herkisti kuuloaan.

He olivat kuuluttaneet Hellevigiä tuloksetta. Hetkeä aiemmin puhelimen näytölle oli ilmestynyt pari kenttävoimakkuuspylvästä ja he olivat soittaneet toverinsa numeroon eri käytävillä.

»Mistä suunnasta se kuuluu?» Nykvist kysyi.

Miehet seisoivat hiljaa ja yrittivät paikantaa jostain vaimeasti kantautunutta puhelimen soittoääntä, mutta enää ei kuulunut mitään.

Teron kädet tärisivät ja häntä kuvotti, mutta hän piti suihkua miehen kasvoilla olevan märän tyynyliinan päällä.

»Lopetan heti kun puhut minulle», hän sanoi.

Takaraivosta oli hankautunut verta märälle muovimatolle. Roni istui kyykistyneenä lavuaarin vieressä lasittunut katse silmissään ja piti miehen leukaa paikoillaan. Se oli vaikeaa, sillä mies riuhtoi ja kouristeli. Terosta tuntui mahdottomalta jatkaa enää sekuntiakaan. Hän suuntasi veden sivuun suihkutilan lattialle ja veti tyynyliinan pois. Miehen kasvot olivat kirjavat, silmät paloivat kauhusta.

»Mikä oikea nimesi on?» Tero kysyi.

»Andersson... Johan Andersson», mies vastasi huohottaen.

Tero katsoi miestä. Hän ei uskonut hetkeäkään, että miehen nimi ja ajokortti olisivat oikeita. Tero keskitti ajatuksensa Roniin ja Juliaan.

»Älä valehtele», hän karjaisi ja suuntasi veden takaisin miehen kasvoille, ilman kangasta. Miehen silmiin rävähti pakokauhu ja hän yritti liikuttaa päätään yskien ja nieleskellen. Tero puri hampaitaan yhteen ja antoi veden valua. Mies liikehti yhä rajummin ja Roni käänsi katseensa pois. Tero suuntasi veden sivuun.

»Haluan kuulla *oikean* nimesi...»

»Hellevig...» mies sanoi niin kiihkeästi huohottaen, että puheesta oli vaikea saada selvää. »Jonas Hellevig…»

»Entä kaverisi oikea nimi? Sen joka hyökkäsi kimppuumme Helsingissä?»

»Claus… Steglitz…»

Tero ohjasi Ronin kädessä olevan puhelimen lähemmäs miestä ja vilkaisi varmuuden vuoksi, että näytössä luki *recording*.

»Miksi yritätte saada kasetin? Mikä sukelluksissa on niin tärkeää?»

Hellevig jatkoi huohotustaan. »Ei mikään… Zentechin kannalta…»

Mies hiljeni ja sulki silmänsä.

»Silmät auki», Tero sihahti, pakottaen jälleen mieleensä sen, että mies oli yrittänyt tappaa hänet Lausannessa. Hän suuntasi veden uudelleen Hellevigin kasvoille. »Miten Zentech liittyy tähän?»

Hellevig vavahteli ja hänen kurkunpäänsä teki rajuja liikkeitä. Suuhun päätyvä vesi pulppusi refleksien tahdissa huulten yli lattialle. Tero antoi veden valua, kunnes siirsi suihkun taas äkkiä sivuun.

Mies huohotti ja nieleskeli. »Gripen-kaupoista maksettiin lahjuksia Zentechin kautta…»

»Pääsikö Julia Leivo selville toimistanne?»

»Pääsi… vahingossa…»

»Kuka hänet tappoi?»

Miehen suusta kuului nykivä, katkonainen henkäisy. Ennen kuin Tero ehti tehdä mitään, Roni tarttui suihkuun ja suuntasi sen takaisin Hellevigin kasvoille.

»Sinäkö tapoit hänet?» Roni kysyi kyyneleitä silmissään. »Vastaa! Sinäkö tapoit Julian?»

Tero tarttui Ronin käteen ja ohjasi veden sivuun. Hellevigin hengitys korisi. »En minä vaan Steglitz…»

Roni työnsi puhelimen aivan Hellevigin huulille. »Koko asia:

mitä tapahtui, kuka tappoi ja kenet.»

»Tyttö näki autonme...» Hellevigin ääni oli heikko ja vinkuva. »Seurasimme häntä... näimme tytön tapaavan metsässä jonkun... riitelevän, käyvän käsiksi... Tyttö jäi maahan tajuttomana... Steglitz hiljensi hänet...»

»Hiljensi?» Tero sanoi.

»Kuristi. Jatkoi kuristamista...»

Tero siirsi katseensa ruotsalaisen märistä kasvoista puhelimen näyttöön. *Recording...* Hän vajosi istumaan märälle lattialle, kauttaaltaan täristen, ja puristi puhelinta kädessään kyyneleet valuen, oksennus kurkussaan.

46.

Nykvist väisti käytävällä villisti juoksevia lapsia. Hän alkoi olla todella huolissaan. Hellevigin katoamisesta oli kulunut jo yli tunti. Mies ei vastannut puhelimeensa. He olivat kierrelleet julkisia tiloja ja käytäviä edestakaisin. Lisäksi epäluuloinen venäläinen alkoi käydä hänen hermoilleen yhä enemmän.

Aluksen henkilökuntaan hän ei voinut ainakaan tässä vaiheessa turvautua kuulutuksia enempää – mikään ei saisi kiinnittää heihin ylimääräistä huomiota.

Nykvist vilkaisi Makarinia, jonka hän tunsi valitettavan huonosti. Hellevig tunsi venäläisen paremmin. Juuri tällaisten tapausten varalta ryhmän jäsenten valintaan piti kiinnittää erityistä huomiota.

Hän kääntyi kulman taakse ja palasi paikkaan, jossa huomasi jo aiemmin olleensa. Hyttiosastot menivät sekaisin, heidän olisi pitänyt liikkua järjestelmällisemmin.

Käytävän päässä seisoivat mies ja nainen. He näyttivät kuulostelevan jotakin hytin oven takana.

Päästyään heidän lähelleen Nykvist kuuli vaimeaa jyskettä. Se tuli hytistä, jonka edessä mies ja nainen seisoivat.

»Joku metelöi ja huutaa hytissä», nainen sanoi riikinruotsiksi.

Nykvist painoi päänsä ovea vasten.

Huuto kuului jälleen.

Hän tunnisti äänen. Se oli Hellevig.

Nykvist pakotti huulilleen hymyn. »Teimme kaverillemme pienen kepposen. Polttariristeily. Voitte mennä ihan rauhassa hyttiinne. Ystäväni tulee kohta avaimen kanssa.»

Pariskunta jatkoi epäluuloisen näköisenä parinkymmenen metrin päässä sijaitsevaan hyttiinsä.

Näiden painettua oven kiinni Nykvist otti aseen kotelostaan ristiselän takaa ja potkaisi voimakkaasti ovea, joka pamahti auki.

Hän kirosi nähdessään hytin lattialla läpimärän Hellevigin, joka oli sidottu käsistä ja jaloista oranssilla köydellä.

»Onkohan hyttejä vapaana?» Tero kysyi sinipukuiselta naisvirkailijalta infotiskillä seitsemännellä kannella. »Autokannen alapuolella oli ainakin vapaata vielä Tukholmassa.»

Hänen äänensä oli ohut ja kireä, ja hänen kehonsa tärisi hallitsemattomasti. Vaatteissa oli isoja märkiä alueita, mutta ne eivät erottuneet tummassa kankaassa. Hän inhosi itseään ja tunsi pohjatonta syyllisyyttä siitä, mitä oli tehnyt ruotsalaiselle poikansa silmien edessä.

Virkailija kääntyi näppäilemään tietokonettaan. »Pahoin pelkään, että nekin ovat jo loppuunmyydyt.»

Teron kasvot olivat edelleen hiestä märät. Hän vaihtoi painoaan jalalta toiselle ja yritti torjua mieleensä väkisin tunkevan painajaismaisen kuvan henkeän haukkovasta sidotusta miehestä. Mitään niin julmaa ja alhaista ei olisi saanut tapahtua. Mutta mitä sama mies oli yrittänyt Lausannessa? Mitä hänen toverinsa oli tehnyt Julialle? Miehen syyllisyyden ajatteleminen kevensi Teron omaatuntoa. Mies olisi ollut valmis tekemään saman Ronille ja hänelle, siitä ei ollut epäilystäkään.

Ruotsalaisen puhe lahjuksista vahvisti lopullisesti Toomaksen tuoreimman teorian, josta tämä oli kertonut puhelimessa. Oliko mahdollista, että miehillä oli autossa mukanaan lahjuksiin liittyvää aineistoa – jopa käteistä rahaa? Tilisiirtoja seurattiin nykyisin terrorismin takia tarkasti, ja tilanne oli monimutkaistanut kaikkea pimeän rahan siirtelyä.

Tero vilkaisi vaivihkaa Ronia, joka seisoi vähän matkan päässä maisemahissin vieressä lippalakki silmillään.

»Ikävä kyllä, yhtään hyttiä ei ole tosiaan vapaana koko laivassa.»

Tero kiitti ja sipaisi kävellessään jälleen kerran taskussaan olevaa puhelinta, joka oli tallenteen takia muuttunut mittaamattoman arvokkaaksi. Hän tiesi Ronin ymmärtäneen, ettei hyttejä ollut. Heidän oli vain pysyttävä loppumatka piilossa ruotsalaisilta.

Tero pysähtyi täynnä väkeä ja riehakasta menoa olevan baarin kohdalle. Yksi tuoli näytti olevan vapaana.

»Laita takki piiloon pöydän alle ja istu huonoryhtisenä selin käytävälle päin, olutlasi edessäsi», Tero komensi. »He eivät tunnista sinua. Ja vaikka tunnistaisivatkin, he eivät voi tehdä mitään tässä ihmisten keskellä.»

»Mihin sinä menet?»

»Käyn yleisöpuhelimesta soittamassa Toomakselle. Ja varmistan, että miehen side pysyy suun edessä. Se saattoi jäädä kiireessä huonosti laitetuksi.»

»Ei, älä mene yksin hyttiin.»

»En tee mitään harkitsematonta. Loppumatka ollaan hissukseen», Tero kuiskasi. Kasetti ja pankkitosite olivat Ronin takin povitaskussa muovikassissa. Ruotsalaisen lompakon he olivat piilottaneet hyttiin.

Matkalla yleisöpuhelimen luo Tero mietti mielessään valmiiksi muutamia lauseita, joissa tiivistäisi Toomakselle tilanteen.

Saatuaan Toomaksen langan päähän hän puhui hiljaa ja nopeasti. Toomas oli ollut täsmälleen oikeassa lahjusten suhteen. Tero joutui katkaisemaan hänen tarkemmat kyselynsä. »Kerron myöhemmin lisää. Pyydä Kimmo meitä vastaan satamaan.»

Tero laski kuulokkeen telineeseen ja jatkoi omaa hyttiään kohti. Laiva kallisteli voimakkaasti edelleen ja hän joutui ottamaan välillä seinästä tukea.

Päästyään omalle hyttikäytävälleen hän varmisti, ettei ketään näkynyt. Sitten hän lähestyi ovea avainkortti kädessään. Hän työnsi avainkortin lukkoon ja väänsi kahvasta. Samalla hetkellä hän huomasi ovessa outoja painumia. Hän päästi vaistomaisesti kahvasta irti, mutta ovi aukeni itsestään.

Tero vilkaisi kauhistuneena hyttiin, joka oli tyhjä. Ei jälkeäkään Hellevigistä.

Hän pyörähti ympäri sydän kurkussa, astui käytävälle ja lähti kiiruhtamaan portaikkoon paniikkia vastaan taistellen.

Äkkiä hän kuuli lähestyviä askeleita ja matalaa puhetta edestään. Hän väisti sivukäytävälle ja juoksi, kunnes hänen eteensä tuli käytävien risteys. Hän kääntyi vasemmalle ja kevensi juoksunsa ripeäksi harppomiseksi, avasi tumman lasioven edessään ja pysähtyi. Edessä oli jälleen kaksi uutta käytävää. Hän yritti etsiä nuolia tai opasteita, mutta näki vain loputtomasti hyttien numeroita.

Roni istui baarissa ja vilkaisi kelloa isältä lainaamansa puhelimen näytöltä. Kenttää ei ollut, kuuluvuus vaihteli koko ajan. Isä oli viipynyt jo huolestuttavan kauan.

Hänen vieressään äänekkäällä, humaltuneella nuorten miesten ja naisten seurueella tuntui olevan koko ajan vain hauskempaa sitä mukaa kuin jutut muuttuivat yhä typerämmiksi.

Roni hymyili seurueelle ja yritti rauhoittua. Hän ei millään päässyt eroon ruotsalaismiehen kasvoista vesisuihkun alla. Miten isä oli osannut vesikuulustelutekniikan? Hän tuntui tietävän täsmälleen mitä piti tehdä.

Isästä oli paljastunut viime päivinä outoja uusia piirteitä.

Roni karisti hämmentävät ajatukset mielestään. Pääasia oli ruotsalaismiehen tunnustus.

Hänen rauhattomuutensa kuitenkin kasvoi sekunti sekunnilta. Puhelin oli isällä, ja sen mukana kaikki.

47.

Tero huomasi tehneensä käytävälabyrintissa turhan mutkan. Hän käveli eteenpäin peläten koko ajan näkevänsä Hellevigin tovereineen. Ihmisten määrä oli ikävästi jo vähentynyt, mutta äänekkäitä humalaisia oli edelleen liikkeellä. Alus valmistautui pysähtymään Maarianhaminassa.

Äkkiä Tero hidasti hätkähtäen vauhtiaan. Hän tunnisti toisesta suunnasta lähestyvät kaksi miestä – nämä olivat olleet Hellevigin seurassa autokannella. Tunnistaisivatko he hänet? Oliko hänen kuvansa heidänkin puhelimensa näytöllä?

Ainoa pakotie oli englantilaistyylinen pub, jonka oviaukko oli hänen kohdallaan. Hän käveli puheensorinan, trubaduurin kitaransoiton ja naurunremahdusten sekaan ja toivoi, etteivät miehet tulisi perässä. Olisiko myös Hellevig lähettyvillä? Tero ei uskaltanut vilkaista taakseen vaan istahti looshiin kahden keski-iän ylittäneen rouvan seuraan. Naiset katsoivat häntä huvittuneina.

»Onkohan tässä vapaata», Tero sanoi ja yritti hymyillä.

»Totta kai noin komealle –»

»Mitä olutta sinulla on?» Tero sanoi kumartuen lähempänä istuvan naisen puoleen. »Saisiko sitä maistaa vähän?»

Humaltunut nainen räjähti nauramaan.»Saa sitä maistaa. Sitä *pitää* maistaa.»

Tero otti lasista siemauksen ja vilkaisi samalla ovelle. Miehiä ei näkynyt.

»Kiitos, tämä on hyvää. Tulen kohta takaisin», hän sanoi ja poistui vikkelästi pöydästä.

Ympäristöään tarkkaillen hän kiiruhti baariin. Joku istui Ronin tuolilla, mutta se ei ollut Roni... Tero antoi katseensa kiertää hätäisesti, mutta Ronia ei näkynyt. Mihin poika oli lähtenyt? Hänen peräänsäkö?

Tero käännähti ympäri ja lähti takaisin tulosuuntaansa. Oikealla oli miestenhuone, jonka oven hän avasi varovasti. Tyhjät kopit, kaksi miestä pisuaarilla, ei jälkeäkään Ronista.

Hätäännys alkoi kasvaa Teron mielessä. Hän palasi vielä kerran baariin ja katsoi istujat läpi, mutta Roni ei ollut heidän joukossaan. Hän kiiruhti porrasaulaan ja lähti nousemaan kohti heidän hyttiään. Se oli ainoa paikka jonne hän saattoi kuvitella Ronin lähteneen etsimään häntä.

Hyttikäytävän päässä Roni tuli häntä vastaan. Molempien kasvoille levisi helpottunut ilme, mutta tunne ei kestänyt kauan.

»Ruotsalainen on päässyt hytistä pois», Roni kuiskasi heidän kohdatessaan.

»Tiedän.» Tero katsoi vakavana poikaansa. »Anna kasetti minulle», hän sanoi, työnsi Ronin ojentaman pussin taskuunsa ja lähti ohjaamaan häntä kohti käytävän päätä. »Väki häipyy vähitellen hytteihinsä, ei täällä yöllä ketään ole. Meidän on piiloduttava. Kunnolla.»

»Mihin?»

»Mennään yläkannelle. Yritetään päästä jonnekin lähelle komentosiltaa, jonne matkustajilta on pääsy kielletty. Yritetään vaikka pelastusveneeseen piiloon.»

Tero avasi kannelle johtavan oven, jonka tuuli oli tempaista hänen kädestään. Kesti hetken ennen kuin silmät mukautuivat heikkojen kansivalojen hämyyn. Ketään muita ei näkynyt, myrsky oli autioittanut ulkokannet. He suuntasivat perää kohti kiertääkseen laivan toiselle puolelle. Keinuminen ja tuuli saivat heidät horjahtelemaan. He ohittivat suuret tummennetut ikkunat, joiden takana muutamia kylpijöitä istui kuplivassa porealtaassa.

Ikkunarivi loppui ja ovi lähestyi. Vastatuuli pakotti Teron ponnistelemaan hitaasti viimeiset metrit.

Samassa ovi avautui ja kannelle astui kaksi miestä. Tero yritti erottaa heidän kasvonsa, mutta lamppu oli liian kaukana. Silti hän tarttui nopeasti Ronia käsivarresta ja käänsi heidät takaisin tulosuuntaan pitäen vielä katseensa miehissä. He kävelivät lampun kohdalle ja Tero tunsi heidät.

Hellevig kaverinsa kanssa.

Tero käänsi päänsä pois, puristi yhä lujemmin Ronia olkavarresta ja lähti harppomaan. Hän huomasi myös Ronin tunnistaneen miehet. Tero ei tiennyt olivatko miehet huomanneet heidät, mutta se oli todennäköistä. Muutaman kymmenen metrin päässä olisi toinen ovi, josta pääsisi sisään – mutta sieltä voisi tulla heitä vastaan kolmas mies.

»Tuosta ylös», Roni sanoi ja irrottautui Teron otteesta.

Tero näki valkoiseksi maalatun rautaportaikon, jonka edessä oli poikittain solmittuja köysiä ja teksti: »CREW ONLY».

Roni harppasi köysien yli ja portaita ylös. Tero ponnisti perässä ja vilkaisi taakseen. Miehet juoksivat heitä kohti.

Roni kokeili ovea portaiden yläpäässä. Se oli lukossa. Hän kääntyi takaisin ja nousi kaiteelle, jonka kautta pääsi portaikon yllä olevalle katokselle. Tero seurasi hänen perässään ja antoi katseensa kiertää. Näkymää hallitsi laivan valtava savupiippu, jonka kyljessä oli suuri hylkeenpää, Siljan logo.

»Vauhtia», Tero huusi tuulen läpi Ronille, joka lähti juoksemaan valkoisella katolla kohti laivan keulaa.

Tero vilkaisi taakseen ja huomasi toisen miehen ilmestyneen katolle heidän taakseen. Tämä lähti juoksemaan heidän peräänsä.

Roni ja Tero pysähtyivät katon etureunalle, josta avautui huikea näkymä myrskyisälle tummalle merelle molemmin puolin laivaa ja alas muovikatteen läpi värikkäälle Promenadelle. Sen katosta roikkui trapetsiteline monta kerrosta alempana. Samassa Tero huomasi toisen miehen nousevan katolle toiselta puolelta. Hän teki nopean tilannearvion. Hyppääminen alas oli liian riskialtista. Jos jommaltakummalta nyrjähtäisi nilkka, he olisivat helppo saalis.

Tero kääntyi kohti savupiippua, jonka etuosa nousi heidän edessään massiivisena kaltevana seinänä kuin pyramidin kylki. Sen pintaa verhosi jättimäisiä siniharmaita sälekaihtimia muistuttava metallirakennelma, joka näytti tarjoavan mahdollisuuden kiipeämiseen. Ylhäällä ritilöiden takana oli neljän mustan metalliputken välissä kulkeva valaistu huoltotasanne. Ylimpänä paloi suuri merkkivalo.

Tero vilkaisi Ronia, joka samassa näytti niin ikään tajuavan heidän ainoan mahdollisuutensa ja säntäsi kohti seinämää. Hän kiskoi itsensä ensimmäisen metallilevyn päälle. Tero meni perässä ja kiskoi itsensä ylös. Hän joutui keinumisen takia tasapainoilemaan pysyäkseen levyn päällä. Hän vilkaisi sisään levyjen välistä ja näki tumman, ammottavan tyhjyyden, josta kuului suurten moottoreiden kumeaa jyrinää. Alhaalta nousi kuumankosteaa öljyntuoksuista ilmaa. Heidän oli päästävä huoltotasanteelle, sitä kautta pääsisi alas.

Tero sai kiskottua itsensä seuraavalle tasanteelle ja yritti tasapainotella istuallaan siniharmaan metallilevyn päällä. Ylhäällä tuuli niin rajusti, että hänen oli vaikea hengittää ja löytää tasapaino. Hän joutui jännittämään lihaksensa äärimmilleen välttyäkseen horjahtamasta syvyyteen. Hän haroi kädellään kohti yläpuolella olevaa seuraavaa tasannetta. Se tuntui olevan aivan liian kaukana. Kauhukseen hän tajusi joutuvansa nyt seisomaan alemmalla levyllä ylettyäkseen kädellään seuraavalle metallipinnalle. Samassa hän huomasi miehet alapuolellaan. Hän jännitti itsensä ja kohottautui koko pituuteensa, kädet ylhäällä, kunnes onnistui kurkottamaan yllään olevaan metalliseinämään.

»Nopeasti!» Ronin ääni kuului jostain tuulen keskeltä.

Tero katsoi ylös ja näki Ronin seisovan seuraavan metallilevyn päällä.

Tero vilkaisi alaspäin ja näki miesten aloittavan kiipeämisen. Miksi he eivät ampuneet? Ehkä he eivät halunneet jättää luodinreikiä rakenteisiin todisteiksi. Ja laukausten äänet saattaisivat kuulua. Pimeydessä korkealta tapahtunutta putoamista mereen sen sijaan ei kukaan välttämättä huomaisi. Teron mielessä välähti, että he olivat tahtomattaan tarjonneet takaa-ajajilleen oivallisen keinon tappaa heidät. Olisi sittenkin pitänyt pysyä sisätiloissa.

»Älä katso alaspäin, vaan kisko itsesi ylös, nopeasti», Roni huusi.

Tero hyppäsi ja tarttui levyn reunaan. Hän päästi jalkansa irti ja jäi roikkumaan pimeän kuilun yläpuolelle. Hän ponnisteli kaikin voimin jalkojen haroessa tyhjää ja tajusi, etteivät hänen lihasvoimansa sittenkään riittäisi. Mutta ei nousu vaivatonta olisi takaa-ajajillekaan, ja se ajatus antoi hänelle voimaa.

Roni ojensi ylhäältä kätensä ja tarttui Teroa ranteesta. Tero heilautti vartaloaan niin, että sai vatsalihaksensa äärimmilleen jännittäen nostettua jalkansa metallilevyn reunalle, josta Roni kiskoi hänet levyn päälle.

»Hyvä», Roni kannusti tuulen tuiverruksessa huohottavaa ja vapisevaa Teroa. »Nyt sama uudestaan. Jatkamme huoltotasanteelle.»

»Se on liian kaukana…» Tero katsoi ylöspäin epätoivoisena.

»Ei ole. Ala tulla!»

Roni oli jo nousemassa seuraavalle metallilevylle. Takaa-ajajat olivat muutaman metrin päässä heidän alapuolellaan. Tero ponnisti itsensä pystyyn ja antoi ruumiinsa jälleen kaatua eteenpäin kädet kohotettuina, kunnes kämmenet koskettivat metallipintaa. On pakko, hän hoki mielessään. Ei ole muuta vaihtoehtoa. Miehet tappaisivat Ronin. Hän ponnistautui hyppyyn yläviistoon niin, että sai jälleen kätensä reunalle ja alkoi kiskoa itseään ylöspäin. Samassa Roni tarttui hänen ranteeseensa.

Päästyään muutaman levyn yli Ronin avustamana Tero tunsi kuinka hänen voimansa alkoivat ehtyä vääjäämättä ja lopullisesti. Savupiippu hohkasi yhä lähempänä ja yhä kuumempana.

»En pysty tähän», Tero huusi roikkuessaan käsiensä varassa pimeän kuilun yllä. »Roni, pelasta itsesi! Minä pidättelen heitä…»

Roni ojensi molemmat kätensä ja tarttui Teroa ranteista.

»En mene minnekään ilman sinua», Roni huusi ja kiskoi Teron hitaasti ylös. »Olemme melkein perillä, ei tarvitse kivuta enää.»

Tero ponnistautui levyn päälle täysin voipuneena. Hän alkoi kontata Ronin perässä pitkin levyn pintaa. Jalkojen hallitsematon tärinä ja repivä tuuli tekivät liikkumisen vaikeaksi. Laivan huojunta kallisti pinnan ja heidän oli pidettävä tiukasti kiinni, etteivät he olisi lähteneet liukumaan alamäkeä. Saman tien pinta muuttui jälleen ylämäeksi.

Päästyään seinämän kulmalle Tero vilkaisi taakseen ja totesi takaa-ajajien nousevan samalle levylle. Hän kiristi vauhtiaan. Kulman takana kymmenen metrin päässä häämötti valkoisella kaiteella varustettu huoltotasanne, joka näytti kiertävän savupiipun taakse.

»Nopeasti, täällä on helpompi liikkua», Roni kannusti edellä.

Valaistulle tasanteelle päästyään Teron jalat ja kädet vapisivat kuin horkassa, mutta hän tunsi suunnatonta helpotusta tuntiessaan vihdoin jykevän metallilattian alapuolellaan. Samassa hän säpsähti – kulman takaa ilmestyi mies ase kädessään.

»Tule tänne», Roni huusi Terolle ja syöksyi savupiippurakennelman taakse.

Tero pakotti itsensä Ronin perään ja näki pojan jo kokeilevan luukun kahvaa, joka ei hievahtanutkaan.

»Tuossa on köysi», Tero sanoi puuskuttaen. Hän kurkottautui kaiteen yli ja näki huoltotasanteen alareunaan kiinnitetyn köyden yltävän alhaalla olevalle valkoiselle katokselle saakka. Mies lähestyi.

»Riisu pusakkasi», Tero sanoi Ronille samalla kun otti yltään oman takkinsa.

Tero kumartui kaiteen alta, kiersi takkinsa köyden ympäri ja tarttui siihen molemmin käsin samalla kun nojautui selkä edellä tuuleen ja ponnisti jalkansa piipun kuumaa metalliseinämää vasten.

»Pidä takki käsien suojana ja ponnista vauhtia jaloilla seinästä», hän huusi.

Valkoiset metallilevyt ja valot vilisivät Teron silmissä hänen liukuessaan alaspäin. Hän tunsi polttavan kitkan käsissään, vaikka puristi köyttä takkinsa läpi. Hän vilkaisi ylöspäin ja näki Ronin tulevan samalla tekniikalla perässään. Alhaalla Tero päästi otteensa irti ja pudottautui katolle. Hän olisi halunnut jäädä paikalleen makaamaan, mutta aikaa ei ollut. Roni hyppäsi hänen viereensä.

Tero katsoi ylöspäin ja näki kuinka ylhäällä toinen miehistä astui juuri kaiteen yli ja alkoi laskeutua köyden varassa. Tero ja Roni juoksivat katoksen reunalle ja pudottautuivat alas kannelle.

»Mennään ihmisten sekaan», Tero sanoi hengästyneenä ja

suuntasi kohti edessä näkyvää ovea. He tulivat aulaan ja menivät sisään ensimmäisestä mahdollisesta ovesta, joka johti portaita ylös hämärään, äänekkääseen ja lämpöä huokuvaan »Baliin». Värikäs tila oli jaettu saarekkeisiin, joissa nuoret viettivät aikaansa. Heidän päälleen heijastui katosta projisoituja valokuvioita. Tero pujotteli Roni perässään saarekkeiden ja ihmisten joukossa neonväreissä hohtavan baaritiskin ohi.

»Ja seuraavana vuorossa on Miia», tulivuoren näköisen rakennelman päällä seisova tiskijukka kuulutti. »Miia haluaa esittää meille kappaleen 'Rakkaus on lumivalkoinen'...»

Tero katsoi ympärilleen teinitytön ottaessa mikrofonin käteensä. Tyttö viittoili pöytien äärellä kangaspäällysteisillä vaahtomuovikuutioilla istuville riehakkaille nuorille pyytääkseen heitä tuekseen esiintymislavalle. Saman tien valkokankaalle välähti videokuva, musiikki alkoi ja kuvan alalaitaan ilmestyivät laulun sanat.

»Katso ovelle», Roni sanoi ja kiskaisi Teroa hihasta. Heidän käyttämänsä sisäänkäynnin luo oli ilmestynyt ruotsalaisen kumppani.

Tero lähti Ronin rinnalla salin vastakkaisella puolella sijaitsevaa hissiä kohti. Poistuessaan salista hän näki Hellevigin toisen kumppanin tulevan heidän perässään, mutta muiden ihmisten läsnäolo antoi jonkinlaista turvallisuudentunnetta. Tero tönäisi vahingossa hissistä tulevia romanimiehiä, ja yksi heistä tarttui napakasti hänen käsivarteensa.

»Mitä miehet juoksee?»

Roni vilkaisi taakseen. Hellevigin toveri harppoi heitä kohti.

»Hullu ruotsalainen», Tero huohotti miehen tiukassa otteessa. »Yrittää hakata meidät.»

Romanimiesten kasvoille levisi hämmästys. »Hakata teidät? Miksi?»

Tero kiskaisi itsensä irti ja astui hissiiin. »Kysy häneltä...»

Hän painoi sormi vapisten nappia, ovet sulkeutuivat ja Tero ehti kuulla romaneiden liikehtivän ulkopuolella ja sanovan jotain heitä seuranneelle miehelle. Hissi nytkähti liikkeelle. Lähes saman tien ovet avautuivat ja Tero astui Ronin perässä ulos Promenadelle.

»Tuonne», Tero sanoi suunnaten kohti Atlantis Palacea, kahden kerroksen korkuista tanssi- ja showravintolaa. Iso sali oli tupaten täynnä väkeä. Alempana olevalla ruuhkaisella tanssilattialla hytkyi ihmisiä ABBAn tahdissa. Pyörivä diskopallo säihkyi korkealla katossa, eriväriset valojuovat risteilivät siellä täällä ympäri hämärää salia.

»*Money, money, money, must be funny...*»

Tero ja Roni raivasivat tietä eteenpäin. Ennen tanssilattiaa he kääntyivät oikealle ja lähtivät pujottelemaan pöytien, tuolien ja käytävällä seisovien ihmisten ohi. Tero vilkaisi taakseen ja näki yllätyksekseen Hellevigin toisenkin kumppanin ilmestyneen aiemman rinnalle, molemmat tulivat saliin ympärilleen katsellen.

»*Aha-ahaaa, All the things I could do...*»

Tero yritti liikkua ihmisjoukossa mahdollisimman huomiota herättämättömästi. Roni kiilasi hänen edelleen tuuppien ihmisiä tieltään. Humaltunut nuori vaaleahiuksinen nainen horjahti Ronin takia ja kaatui pöytää vasten. Lasit kaatuivat, juomat levisivät ympäriinsä ja pöydän ääressä istuneet naiset nousivat kiljuen ylös. Tero vilkaisi taakseen ja näki myös Hellevigin ilmestyneen saliin. Takaa-ajajien täytyi olla jollain tavoin puheyhteydessä toisiinsa. Yksi miehistä osoitti kädellään heidän suuntaansa.

Kun Tero palautti katseensa menosuuntaan, Ronin vieressä seisoi kaksi nuorta vaaleaa miestä. He sanoivat jotain, jonka Teron korvissa pauhaava musiikki peitti alleen.

Roni yritti jatkaa matkaansa, mutta miehet tarrasivat häneen kiinni. Tero syöksähti eteenpäin ja tarttui Ronia käsivarresta.

»Hei, mihin sinä sitä viet?» juopunut nuori mies huusi.

Mies liikahti häntä kohti uhkaavasti.

»Nyt riittää», Tero karjaisi.

Ihmiset heidän ympärillään seurasivat tilannetta, osa uteliaina, osa säikähtäneinä. Ronista kiinni pitäen Tero laskeutui muutaman portaan tanssilattian laidalle. Hän antoi katseensa kiertää diskovalojen välkkeessä häilähtelevien tanssijoiden päiden yli, mutta ei löytänyt minkäänlaista pakoreittiä.

Tero tarkisti että puhelin ja kasetti olivat yhä hänen taskussaan. Yksi miehistä lähestyi heitä tanssilattian poikki.

Äkkiä Teron katse kohdistui nuorukaiseen, joka oli äsken käynyt Roniin kiinni. Tämä ojenteli parhaillaan paperipyyhkeitä, joilla naiset saattoivat kuivata pöytää ja vaatteitaan.

»Hei, sinä», Tero sanoi ja harppoi kohti nuorukaista, joka käännähti ympäri.

»Niin?» tämä sanoi riidanhaluisesti huomatessaan Teron ja Ronin.

Tero tönäisi miestä, joka kaatui rytisten pöydälle. Lasit ja pullot kilahtelivat säpäleiksi lattialle ja naiset pomppasivat jälleen ylös tuoleiltaan. Vaalea mies nousi lasinsirpaleiden keskellä kontalleen ja katsoi Teroa yllättyneenä. Mies poimi rikkoutuneen pullon aseekseen, nousi äkkiä ylös ja syöksyi kohti Teroa, joka väisti hyökkäyksen. Juopunut mies syöksyi päin viereistä pöytää kaataen keski-ikäisen pöytäseurueen juomat heidän vaatteilleen.

Tero kääntyi ympäri ja ehti nähdä kohti kasvojaan ojennetun sumuttimen ennen kuin siitä suhahtava kaasu sokaisi hänet. Hänen silmiään kirveli ja hän huitoi käsillään ilmaa. Tunne oli tuttu, vartijoita kouluttaessaan hän oli kokenut sen monet kerrat.

»Roni», hän huusi. »Tule tänne, aivan viereen!»

Hänen ympäriltään kuului sekasortoista kiljumista ja huutamista. Tero tunsi kuinka hänen käsiinsä tartuttiin ja niitä alettiin vetää hänen selkänsä taakse. Tero riuhtoi itseään vapaaksi tietämättä kuka hänen kimppuunsa oli käynyt, mutta hänet kaadettiin väkivalloin lattialle.

»Rauhoitutaan nyt», jykevä suomalaisääni sanoi hänen takaansa.

Tero makasi paikallaan helpottuneena. Hänen suunnitelmansa tuntui toimivan.

»Laitetaanko tällekin?» kuului hänen vierestään toinen miesääni.

»Ei tarvitse. Tämä se pahin riehuja taitaa olla.»

Tero tunsi kuinka käsiraudat napsahtivat kiinni hänen selkänsä takana. Vartija nosti hänet kovakouraisesti ylös. Hän räpytteli vetisiä silmiään ja yritti tarkentaa sumeaa katsettaan. Vartijoiden toiminta vaikutti hänestä ylimitoitetulta, mutta niin se vaikutti lähes aina, se kuului työn luonteeseen.

»Isä, oletko kunnossa?» Tero kuuli musiikin jytkeen seasta.

Hän erotti sumun läpi hämärästi Ronin piirteet. »Olen, ei mitään hätää.»

Isokokoinen vartija piteli häntä aloillaan. Kolmas vartija tutki lattialla makaavan vaaleahiuksisen miehen kuntoa.

»Tuo sen aloitti», nuori nainen huusi metelin yli ja osoitti Ronia.

»No niin, tänne näin», Ronista kiinni pitävä sänkitukkainen vartija sanoi ja veti Ronin nuorten naisten eteen.

»Tämäkö on se, joka kaatoi teidän juomanne?»

»Törkeä jätkä», vaaleat hiuksensa tiukalle poninhännälle sitonut nainen sanoi. »Se vain tuli ja tyrkkäsi Jessican päin pöytää.»

»Ja ne tönivät ja tuuppivat muitakin.»

»Nämä kaverit viettävät nyt loppumatkan laivan putkassa», vartija sanoi naisille.

Tero vilkaisi taakseen vartijan otteessa ja oli erottavinaan harmaahiuksisen miehen katsovan hänen peräänsä.

Vartijat raahasivat Teron ja Ronin alas portaita ja kohti viidennen kannen etuosaa. Vastapäätä Bellamaren sauna- ja hyvinvointiosastoa he siirtyivät henkilökunnan käytävälle, jossa sijaitsi vartijoiden toimisto.

»No niin, kellot ja vyöt tänne ja taskut tyhjiksi», sänkitukkainen vartija komensi.

»Ei ole tarpeen –»

»Vauhtia nyt, saatte kaiken aamulla takaisin», mies keskeytti Teron ja työnsi kätensä hänen povitaskuunsa, jossa oli kirjekuori ja kasetti. Tero riuhtaisi itseään poispäin.

»Ei meillä ole teräaseita», hän sanoi mahdollisimman rauhallisesti ja vakuuttavasti, vaikka tiesi puhumisen turhaksi. »Ei ole tarpeen viedä tavaroita.»

»Kaikki irtain otetaan putkaan menijöiltä talteen. Saatte ne Helsingissä takaisin.»

»En voi antaa –»

»Älä soita suutasi vaan anna ne tänne. Vai pitääkö suihkuttaa uudestaan?»

Kolmas vartija, muita vanhempi, käveli Teron luokse muovipussi kädessään ja tyhjensi hänen taskunsa pussiin.

»Lompakko, avaimet, kasetti, kirjekuori», vartija luetteli. »Ja puhelin.»

»En voi antaa puhelinta, pyytäisin että –»

»Saat sen takaisin. Nyt pulinat pois.»

Vartija ohjasi Teroa toimiston takana olevaan karuun putkahyttiin. Hän yritti hidastella, mutta mies oli vahva.

»Isä, otetaan rauhallisesti», Roni sanoi. »Kaverit tekevät vain työtään.»

48.

»Saanko häiritä hiukan?» Hellevig kysyi ruotsiksi isokokoiselta vartijalta, joka istui toimistossaan ja kirjoitti raporttia illan järjestyshäiriöistä. »Olen etsinyt yhtiömme suomalaisia edustajia jo jonkin aikaa. Sitten kuulin, että yökerhossa tapahtui jokin ikävä välikohtaus –»

»Hetkinen, miten te tänne pääsitte?» yllättynyt vartija kysyi.

»Eräs henkilökuntaan kuuluva avasi minulle ystävällisesti oven kun kerroin asiani.»

»Niinkö? Minkä nimisiä kolleganne ovat?» vartija kysyi tylysti.

»Tero ja Roni Airas.»

Hellevig kohensi paidankaulustaan. Takaraivossa sykki edelleen kipeästi, mutta haava oli lakannut vuotamasta. Hän oli ottanut lompakkonsa suomalaisten hytistä, käynyt vaihtamassa kuivat vaatteet omassa hytissään ja antanut selityksen kumppaneilleen: Airakset olivat jollain tavalla saaneet selville hänen käyntinsä Lausannessa, mutta Hellevig ei tietenkään ollut paljastanut suomalaisille mitään, syöttänyt vain muutamia harkittuja valheita. Operaatio ei ollut vaarassa, päinvastoin: nyt heillä oli mahdollisuus saada tallelokeron sisältö takaisin. Puhelimelle taltioidusta tunnustuksesta Hellevig ei ollut kertonut tovereilleen mitään.

»Ystävänne hulinoivat yökerhossa», vartija sanoi.

»Ei ole lainkaan heidän tapaistaan, he eivät ole edes huma-
lassa. On varmaan tapahtunut jokin väärinkäsitys.»

»Ei ole mitään väärinkäsitystä. Kirjoitan raporttia, siellä oli
todistajia pilvin pimein.»

»Mitä heille tapahtuu?»

»Ovat loppumatkan tuolla», vartija sanoi ja nyökkäsi taak-
sepäin.

Hellevig pudisti huokaisten päätään. »Tero Airas on fir-
mamme suomalainen edustaja.» Hellevig ojensi väärällä ni-
mellä varustetun käyntikorttinsa. »Hänellä on firman puhelin
ja muuta aineistoa. Minulle soitettiin juuri Amerikasta, ja tarvit-
sen kaiken mitä Airaksella on mukanaan. Ovatko tavarat hänen
hallussaan edelleen?»

Vartija vilkaisi nopeasti takanaan olevaa kaappia. »Putkaan
joutuvilta otetaan kyllä tavarat talteen», hän sanoi ja jatkoi em-
pien: »Mutta en tietenkään voi luovuttaa –»

»Musta Nokia, näyttöruudussa formula-auto. Videokase-
tilla on firmamme laitteen demo. Ja muita dokumentteja on rus-
keassa kuoressa. Baltimoresta soitetaan kohta uudelleen, tarvit-
sen paperit. *Nyt.*»

»En valitettavasti voi luovuttaa putkassa olevien omaisuutta
ulkopuolisille. Mutta ehkä voisin kysyä heiltä, jos heidän luval-
laan saisin antaa tavarat.»

»Antaa olla», Hellevig sanoi ja poistui nopeasti hytistä. Hän
käveli käytävän kulman takana pienessä varastohuoneessa odot-
tavien Nykvistin ja Makarinin luo ja kertoi havaintonsa ja suun-
nitelmansa, joka pantaisiin toimeen välittömästi.

Nykvist koputti kovaotteisesti vartijahytin oveen, joka avautui
nopeasti.

»Pari kaveria haastaa riitaa tuolla toisen kerroksen hissin

edessä», hän sanoi kiihtyneenä vartijalle. »Tulisitko rauhoittamaan tilannetta.»

Vartija hamusi radiota vyöltään. »En saisi poistua täältä. Ilmoitan kollegoilleni –»

»Nopeasti nyt! Siellä on jo puukot esillä, et varmaan halua että he tappavat toisensa. Tässä voi olla kyse sekunneista!»

Hämmentynyt vartija sieppasi avainnipun taskuunsa, otti etälamauttimen käteensä ja lähti juosten Nykvistin perään käytävälle lukiten oven perässään.

Hellevig ja Makarin pysähtyivät vartijoiden hytin oven eteen. Hellevig asettui näkösuojaksi niiden sekuntien ajaksi, jotka Makarinilta menivät oven avaamiseen.

Hellevig jäi oven eteen vahtiin Makarinin livahtaessa sisään ja tiirikoidessa metallikaapin auki. Hellevig vilkaisi häntä ovenraosta juuri kun hän oli ottamassa kaapista läpinäkyvää muovipussia, jossa oli ainakin paksu kirjekuori ja puhelin.

»Täällä he olivat hetki sitten», Nykvist sanoi vartijalle toisen kerroksen hissin edustalla. Käytävälle kantautui musiikkia ja kovaäänistä puhetta ikkunattomista halvimman hintaluokan hyteistä. »Ehkä he ovat menneet muualle rähinöimään.»

Vartija vilkaisi häntä nyreissään ja kääntyi takaisin hissille. Nykvist kulki hänen mukanaan pienen matkaa, ettei olisi herättänyt epäluuloja.

»Ei täällä ole ketään», vartija tokaisi.

»Väitätkö, että minä näin harhoja?»

»En väitä mitään. Mutta ei tässä ole nyt enempää tehtävissä. Ilmoita henkilökunnalle, jos näet heidät jossakin. He hälyttävät meidät.»

Nykvist lähti nousemaan kohti yhdeksännellä kannella sijaitsevaa Hellevigin hyttiä.

* * *

Hellevig astui hyttiinsä Makarinin kanssa ja oli työntämässä nöyryyttävän tunnustuksen sisältävää puhelinta taskuunsa, kun Makarin kysyi hänen takaansa: »Mikä puhelin se on?»

»Kuinka niin? Minun puhelimeni.»

»Olin näkevinäni sinulla kommunikaattorin.»

»Tämä on kakkospuhelimeni.»

Ovelta kuului tutturytminen koputus ja Makarin päästi Nykvistin sisään.

Hellevig istuutui vuoteelle ja alkoi tutkia pehmustetun kirjekuoren sisältöä.

»Vain kasetti ja Zentechin pankkisiirto», hän sanoi pettyneenä. »Kasetilla on todennäköisesti Ifarsundin video. Marcus piti näköjään huolen siitä, että hänellä oli kaikkia vaikeimpia hankkeita varten henkivakuutus. Mutta täytyy täällä silti olla jotain enemmän...»

Nykvist otti taskustaan linkkuveitsen, tarttui pehmustettuun kirjekuoreen ja viilsi sen pinnan auki. Hän kaivoi kuoren seinämien väliä ja poimi sieltä pienen muistikortin.

Hellevig otti muistikortin sanaakaan sanomatta ja tutki sen pintaan kirjoitettua tekstiä: *Hellevig & Steglitz.*

Hellevig tunsi suunnatonta helpottuneisuutta. Heidän ponnistelunsa ei ollut mennyt hukkaan. Marcuksella oli ollut se, mitä he olivat pelänneet hänellä olevan – heidän rikolliset puuhansa paljastavaa aineistoa.

»Tuhoa kortti saman tien», Nykvist sanoi.

»Olisi kai syytä ensin tutkia mitä kaikkea siellä on.»

»Siihen tarvittaisiin tietokone. Suosittelisin kortin välitöntä tuhoamista.»

Hellevig tiesi Nykvistin olevan oikeassa. Hän otti muistikortin sormiinsa ja väänsi sen kahtia.

»Nyt keskitymme lastin saamiseen perille», Hellevig sanoi.

»Sen jälkeen varmistamme kasetin aitouden ja toimitamme sen

Göranille.»

Hellevig jakoi Nykvistin kanssa turvallisuussyistä tallelokeron sisällön – Hellevig otti pankkitositteen ja Nykvist kasetin.

Nykvistin ja Makarinin poistuttua hytteihinsä Hellevig veti Airasten puhelimen taskustaan. Hän tuijotti laitetta hetken ja haki sitten valikosta äänitaltioinnin.

Hän painoi näppäintä ja hätkähti kuullessaan oman äänensä. Se kuului selkeästi – hätääntyneen, henkensä puolesta pelkäävän miehen ääni. Hellevig sulki silmänsä häpeän vyöryessä hänen ylitseen.

»Koko lause: mitä tapahtui, kuka tappoi ja kenet...»

Suihkusta virtaavan veden ääni sai hänet voimaan pahoin vieläkin. Hänen äänensä oli silkkaa paniikkia. *»Steglitz hiljensi hänet...»*

Hellevig sammutti nopeasti laitteen. Niin tuskallista kuin kuunteleminen olikin, vesikidutuksen vastaansanomaton tehokkuus teki vaikutuksen Hellevigiin. Ei ihme, että CIA ei halunnut luopua sen käytöstä kuulustelumenetelmänä.

Hän alkoi etsiä valikosta tapaa poistaa taltiointi. Mutta häviäisikö tallenne sataprosenttisen varmasti? Muistista saatettaisiin ehkä saada se esiin. Ainoa varma tapa oli tuhota koko puhelin.

Hellevig astui varovasti hytistään käytävälle ja suuntasi kohti portaikkoa. Hän tunsi vihaa ja raivoa noita kahta suomalaista kohtaan, jotka olivat ilmestyneet pilaamaan tarkasti suunnitellun operaation. Mutta samalla hän huomasi tuntevansa jollain oudolla tavalla suorastaan kateutta isää ja poikaa kohtaan. He olivat yhdessä. Siinä oli isä, joka todella välitti pojastaan.

Totta kai hänkin välitti Vidarista, mutta oliko hänelle koskaan tarjoutunut tilaisuutta olla kunnolla, ajan kanssa, poikansa seurassa?

Hänen mieleensä tuli hänen oma isänsä, sosiaalidemokraatti-
sen puolueen kansanedustaja, joka oli rakentanut uutta yhteis-
kuntaa niin innokkaasti, ettei häntä ollut juuri kotona näkynyt.
Kaiken lisäksi isä oli täysin omaksunut sosiaalidemokraattiset
ihanteet, joiden mukaan yhteiskunta huolehti lasten kasvatuk-
sesta – lapset erotettiin vanhemmistaan mahdollisimman aikai-
sin päiväkoteihin ja esikouluihin oppimaan yhteistyötä ja ryh-
mässä toimimista. Samoin koulutuspolitiikan tavoitteena oli
luoda sopivia ihmisiä sosiaalidemokraattista ihanneyhteiskun-
taa varten. Niin isä oli sanonut. Ja siihen Hellevig oli uskonut.
Koko aikuisikänsä hän oli toiminut ihanteensa puolesta, mutta
häntä oli vaivannut omituinen tyhjyyden tunne. Vasta myöhem-
min hän oli ymmärtänyt kuinka paljon hän olikaan kaivannut
isäänsä, joka oli ollut liian kiireinen kansankotia rakentaes-
saan. Kuitenkin hän itse oli lopulta toistanut samat virheet Vi-
darin ja Emilian kohdalla kansankotia suojellessaan.

Mutta nyt kaikki muuttuisi. Aikaa järjestyisi.

Viileä tuuli painoi ulkokannella rajusti Hellevigiä hänen kä-
vellessään pimeään paikkaan kaiteen viereen. Hetkeäkään epä-
röimättä hän kaivoi Airaksen puhelimen taskustaan ja heitti sen
laajassa kaaressa alhaalla vyöryviin aaltoihin.

Hän jäi hetkeksi tuijottamaan vesimassoja, jotka muuttuivat
aluksen kylkeä vasten iskeytyessään valkoiseksi kuohaksi.

Meri sai jälleen yhden salaisuuden suojeltavakseen.

Tero istui ikkunattoman putkahytin vuoteen reunalla ja katsoi
Ronia, joka kyhjötti lattialla seinää vasten nojaten. He olivat
puineet alkumatkasta tullutta Toomaksen puhelua, jossa tämä
oli kertonut Terolle oivalluksestaan – siitä, että kaiken täytyikin
liittyä Gripenin lahjuksiin.

»Pankin kuitti, Zentech AB», Tero sanoi. »Sama entinen
MUSTin sisäpiiri, joka hoiti salakuljetuksia Venäjältä, hoitaa

nyt lahjuksia. Kovilla panoksilla. Kovimmilla mahdollisilla.»

»Näköjään.»

Putkaan laskeutui hiljaisuus, jonka Ronin käheä ja alakuloinen ääni katkaisi. »En koskaan olisi uskonut, miten vähän McLarenin pyyntö tulla juttelemaan voisi minua kiinnostaa.»

»Tämä kaikki selviää sitä ennen. Me menemme torstaina Callaghanin juttusille. Piste.»

Roni naurahti koleasti. »Älä viitsi. Ei huiputeta itseämme.»

Teroa ärsytti äkkiä suunnattomasti Ronin alistunut asenne, vaikka hän tunsi itse samoin.

»Meillä on tunnustus, joka todistaa sinun syyttömyytesi.»

»Tiedät itse, ettei pakottamalla saadulla tunnustuksella taida olla mitään virkaa oikeudessa.»

»Se olisi ainakin pannut poliisin kaivelemaan asioita vähän pintaa syvemmältä. Ja meille se antaa voimia jatkaa.»

Putkaan laskeutui hiljaisuus, jonka rikkoivat vain vaimeana oven takaa kuuluva vartijoiden keskustelu ja moottoreiden jyminä. Tero aavisti, että Roni olisi halunnut puhua vesikidutuksesta, mutta ei pystynyt kysymään siitä.

»Roni... On eräs asia, josta emme ole koskaan jutelleet.»

Tero tapaili rauhallisesti sanoja. »Tiedät mitä isoisällesi tapahtui. Tiedät, että olin lujilla pahasti alkoholisoituvan miehen kanssa. Liian lujilla, mutta en käsittänyt sitä silloin. Et voi kuvitella sitä vihaa mikä minussa kasvoi isää ja hänen ryyppykavereitaan kohtaan... Syytin itseäni, kun en saanut häntä lopettamaan juomista. Kerran abivuonna tulin koulusta ja kuulin porraskäytävään saakka miehen huutoa. Möykkä tuli meiltä, tietenkin. Avasin oven... Isä seisoi keittiöveitsi kädessään miesjoukon keskellä ja uhkasi tappaa viimeisen ryypyn kossupullosta ottaneen miehen. Syöksyin väliin ja sain viime hetkellä estettyä veriteon. Veitsi putosi isän kädestä, mutta löin häntä vielä uudelleen kasvoihin. Ja vielä uudelleen... En pystynyt hillitsemään itseäni.

Kaikki se vuosien patoutunut katkeruus purkautui. Isän pää kolahti lattiaan, mutta ei hänelle ihme kyllä käynyt sen kummemmin. Mutta minulle kävi... Tajusin sillä hetkellä, etten pystynyt enää hillitsemään itseäni. Se oli kamala havainto. Pari äijää alkoi uhitella minulle. Heitin aika kovakouraisesti ulos koko porukan. Muutin seuraavana päivänä enoni luokse. Tiesin, että isän juominen veisi tuhoon meidät molemmat. Tavalla tai toisella. Näin isää sen jälkeen enää muutaman kerran... Seuraavana talvena hän sammui hankeen ja paleltui kuoliaaksi.»

Putkaan laskeutui hiljaisuus. Roni ei näyttänyt tietävän mitä sanoa.

»Ja kuten tiedät, toimin aikoinaan poliisina muutaman vuoden. Ja opiskelin työn ohessa oikeustieteellisessä. Se on totta.» Tero vaihtoi levottomasti asentoaan. »Sitten innostuin bisneksestä ja perustin vartiointiliikkeen. Se on virallinen selitys. Ja se on vale.»

Roni katsoi häntä totisena, entistä valppaampana.

»Olin kova jätkä poliisina. Minut valittiin Atari-ryhmään, koska olin riittävän uskottava peitetoimintaan. Ja tuore kasvo, kokeneemmilla oli naama palanut moneen kertaan. Tiedätkö Atarin?»

»Onko se joku ammattirikollisiin erikoistunut porukka?»

»Vakavimpaan ammatti- ja taparikollisuuteen keskittyvä ryhmä. Se iski huumekauppaan ja järjestäytyneeseen rikollisuuteen kovin keinoin. Valeostoilla ja peitetoiminnalla ja sen sellaisella. Poliisilaki muuttui muutama vuosi sitten niin, että tuollainen toiminta on sallittua ja säänneltyä. Mutta minun aikanani se oli harmaata vyöhykettä.»

Tero huomasi äänensä madaltuvan, mutta puhuminen oli ylättävän helppoa. Paljon helpompaa kuin hän oli uskonut.

»Soluttauduin moottoripyöräjengiin, jonka sisällä toimiva ryhmä toi heroiinia Hollannista. Vetäjinä oli kivikovia tyyppejä, suorittavassa portaassa hännystelijöitä ja ressukoita. Pari vinkkimiestä löytyi, mutta sisäpiiriin oli vaikea saada kontakteja. Viritimme tutkinnanjohtajan määräyksestä valeoston. Se oli kiellettyä, poliisi ei saanut syyllistyä rikokseen vaikka olikin selvittämässä vakavaa rikosta. Saimme langan päästä kiinni ja vyyhti alkoi purkautua. Aloin päästä hajulle pomoportaasta, jolle yhtenä syysiltana tuli iso lasti Saksan-laivalla. Valmistauduimme kiinniottoon, isoon operaatioon. Heillä oli kokoontumistilat Keravalla vanhan maalitehtaan varastossa.»

Tero rykäisi käheästi ja jatkoi hiljaa:»Kaikki meni päin helvettiä. Olin paljastumassa juuri ennen iskua. Yhden jengiläisen kaveri tunnisti minut. Olin sakottanut tyyppiä puolta vuotta aikaisemmin ja se piru muisti... Minulla ei ollut kuin huonoja ja vielä huonompia vaihtoehtoja. Hermostuin ja yritin liikaa. Kyse oli minuuteista. Yritin pitää molemmat miehet aisoissa, etten tyrisi iskua. He yrittivät kimppuuni, tilanne meni pahaksi. Aioin pelotella heitä aseen kanssa, mutta se laukesi vahingossa. Jengiläiseen osui. Hän joutui sairaalaan, vaikeaan leikkaukseen... Tilanne oli toivoton, hän vajosi koomaan. Kävin katsomassa häntä, rukoilin että hän selviäisi... Hänen nimensä oli Kimmo Leivo.»

Ronin silmät laajenivat.»*Kimmo?*»

»Minut olisi pitänyt panna syytteeseen. Mutta samalla tutkinnanjohtaja ja koko ryhmä ja laittomat menetelmät olisivat paljastuneet. Uhri toipui vähitellen, hänkään ei halunnut oikeudenkäyntiä, jossa olisi paljastunut kaikenlaista. Erosin poliisista, opinnot jäivät. Jatkoin yhteyden pitämistä Kimmoon.»

Tero huokaisi syvään, puhumisesta helpottuneena.»Perustin vartiointiliikkeen. Kimmo tutustui virolaiseen Sirjeen ja halusi vakiintua. Mutta ei Kimmon taustalla niin vain saatu töitä, takana oli lyhyt linnareissukin. Vain minä uskoin häneen.»

»Tuo valaisee monta juttua, joita olen mielessäni ihmetellyt»,

Roni sanoi. »Mutta nyt meidän on keskityttävä tähän hetkeen. Meidän on pakko päästä täältä pois, tavalla tai toisella.»

»Ei riitä, että me pakenemme vain täältä. Saamme paeta lopun ikäämme, maailman ääriin. On saatava todiste syyttömyydestäsi.»

Samassa Tero hätkähti omaa ajatustaan. »Hellevig tietää meidän olevan putkassa... Ja hän tietää, että meiltä on otettu tavarat pois...»

Roni ponnahti seisomaan. »Voi helvetti. Meidän olisi pitänyt tajuta tämä aikaisemmin.»

»Pannaan toimeksi. Meillä ei edelleenkään ole mitään menetettävää.»

Vartija Mattson siemaisi tölkistä colan rippeet ja toivoi, että loppuyö sujuisi rauhallisesti. Hän mietti erikoista nujakkaa yökerhossa. Putkaan passitettu parivaljakko ei ollut humalassa – isä ja poika eivät soperrelleet eivätkä sammaltaneet, kuten heidän putka-asiakkaansa yleensä. Ja silti heidän riehumisensa oli ollut tyypillistä humalaisten häiriökäyttäytymistä. Kaikki todistajalausunnot olivat heitä vastaan. Ja puolsivat sitä väliin yrittänyttä nuorukaista, joka selvisi naisten lausuntojen ansiosta ilman putkareissua.

Mattson heitti tölkin roskakoriin. Varsinkaan vanhempi Airas ei näyttänyt siltä, että käyttäisi huumeita. Samassa hän huomasi punaisen valon syttyvän oven yläpuolelle. Putkassa painettiin »kutsu»-nappia.

Mitä ne nyt halusivat?

Mattson käveli ovelle ja kurkisti ovisilmästä. Hän näki vanhemman miehen istumassa sängyn laidalla. Nuorempi seisoi keskilattialla. Mattson avasi oven rakoselleen.

»Mikä hätänä?»

»Haluaisimme vähän puhua», vanhempi mies sanoi säyseästi.

»Siitä vaan.»

»Haluaisin kertoa mistä tässä oikein on kyse.»

»Pelkkänä korvana», Mattson sanoi. Hänen uteliaisuutensa oli herännyt.

»Haluaisimme puhua purserin kanssa.»

»Pyyntö evätty», Mattson sanoi ja oli sulkemaisillaan oven.

»Meidän on pakko saada tavaramme turvaan.»

»Säännöt ovat sääntöjä. Tavarat pysyvät meillä...»

Samassa Mattson ehti nähdä, kuinka nuoremman miehen jalka heilahti nopeasti kohti hänen haaroväliään. Hän tunsi lamaannuttavan kivun räjähtävän ja pudottavan hänet polvilleen. Samassa vanhempi mies liikahti yllättävän ketterästi. Hän ehti nähdä miehen polven ennen kuin hänen kasvoilleen jysähti isku, jota seurasi pimeys.

49.

»Kokeillaan seuraavaa», Tero sanoi hiljaa ja yritti pitää äänensä rauhallisena. Joku saattoi tulla vartijoiden toimistoon minä hetkenä tahansa. Seinäkello näytti 03.22. Vartijan käsittely oli ollut turhan kovaotteista, mutta enää ei ollut varaa hempeillä.

Hän seisoi toimistohytin harmaan metallikaapin edessä avainnippu kädessään. Ensimmäinen avain ei sopinut, ei toinenkaan. Roni aukoi sillä välin lukitsemattomia lokeroita.

Neljäs avain sopi kaapin lukkoon. Tero veti helpottuneena esiin muovipussin, jossa heidän tavaransa olivat. Mutta saman tien hän huomasi, että jotain puuttui – kasettikuori sekä puhelin, jolla oli Hellevigin tallenne.

»Saatana», Roni kuiskasi. »Olemme myöhässä...»

Samassa hytin lukko rapsahti ja toinen vartija astui sisään.

Tietokoneen näyttöruutu hohti sinertävää valoaan aamuyön hämärässä. Tuuli oli tyyntynyt ulkona, huoneistossa oli täysin hiljaista. Kimmo tutki Eteläsataman karttaa tietokoneen ruudulta. Silja Symphony lipuisi satamaan kymmeneltä.

Olisi pitänyt nukkua, mutta se oli vaikeaa. Mahdotonta. Hänen päässään sinkoili liikaa ajatuksia, joiden kurissa pitäminen vei hänen kaiken energiansa.

Kuului kolahdus. Joko lehti putosi eteisen lattialle?

Ei. Sirje tuli makuuhuoneesta. Kimmo napsautti hiirellä nopeasti edelliselle sivulle vievää nuolta. Siellä oli Tallinkin esittelysivu, ja hän klikkasi vielä taaksepäin. Sirje pysähtyi aamutakissaan hänen taakseen.

Ruudulle jäi hänen aiemmin avaamansa uutinen Helsingin Sanomien arkistosta:

HS – Talous – 23.11.2007

Saabin johtajat uuteen kuulusteluun lahjusjutussa

Tukholma. Monta johtajaa lentokonevalmistaja Saabista kutsutaan uusiin kuulusteluihin lahjustutkimuksessa, joka koskee Jas Gripen -hävittäjäsopimuksia Unkarin ja Tšekin kanssa, kertoi Dagens Nyheter -lehti torstaina...

»Vieläkö sinä pengot näitä?» Sirje kysyi. »Mikä se puhelu oli? Kuka soitti keskellä yötä?»

»Väärä numero. Joku humalainen.»

»En ymmärrä, miksi pidät puhelinta päällä öisin. Tule jo nukkumaan.»

Sirje kääntyi pois.

Kimmo ravisteli kiukkuisena tulostinta saadakseen musteen riittämään. Väsymys vaikutti hänen motoriikkaansa ja laite oli lipsahtaa hänen otteestaan. Pöydällä oli jo nippu kopioita, jotka hän oli Toomaksen pyynnöstä tulostanut.

Kimmo painoi tulostuksen käyntiin ja lysähti sohvalle lukemaan jo printtaamiaan papereita. Päällimmäisenä oli Talouselämä-lehden artikkeli:

317

Gripenin lahjustutkinta laajenee

*Tshekkiläisen asekauppiaan epäillään toimineen lahjusvyyhdissä väli-
kätenä, kun brittiläisen BAE Systemsin ja ruotsalaisen Saabin nykyisin
yhdessä omistama Gripen International myi Tshekin tasavaltaan hävit-
täjälentokoneita.*

*Britannian petosvirasto epäilee BAE:n, Euroopan suurimman ase-
kauppiaan, käyttäneen Brittiläisille Neitsytsaarille rekisteröityä tytär-
yhtiötä kanavoidakseen lähes miljardi puntaa lahjuksia useisiin maihin,
muun muassa Tshekin tasavaltaan.*

*Petosvirasto tutkii vastaavia epäselvyyksiä Romanian, Etelä-Afrikan,
Tansanian, Quatarin ja Chilen kanssa tehtyjen asekauppojen osalta. Sen
sijaan virasto lopetti tutkimukset, jotka koskivat väitteitä joiden mukaan
BAE käytti salaista lahjusrahastoa maksaakseen Saudi-viranomaisille
tarjottuja prostituutiopalveluja. Pääministeri Tony Blair sai vahvaa kri-
tiikkiä tutkimusten lopettamisesta kansallisiin ja kansainväliisiin turval-
lisuussyihin vedoten.*

Kansallisiin ja kansainvälisiin turvallisuussyihin... Kimmo laski
tulosteen kädestään. Saattoiko Toomas olla oikeassa? Niinkö
suurista asioista olikin kyse? Niidenkö takia heidän Juliansa oli
kuollut?

Kimmo jäi istumaan ja odottamaan, että Sirje nukahtaisi.
Vasta sitten hän lähtisi tekemään valmisteluja aamua varten.

Toomas makasi vuoteessaan levottomana ja vilkaisi kelloaan.
10.13.

Laiva oli jo satamassa, mutta Tero ei vastannut puhelimeensa
sen enempää kuin Ronikaan.

Oliko jokin mennyt pieleen?

Toomas oli varma, että kyse oli JAS Gripenistä. Hän toivoi,

että hävittäjä-vyyhdin selvittämisellä valottuisivat myös Estonian tapahtumat ja isän kohtalo, vaikka se olikin epätodennäköistä... Mutta Toomas tiesi yrittäneensä kaikkensa, vaikka lopullinen tieto isän kohtalosta jäisikin saamatta. Ei ollut enempää, ei mitään, mitä hän enää olisi voinut tehdä.

Hän huokaisi kärsimättömästi ja katsoi ikkunaa, jonka takana päivä oli valjennut sumuisena. Hän olisi antanut mitä tahansa, jos olisi voinut kävellä ulos ja mennä itse satamaan.

»...Hakamäentien risteyksessä onnettomuuden takia. Vain yksi kaista vetää toistaiseksi. Ja nyt vuorossa on James Blunt, kappaleella Same Mistake...»

Radion vaimea ääni sekoittui ulkoa kantautuvaan liikenteen meteliin. Kimmo istui Ehrenströmintielle kallion juurelle pysäköimänsä Fordin ratissa ja seurasi herpaantumattoman tarkasti jokaista Olympiaterminaalin alta tunnelista tulevaa autoa. Univaje sai hänen päänsä särkemään. Hän tarkisti kiikarillaan kaikkien ajoneuvojen rekisterinumeron, vaikka odottikin valkoista Mercedes Vitoa. Rannassa leijui sankka sumu, joka vaikeutti näkemistä.

Kimmo avasi hiukan sivuikkunaa saadakseen happea, hänen oli vaikea hengittää jännitykseltään. Hänen kätensä hakeutui istuimen alla olevalle käsiaseelle, jonka kylmästä ja metallisesta pinnasta oli tullut Kimmolle talismaani: se edusti turvaa, onnistumista – ja kostoa.

Kimmoa vaivasi se, ettei Tero vastannut laivalta hänen puheluihinsa. Hän olisi halunnut vielä kerran muistuttaa Teroa siitä, ettei poliisia kannattanut sotkea asiaan. Varmuus Julian tappajan henkilöllisyydestä riitti hänelle.

Vai saattoiko hän ylipäätään luottaa Teroon? Jos puhe ruotsalaisesta surmaajasta olikin harhautusta, Ronin suojelemista? Ei sentään. Toomakseen hän luotti, tässä asiassa. Toomas yrittäisi aivan yhtä kovasti saada Julian surmaajan kiinni kuin hänkin.

Kimmo tarkensi katsettaan. Kauempana jonossa, harsomaisen usvan takana, oli muita suurempi valkoinen auto. Se oli Vito. Jono mateli ja auto tuli lähemmäksi, kunnes Kimmo lopulta erotti kiikarin optiikassa rekisterinumeron. Se ei ollut hänen etsimänsä.

Kimmon jännitys hellitti hieman. Samassa hän vilkaisi oikealle ja näki kuinka poliisin mustamaija ajoi hitaasti kohti. Hän laski kiikarin reisiensä väliin ja painautui istuimellaan alemmaksi.

50.

Tero kuuli, kuinka avainta sovitettiin putkahytin lukkoon. Hän nousi seisomaan, samoin Roni. Laivan liikkeet olivat ajat sitten pysähtyneet, eikä Tero voinut muuta kuin luottaa siihen, että Kimmo tekisi kuten oli sovittu.

Ovi avautui ja heidän eteensä astui sama vartija, jolta he olivat aiemmin riistäneet avaimet. Miehen silmä oli entistä turvonneempi ja mustelma tummempi.

»No niin, ulos», vartija komensi tyly ilme kasvoillaan.

»Olen pahoillani tuosta», Tero sanoi miehelle vilpittömästi.

Vartija pysyi vaiti. Astuttuaan putkasta toimistoon Tero näki käytävän ovella kaksi poliisia. Samalla hän huomasi toimistossa olevan toisen vartijan, nuoren ja lihaksikkaan, jonka kädessä oli valkoinen muovipussi. Tero tunnisti sen samaksi, johon heidän tavaransa oli laitettu kiinnioton yhteydessä.

Vartija työnsi kätensä pussiin ja veti esiin lompakon. Hän vilkaisi ajokorttia ja ojensi sen Terolle. Toisen lompakon hän ojensi Ronille. Sitten hän työnsi kätensä uudelleen pussiin ja otti esiin matkapuhelimen.

»Kumman tämä on?» vartija kysyi.

Tero otti puhelimensa. Vartija taittoi pussin kasaan ja laski sen pöydälle.

»Kysyn vielä näiden konstaapeleiden todistaessa: missä loput

tavaramme ovat?» Tero sanoi raivon ja hätäännyksen käheyt-
tämällä äänellä.

»Kerroin jo, että asiaa selvitetään.» Vanhempi vartija vältteli
kiusaantuneena Teron katsetta.

»Asialla on kiire!» Tero kääntyi konstaapeleiden suuntaan.
»He kadottivat meille kuuluvia korvaamattoman arvokkaita esi-
neitä –»

»Pasilassa sitten palataan tavaroihinne.»

»Olen itse ollut turva-alalla. Kuinka voitte kadottaa putkaan
laitetun henkilön tavaroita?» Tero kysyi yhdeltä vartijoista eikä
kyennyt estämään äänensä kohoamista. Hän oli katkeamispis-
teessä.

»Isä, otetaan rauhallisesti», Roni sanoi ja ohjasi häntä käytä-
välle miesten mukana.

»Poika puhuu asiaa», toinen keski-ikäisistä poliiseista sanoi
ja tarttui Teroa käsivarresta.

»Olen selvin päin», Tero sanoi riuhtaisten käsivartensa irti
konstaapelin otteesta.

»Tuossa on raportti», vanhempi vartija sanoi ojentaen pa-
perin toiselle konstaapelille. »Riehuivat yökerhossa, kaatoi-
vat pöytiä, pahoinpitelivät ainakin yhden asiakkaan. Ja sitten
tämä», vartija osoitti poskeaan. »Pakenivat putkasta. Taju meni.
Teen heistä rikosilmoituksen.»

»Ja minä teen rikosilmoituksen teistä», Tero sanoi. »Tavaroi-
den hukkaaminen on –»

»Suuta pienemmälle», toinen poliisimies kivahti.

Konstaapelit lähtivät kävelemään käytävää pitkin Tero ja
Roni välissään. Vartijat seurasivat muutaman metrin heidän pe-
rässään.

Suurin osa matkustajista oli jo poistunut laivasta, mutta heitä
riitti edelleen matkustajasillalla vilkuilemassa uteliaina poliisien
saattamaa parivaljakkoa. Tero katsoi kuinka laivassa olleet au-

tot ajoivat alhaalla hitaassa jonossa ulos terminaalin tunnelista. Harmaa meri liukeni sumuseinämäksi. Vitoa ei näkynyt, mutta sieltä sekin tulisi. Hän oli äärettömän katkera ja pettynyt – hän oli tehnyt kaikkensa, enemmänkin. Hän ei yksinkertaisesti jaksanut enää muuta kuin siirtää turtana jalkojaan askel kerrallaan. Rikosilmoituksen tekeminen olisi tietenkin turhaa, tavarat olivat jo Hellevigillä. Ja pian poliisille selväisi ketkä he olivatkaan putkasta noutaneet...

Laskusillan lopussa, terminaalin lähestyessä, hän huomasi Ronin valppaan ilmeen. Poika yritti viestiä hänelle jotain, mutta Tero ei jaksanut ymmärtää mitä. Roni vilkaisi häntä uudelleen, entistä vaativamman näköisenä. Tero näki edessään valtavan ihmisruuhkan. Puheensorina tulvi hänen korviinsa, avara terminaali oli täynnä laivasta purkautuneita matkustajia.

Roni oli oikeassa. Nyt oli heidän viimeinen tilaisuutensa.

Samassa Roni syöksähti eteenpäin kohti porttia, jonka takana tungos alkoi. Tero ryntäsi hänen peräänsä ennen kuin poliisit ehtivät toipua yllätyksestä. He säntäsivät turisti-infon ohi ja syöksyivät sumeilematta väkijoukon sekaan.

»Hei, ottakaa ne kiinni», poliisi huusi heidän takaansa. Tero tunsi kuinka joku tarrautui hänen takkiinsa. Hän vilkaisi taakseen ja näki yhden portilla olleen henkilökuntaan kuuluvan miehen. Tero riuhtaisi lujaa ja miehen ote kirposi. Hän raivasi itsensä hämmentyneiden ihmisten ohi ja näki vilahduksen Ronista, joka juoksi hänen edellään. Tero oli törmätä Sightseeing-kojun edessä jonottaviin ihmisiin, jotka samalla tukkivat oikeanpuoleiset ulko-ovet. Vasemmalla roteva T-paitainen matkustaja oli kuullut poliisin huudot ja käännähti kädet levällään Ronin eteen. Roni väisti ja jatkoi Robert's Coffeen pöytiä väistellen kohti rakennuksen päätyä, jossa näkyi vihreitä markiiseja. Tero pysyi hädin tuskin hänen perässään.

* * *

Kimmo ei irrottanut hetkeksikään katsettaan laivasta ulos ajavista autoista. Paikalle saapunut poliisin mustamaija oli ajanut hänen ohitseen ja pysähtynyt terminaalin eteen.

Kimmo hätkähti puhelimen soidessa. Sirje oli yrittänyt soittaa hänelle aiemmin, mutta hän ei ollut vastannut – monestakaan syystä. Mutta nyt näyttöruudulla luki TOOMAS.

»Oletko satamassa?» Toomas kysyi.

»Totta helvetissä olen.»

»Ovatko autot jo alkaneet purkautua?»

»Ovat. Mitä asiaa sinulla on? Yritän keskittyä siihen mitä sovimme.»

»Oletko kuullut mitään Terosta ja Ronista?»

»En. Eivät vastaa.»

»Selvä. Halusin vain varmistaa.»

Juuri kun Kimmo katkaisi puhelun, auton takaovi kiskaistiin auki. Hän käännähti katsomaan ja näki Ronin syöksyvän takapenkille.

»Käynnistä moottori!»

Samassa oikea etuovi kiskaistiin auki ja Kimmon hämmästykseksi Tero istuutui hänen viereensä.

»Aja», Tero sanoi hengästyneenä. »Siirrytään kauemmas. Jonnekin mistä kuitenkin nähdään laivasta tulevat autot.»

»Mitä ihmettä te –»

»*Aja.*»

Kimmo palautti hätäisesti katseensa autojonoon. »En aja mihinkään ennen kuin –»

»Kaasua, perkele», Roni karjaisi takapenkiltä. »Poliisit ovat perässämme.»

»Helvetti teidän kanssanne», Kimmo väänsi avainta virtalukossa. »Tarkkailkaa autoja!»

»Voit olla varma, että tarkkailemme», Tero sanoi tuskastuneesti. »Kunhan vain ajat kauemmas.»

Kimmo vilkaisi vielä autojonoa ja lähti ajamaan.

»Pysähdy juuri ennen mutkaa, siitä näkee vielä hyvin», Roni sanoi.

Kimmo pysähtyi puiden alle parkkeerattujen autojen eteen ja jätti moottorin tyhjäkäynnille. »Mitä on tapahtunut?»

»Eikö Toomas kertonut? Tiedämme mitä murhailtana tapahtui ja kuka on Julian tappaja», Tero sanoi heidän kaikkien tuijottaessa autojonoa. »Meillä oli ruotsalaisen miehen tunnustus taltioituna puhelimeen.»

»Oli?»

»He saivat sen haltuunsa, selitän myöhemmin. Julia surmattiin, koska hän oli tietämättään saanut selville jotain Gripenin massiivisista lahjuksista.»

»Ja Ronillako ei ole mitään tekemistä asian kanssa?»

»Ei ole.»

Kimmo katsoi takapenkille. »Et siis ollut metsäpolulla Julian kanssa?»

»Ei, Roni ei ollut siellä», Tero sanoi.

»Antaa Ronin itsensä –»

»Siinä se on», Roni sanoi kiihtyneesti. »Tuolla vihreän farmarin perässä. Valkoinen Mercedes Vito.»

KOLMAS OSA

51.

Hellevig puristi ohjauspyörää ja katsoi vihreäpukuisia rajavartiolaitoksen virkailijoita, jotka tarkkailivat laivasta poistuvaa autojonoa. Liikkuminen oli matelua ja pysähtelyä. Mutta heillä oli aikaa ehtiä Lappeenrantaan itärajan pintaan.

Lattialla Nykvistin jalkatilassa oli viattoman näköinen laivan tax free -muovikassi, jossa oli vhs-kasetti ja kirjekuori.

Hellevigin puhelin soi. Hän vilkaisi näyttöruutua.

»Poikani», hän sanoi Nykvistille ja Makarinille, ja vastasi.

»Terve Vidar.»

»Missä sinä olet?»

»Työmatkalla Kööpenhaminassa. Miten menee?»

»Voitaisiinko mennä yhdessä katsomaan uudelleen sitä pyörää? Milloin tulet takaisin?»

»Melko pian. Totta kai mennään katsomaan. Missä Emilia on?»

»Lotan luona.»

»Entä äiti?»

»Makaa sohvalla.»

»No, helvetti vieköön, käske hänen nousta jo», Hellevig kivahti ja vilkaisi muita miehiä autossa, mutta nämä istuivat kuin eivät olisi kuunnelleet.

»Vidar, joudun nyt lopettamaan. Mutta tulen pian takaisin, jutellaan sitten lisää. Ajan kanssa.»

»Joo joo.»

»Älä nyt. Tällä kertaa tarkoitan sitä todella.»

Puhelu katkesi. Hellevig laski laitteen korvaltaan ja huokaisi. »Nykyajan nuoret. Luuri korvaan.»

Hän vilkaisi taustapeilistä Makarinia, joka seurasi näennäisen rennossa asennossa tuulilasin takana avautuvaa näkymää.

»Miksi annat lapsesi käyttäytyä tuolla tavalla?» Makarin sanoi kääntämättä katsettaan.

Hellevig hymähti ärtyneesti. »Teillä Venäjällä on varmaan vielä kuri ja järjestys voimissaan.»

»On sekin parempi.»

Skoda jatkoi pysähtymättä matkaansa heidän edellään. Hellevig lisäsi hiukan nopeutta ja kiinnitti katseensa keskenään puhuviin tullimiehiin. Muutamaa metriä ennen virkailijoiden ohittamista toinen heistä kääntyi katsomaan Hellevigiä, kohotti kätensä ja viittasi heitä jatkamaan eteenpäin. Hellevig lisäsi edelleen kaasua, mutta joutui saman tien jarruttamaan nähdessään väylän reunassa haalariasuisen poliisimiehen joka antoi pysähtymismerkin.

»Mitä helvettiä», Hellevig murahti hampaidensa välistä, mutta ei näyttänyt konstaapelille hermostumistaan vaan pysäytti kuuliaisesti auton ja laski sivuikkunan alas.

»Puhallustesti», konstaapeli sanoi ja nosti kädessään olevan mittarin pillin Hellevigiä kohti. Hän toimi ohjeiden mukaan ja konstaapeli katsoi lukemaa ja toivotti hyvää matkaa.

Hellevig kiitti ja painoi kaasua. Kaikki kolme istuivat hiljaa heidän edetessään tunneliin terminaalin alle ja poistuessaan sieltä väljässä jonossa. He kääntyivät ulos satama-alueelta oikealle kohti keskustaa. Terminaalin parkkipaikan kohdalla Hellevig kytki vilkun ja pysähtyi. Steglitz käveli nahkapusakassaan ja farkuissaan heidän luokseen, laukku olallaan, iPodin kuulokkeet korvillaan.

»Kaikki okei?» Steglitz kysyi autoon noustessaan.

»Kaikki kunnossa», Hellevig vastasi, vilkaisi taustapeiliin ja liittyi keskustaa kohti valuvan liikenteen virtaan.

Nykvist ojensi Steglitzille muovikassin, jonka sisällön tämä tutki huolella.

»Hienoa. Entä Airakset?»

»Poliisin huostassa. Poikaa epäillään taposta, ilman todisteita heidän puheitaan ei usko kukaan.»

Steglitz vaikeni hetkeksi.

Hellevig laskeutui Etelärantaan ja mietti jättäisikö Steglitz asian tähän.

»He saivat sinut hyttiinsä», Steglitz sanoi ja veti vaaleita hiuksiaan taaksepäin naismaisella liikkeellä. »Olit kuulemma sidottuna ja läpimärkänä kun –»

»Kyllä. He yrittivät pelotella minut puhumaan. Täydellisiä amatöörejä.»

Steglitz hymähti. »Mutta heitä ei pidä aliarvioida. Amatööreillä on joskus taipumusta onnenkantamoisiin... Vai mitä sanot, Jonas? En ymmärrä miten he ylipäätään saivat sinut hyttiin. Sinunhan tässä pitäisi olla ammattilainen.»

Tero painautui vaistomaisesti hiukan alaspäin istuimellaan vaikka tiesi, ettei häntä voitu nähdä kauempana edellä ajavasta Vitosta. Hänen sydämensä hakkasi villinä. Hän ja Roni olivat tunnistaneet nahkatakkisen miehen, joka oli noussut Hellevigin Vitoon. Sama mies oli hyökännyt heidän kimppuunsa Meilahdessa.

Claus Steglitz, Hellevig oli sanonut.

Kimmo ajoi jonossa, heidän ja Viton välissä oli viisi autoa. Tero mietti kannattaisiko Kimmolle kertoa, että autoon noussut mies oli Julian tappaja. Pystyisikö tämä säilyttämään malttinsa? Toisaalta osoittamalla oikean surmaajan hän saisi Kimmon epäilykset lopullisesti irti Ronista.

Valot vaihtuivat punaisiksi Kauppatorin kulmassa, Vito ehti viimeisenä läpi.

»Voi helvetin helvetti», Teron huulilta kirposi.

Kimmo jarrutti jonon mukana.

»Koukkaa ohi ja mene perässä», Roni huusi takaa.

»Anna mennä», Tero jatkoi malttinsa menettäen. »Yksi Vitossa istuvista miehistä tappoi Julian... Paina kaasua!»

Kimmo vilkaisi Teroa ja heräsi toimimaan. Hän koukkasi vasenta kaistaa edellään seisovien autojen ohi, palasi valojen kohdalla omalle kaistalleen ja ylitti kylmästi risteyksen päin punaisia.

»Kuka heistä?» Kimmo kysyi kasvot punoittaen. He saavuttivat edellä ajavaa jonoa, jonka pää oli kaarteen takana. »Minkä näköinen?»

»Et sinä sillä tiedolla nyt mitään tee. Keskity ajamiseen. Jos et saa pysyttyä heidän kannoillaan, et saa häntä ikinä kiinni.»

»He ovat ammattimiehiä», Roni huomautti takapenkiltä. Viton perä näkyi jo. »Hidasta! He huomaavat muuten, että heitä seurataan. Elleivät ole jo huomanneet.»

Kimmo tunki itsensä väkisin hitaammalle kaistalle Katajanokan risteyksen jälkeen. Takana tulevan pakettiauton kuljettaja soitti kiukkuisesti äänitorvea.

»Ei tästä tule mitään», Tero hermoili. »Joko he huomaavat meidät tai me kadotamme heidät.»

Nuorempi konstaapeli Teuvo Säävälä istui poliisiautossa radiopuhelin toisessa ja Silja Symphonyn vartijoiden raportti toisessa kädessään. Vanhempi konstaapeli Turunen istui hänen vieressään tuohtuneen näköisenä.

»Sanoitko Tero ja Roni Airas?» radiopuhelimesta kuului.

Turunen luki nimet vielä kerran vartijoiden raportista.

»Ja he pääsivät karkaamaan teiltä satama-alueelle?»

»No hemmetti, ne vaikuttivat aivan rauhallisilta ja asiallisilta. Kunnes yhtäkkiä ottivat jalat alleen ja katosivat tungokseen. Mistä tässä oikein on kysymys?»

»Roni Airas on etsintäkuulutettu Julia Leivon surmasta epäiltynä.»

Turunen kirosi itsekseen. »Miksi meille ei kerrottu?»

»Ei kukaan tiennyt siinä vaiheessa. Lähtekää etsimään heitä, lisää partioita on tulossa.»

Liikenne oli harventunut Itäväylällä. Sompasaaren värikkäät konttipinot hohtivat usvan läpi.

»He kääntyvät Kulosaareen», Tero sanoi huomatessaan Viton lipuvan oikealle rampin lähestyessä sillan jälkeen. Samalla hetkellä kuljettaja kytki suuntavilkun.

»Hyvin ennakoitu», Kimmo sanoi rauhallisesti.

Kimmon viileys huolestutti Teroa enemmän kuin raivoaminen. Tämä oli useaan otteeseen yrittänyt kysellä, kuka miehistä oli Julian surmaaja, mutta Tero oli kieltäytynyt sanomasta. Se selvästikin sai Kimmon epäilemään koko väitettä.

Kimmo jarrutti ennen Kulosaarentien päässä olevia hidastetöyssyjä. »Toomas selitti minulle Estonia-kuvioita. Mutta jos nuo ruotsalaiset ovat sotilastiedustelun virkailijoita, niin... En tiedä», Kimmo huokaisi tuskastuneesti. »Eivät ruotsalaiset tapa ihmisiä.»

»Sotilastiedustelu ja aseteollisuus tekevät yhteistyötä erinäisten hämärien tahojen kanssa. Miljoonia maksetaan sinne ja tänne, että saataisiin miljardien kauppoja. Ihmishenki on siinä pelissä halpa, oli valtio mikä tahansa.»

Tero katsoi puhuessaan Kimmon ilmettä, mutta se ei paljastanut mitään. Vito kääntyi kaukana heidän edellään Kulosaarentieltä ylämäkeen Ståhlbergintielle. Myös Kimmo kytki vilkun.

»Liian vähän liikennettä», Roni sanoi takaa. »He huomaavat meidät. Nyt mennään riskirajoilla. Jätä pidempi väli.»

Vito kääntyi ostoskeskuksen kohdalta ylös Kyösti Kallion tielle. Kimmo antoi etäisyyden kasvaa.

»Pysähtyvät», Tero sanoi äkkiä, kun Viton jarruvalot välähtivät mäen päällä. Ruotsalaiset kääntyivät vasemmalle, 1960-luvun kerrostalojen väliin jäävälle pienelle Tupavuoren aukiolle, jonne oli pysäköity autoja.

»Aja talon päädyn kohdalla pihaan», Roni sanoi nopeasti. »Näemme heidät sieltä.»

Kimmo pysäytti auton siten että he juuri ja juuri näkivät aukiolle pysähtyneen Viton. Lisäksi suuret koivut kätkivät heidät taakseen.

»He tapaavat jonkun», Tero sanoi hiljaa. »Joku odotti heitä Range Roverissa...»

»Se on Toomaksen pomon auto», Kimmo sanoi. »Anatoli Rybkin.»

»Soitan Toomakselle.» Tero lainasi Kimmon puhelinta. »Kysyn Anatolin numeron, se ei taatusti ole numerotiedustelussa. Meidän on saatava toinen auto. Kimmo, soita Harrille ja kysy onko firmasta tällä suunnalla liikkeellä ketään.»

Hellevig tarkkaili Anatolin ilmettä, kun venäläinen tutki Viton matkustamossa pankkitositetta ja kasettia.

»En pidä tästä lainkaan», Anatoli sanoi. »Pari suomalaista harrastelijaa oli pilata kaiken.»

»Heistä ei ole enää huolta», Hellevig vastasi mahdollisimman vakuuttavasti. »He ovat poliisin hallussa. Poika saa vankilatuomion taposta eikä isän puheita Estoniasta ja muusta usko kukaan ilman todisteita.»

»Olet ikuinen optimisti, Jonas. Totuus on, että muutama toimittaja Tukholmasta ja Lontoosta pyörii Gripenin, BAE:n ja Saabin kimpussa. He tarttuvat kaikkeen ja seuraavat sitkeästi johtolankojaan.»

Hellevig naurahti kireästi. »Ne suomalaistollotko ymmärtäisivät –»

»Heidät on syytä ottaa vakavasti.» Steglitzin sävy oli jäätävä. »Kaikki, jotka voivat uhata tätä operaatiota, on syytä ottaa vakavasti. Mutta nyt ei ole aikaa puhua paskaa tätä enempää. Mennään.»

Anatoli työnsi muovikassin salkkuunsa ja sanoi Makarinille, joka oli siirtynyt ratin taakse: »*Vsjo v porjadke, Sergei?*»

»*Davai, pošli.*»

Makarin peruutti ja kääntyi takaisin Kyösti Kallion tielle. Nuoli kojetaulun päällä olevassa navigaattorissa kääntyi. Määränpääksi oli merkitty Lappeenranta, jonne oli kahden ja puolen tunnin ajomatka.

52.

Teollisuusvartija Jani Larje istui Helsinki Securityn harmaa haalari yllään Itäväylän pientareelle Herttoniemen teollisuusalueelle pysäköidyn VW Golfin ratissa ja naputteli sormellaan ohjauspyörää musiikin tahdissa. Oikealla kohoavan aidan takana oli autoliikkeitä ja kaukana vasemmalla sumun seasta nousi voimalinjan pylväitä.

Kimmon puhelu oli yllättänyt hänet, mutta hän ei kehdannut kysellä enempää, Kimmolla oli raskaat ajat meneillään. Ja jos Airakset olivat Kimmon mukana, oli vielä vähemmän syytä epäröidä, vaikka pyyntö olikin omituinen. Jani luotti Ronin ajotaitoihin ja ihaili häntä, Roni ajaisi parin vuoden sisällä takuulla F1:ssä.

Parhaat päivänsä nähnyt Ford erkani liikenteen virrasta pientareelle ja Jani nousi ulos autostaan. Fordin takaovi avautui auton ollessa vielä liikkeessä ja Roni hyppäsi ulos.

»Hieno juttu, että ehdit tänne. Saanko avaimet?»

Jani ojensi hämmentyneenä avaimet ja vilkaisi saman tien matkaansa jatkavaa Fordia, jonka ratin takaa Kimmo nosti hänelle kättään.

»Missä Taser on?» Roni kysyi istuutuessaan ratin taakse.

»Hansikaslokerossa. En kyllä saisi antaa lamautinta –»

»Älä huolehdi, kaikki on kunnossa. Saitko Samin noutamaan sinut?»

»Hän on tulossa jo.»

Roni kiskaisi oven kiinni ja ampaisi liikkeelle varmoin ottein.

Vito alitti Itäväylän ylle kohoavan kauppakeskuksen ja hidasti vilkkaassa risteyksessä punaisiin liikennevaloihin. Makarin ajoi, Nykvist istui etumatkustajan paikalla, Hellevig Anatolin vieressä keskipenkkirivillä ja Steglitz taaimpana. Tunnelma oli vaisu ja jännittynyt. Hellevig ei ollut aikaisemmin työskennellyt Anatolin kanssa ja tuntemattomat yhteistyökumppanit olivat aina epävarmuustekijä.

Anatolin puhelin soi. Hän vastasi, kuunteli hetken tarkkaavaisena ja katsoi Hellevigiä pahaenteisesti. »Se on sinulle.»

Hellevig nosti puhelimen korvalleen.

»Täällä on Tero Airas. Kuuntele tarkasti. Tiedän, että olette Itäväylällä. Poimitte juuri satamasta kyytiinne Claus Steglitzin ja Kulosaaresta Anatoli Rybkinin...»

Hellevig kuunteli ällistyneenä ja katsoi Anatolia, joka ei edes yrittänyt piilotella raivoaan.

»Ilmoitan teistä välittömästi poliisille, ellette toimi ohjeideni mukaan. Ensimmäinen ohje: Jatkakaa Östersundomiin, kunnes vasemmalla näkyy The Pit Stop -grilli. Sen kohdalta Sotungintielle, jota jatkatte noin 400 metriä. Sitten oikealle Riihiladontielle. Ajakaa tien päähän peltojen ohi. Tapaamme teidät siellä.»

Hellevig pumppasi ääneensä kaiken auktoriteettinsa. »Tero, jos otat yhteyttä poliisiin, toimitamme heille todisteet poikasi syyllisyydestä tappoon.»

»Meillä ei ole enää mitään menetettävää. Ei yhtään mitään.»

Hellevig mietti kuumeisen sekunnin. »Hyvä on. Tapaamme pian.»

Tero sulki puhelimen ikävän tunteen vallassa. Mitä ruotsalainen tarkoitti todisteilla, jotka osoittaisivat Ronin surmaajaksi?

»Mitä hän sanoi?» Kimmo kysyi Fordin ratin takaa.

»Suostui.»

»Mitä muuta?»

»Ei muuta. Miten niin?» Tero kysyi niin rauhallisesti kuin pystyi ja katsoi edellään parin sadan metrin päässä näkyvää Vitoa.

Kimmo ei vastannut, vaan ajoi keskittyneesti ja varmoin ottein pitäen välimatkaa muutaman auton verran.

Tero soitti Ronille kysyäkseen missä tämä oli. »Ohitin juuri liikenneympyrän. Mitä Hellevig sanoi?»

»Suostui. Älä aja liian lujaa.»

»Älä huolehdi. Minä hoidan osuuteni.»

Tero laski puhelimen vakavana korvaltaan. Hän katsoi vaivihkaa Kimmoa, jonka jäisen päättäväinen ilme huolestutti häntä yhä enemmän. Teron mieleen välähti muistikuva Kimmosta sairaalassa, kun hän oli käynyt katsomassa tätä ensimmäisen kerran vanhan maalitehtaan tragedian jälkeen. Lyhyestä, karusta tapaamisesta ei olisi voinut aavistaa, että he tulisivat tuntemaan toisensa seuraavat parikymmentä vuotta. Yhtä tarkasti Tero muisti pitkän ja latautuneen tapaamisen, kun Kimmo oli tullut hakemaan hänen vasta perustamastaan vartiointiliikkeestä töitä, jalkaansa vieläkin ontuen. Tilanne oli ollut Terolle vaikea: Kimmo oli kuulostanut vilpittömältä, kertonut aikeestaan mennä naimisiin ja perustaa perhe – ja samalla Teron piti ajatella vartiointiliikkeensä luotettavuutta ja mainetta. Hän oli antanut omantuntonsa ratkaista asian, eikä Kimmo ollut koskaan aiheuttanut firmalle pienintäkään ongelmaa.

Mutta nyt Tero huomasi pelkäävänsä Kimmoa. Mies ei väsyneenä ja piinattuna ollut vähääkään oma itsensä.

Roni kytki vilkun ja Helsinki Securityn Ford kääntyi Kehä kolmoselta kohti Östersundomia. Sinne pääsi sekä isän nyt käyttämää Itäväylän reittiä että pohjoisesta Länsisalmen kautta kiertävää Ronin reittiä.

Roni kiihdytti kapeaa, mutkittelevaa asvalttitietä välittämättä nopeusrajoituksista. Hän jatkoi isojen omakotitalojen ohi kunnes kääntyi oikealle Sotungintielle, jota pitkin olisi päässyt Itäväylälle saakka. Näkymä muuttui aaltoilevaksi peltomaisemaksi. Suuren punaiseksi maalatun varastorakennuksen kohdalla Roni jarrutti ja kääntyi traktoreiden ja puimureiden käyttämälle pikkutielle. Kauempana näkyi suuri kartanorakennus pihapiireineen. Roni tuijotti näkymää muutaman sekunnin, kunnes painoi kaasua ja nosti kytkintä. Auto kääntyi jyrkästi ja ampaisi kärrytielle, joka sukelsi viljapellon keskeltä loivasti nousevaan rinteeseen. Peltotie muuttui samalla kangasmetsää halkovaksi hiekkaväyläksi.

Kivet sinkoilivat auton perässä Ronin kiihdyttäessä vauhtia entisestään. Jykeviltä pylväiltä näyttävät männynrungot vilisivät hänen silmissään. Ronista tuntui kuin hän olisi silmänräpäykseksi palannut lapsuuteensa. Hän muisti vieläkin jokaisen kumpareen, jokaisen mutkan ja isomman kiven, joita hän oli väistellyt mopolla nauttiessaan kahdeksanvuotiaana vauhdin hurmasta.

»The Pit Stop», Hellevig sanoi sinivalkoisin ruutulippukuvioin varustetun grilli-pizzerian lähestyessä. »Tuosta vasemmalle», hän jatkoi Makarinille.

»Ei, jatka suoraan vain», Steglitz sanoi takaa. »Ajetaan Lappeenrantaan ilman yhtäkään turhaa riskiä.»

»Käänny. Tämä on viisainta hoitaa nyt», Anatoli ärähti.

Makarin kytki vilkun vasemmalle ja hidasti nopeutta.

»Tämä on paha virhe», Steglitz sanoi päätään pudistellen.
»Onko meillä todellakin aikaa tällaiseen?»

»He ovat avaintodistajia», Hellevig sanoi. »He ovat nähneet pankkikuitin. He tietävät keitä me olemme. Kun meillä nyt on tilaisuus, miksi emme eliminoisi tämän riskin?»

»Ovatko nuo kaksi suomalaista todellakin meille merkittävä uhka?» Steglitz kysyi. »Tapahtuiko laivalla jotain, mikä –»

»Olen jo kertonut mitä laivalla tapahtui. Ja aikamoisen yllätyksen he järjestivät sinullekin Meilahdessa. Silti aliarvioit heitä jälleen. Jos ja kun poika joutuu vankilaan, isä ei luovuta vaan on saman tien kimpussamme. Hän voi pelkästään median kautta saada aikaan paljon vahinkoa. Joku voi vielä alkaa kuunnella häntä.»

Steglitz sipaisi turhautuneena hiuksiaan taaksepäin. »Mitä he haluavat? Mitä he kuvittelevat saavansa?»

»Yrittävät jotain epätoivoista vaihtokauppaa», Hellevig sanoi.

Makarin ajoi hiljaista, mutkittelevaa tietä. Sitä reunustavat talot loppuivat ja tien ympärillä avautuivat metsät ja pellot.

»Helvetti vieköön, Jonas», Steglitz ärähti ja vilkaisi taakseen.
»Otamme liian suuren riskin, jos vaarannamme koko kuljetuksen.»

»Ei. Koko operaatio on uhattuna, jos emme toimi nyt», Hellevig kuittasi.

Anatoli katsoi tiukasti Hellevigiä. Sitten hän sanoi hiljaa ja painokkaasti, melkein uhkaavaan sävyyn: »Luotan siihen, että tiedät mitä teet.»

Tero katsoi hermostuneena Fordin tuulilasista avautuvaa tuttua maisemaa. Kimmo ajoi lujaa, rauhallisin ottein. Risteys lähestyi.

Valtaisa pelko painoi Teron selkänojaa vasten. Saattoiko hän Ronin hengenvaaraan? Mutta oli pakko toimia nyt. Ratkaisu oli tehty, vaihtoehtoja ei ollut.

Puut vilisivät ikkunoiden takana. Tero vilkaisi vieressään istuvaa kivikasvoista Kimmoa. Vihan, surun ja valvomisen seurauksena miehen täytyi olla kuin äärimmilleen viritetty vieteri. Tero oivalsi, että Kimmo oli juuri sellainen arvaamaton tekijä, jota hän ei ollut ottanut riittävästi huomioon.

»Meidän on pysyttävä tarkasti suunnitelmassa», Tero sanoi. »Muuten tilanne karkaa käsistä.»

Kimmo nyökkäsi, mutta ei vilkaissutkaan Teroa.

»Tiedän, että tämä kaikki on ollut sinulle äärimmäisen raskasta –»

»Sinä et tiedä mitään.»

Tero katsoi parhaaksi olla hiljaa. Mitä tahansa hän sanoisi, se vain pahentaisi tilannetta.

»Suojelit ja piilottelit Ronia, kun häntä epäiltiin Julian tappajaksi», Kimmo jatkoi kylmään sävyyn. Puhuessaan hän kaivoi toisella kädellään istuimen alta pistoolin. »Sitten Toomas alkoi Estonia-höpötyksensä, ja yhtäkkiä minulle sanotaan, että Julian tappoivatkin ruotsalaiset. Käsitätkö kuinka epäuskottavalta se kaikki kuulostaa?»

Tero vilkaisi uudelleen Kimmon käteen ilmestynyttä pistoolia.

»Totuus selviää, kunhan jokainen meistä pysyy tiukasti suunnitelmassa», Tero sanoi ja kuulosti omissa korvissaankin turhan hätääntyneeltä.

Mercedes Vito pysähtyi pudonneiden lehtien täplittämälle metsäaukiolle. Hellevig työnsi liukuoven auki ja nousi hitaasti autosta. Ketään ei näkynyt. Oli aivan hiljaista. Ilmassa tuoksuivat sienet ja mädäntyneet lehdet. Sumu oli tihentynyt entisestään.

Hellevig katsoi vanhaa tiheää kuusimetsää ympärillään. Siellä täällä näkyi vanhuuttaan tai myrskyn voimasta kaatuneita puunrunkoja, joiden juuret törröttivät ilmassa. Muutaman kymmenen metrin päässä nousi kallio, jota ympäröivät sinne tänne ripotellut sammaleen peittämät siirtolohkareet.

Hellevig tunsi Anatolin ja Steglitzin katseet selässään. Väijytyksen tänne voisi järjestää, mutta väijytys ilman aseita oli hyödytön. Airakset tuskin olisivat näin nopeasti voineet saada aseita, se oli kaiken todennäköisyyden mukaan mahdotonta. Ja todennäköisyyksien mukaan oli toimittava. Tai ainakin riskit oli arvioitava niiden perusteella. Ei, isä ja poika olivat epätoivoisia ja halusivat tehdä vaihtokaupat.

Steglitz nousi autosta hänen viereensä ja katsoi häntä tutkivasti. »Miksi?» hän kysyi niin matalalla äänellä, että muut eivät kuulleet.

»Mitä sinä oikein pelkäät?» Hellevig vastasi yhtä hiljaa. »Nöyryyttivätkö suomalaiset sinut noin perusteellisesti Meilahdessa?»

»Nöyryytyksen kostaminen ja riskinotto ovat eri asioita. Pitäisi olla jokin isompi motiivi, että vaarantaisin kaiken tämän takia. Ilmeisesti sinulla on sellainen.»

»Mitä tarkoitat?» Hellevig kysyi.

Miehet tuijottivat toisiaan mitään sanomatta. Steglitzin kaulalla roikkuvista kuulokkeista jumputti vaimeasti musiikkia.

»Siellä laivalla…» Steglitz jatkoi ja vei kasvonsa aivan Hellevigin kasvojen eteen. »Sinut löydettiin sidottuna ja märkänä. Se kuulostaa waterboardingilta. Lavertelitko sinä?»

Hellevig yritti hillitä raivoaan. »Jos vielä kerrankin vihjaat jotain tuontapaista, tapan sinut.»

Steglitz tuijotti Hellevigiä hievahtamatta.

»Harkintakykysi alkaa pettää. Joka suhteessa», Steglitz sanoi, kääntyi ja lähti kävelemään hitaasti takaisin kohti autoa.

»Pysäytä, tässä on hyvä paikka», Tero sanoi. Hän huomasi kuulostavansa hermostuneelta.

»Oletko varma?» Kimmo kysyi.

Tero nyökkäsi niukalla, nopealla liikkeellä.

Kimmo jarrutti metsätiellä ja auto pysähtyi niityn viereen. Viton pitäisi olla kahden mutkan takana noin kolmensadan metrin päässä. Tai ainakin se oli kääntynyt Itäväylältä heidän edestään Sotungintielle, pikkutiellä heidän oli ollut pakko päästää se menemään.

»Pysähdyimme juuri», Tero sanoi Ronille puhelimeen nousten samalla ulos autosta.

Hän katseli ympärilleen tutussa paikassa. Roni oli pienenä kaatunut mopolla kaarteessa, jossa oli ollut irtohiekkaa. Nyt siinä kasvoi matala heinikko.

Kimmo nousi ratin takaa ja työnsi pistoolin pusakkansa taskuun.

»Ole varovainen», Tero sanoi Ronille ennen kuin sulki puhelimen.

»Onko hän valmiina?» Kimmo kysyi.

Tero nyökkäsi epävarmasti. Hän viittasi hätäisesti kohti tiheää kuusikkoa. »Mene suoraan tuohon suuntaan. Pysy tien lähellä, äläkä mene liian syvälle metsään.»

Paikan kirvoittamat muistikuvat Ronin lapsuudesta vyöryivät Teron mieleen yhä vahvempina. Siirtäessään katseensa hän huomasi Kimmon tähtäävän häntä aseellaan, ja katsovan kuin ventovierasta.

Tero tuijotti Kimmoa häkeltyneenä. »Et voi olla tosissasi...»

»Kerro minulle kuka heistä on Julian tappaja.»

Tero oli odottanut kysymystä, hän ymmärsi ettei Kimmo luovuttaisi, mutta pysyi silti vaiti. »Sinun ei tarvitse tietää sitä.»

»Roni on kovaa vauhtia menossa kohti aukiota. Vai haluatko että Roni kohtaa mafiosot yksinään... Kuka?»

Tero katsoi Kimmoa enemmän säälien kuin peloissaan. »Et voi alkaa ottaa oikeutta –»

»Älä saatana tuhlaa nyt aikaa!»

Tero epäröi, mutta vain hetken.

»Se, joka nousi kyytiin satamassa.»

Sanaakaan sanomatta, ilmeenkään värähtämättä Kimmo lähti kävelemään kohti metsää. Tero katsoi hänen häipymistään puiden taakse ja huokaisi syvään. Sitten hän istuutui autoon ratin taakse.

53.

Roni veti kuusenoksat edestään ja näki kallion nousevan oikealla. Usva ja tiheä metsä saivat ympäristön näyttämään hämärältä. Vain kellastuneet lehdet hohtivat vaaleina täplinä. Hän kuunteli, mutta oli aivan hiljaista. Vain tikka hakkasi kauempana. Sen äänet kaikuivat kuin valtavassa holvissa.

Isä ei olisi millään halunnut suostua siihen, että hän on paikalla kun isä ja Kimmo kohtaavat ruotsalaiset. Mutta joku tarvittiin mukaan kolmantena, eikä muita vaihtoehtoja ollut. Ronin tehtävä olisi kuitenkin vaarattomin, seurata metsän suojasta tilannetta ja hälyttää apua viimeisessä hädässä.

Hän katsoi etälamautinta kädessään. Hän ei ollut käyttänyt Taseria koskaan, mutta tiesi sen tehon; laite ei ollut lelu – USA:ssa oli meneillään useita oikeusjuttuja, joissa lamauttimen epäiltiin tappaneen ihmisen. Isä oli halunnut hänelle varmuuden vuoksi jotain kättä pidempää.

Roni lähti varovasti etenemään kohti kalliolohkareita, joiden takana olevalla niityllä hän oli nähnyt Viton. Hänen suutaan kuivasi eivätkä jalat halunneet totella, tuntui kuin voimat olisivat äkkiä kadonneet koko ruumiista. Hän tiesi mitä se oli: kuolemanpelkoa. Sitä samaa, mitä hän oli tuntenut ruotsalaismiehen otteessa laivan kaidetta vasten.

Isä oli pelastanut hänet silloin. Ja varmasti isä tiesi nytkin, miten tilanteesta selvittäisiin.

Sergei Makarin makasi hievahtamatta suuren kuusen alaoksien alla ja katsoi pienelle aukiolle, jolla hänen toverinsa odottivat suomalaisia autossa. Hän oli poistunut autosta ennen kuin he olivat tulleet metsäaukealle. Spetsnaz-joukoista saadulla sissikokemuksellaan hän oli kiertänyt aukean nopeasti ja huomaamattomasti ja todennut, ettei ketään ollut väijyksissä heitä odottamassa. Sitten hän oli Hellevigin pyynnöstä jäänyt varmuuden vuoksi piiloon valvomaan tilannetta.

Hellevigin ja tämän kumppaneiden holhoava, ylimielinen asenne raivostutti Makarinia, mutta hän nieli tyynesti kiukkunsa. Mikään ei saanut paljastaa hänen suunnitelmiaan.

Samassa Makarin säpsähti kalliolohkareiden suunnasta kuuluvaa ääntä. Hän kohotti päätään ja näki takaapäin nuoren miehen, joka ei tuntunut huomanneen häntä.

Steglitz vilkaisi sukeltajankelloaan Viton takaistuimella.

»Ei sieltä ketään tule», hän sanoi hiljaa.

»Nautitaan sitten tauosta ja metsän hiljaisuudesta», Nykvist sanoi hänen vierestään.

Steglitz työnsi nuuskamällin ylähuulensa alle.

»Heitä se mälli helvettiin», Hellevig ärähti.

Anatoli katsoi tielle. »Claus on oikeassa. Viive on liian suuri. Myöhästyminen on huono juttu. Todella huono.»

Samassa Hellevig nosti kätensä vaikenemisen merkiksi ja painoi sivuikkunan rakoselleen.

Lähestyvän auton ääni kantautui sisään vaimeasti.

Steglitz työnsi Beretta-pistoolinsa nahkatakkinsa povitaskuun, heilautti vaaleat hiukset silmilleen ja haroi ne sitten molemmin käsin taaksepäin.

»Käsität kai, ettei meillä ole muuta vaihtoehtoa kuin hiljentää heidät», Steglitz sanoi. »Ja nopeasti.»

»Käsitän», Hellevig vastasi. »Liiankin hyvin.»

»Ja tällä kertaa sinä saat hoitaa asian. Sinä olet tästä vastuussa.»

»Älä hurskastele», Hellevig tokaisi ja nousi autosta. Steglitz tuli hänen perässään.

Viininpunainen Ford kaartoi hitaasti metsätieltä ja pysähtyi pienen aukion reunaan. Ainakin ulospäin näkyi pelkkä kuljettaja, joka sammutti moottorin, nousi ulos ja jäi seisomaan auton viereen. Tero Airas.

Hellevig käveli varovasti Fordin luo ja vilkaisi sisään.

»Missä poikasi on?»

»En kai ole niin hullu, että toisin poikani tänne tapettavaksi.»

Hellevig vilkaisi Steglitziä, joka veti aseensa esiin ja harppoi Airaksen luo. Hän suuntasi piipun Airaksen päähän ja sanoi: »Meillä ei ole aikaa minkäänlaisiin peleihin.»

Roni makasi kallion juurella muutaman kymmenen metrin päässä ja kuuli kaiken hyvin. Ruotsalaiset toimivat juuri siten kuin he olivat odottaneet näiden toimivan.

Roni päätti ryömiä läheisen kiven taakse. Hän kohottautui varovasti ja oli juuri konttaamassa suojaan jatkaakseen eteenpäin, kun hän tunsi puristuksen ranteessaan. Joku oli tarttunut lujasti hänen lamautinta pitelevään käteensä. Samassa hän tunsi tiukan otteen suullaan.

Tero katsoi Steglitziä silmiin. Kallion suunnalta kuului huudahdus. Sitten jotain liikahti. Tero tuijotti kauhistuneena esiin ilmestynyttä Ronia, jonka rinnalla käveli etälamautin kädessään yksi laivalla olleista miehistä.

Tämä sanoi jotakin venäjäksi Vitosta nousseelle Toomaksen pomolle, joka vastasi selvästi ärtyneenä.

»Mitä te kuvittelitte tekevänne?» Steglitz kysyi Terolta.

Mies toi Ronin Teron viereen, pakotti molemmat polvilleen ja jäi Ronin taakse tähdäten tätä aseellaan päähän. Tero näki kuinka Ronin silmät paloivat kauhusta.

Tero yritti säilyttää malttinsa, vaikka heidät molemmat saatettaisiin teloittaa millä hetkellä tahansa. Ja se olisi täysin hänen syytään.

»Olisit pitänyt edes poikasi erossa tästä», Hellevig sanoi.

Ruotsalaisen sanat viilsivät Teron rintaa syvemmältä kuin mies osasi ikinä arvata.

»Ette antaneet sitä vaihtoehtoa», Tero pakotti itsensä sanomaan. Hänen äänensä purkautui ulos käheänä ja ohuena. Hänen oli voitettava aikaa, keinolla millä hyvänsä. Missä Kimmo oli? »Lavastitte poikani murhaajaksi.»

»Jonas», Steglitz sanoi Hellevigille Teron takaa. »Tuolla vähän matkan päässä kuusten välissä on monttu.»

Ruotsalaisen sanat kimpoilivat Teron päässä. Miehet toimivat nopeasti – hyvin nopeasti ja määrätietoisesti.

»Aiotte murhata meidät kylmäverisesti metsässä», Tero sanoi kuuluvammin. »Samalla tavalla kuin Julia Leivon.»

»Nyt ei valitettavasti ole aikaa jutusteluun», Steglitz sanoi hänen takaansa.

Tero näki Ronin katsovan häntä paniikissa, turvautuvan häneen. Venäläinen osoitti Ronia edelleen aseellaan.

Tero ei pystynyt kunnolla hengittämään eikä uskaltanut edes vilkaista taakseen. Miksi ruotsalaiset heidän takanaan olivat niin hiljaa? Laukaus niskaan voisi tulla millä hetkellä tahansa. Laittaisivatko he hänet todistamaan oman poikansa kuolemaa ennen kuin ampuisivat hänet?

Samassa kajahti laukaus. Tero huudahti säikähdyksestä ja vilkaisi Ronin suuntaan varmana siitä, että poika makasi kuolleena maassa. Mutta Roni oli edelleen polvillaan. Jotain rojahti heidän välistään maahan.

Venäläinen makasi maassa silmät avoinna, reikä päässään. Kimmo, Teron mielessä välähti.

Roni syöksähti kohti kanervien sekaan pudonnutta asetta. Steglitz suuntasi pistoolinsa kohti Ronia.

Tero ponkaisi ylös ja sysäsi Steglitzin päin Fordin konepeltiä. Ruotsalaisen ase laukesi kohti taivasta.

Samassa kajahti toinen laukaus, Fordin ikkunalasi Steglitzin vieressä helähti sirpaleiksi. Steglitz jähmettyi paikalleen.

»Aseet pois», Kimmo karjaisi metsästä. »Tai tulee lisää ruumiita.»

Steglitz seisoi paikoillaan ja katsoi Hellevigiä, joka oli jähmettynyt paikalleen kädet levällään. Hän ei ollut ehtinyt ottaa asettaan esille. Myös Toomaksen pomo ja toinen laivalla ollut ruotsalainen seisoivat paikoillaan Viton edessä.

Tero poimi Steglitzin aseen, harppoi Hellevigin luo ja otti tämän aseen takin alta. Hän tarkasti nopeasti myös kolme muuta miestä, elävät ja kuolleen, keneltäkään ei löytynyt asetta.

»Saatana, Hellevig», Tero kuuli Steglitzin sanovan.

Kimmo käveli metsästä ja piti asekättään suorana edessään. Hänen ilmeensä huokui kylmää vihaa, Tero huomasi pelkäävänsä Kimmoa siinä missä muutkin miehet.

Kimmo käveli suoraan kohti Steglitziä, epäröimättä, mitään muuta näkemättä, ja painoi pistoolin piipun rajusti tämän otsaan.

»Kimmo», Tero sanoi nopeasti.

»Sinä kuristit tyttäreni. Ainoan lapseni. Saat valita: kuristanko vai ammunko sinut?»

»Ei», Steglitz sanoi kalpein huulin. »Sinulla on väärä mies. En tappanut tytärtäsi. Hellevig, näytä kuvat.»

Tero hätkähti.

Kimmo epäröi aavistuksen. »Mitkä kuvat?»

»Ne ovat autossa», Hellevig sanoi.

Tero ja Roni vilkaisivat toisiaan hämmentyneinä.

»Otan kuvat autosta.» Hellevig piti käsiään ylhäällä ja lähestyi Vitoa.

»Ei», Tero sanoi. »Hänellä saattaa olla autossa toinen ase.»

»Mene vahtimaan», Kimmo kivahti ja painoi asettaan entistä tiukemmin Steglitzin otsaan. »Jos toverisi yrittävät jotain, sinulle käy huonosti.»

»Kimmo...» Tero yritti uudelleen.

»Turpa kiinni. Tämä selvitetään nyt lopullisesti.»

Tero ei uskaltanut muuta kuin mennä Hellevigin perässä tilaauton luokse. Pelko kalvoi häntä, mistä oli kysymys? Oliko sittenkin jotain, jota hän ei tiennyt? Hän ei voinut olla huomaamatta kuolleen venäläisen ruumista, joka retkotti kanervikossa. Yhtä hyvin siellä olisi voinut olla Ronin ruumis, tai hänen omansa. Tilanne oli karannut kaikkien käsistä.

Viton tavaratilassa oli kasseja, joista Hellevig otti yhden. Hän kaivoi sieltä sinisen muovitaskun, valitsi sieltä kolme paperitulostetta ja ojensi niitä kohti Kimmoa.

Tero yritti ottaa ne, mutta Kimmo huusi: »Kukaan muu ei koske niihin ennen kuin minä olen nähnyt ne!»

Kimmo taittoi kuvatulosteet auki nähdäkseen ne paremmin. Tero katsoi infrapunakuvia Kimmon selän takaa ja siristi silmiään nähdäkseen paremmin.

Kuvissa näkyi nuori mies kädet maassa makaavan tytön kaulalla. Ensimmäisessä kuvassa tyttö oli epäterävä, tämä oli liikkunut kuvan ottohetkellä. Toisessa kuvassa hän oli paikallaan. Ja viimeisessä kuvassa näkyivät nuoren miehen hätääntyneet kasvot. Ronin kasvot.

Tero kääntyi katsomaan Kimmoa, joka tuijotti häntä lasittunein silmin.

»Kimmo», Tero sanoi kuivin huulin. »Valehtelin äsken... Roni oli polulla, he riitelivät. Mutta Roni ei tappanut Juliaa... Julia jäi maahan makaamaan. Tappajat ottivat nuo kuvat. Nämä miehet tässä –»

»Jospa olisit valehteleva paskiainen hiljaa! Anna pojan itsensä puhua.»

Roni oli tullut lähemmäs ja nähnyt ainakin osan kuvista. Tero katsoi häntä hädissään.

»Raivostuin Julialle», Roni sanoi käsittämättömän rauhallisesti. »Hän uhkasi paljastaa hormoninkäyttöni. Meille tuli käsikähmä. Mutta en tappanut häntä...»

Kimmo katsoi Ronia hievahtamatta, räjähtämispisteessä. Tarvittiin vain yksi väärä liike tai sana...

»Kimmo», Tero sanoi niin tyynesti kuin pystyi. »Tämä kaikki tuntuu sekavalta. Mutta tiedät itse, että Toomas ja Julia olivat juuri näiden miesten jäljillä. Eivätkä nämä miehet olleet sattumalta Julian perässä... Miksi heillä edes on hallussaan kuvia Juliasta?»

Tero otti muutaman askeleen kohti Steglitziä ja jäi seisomaan ruotsalaisen viereen. »Kun Roni oli poistunut Julian luota, tämä mies...», Tero laski kätensä Steglitzin olkapäälle, »... surmasi Julian.»

Steglitz katsoi vuoronperään ympärillään olevia suomalaismiehiä yrittäen nähtävästi tulkita, mistä he puhuivat ja mitä käsi hänen olkapäällään tarkoitti. Hän sanoi englanniksi: »Kuten noista valokuvista näkee –»

»Turpa kiinni», Kimmo ärähti suomeksi sävyllä, joka sai Steglitzin tottelemaan vaikkei hän sanoja ymmärtänytkään.

»Syy siihen, miksi Julia surmattiin», Tero sanoi, »saattaa olla tuossa autossa. Tutkitaan auto, niin tiedämme miksi hänet piti murhata. Mikä oli tärkeämpää kuin Julian henki? Gripenin lahjukset?»

Hellevig osoitti sormellaan Ronia ja sanoi Kimmolle: »Tuo poika tappoi tyttäresi.»

Tero harppasi Hellevigin luo ja tarttui miestä rinnuksista. »Älä valehtele! Missä puhelin on? Pitääkö meidän toistaa sama käsittely kuin laivalla?»

Kimmo näytti hermostuvan lopullisesti tilanteen sekavuudesta ja tönäisi Steglitziä kovakouraisesti. »Kaikki riviin, tuonne noin.» Kimmo osoitti aseellaan venäläisen ruumiin suuntaan.

Tero repi kauluksista Hellevigin polvilleen Steglitzin viereen. Samaan aikaan Kimmo ohjasi Anatolin ja kolmannen ruotsalaisen riviin.

»Missä puhelin on?» Tero kysyi ja alkoi käydä läpi Hellevigin taskuja, vaikka oli todennäköistä, että ruotsalainen oli hävittänyt laitteen tai ainakin tallenteen saman tien. »Te veitte tavaramme vartijoiden toimistosta...»

»Miksi hän haluaa puhelimesi?» Steglitz kysyi Hellevigiltä, mutta Hellevig ei ollut kuulevinaan.

Samassa Tero käsitti, että Steglitz ei tiennyt mitään Hellevigin tunnustuksesta.

»Heitin puhelimen mereen», Hellevig sanoi Terolle.

»Niinkö?» Tero riuhtaisi Viton oven auki, avasi hansikaslokeron ja repi sieltä raivoissaan ulos papereita, karttoja, cd-levyjä, ruuvimeisselin, taskulampun.

»Mitä sinä teet?» Kimmo kysyi entistä kiihtyneempänä. »En usko enää kenenkään puheita –»

»Sanoin jo, että avain Julian surmaan saattaa olla tässä autossa. Roni, nostetaan laukut ulos ja tutkitaan ne.»

Tero vapautti puhuessaan tavaratilan peitteen, joka kelautui poikittaisen tangon sisään. Roni alkoi nostella laukkuja maahan.

»Lyijyäkö näissä on», hän tuhahti.

»Avaa se», Tero komensi.

»Se on lukossa. Kysyy numerokoodia.»

»Millä tämä saadaan auki?» Tero kysyi ruotsalaisilta.

»Älkää koskeko mihinkään», Hellevig sanoi. »Ette tiedä mitä teette, kysymys on kansallisen turvallisuuden kannalta –»

»Minkä kansan? Ruotsin vai Suomen?» Tero raivosi.

»Koko lännen…»

»*Pysykää paikoillanne.*»

Luonnoton ääni kajahti metsästä. Kaikki katsoivat hätkähtäen ympärilleen. »*Tämä on poliisi. Laskekaa aseenne ja nostakaa kädet ylös*», megafonista kaikuva ääni komensi.

Miten tämä oli mahdollista, Teron mielessä välähti. Oliko heitä seurattu? Ehkä joku paikallinen oli kuullut aiemmat laukaukset ja soittanut poliisille.

Puiden takaa ilmestyi luotiliivein ja kypärin varustautuneita ja aseistettuja poliiseja. Kimmo laski aseen maahan eteensä ja kohotti hitaasti kätensä ylös, samoin Hellevig tovereineen. Tero painautui auton taakse. Hän huomasi auton vieressä olevan ojan, jonka päälle oli taittunut runsaasti heinää.

Roni näki aseistettujen poliisien tulevan hitaasti yhä lähemmäksi. Hän vilkaisi Steglitziä ja tajusi ruotsalaisen liikkuneen hieman. Hän vilkaisi maahan ja käsitti mitä mies aikoi. Hän oli jo hivuttautunut aivan maassa olevan aseen viereen.

Samassa Steglitz teki nopean liikkeen.

»Varokaa», Roni huusi ja syöksähti eteenpäin kohti Steglitziä.

Steglitz poimi aseen hämmästyttävän nopeasti, väisti Ronin syöksyn ketterällä pyörähdyksellä, tarttui poikaa kurkusta voimakkaalla otteella ja nosti aseen hänen ohimolleen. Kaikki kävi silmänräpäyksessä.

»Ase pois», poliisimies karjui.

Steglitz pysyi hievahtamatta paikoillaan ja piti pistoolin suunnattuna kohti Ronin päätä.

»Ei askeltakaan tai ammun hänet», Steglitz huusi ruotsiksi.

Roni yritti vetää henkeä Steglitzin vahvassa otteessa. Poliisit seisoivat paikoillaan, sekunnit kuluivat. Samalla totuus tilanteesta alkoi selvitä hänelle kaikessa karmeudessaan. Hän pystyi vilkaisemaan auton taakse ja huomasi isän kadonneen. Kimmo seisoi kalpeana ja täysin toimintakyvyttömän näköisenä.

»Puhutteko ruotsia?» Hellevig huusi megafonia kädessään pitelevälle poliisimiehelle.

»Huonosti. Puhu englantia.»

»Kutsukaa paikalle ylitarkastaja Paatsama suojelupoliisista.»

Roni hätkähti. Kuuliko hän oikein?

Poliisi vilkaisi kollegoitaan epäuskoisena. Millaisen hullun kanssa he olivat tekemisissä?

»Sanokaa asian koskevan Zentech-yhtiötä.»

Tero huohotti sammalta vasten tiheiden kuusenoksien alla ja kuunteli Hellevigin käsittämättömiä lauseita muutaman kymmenen metrin päästä. Hän oli ryöminyt ojaa pitkin eteenpäin, kunnes oli kuullut Ronin huudahduksen.

»Vaadin, että kukaan ei lähesty autoamme eikä koske tavaroihimme ennen kuin Paatsama on saapunut paikalle», Hellevig sanoi tiukasti.

Tero kohotti varovasti päätään ja siirsi oksaa sen verran, että näki aukiolle. Poliisi puhui radiopuhelimeen. Steglitz siirsi Ronia ja Kimmoa Vitoon osoittaen näitä aseellaan.

Tero oli yhtä aikaa raivoissaan ja pelkäsi kuollakseen. Näin avuttomaksi hän ei ollut tuntenut itseään koskaan.

54.

Kaksi pientä kaktusta oli aseteltu vanhan kivitalon leveälle ikkunalaudalle, puolirakosellaan olevien sälekaihdinten takana uinui Ratakatu.

Ylitarkastaja Kari Paatsama nappasi päällystakkinsa oven pielessä olevasta naulakosta. Hänen toisessa kädessään oli puhelin, josta hän kuunteli poliisipäivystäjän inttämistä. »Mutta kysehän on panttivankitilanteesta. Meidän on –»

»Kuulin jo mistä on kyse.» Paatsama kiskoi takkia ylleen. »Menen sinne ensin itse ja pyydän sitten apua tarpeen mukaan.»

»Supo ottaa siis täyden vastuun tästä?»

»Totta kai», Paatsama sanoi ja katkaisi yhteyden.

Hän astui käytävälle, näppäili uutta numeroa ja harppoi kohti portaikkoa.

»Paatsama täällä», hän sanoi hiljaa. »Zentechin asioita. Otan sinut kyytiin pääoven edestä kahden minuutin kuluttua... Kyllä, kuulit oikein.»

Päästyään ulos Paatsama kiiruhti juoksujalkaa autolleen. Hänen hartioilleen äkkiä laskeutunut taakka tuntui hidastavan hänen etenemistään. Mutta paniikille ei saanut antaa sijaa, mitä tahansa Östersundomissa olikaan tapahtunut tai tapahtumassa. Paatsaman pitäisi keksiä oikea toimintatapa, mutta miten kukaan voisi sitä tietää näin helvetillisessä tilanteessa?

Hän kiihdytti hopeanharmaalla Toyotallaan Fredrikinkadulle ja yritti pysyä valppaana sisällään vellovasta myrskystä huolimatta. Silti hän huomasi ajavansa huomioimatta lainkaan muuta liikennettä. Hagelstamin antikvariaatin kohdalla hän kääntyi Uudenmaankadulle, jatkoi Korkeavuorenkadun ja Kasarmikadun yli Kasarmitorille. Fabianinkadun kulmassa hän pysähtyi Pääesikunnan eteen.

Metallisesta kulunvalvontaportista astui samalla hetkellä ulos noin kuudenkymmenen ikäinen suoraryhtinen, siviiliasuinen mies. Jorma Railon lyhyet hiukset, tarkasti ajettu leuka, huoliteltu vaatetus ja urheilullinen olemus sopivat hyvin Pääesikunnan tiedusteluosaston upseerille. Mies avasi auton oven ja istuutui Paatsaman viereen.

Sipoon Östersundomiin ammuskelun takia hälytettyä partiota johtava ylikonstaapeli Sainio seisoi koivun juurella metsäaukion reunassa ja kuunteli esimiehensä kiihtynyttä puhetta puhelimestaan.

»Mitä tämä Supon mies oikein meinaa? Onko hän aivan järjiltään? Mikä siellä on tilanne?»

»Ruotsalainen kolmen kumppaninsa kanssa istuu autossa kaksi suomalaista panttivankinaan. Mitään ei saa kuulemma tehdä, ennen kuin Supon edustaja saapuu. He pyysivät häntä nimeltä, nimenomaan Paatsamaa. Sitten Paatsama vielä vahvisti, että tilanne seis kunnes hän on paikalla. Siihen loppuu minun ymmärrykseni.»

»Emme me voi jäädä kädet ristissä odottelemaan, sanoo Supo mitä tahansa. Siellä on mies pyssy ohimolla ja yksi ruumis jo.

Kolme partiota on jo matkalla tänne, enkä todellakaan aio vetää niitä takaisin. Pyydämme Karhun valmiuteen.»

Eversti Jorma Railo katsoi eteensä Paatsaman ohjaamassa Toyotassa, joka kiisi Itäväylää pitkin kohti Östersundomia. Paatsama oli juuri kertonut hänelle huonot uutiset – huonoimmat pitkään aikaan. Ruotsalaiset olivat tyrineet, kunnolla. Ja Suomen maaperällä. Oli varottava, ettei koko likasanko kaatuisi suomalaisten syliin.

Ruotsi oli ollut edellisen kerran aseellisessa konfliktissa vuonna 1814 riistäessään Norjan Tanskalta. Sen jälkeen ruotsalaiset olivat valmistautuneet maanisella peruusteellisuudella seuraavaan sotaan, jota ei koskaan näyttänyt tulevan. Venäjää vastaan varustauduttiin, sen toimia tulkittiin ja analysoitiin, sitä vakoiltiin maalta, mereltä, ilmasta, eetteristä ja kyberavaruudesta.

»Soititko jo Tukholmaan?» Railo tyytyi kysymään. Riehuminen ei auttaisi mitään, vaikka mieli tekikin karjua.

»Missä välissä minä sinne olisin soittanut.»

Railo vilkaisi Paatsamaa, joka 54 ikävuodestaan huolimatta vaikutti lähes poikamaiselta vaaleine hiuksineen ja pyöreähköine poskineen. Vaikutelmaa täydensi vielä korkea ääni, ikään kuin äänenmurros olisi aikoinaan jäänyt vajaaksi. Mutta silmät kertoivat miehestä, joka oli kokenut yhtä ja toista, ja tiesi mitä tahtoi.

»Soitan Bengtssonille», Railo sanoi ja otti puhelimen esiin.

»Onko gsm riittävän turvallinen?»

»Tietysti», Railo ärähti. »Älä nyt sinäkin heittäydy typeräksi.»

Paatsama kiihdytti vauhtiaan Itäkeskusta edeltävällä suoralla. Railo suhtautui varauksella poliisiin, jossa haaskattiin resursseja sisäiseen nahisteluun, ja erityisesti suojelupoliisiin, jonka johto oli aina ollut taustaltaan poliittinen. Supo oli vedetty käsikassaraksi poliittisiin peleihin, mutta Pääesikunnan tiedusteluosasto sen sijaan oli puhtaasti ammattilaisorganisaatio, ja edelleen yksi läntisen maailman salaisimmista. Kun mukaan laski elektronista tiedustelua harjoittavan Viestikoelaitoksen, tiedusteluosaston henkilöstömäärä oli kaksinkertainen Supoon verrattuna, mutta silti kukaan ulkopuolinen ei tiennyt Suomen sotilastiedustelun toiminnasta mitään. Kylmän sodan aikana läheinen yhteistyö lännen kanssa oli toiminut henkilötasolla ja ehdottoman salassa, eikä tilanne ollut ainakaan heikentynyt Venäjän uuden sotilaallisen nousun kynnyksellä.

Railo näppäili MUSTin erikoistoimien osastolla KSI:ssä työskentelevän Bengtssonin numeron. Tuntematon naisääni vastasi.

»Railo Helsingistä. Bengtsson.»

»Ulf Bengtsson ei ole paikalla. Voinko jättää viestin?»

»Pyytäkää häntä soittamaan minulle. Asia on erittäin kiireellinen.»

Tero makasi yhä kuusen oksien alla ja katsoi hievahtamatta aukiolle, vaikka siellä ei tapahtunut mitään. Roni ja Kimmo olivat ruotsalaisten autossa ja poliisit odottivat.

Yksi poliiseista oli kävellyt metsässä aivan Teron lähellä, kun he olivat piirittäneet autoa. Hän oli hetken miettinyt antautumista, mutta hylännyt ajatuksen. Sen ehtisi tehdä myöhemminkin. Nyt hän halusi vain nähdä, tulisiko paikalle todellakin Hellevigin vaatima Supon virkailija.

Roni katsoi Steglitziä, joka osoitti häntä aseella tila-auton keskipenkillä. Tummennetut ikkunat hämärsivät matkustamon.

Ronin oli vaikea hillitä tunteitaan. Tämäkö mies, Claus Steglitz, oli Julian tappaja? Tiesikö Steglitz hänen tietävän? Surmaisivatko miehet lopulta myös hänet?

Meilahdessa Roni ja isä olivat nöyryyttäneet Steglitzin, ja nyt ruotsalainen näytti siltä kuin aikoisi maksaa kalavelkansa, tavalla tai toisella.

Vähintään yhtä sumeilemattomalta näytti poolopaitainen mies laivalta, Hellevig, joka istui ratin takana ja katsoi aukion toiselle puolelle maastoutuneita poliiseja. Kaikki odottivat, nähtävästi Supon edustajaa. Roni ei voinut käsittää mistä oli kysymys.

Venäläinen istui etupenkillä ja kolmas ruotsalainen takimmaisella rivillä Kimmon vieressä tarkkaillen selustaa.

»Lisää poliiseja», Hellevig sanoi ruotsiksi.

Steglitz käänsi päätään, mutta Roni pysyi paikoillaan. Ruotsalaisen omituinen pieninenäinen profiili piirtyi sivuikkunaa vasten.

Missä isä oli? Olivatko poliisit napanneet hänet metsästä?

Hopeanharmaa Toyota pysähtyi kapeaa metsätietä tukkivien poliisiautojen perään. Paatsama ja Railo nousivat ripeästi autosta.

»Kuinka täällä on näin paljon miehiä?» Paatsama mutisi.

Poliisin kenttäjohtaja käveli heitä vastaan. Paatsama sanoi nimensä ja näytti henkilökorttinsa. »Mikä täällä on tilanne?»

»Neljä miestä autossa kahden panttivangin kanssa», Sainioksi esittäytynyt mies sanoi. »Yksi ruumis.»

»Eihän täällä näin monta partiota pitänyt olla.»

»Keloniemen mielestä oli tarpeen kutsua lisävoimia. Myös Karhu on valmiudessa.»

Paatsama vilkaisi synkkäilmeisenä Railoa.

»Anteeksi, mutta kuka te olettekaan?» Sainio kysyi Railolta.

»Hän on minun seurassani», Paatsama vastasi. »Pitäkää asemanne. Me menemme nyt auton luokse neuvottelemaan.»

Sainio näytti hämmästyneeltä. »Siellä on aseistettuja miehiä ja kaksi panttivankia, emme voi päästää –»

»Jättäkää asia meidän huoleksemme. Kyse on Suomen turvallisuuteen liittyvistä asioista», Paatsama sanoi ja lähti Railo rinnallaan kävelemään kohti metsäaukiota.

»Eikö Pasilassa voitaisi joskus uskoa Supon nimenomaista määräystä?» Paatsama sanoi kireänä Railolle.

»Katso tilannetta heidän kannaltaan. En ihmettele yhtään.»

Lähempänä autoa Paatsama heilautti kättään sisällä olijoille. Etuovi avautui ja mies nousi ulos. Paatsama tunnisti hänet – Jonas Hellevig.

»Mitä helvettiä tämä tarkoittaa?» Paatsama kysyi hiljaa, kiukkuaan pidätellen.

»Tavara on tulossa Vaalimaan kautta ja menossa iltalaivalla Tukholmaan», Hellevig vastasi yhtä hiljaa. »Entiseen tapaan. Jorma, mitä kuuluu?»

Railo nyökkäsi kevyesti ja katsoi autoa. »Mitä tuolla on?»

»MiG-35:n venäläisen version infrapunatoimisen etsintäjärjestelmän keskusyksikkö ja AESA-tutkan vastaanotinmoduli koodeineen.»

»Tuossa autossa?»

Hellevig nyökkäsi. »Kaikki oli mennä pieleen. Pidimme tiedon suppeimmassa mahdollisessa piirissä, mutta venäläinen saattomies petti meidät.» Hellevig nyökkäsi vainajan suuntaan. »Joku maksoi Makarinille enemmän. Hän ohjasi meidät suoraan ansaan. Hänen kumppaninsa yrittivät viedä lastin, mutta voitimme lyhyen tulitaistelun. Muut venäläiset häipyivät, mutta he tappoivat myyränsä ettei tämä puhu.»

Paatsama ja Railo katsoivat maassa makaavaa miestä hämmentyneinä. Näin kovaa peli ei ollut koskaan aiemmin ollut.

»Suomalaisia siviilejä eksyi paikalle», Hellevig jatkoi. »Ja poliisit. Meidän oli pakko ottaa suomalaiset panttivangiksi, jotta pääsemme jatkamaan matkaa. Muuta vaihtoehtoa ei ollut, kuten ymmärrätte.»

Paatsama huokaisi kireästi. »Täällä on ruumis. Tätä ei voida painaa villaisella.»

»Kaikki selvitetään. Mutta me jatkamme nyt lastin kanssa matkaa.» Hellevig katsoi Railoa tiukasti silmiin.

Railo ei vastannut. Tunnelma kiristyi hetki hetkeltä.

»Pitääkö kaikki vääntää rautalangasta?» Hellevig kysyi. »Jos jäämme nyt tänne ja lasti paljastuu, paljastuu paljon muutakin. Ainoa uskottava tapa laukaista tilanne on se, että te ette missään tapauksessa halua vaarantaa suomalaisten panttivankien henkeä, vaan päästätte meidät menemään. Ettekä anna kenenkään seurata meitä. Vapautamme suomalaiset Helsingissä. Ja te pidätte huolen siitä, ettei yli-innokas poliisi työnnä tähän keittoon lusikkaansa.»

»En pidä tästä», Railo sanoi hiljaa ja siirtyi Paatsaman kanssa sivuun neuvottelemaan.

Ylikonstaapeli Sainio katsoi ihmeissään auton luona keskustelevia miehiä. Vitosta noussut harmaahiuksinen mies näytti huoliteltulta, ei vähääkään aseen kanssa riehuvalta rikolliselta. Supon virkailijat olivat käyttäytyneet ikään kuin olisivat tunteneet miehen entuudestaan, mihin viittasi tietysti sekin, että Paatsamaa oli osattu pyytää paikalle nimeltä.

»Kuka tuo Paatsaman seurassa tullut mies on?» Sainion kollega kysyi.

»En tiedä. Joku Suposta kai.»

»Millä valtuuksilla he neuvottelevat?»

»Ei tietoa. Kyse on kuulemma valtakunnan turvallisuudesta. Supon reviirillä näköjään ollaan ja vankasti.»

Supon miehet poistuivat auton luota, harmaahiuksinen mies

palasi sen kyytiin. Sainio pani merkille Paatsaman ja tämän kollegan hermostuneen, vakavan ilmeen heidän palatessaan aukiolta.

»Voitte poistua», Paatsama sanoi Sainiolle. »Neuvotteluratkaisua ei ole näköpiirissä. Asia kuuluu KRP:lle.»

»Täällä on panttivankitilanne ja yksi vainaja –»

»Olen ilmoittanut asiasta KRP:lle. Te poistutte nyt.»

»En poistu mihinkään, ennen kuin olen puhunut Keloniemen kanssa», Sainio sanoi ja tarttui radiopuhelimeen.

Paatsama huokaisi ärtyneesti.

Tero katsoi tyrmistyneenä kuusen oksien välistä, kun autoa metsän suojassa piirittäneet poliisit poistuivat paikalta. Tähänkö Toomas oli viitannut – että suomalaiset auttoivat ruotsalaisia Estoniaan liittyvissä asioissa? Tero ei koskaan olisi uskonut, että Toomaksen väitteet voisivat olla totta näin kirjaimellisesti. Mutta eikö kaiken pitänyt liittyä Gripenin lahjuksiin? Eivät kai suomalaiset niihinkin olleet sekaantuneet? Liittyikö asia jotenkin Patrian lahjusepäilyihin?

Roni ja Kimmo olivat edelleen Vitossa, joka seisoi aukiolla. Supo-mies seisoi tien vieressä iäkkäämmän toverinsa kanssa.

Tero valmistautui toimimaan.

Paatsama katsoi metsätielle poistuvien poliisiautojen perään.

»He eivät jätä asiaa tähän», Railo sanoi hänen vierestään. »Oletko varma, että saat KRP:n ymmärtämään asian?»

»Nyt tehdään se, mikä on pakko. Sitten palataan muihin asioihin.»

Paatsama viittasi kädellään Viton ratissa istuvalle Hellevigille, joka käynnisti hetkeäkään viivyttelemättä moottorin, lähti ajamaan heitä kohti ja painoi sivuikkunaa muutaman sentin auki.

Kohdalle päästyään Hellevig pysähtyi. »Kiitos. Ajakaa perässämme ja varmistakaa vielä se, etteivät sinihaalariset ystävämme saa päähänsä häiritä meitä. Kun pysähdyn, ohitatte meidät ja menette omille teillenne.»

»Meillä Suomessa ei hoideta asioita aivan noin yksinkertaisesti.» Paatsama yritti katsoa syvemmälle autoon, mutta rako oli kapea eikä tummennettujen ikkunoiden läpi nähnyt. »Emme poistu kannoiltanne ennen kuin kyydissänne olevat suomalaiset ovat hallussamme.»

Hellevigin ilme vakavoitui. »Teimme sopimuksen eikä siihen kuulunut tuollaista lisäehtoa. Vapautamme heidät Helsingissä, ja sen tiedon täytyy riittää teille. Kari, meidän välimme ovat aina perustuneet luottamukseen. Jos sitä ei löydy tässä asiassa, voi olla ettei sitä löydy jatkossa muissakaan asioissa. Enkä usko sellaisen palvelevan sen enempää Suomen kuin Ruotsinkaan etua.»

»Asia on meidän puoleltamme selvä», Railo sanoi. »Olen tulossa Tukholmaan kolmen viikon kuluttua, silloin varmasti tapaamme.»

»Todennäköisesti.»

Hellevig painoi ikkunan liukumaan kiinni ja ajoi pois. Paatsama ja Railo kiiruhtivat Toyotalleen. Sumua pois ajavan tuulenvireen mukana lensi hajanaisia sadepisaroita.

55.

Tero lähti juoksemaan samalla hetkellä kun harmaa Toyota katosi puiden taakse. Hän hyppi kantojen ja juurten yli eikä piitannut kasvojaan piiskaavista oksista, ei ajatellut mitään muuta kuin seuraavaa askeltaan.

Tummansininen Golf oli siellä missä pitikin, avaimet virtalukossa ja puhelin etuistuimella, kuten Ronin kanssa oli sovittu. Tero kytki vaihteen niin hätäisesti, että moottori sammui. Hän yritti uudelleen, rajummalla kaasulla. Heinittynyt väylä kaartoi kallioiden takaa pellon halki samalle tielle, jota pitkin Tero oli ajanut ruotsalaisten luo.

Paatsama kääntyi Viton perässä Sotungintieltä Itäväylälle kohti Helsinkiä.

»Varaudu siihen, että Keloniemi on kimpussasi alta aikayksikön», Railo sanoi.

»Kadehdin teikäläisiä. Kukaan ei ole kimpussa, kun on nollaprofiili.»

»Kuka käski sotkeutua politiikkaan ja hankkiutua silmätikuksi», Railo tokaisi. »Tarkista heti toimistolle päästyäsi koneeltasi, ettei poliisi ole heittäytynyt omatoimiseksi. Tämä on nyt sinun vastuullasi. Raportoin Pasaselle, mutta meillä ei ole keinoja Keloniemen kurissa pitämiseen. En käsitä kuinka mikään enää järjestyy, kun vanha kaarti jää eläkkeelle ja siloposket astuvat remmiin.»

Vito kytki vilkun ja pysähtyi bussipysäkille. Paatsama pysähtyi sen perään.

»Hellevig pyysi, että ohitamme heidät», Railo sanoi.

»Ei helvetti, siellä on kaksi suomalaista mukana, meidän on saatava heidät ensin ulos...»

Hellevig nousi autosta heidän edessään, löi raivoissaan oven kiinni ja marssi heidän viereensä.

»Unohtuiko teiltä mitä sovimme?» Hellevig kysyi jäisesti.

»Saatamme teidän satamaan ja otamme suomalaiset mukaamme», Paatsama sanoi.

Hellevig kumartui kohti avonaista ikkunaa synkän näköisenä. »Saatatte nyt itsenne liikkeelle ja häivytte niin helvetin nopeasti. Ettekö te käsittäneet mitä minä sanoin? Meillä on autossa MiG-35:n venäläisen version infrapunatoiminen etsintäjärjestelmä ja AESA-tutkan vastaanotinmoduli, ja meidän tehtävämme on saada ne Tukholmaan. Ette saa niistä koodiakaan Tikkakoskelle, jos tätä asiaa ei hoideta täsmälleen sillä tavalla kuin me sanomme. Jorma, puhu tälle miehelle järkeä, jos hän ei ymmärrä mitä sanon.»

Hellevig kääntyi pois ja palasi autoonsa.

»Anna heidän mennä», Railo sanoi pienen hiljaisuuden jälkeen. »Ne ovat kruununjalokivet. MiG:n non-export-version salaisinta elektroniikkaa. Kuinka ihmeessä he ovat onnistuneet saamaan sen?»

»Ruotsalaisilla on kaksi asiaa: rahaa ja motivaatiota. Jos Gripenien myyntiä ei saada käyntiin, koko korttitalo luhistuu.»

Viton vilkku syttyi ja auto kiihdytti liikkeelle.

Paatsama pysyi paikoillaan. »Minua suoraan sanottuna vitut-

taa tuo ruotsalaisten tyyli. Se oli kaikkein pahimmillaan Estonian aikoihin. Meillä oli palaa hihat heidän kanssaan.»
»Heillä riittää pokkaa mihin tahansa. Ruotsi on entinen suurvalta, se on heillä geeneissä. Me olemme entinen Ruotsin takapajula, se on meillä geeneissä.»

Tero hidasti järjetöntä kaahaustaan heti kun sai kaukana edessä ajavan Viton näköpiiriinsä. Se oli kiihdyttänyt tielle bussipysäkiltä, jolla edelleen seisoi harmaa Toyota.

Tero vilkaisi ohittaessaan autoon ja tunnisti kahdesta näkemästään miehestä ratin takana istuvan: sama mies oli neuvotellut Ronin siepanneiden ruotsalaisten kanssa metsäaukiolla.

Vaistomaisesti Tero alkoi jarruttaa tihkusateen kastelemalla tiellä. Saisiko miehiltä apua? Samassa hän käsitti toiveensa mielettömyyden – juuri nämä miehethän olivat päästäneet ruotsalaiset jatkamaan matkaa.

Tero antoi nopeuden kiihtyä ja lukitsi katseensa Vitoon. Roni ja Kimmo olivat ruotsalaisten tappajien vankina. Hän ei kadottaisi autoa näkyvistään mistään hinnasta.

Paatsama ja Railo lähtivät bussipysäkiltä kohti Helsinkiä, yrittämättäkään seurata Vitoa joka meni jo kaukana heidän edellään.

»Missä hemmetissä Bengtssonin puhelu viipyy», Railo manasi.

»MUST saa varautua antamaan meille tarvittaessa taustatukea», Paatsama sanoi. »Säpo on näissä asioissa pelkkä sivustakatsoja...»

Paatsaman puhelin soi vihdoin, mutta soittaja oli Keloniemi eikä Bengtsson.

»Sain tiedon, että määräsit poliisiosaston vetäytymään vakavasta panttivankitilanteesta.» Poliisipäällikön ääni oli kireä.

»Olisin erittäin kiinnostunut kuulemaan, millä perusteella.»

»En voi puhua asiasta. Suojelupoliisin päällikkö keskustelee asiasta vain ja ainoastaan ministeriön poliisiylijohdon kanssa. Kyse on salassa pidettävistä, sotilastiedusteluun liittyvistä asioista.»

»Niinkö», poliisipäällikkö sanoi epävarmasti mutta yhä närkästyneenä. »Soitan siinä tapauksessa Pasaselle. Hän saa vahvistaa tuon.»

Paatsama lopetti puhelun ja sanoi Railolle: »Keloniemi käy kuumana.»

»Käyköön. Tämä hoidetaan vanhan kaavan mukaan. Ei kukaan oikeasti sotkeennu tällaiseen.»

»Ehkä ei. Mutta YYA:n aikana kaikki sentään ymmärsivät, mitä tarkoittaa salainen.»

Seuraavaksi soi Railon puhelin. »Toivottavasti Bengtsson», Railo huokaisi.

Hänen toiveensa toteutui, soittaja oli Bengtsson, hänen pitkäaikainen kollegansa Ruotsin sotilastiedustelusta.

»Oletko reissussa?» Railo kysyi. »Pystytkö puhumaan hetken rauhassa?»

»Ei ongelmia. Olen Setä Samulin lähetystössä Dag Hammarskjölds Vägenillä tapaamassa UKUSA:n väkeä.»

»Luulin että olet remontoimassa huvilaasi, kun toimistossa oltiin niin salamyhkäisiä.»

»Se alkaa olla valmis, kutsun sinut kohta käymään. Suomenlaivat kulkevat niin läheltä, että voit hypätä kannelta, pääset uimalla suoraan rantasaunaan löylyihin.»

»Kuulostaa hyvältä.»

»Mitä Suomeen kuuluu?»

»Itse asiassa tänne kuuluu kaikenlaista merkillistä. Tapasin hetki sitten Hellevigin varsin erikoisissa olosuhteissa, olet ehkä jo kuullutkin.»

»Mitä Hellevig siellä teki?»

»Istui autossa kollegoidensa kanssa tuolla metsässä, kaksi suomalaista panttivankia mukanaan, poliisien piirittämänä. Yksi ruumis oli kentällä. Olivat viemässä lastia satamaan, kun joku venäläinen oli yrittänyt vetää välistä.»

»Mitä helvettiä sinä puhut?»

»Ei hätää, selvitimme asian. Lasti jatkaa turvallisesti satamaan. Mutta minua kiinnostaa tietää, miksi meitä ei informoitu Suomen kautta menevästä Zentechin kuljetuksesta?»

»Ei minulla ole tiedossa, että Zentechillä olisi tällä hetkellä mitään kuljetuksia meneillään.»

Railon sydän jätti lyönnin väliin.

»Miten niin et tiedä?»

»Sörensen tuntee nämä kuviot parhaiten. Soitan hänelle ja otan sinuun yhteyttä.»

»Tee niin», Railo sanoi aavistus kauhua äänessään. »Mahdollisimman nopeasti.»

56.

Hellevig ajoi lyhyessä jonossa Itäväylää pitkin kohti Helsinkiä. Pelloille rakennetut kerrostalot piirtyivät synkkinä pilvistä taivasta vasten. Kevyt sade oli tauonnut. Hänen valheensa Venäjältä Ruotsiin menossa olevasta Mig-lastista oli mennyt täydestä suomalaisiin.

»Emme voi olettaa, että isä-Airas jäisi odottelemaan ihmettä», Anatoli sanoi venäjäksi hänen vierestään, etteivät suomalaiset ymmärtäisi.

»Kuulemme hänestä kohta, voit olla varma siitä», Hellevig vastasi sujuvalla venäjällään niin itsevarmasti kuin pystyi. »Hän ei mene poliisin puheille, vaan yrittää neuvotella poikansa vapaaksi. Meidän on päätettävä, miten suhtaudumme asiaan.»

»Viipymätön ja ensisijainen prioriteettimme on saada lasti Lappeenrantaan. Jokainen minuutti lisää nyt riskiä epäonnistua. Vasta luovutuksen jälkeen voimme alkaa paikkailla teidän aiheuttamanne ongelmia.» Anatolin ääni oli kylmä ja ehdoton.

»Nyt ei todellakaan ole oikea aika kinastella. Mitä teemme suomalaisille?» Steglitz kysyi kankealla venäjällään keskipenkiltä, ase suunnattuna vieressä istuvaan nuorempaan panttivankiin. Vanhempi istui takimmaisella rivillä Nykvistin vieressä.

»Pidämme heidät luovutukseen saakka panttivankeina. Siltä varalta, että sinihaalariset suomalaiset päättävät vielä yllättää meidät.»

»Paitsi että tätä menoa emme koskaan pääse itään», Steglitz sanoi. »Olemme kohta takaisin Helsingissä.»

Hellevig vilkaisi sivupeiliin. »Käännymme kohta kehätielle. Sieltä pääsemme suoraan moottoritielle kohti Porvoota. Olemme Lappeenrannassa noin kahden ja puolen tunnin kuluttua. Luovutuksen jälkeen on järjestettävä onnettomuus, jossa panttivangit menehtyvät. Ja isä-Airas.»

»Seis!» Nykvistin huuto sai Hellevigin jalan lennähtämään jarrulle ennen kuin hän käsitti, ettei Nykvist tarkoittanut varoitustaan hänelle vaan Steglitzille. Takimmaisella penkillä istuva vanhempi suomalainen oli kietaissut toisen kätensä Steglitzin kaulan ympärille.

Kimmo väänsi ruotsalaisen päätä väkivalloin taaksepäin ja huusi täyttä kurkkua: »Näinkö sinä tapoit tyttäreni? Näinkö?»

»Irrota tai ammun», Kimmon vieressä istuva ruotsalainen huusi hänen korvaansa ja painoi pistoolia hänen kylkeensä.

»Siitä vaan, saatana! Ammu jo, jos se helpottaa!» Kimmo väänsi Steglitzin päätä yhä rajummin.

Ruotsalainen irrotti äkkiä piipun hänen kyljestään ja käänsi aseensa kohti edessään istuvan Ronin päätä. »Hyvä on, toverisi saa luodin kalloonsa, jos et irrota tällä sekunnilla!»

Roni sulki kauhuissaan silmänsä ja jännitti kaikki lihaksensa aseen piipun painautuessa hänen niskakuoppaansa.

»*Toverini*?» Kimmo raivosi. »Väititte juuri, että hän tappoi tyttäreni! Siitä vaan, kuula kalloon toverille, jos hän kerran on tappaja...»

Roni puristi kouristuksenomaisesti turvavyötään. Missä isä oli? Kukaan muu ei enää voisi auttaa häntä, mutta isä auttaisi, tavalla tai toisella.

Auton vauhti hidastui yhtäkkiä niin rajusti, että Roni retkahti turvavyötään vasten.

Hellevig jarrutti. Takaa kuului karjuntaa ja ähkäisyjä, kun Nykvist yritti irrottaa suomalaista Steglitzin kimpusta. Hellevig sai auton juuri ja juuri pysähtymään ennen oikealle johtavan pikkutien liittymää.

»Ookoo, tilanne hallinnassa», Nykvist huusi takaa.

»Pannaan molemmat pakettiin, jossa taatusti pysyvät loppuelämänsä», Anatoli sanoi venäjäksi.

Hellevig kääntyi, kiihdytti muutaman kymmenen metrin matkan aution rakennustyömaan laitaan ja pysähtyi. He sitoivat voimaa säästämättä suomalaiset nilkoista ja ranteista, teippasivat heidän suunsa ja tyhjensivät tavaratilan, joka jäi takimmaisen penkkirivin ja takaluukun väliin. Nykvist taittoi takimmaiset penkit ala-asentoon ja siirsi tavaratilan peitoksi vaakatasoon rullautuvan suojaverhon. Lopuksi he tunkivat suomalaiset tavaratilaan ja nostivat osan laukuista keskipenkkien jalkatilaan.

Tero tuijotti oksien läpi aution rakennustyömaan laidassa seisovaa Vitoa, jonka takaluukun Steglitz löi kiinni. Roni ja Kimmo oli tungettu auton perään kuin teuraseläimet.

Tero vetäytyi taaksepäin, kunnes oli varma siitä, ettei häntä nähtäisi tila-auton suunnasta. Hän juoksi Itäväylän varteen pysäköimänsä Golfin luokse ja käynnisti hengästyneenä moottorin, siirtäen samalla katseensa noin sadan metrin päässä olevaan liittymään. Siellä ei vielä näkynyt liikettä.

Tero vilkaisi peiliin, teki ärhäkkään u-käännöksen ja pysähtyi pientareelle keula poispäin liittymästä. Herättäisi väkisinkin

enemmän epäilyjä, jos Vitosta nähtäisiin jonkin auton pysähty-
neen heidän menosuuntaansa.

Lähes saman tien Vito työntyi rakennustyömaan liittymään ja
kääntyi kohti Helsinkiä. Tero odotti sen aikaa, että näköyhteys
Vitosta katkesi, teki sen jälkeen uuden täyskäännöksen ja kiih-
dytti Viton perään.

Hän ei voinut edes ajatella miltä Ronista ja Kimmosta täytyi
tuntua auton takaosassa. Poliisi oli paikalla, mutta silti ruot-
salaisten asemiesten annettiin lähteä Roni mukanaan... Antoi-
vatko suomalaiset viranomaiset siis luvan Ronin ja Kimmon
sieppaamiseen?

Ajatus kylmäsi Teroa. Siinä tapauksessa he olivat todella yk-
sin. Oliko niin, että he tiesivät liikaa, ja kaikkien mielestä heistä
oli yksinkertaisesti vain päästävä eroon?

Tero puristi ohjauspyörää ja tuijotti herkeämättä edessä auto-
jen välissä vilahtelevia Viton takavaloja. Se kääntyi Itäkeskuksen
risteyksestä kehä ykköselle länteen. Tero varoi menemästä liian
lähelle ja piti jatkuvasti muutamia autoja edellään.

Häneen iski valtava yksinäisyyden tunne. Hänellä ei ollut ke-
tään muuta kuin Roni. Eikä Ronilla ollut ketään muuta kuin
hän.

Ja nyt vain hän saattoi auttaa Ronia, häntä itseään ei auttaisi
kukaan.

Askeleet kaikuivat portaissa Railon noustessa Pääesikunnan au-
lasta kohti kolmannessa kerroksessa olevaa toimistoaan. Pahat
aavistukset olivat alkaneet risteillä hänen mielessään Bengtsso-
nin puhelun jälkeen ja hänen levottomuutensa oli paluumatkalla
vain kasvanut.

Miten oli mahdollista että Bengtsson ei tiennyt meneillään
olevasta operaatiosta? Eivät kai KSI:ssäkään tehtävät olleet noin
hierarkkisesti jaettuja? Ja tuollainen operaatio oli kaikkea muuta

kuin pikkujuttu. Monien täytyi tietää siitä KSI:ssä, vaikka kuljetus Venäjältä olikin huippusalainen.

Railon päästyä ylätasanteelle hänen puhelimensa vihdoin soi.

»Bengtsson tässä.»

Virkaveli kuulosti vakavalta, ei edes tervehtinyt tavalliseen tapaan.

»Niin?»

»Olemme täällä aika huolestuneita siitä, mitä kerroit Suomessa tapahtuneen.»

Railo pidätti hengitystään. »Olette huolestuneita? Missä mielessä?»

»Hellevig on lähtenyt Zentechistä omille teilleen jo viikko sitten. Siellä ei tiedetä mitään minkäänlaisesta kuljetuksesta.»

»Ei helvetissä», Railo henkäisi. Hän sulki toimistonsa oven takanaan. Puhelimesta kantautuvat sanat tuntuivat kaikuvan ja kimpoilevan korkeassa huoneessa. Hän otti tukevan otteen tuolinsa selkänojasta.

»Setvimme tätä parhaillaan FMV:n ja Gripenin kanssa. Voitko kertoa siitä välikohtauksesta vähän enemmän?»

»Soitan sinulle kohta. Meidän on ryhdyttävä täällä välittömiin toimenpiteisiin.»

57.

Roni makasi auton lattialla käsistään ja jaloistaan sidottuna, suu teipattuna. Hän oli vaivalloisesti saanut käännettyä itseään sen verran, että näki Kimmon pään, jonka ympäri kulki ristiin rastiin teippiä. Tavaratilan peittävän suojaverhon sivuraoista pääsi sisään hiukan valoa.

Moottorin, alustan ja renkaiden ääni haittasi kuuluvuutta, mutta Roni sai sen verran puheesta selvää että sieppaajat käyttivät ruotsin lisäksi venäjää. Miesten otteet olivat kovat ja ammattimaiset. Mitä ilmeisimmin he halusivat päästä todistajista eroon, sopivassa paikassa. Nopeasti ja lopullisesti.

Ronin mieleen nousi kuva suojelupoliisin miehistä auton edessä keskustelemassa. Hän oli sillä hetkellä ollut toiveikas, isä oli päässyt pakoon ja poliisin edustajat kävivät neuvotteluja heidän vapauttamisestaan. Mutta sitten Roni oli katsonut ulos auton ikkunasta ja huomannut keskustelun oudon leppoisan sävyn. Ikään kuin tutut miehet sopisivat asioista. Lopulta hän oli kauhuissaan katsonut kuinka Supon edustajat olivat kävelleet pois. Ruotsalainen oli käynnistänyt auton ja ajanut tielle poliisin vain heilauttaessa kättään.

Ehkä poliisi seurasi heitä sittenkin. Tietenkin. He käyttivät yllätystaktiikkaa: päästivät miehet menemään iskeäkseen silloin kun nämä sitä vähiten odottivat. Ja isä oli jo varmaankin onnistunut vakuuttamaan poliisin – saanut nämä ymmärtämään, keitä miehet todellisuudessa olivat ja millä asialla he liikkuivat.

Samassa Ronin silmien edessä välähti videokuva sukeltajista Estonian hylyllä. Jos Toomas olikin oikeassa siinä, että suomalaiset viranomaiset auttoivat ruotsalaisia kollegoitaan Estoniaan liittyvien asioiden peittelyssä? Ja jos ruotsalaiset olivat kuljettaneet arkaa sotilasmateriaalia siviilialuksella, ja jotkut suomalaisetkin olivat selvillä kuljetuksista, niin silloin kaikki olivat samassa liemessä.

Roni alkoi epätoivoisesti pälyillä hämärässä ympärilleen rekisteröiden joka ikisen yksityiskohdan. Hänen katseensa kuitenkin pysähtyi Kimmon synkkiin silmiin. Roni siirsi katseensa pois. Hän väänsi ranteitaan sen verran, että ylettyi koskettamaan sormenpäillään teipin reunaa. Se oli liian sitkeää revittäväksi, hänen olisi löydettävä teipin pää.

Ulf Bengtsson ohitti kahden teräsoven muodostaman sulun Ruotsin sotilastiedustelupalvelun MUSTin päämajassa Tukholmassa ja kiiruhti ympäri vuorokauden toimivaan valmiushuoneeseen.

Seinille kiinnitetyissä näytöissä pyörivät CNN:n, BBC:n, Al-Jazeeran ja SVT:n uutispalvelut. Georgian tilanne oli heidän erityisessä seurannassaan. Kohdelampuilla valaistussa salissa oli useita pöytäryhmiä, joiden ääressä työskenteli virkailijoita. Suuri osa MUSTin tiedustelutyöstä koski alueita, joilla ruotsalaiset sotilasjoukot kulloinkin toimivat. Siksi päivystyskeskuksessa oli kullekin alueelle omat valvontapöytänsä, joilla tiedustelusolujen tiedot yhdistettiin muista lähteistä saatuihin tietoihin. Työntekijät eivät saaneet kertoa kenellekään todellista työpaikkaansa. Edes Ruotsin valtiopäivien puolustusvaliokunta ei saanut tietoja MUSTista, vaikka valtiopäivät päättivät puolustusmäärärahoista.

Uhkakuvia kudottiin yhteen monista eri lähteistä: tutkimusraporteista, Ruotsin sotilasasiamiesten muistioista, muiden turvallisuuspalveluiden tiedoista, satelliittikuvista, mediasta. Pöydillä olevien tietokoneiden kautta saatiin puolustusvoimien signaalitiedusteluun ja kentällä toimivien agenttien raportteihin perustuvaa salaista SIGINT- ja HUMINT-tietoa, joka oli kovaa valuuttaa muiden valtioiden sisarorganisaatioiden kanssa asioitaessa. Varsinkin uusi televalvontalaki, joka päästi ruotsalaiset seuraamaan aitiopaikalta venäläisten ulkomaille suuntautuvaa viestiliikennettä, toi heille vaihtokauppana paljon kiinnostavaa tietoa Atlantin molemmilta puolilta ja Israelista.

Bengtsson ohitti Afganistanin deskin ja pysähtyi omalle osastolleen, erikoisoperaatioiden yhteystiskille. KSI oli sotilastiedustelun yksiköistä salaisin, koska se osallistui arkaluontoisimpiin operaatioihin: jäljitti vieraita agentteja Ruotsin maaperällä, soluttautui erityyppisiin uhkaaviksi luokiteltaviin tahoihin, hankki tietoja ja materiaaleja epätavanomaisin menetelmin, oli kontaktissa henkilöihin, joihin sovellettiin suurinta mahdollista lähdesuojaa. Tarpeen mukaan KSI käytti yhteistyökumppaneidensa – muun muassa asevoimien materiaaliviraston FMV:n – kanssa toimiessaan yksityisiä yrityksiä kulisseinaan.

Kaikilla KSI:n operaatioilla oli yksi yhteinen ja tärkein nimittäjä: ihminen. Bengtssonille tekniikka oli vain apuväline. Monet hänen kollegoistaan esimerkiksi USA:ssa olivat alkaneet uskoa, että riittää kun on tarpeeksi monta satelliittia toiminnassa ja tarpeeksi paljon tietokonetehoa kahlaamassa viestiliikennettä.

Mutta se ei riittänyt. Levottomuuspesäkkeissä ja muuallakin tarvittiin ihmisiä, jotka paikan päällä osasivat tehdä havaintoja ja lukea myös rivien välistä. Esimerkiksi al-Qaidalla ei ollut modernia varustusta ja sen jäsenet elivät luolissa, joten ainoa tapa päästä selville heidän suunnitelmistaan oli liikkua samalla alueella ja olla vuorovaikutuksessa. Ihminen oli tärkein lenkki tiedustelun hauraassa ketjussa – mutta se oli myös heikoin.

Ja nyt yksi tällainen lenkki oli pettänyt. Näytti ilmeiseltä, että Jonas Hellevig oli tullut liian ahneeksi. Hän oli Zentechin kautta ansainnut jo pienen omaisuuden, mutta kaipasi näköjään suurta.

Bengtsson otti matkapuhelimen käteensä ja katsoi vihkostaan Hellevigin salaisen numeron. Ei vastausta. Hän valitsi toisen numeron, joka yhdisti Hellevigin kotipuhelimeen.

»Haloo», nuoren naisen pehmeä ääni sanoi amerikkalaisittain korostaen.

»*Hi Lisa*», Bengtsson sanoi. Hän oli tavannut Hellevigin uuden amerikkalaisen avovaimon pariskunnan modernissa huvilassa Tukholman saaristossa. Hellevig oli halunnut esitellä talon ja avovaimonsa ikään kuin osoituksena siitä kuinka hyvin hän oli pärjännyt MUSTista lähdön jälkeen.

»Tässä on Ulf Bengtsson, en tiedä muistatko vielä minua.»

Linjalla oli hiljaista. Muistiko nainen häntä? Ainakaan hän ei tiennyt Bengtssonin todellista ammattia – Hellevig oli esitellyt hänet Lisalle vain vanhana ystävänä. Ja olihan se totta: he olivat vuosien aikana joutuneet yhdessä moniin vaativiin tilanteisiin, ja sellaiset kokemukset yhdistivät ainutlaatuisella tavalla. Hellevigin entistä vaimoa Agnethaa Bengtsson ei ollut koskaan tavannut, mutta oli kuullut avioeron olleen katkera ja riitaisa. Sellainen oli aina turvallisuusriski, ja siksikin oli hyvä, että puolisot tiesivät MUSTin henkilökuntaan kuuluvien työtehtävistä mahdollisimman vähän.

»Tapasimme pari vuotta sitten, kun sinä ja Jonas olitte juuri hankkineet huvilan», Bengtsson sanoi.

»Aivan. Muistan kyllä», nainen sanoi vapautuneemmin.

»Haluaisin keskustella Jonaksen kanssa. Hän ei vastannut matkapuhelimeensa. Onko hän kotona?»

»Ei ole valitettavasti.»

»Tiedätkö missä hän on?»

»Ei. Jokin työmatka, jossa menee muutama päivä. Hän ei juuri työasioistaan puhu. Ensi viikon alussa hänen pitäisi kuitenkin tulla takaisin. Lähdemme silloin Los Angelesiin.»

Bengtsson sanoi soittavansa myöhemmin.

58.

Pimeässä hallissa kirkkaiden kohdevalojen loisteessa seisoi nuolenkärkeä muistuttava harmaa hävittäjälentokone. Laserheijastuksella sen taakse muodostettu jättimäinen teksti hohti verenpunaisena: JAS 39 Gripen.

Jakt, Attack, Spanning – takaa-ajo, hyökkäys, tiedustelu. Kuvassa tekstin alla oli mytologian hahmo, josta Gripen oli saanut nimensä; ylivertaisella olennolla oli kotkan pää ja siivet sekä leijonan vartalo.

8500 kiloon erikoisterästä, planeetan kehittyneintä elektroniikkaa ja tuhovoimaisimpia asejärjestelmiä tiivistyi Ruotsin aseteollisuuden suurin ylpeys – jonka kohtalo oli vaakalaudalla. Sen ratkaisisivat koneen ympärillä parhaillaan häärivien miesten tuomio. Ruotsin armeija oli Reinfeldtin hallituksen aloittaman uudelleenjärjestely- ja säästökuurin kourissa, ja Gripenin tulevaisuuden sinetöisivät vientikaupat. Niitä oli pakko saada. Muita vaihtoehtoja ei ollut.

Stefan Wennerström seurasi tummaihoisten insinöörien ja sotilaiden toimintaa tarkkaavaisesti. Heille puhuttiin laskeutumiskyvystä lyhyelle kentälle, huoltotoimenpiteiden nopeudesta, tietovuosta, tutkahäivekyvystä. Ostajakandidaattien oli annettava tutustua koneen salaisimpiinkin järjestelmiin riittävän tarkasti, mutta ei liian yksityiskohtaisesti. Rajan vetäminen oli tarkkaa ja tärkeää, ja se kuului Linköpingin lentokonetehtaan turvallisuusjohtaja Stefan Wennerströmille. Hän oli vuosien mittaan valvonut koneen ominaisuuksien esittelyä chileläisille, brasilialaisille, thaimaalaisille, sveitsiläisille, norjalaisille ja lukemattomille muille.

Juuri nyt hänellä oli kuitenkin paljon tärkeämpää ajateltavaa kuin rutiininomainen kone-esittely: tehtaalla oli käynnissä massiivinen turvallisuusoperaatio, josta tässä tilaisuudessa ei saanut näkyä pientäkään vihjettä. Kaiken piti näyttää tavanomaiselta.

»Uusi TRM-tyyppinen tutka rakentuu näistä nopeasti vaihdettavista lähetin- ja vastaanotinmoduuleista», Gripenin myynti-insinööri esitteli rauhallisesti, englantia huolella ääntäen. Esittelijä lähti perusasioista, vaikka Wennerström tiesi kuulijoiden tuntevan erinomaisesti TRM:n – ja sen, että kilpailijat ihmettelivät vieläkin, kuinka Saab ja Ericsson olivat onnistuneet kehittämään äärimmäisen vaativan järjestelmänsä niin paljon kilpailijoitaan nopeammin.

Wennerström huomasi yhden alaisistaan ilmestyneen ovelle, jonka yläpuolella pimeydessä paloi vihreä varauloskäynnin tunnus. Hän kävi vaihtamassa muutaman matalaäänisen lauseen alaisensa kanssa ja palasi seuraamaan esittelyä, jossa oli päästy IRST:hen.

»Infra-Red Search and Track System», insinööri sanoi. »Meidän infrapunatoimisen etsintäjärjestelmämme tehokkuus tuli vastikään testattua Slovakiassa».

Wennerström huomasi tämänkertaisten kuulijoiden olevan asiallisia ja niukkasanaisia. Erään keskieurooppalaisen valtion edustaja sitä vastoin oli taannoin alkanut epäkohteliaalla tavalla pohtia sitä, kuinka MiG-29 ja Su-27 oli jo 1980-luvun lopulla varustettu IRST:llä – ja sitä, kuinka yllättäviä samanlaisuuksia

Gripenin edeltäjiin kuuluneen Drakenin vastaavassa järjestelmässä oli ollut venäläisten tekniikan kanssa.

Wennerströmin puhelimen värinä havahdutti hänet. Hän oli suodattanut puhelut niin, että vain kaikkein kiireellisimmät pääsivät läpi. Hän käveli sivummalle ja näki soittajan olevan Bengtsson MUSTista. Puheluun oli syytä vastata viipymättä.

Railo läimäisi autonsa oven kiinni suojelupoliisin pääoven edessä. Parkkipaikan puutteessa hän jätti auton kadulle nelivilkut päällä ja harppoi kohti ovea, kun Bengtsson soitti.

»Keskustelin äsken Gripenin turvallisuusjohtajan kanssa», Bengtsson sanoi ääni vakavana. »Voitko puhua?»

»Anna tulla.»

»Linköpingissä oli eilen havaittu yhden numeroidun, asentamattoman datalinkin kadonneen. Muita komponentteja tarkistetaan parhaillaan.»

»Tarkoitatko, että Hellevigillä olisi jotain tekemistä varkauden kanssa?»

»En tarkoita muuta kuin että asia on selvitettävä pienimmässä mahdollisessa piirissä. Yhtälössä on kaksi ikävää muuttujaa: Zentechistä omille teilleen lähtenyt Hellevig ja Gripeniltä kadonneet komponentit. Joudun luottamaan siihen, että järjestät meille apua Suposta.»

»Teen minkä voin, mutta minäkään en pysty ihmeisiin. Palaan asiaan pikaisesti.»

»Lennämme Helsinkiin.»

»Se tuskin on tarpeen.»

»Me päätämme nyt, mikä on tarpeen.»

Bengtssonin äänestä huokui epäluottamus suomalaisten kykyyn hoitaa asia. Railo kirosi mielessään ruotsalaisten ylimielisyyttä ja katseli ympärilleen. Hän veti syvään henkeä. Tältä siis näytti maisema tänään, hänen työuransa pahimpana päivänä.

Gripen International neuvotteli parhaillaan koko jättimäisen hävittäjähankkeen kannalta keskeisimmistä mahdollisista vientikaupoista, ja tieto koneen tärkeimpiin kuuluvan ja salaisimman myyntivaltin päätymisestä eräiden ostajakandidaattimaiden ykkösvihollisen tutkittavaksi olisi täydellinen katastrofi – varsinkin, jos se tapahtuisi Suomessa...

Railo painoi oven pielessä olevaa »Valvomo»-summeria ja sanoi päivystäjälle mikrofoniin: »Railo tulossa tapaamaan Paatsamaa. Joudun jättämään auton tähän vastapäätä ravintolan eteen, voisiko joku siirtää sen parempaan paikkaan.»

Vito vilahteli kuutostien liikenteessä kaukana Teron edessä. Seuraaminen oli kohtalaisen riskitöntä, moni ajoi maantietä pitkiäkin matkoja samaan suuntaan, vain pysähdykset muodostivat ongelmia. Mutta niitä ruotsalaiset eivät näyttäneet tekevän.

Vito oli jatkanut kehä ykköseltä Porvoon moottoritietä itään, vaikka Östersundomista olisi päässyt oikaisemaan suorempaakin. Miksi kummallinen mutka, Tero oli miettinyt. Hän oli soittanut Toomakselle ja kertonut mitä oli tapahtunut.

Selvittyään järkytyksestään Toomas oli kyennyt pikaisesti kiteyttämään asian ytimen: Ronilla oli tieto ruotsalaisten puuhista. He eivät voineet antaa asian olla.

Toomaksen ehdotus soi edelleen Teron korvissa: *Meillä on Anatolin numero. Soita hänelle autoon ja puhu Hellevigin kanssa. Se saa heidät varpailleen. Harkitsevat varmasti mitä tekevät. Voitat ainakin aikaa. Ronin ja Kimmon turvaan saaminen on nyt kaikkein tärkeintä. Kuten huomasit, poliisilta ei ole apua luvassa.*

Toomas saattoi olla oikeassa. Silti Tero tunsi viisaimmaksi välttää kontaktia ruotsalaisiin, ainakin toistaiseksi. Mitkä hänen todelliset vaihtoehtonsa olivat? Pitäisikö hänen sittenkin ottaa yhteys poliisiin? Hänellä ei yksin olisi mitään mahdollisuuksia kouliintunutta miesryhmää vastaan.

Mutta soittaminen poliisille tarkoittaisi sitä, että poliisin pitäisi hänen puolestaan hankkia todisteet ruotsalaisia vastaan. Ja sen perusteella mitä metsäaukiolla oli tapahtunut, Suomen viranomaiset pelasivat ruotsalaisten kanssa samaan pussiin, niin mahdottomalta kuin se tuntuikin.

Silti Tero aikoi tehdä kaikkensa pelastaakseen Ronin – mieluummin vankila kuin hauta. Ei ollut vaihtoehtoa. Pyörre vei heitä armotta syvyyksiin.

Tero piti katseensa kaukana etenevässä valkeassa autossa, soitti numerohakupalveluun ja pyysi yhdistämään suojelupoliisiin. Keskuksen vastattua hän kysyi henkilöä, jonka nimen oli kuullut mainittavan metsäaukiolla.

»Ylitarkastaja Paatsama ei nyt voi ottaa vastaan puheluita», keskus sanoi hetken kuluttua.

»Sanokaa, että asia koskee Östersundomin sieppaustilannetta, jota hän oli selvittämässä hetki sitten.»

»Paatsama», kuului hetken hiljaisuuden jälkeen.

»Olit äsken Östersundomissa metsäaukiolla, siellä oli sieppaustilanne. Minä olin siellä myös.»

»Kuka sinä olet?» kireä ääni kysyi.

»Olen Tero Airas. Poikani Roni ja eräs toinen suomalainen ovat vankina autossa, joka parhaillaan ajaa kuutostietä Kouvolan suuntaan. Ohitimme juuri Liljendahlin liittymän.»

Linjalla oli taas hiljaista. Sitten Paatsama kysyi entistä ärtyneemmin: »Ja missä sinä itse olet? Kuinka tiedät auton sijainnin?»

»Koska ajan sen perässä.»

Paatsama oli selvästi sanaton.

»Näin, kuinka päästitte sieppaajat menemään. Ellette auta minua panttivankien vapauttamisessa, moni muukin minun lisäkseni voi kysyä mitä teillä on tekeillä. Tiedän Estoniasta ja

Gripenistä. Autossa on panttivankien lisäksi arvokas lasti. Tämä kaikki varmasti kiinnostaa myös mediaa.»

»Emme päästäneet panttivankeja menemään, vaan noudatimme taktiikkaa, jota et saa nyt sotkea», Paatsama sanoi. »Pysähdy ja jää odottamaan, tulemme hakemaan sinut.»

»Älä puhu paskaa. Niin kauan kuin poikani on tuossa autossa seuraan sitä vaikka maailman tappiin. Ruotsalaisilla on hallussaan videokasetti Estonian sukelluksista ja lahjuksiin liittyviä pankin dokumentteja.»

»Hyvä on... Aloitamme valmistelut Kouvolan suunnalla. Kerro vielä rekisterinumerosi.»

Tero sulki puhelimen.

»Loistavaa», Paatsama sanoi ja käveli Railon ohi seinällä olevan Suomen kartan ääreen. »Päivän ensimmäinen hyvä uutinen. Tiedämme heidän sijaintinsa.»

Paatsama otti nuppineulan, merkitsi äsken kuulemansa paikan karttaan ja tiivisti Railolle puhelun sisällön.

»Mutta se ei ole loistavaa, että tämä vahvistaa Bengtssonin pahimman pelon lastin viemisestä itää kohti», Railo sanoi mietteliäänä. »Ja me autoimme siinä. Mitä se puhe Estonia-kasetista tarkoitti?»

Paatsama kääntyi ja katsoi Railoa leukaansa hieroen. »Airas tuntuu olevan perillä monesta asiasta.»

»Soitan Tukholmaan. Bengtsson saa miehineen lentää suoraan Uttiin. On parempi, että he hoitavat tämän mahdollisimman pitkälle itse. Me pysymme tästä niin kaukana kuin mahdollista.»

»Lähden kokoamaan miehiä», Paatsama sanoi ja poistui.

Railo soitti Tukholmaan Bengtssonille.

»Terve Ulf. Olemme paikantaneet Hellevigin tila-auton. Se on tosiaankin matkalla itään eikä länteen.»

»Rullaamme jo kiitoradalla, pelatkaa aikaa», Bengtsson sanoi.

»Lentäkää Uttiin tai Lappeenrantaan, auto lasteineen on matkalla kuutostietä itään. Ilmoitamme tarkemmin kunhan pääsette lähemmäs. Saimme yhteydenoton eräältä suomalaismieheltä, joka seuraa autoa. Hän väittää poikansa olevan vankina autossa eikä minulla ole syytä epäillä tietoa. Hän sanoi lisäksi, että autossa on todisteita Estonian sukelluksista ja Gripenin lahjuksista.»

Toisessa päässä oli hiljaista.

»Mitä hän mahtoi tarkoittaa?» Railo jatkoi.

»Kuten sanoin, pelatkaa aikaa. Tulemme niin pian kuin mahdollista.»

Railo saattoi kuulla Bengtssonin katkonaisesta puheesta, että mies oli pistänyt juoksuksi. »Pitäkää muut viranomaiset mahdollisimman kaukana tästä.»

»Tiedät hyvin, ettei minulla ole minkäänlaisia valtuuksia sen paremmin suojelupoliisin kuin poliisinkaan suuntaan. Korkeintaan tulli ja raja kuuntelevat»

»Jorma, et varmaan halua, että tätä asiaa aletaan penkoa. Siinä on aivan liian paljon herkkuja medialle. Tiedät sen.»

»Miten sen nyt ottaa. Meillä Suomessa on niin pieni vene, ettei kukaan ala keikuttaa sitä. Se nähtiin jo Estonia-tutkinnan aikana. Media ei tarttunut mihinkään, kaikki ymmärsivät vaieta. Mutta älä huolehdi, teemme täällä voitavamme, että te saatte sotkunne selvitettyä», Railo sanoi. Hän oli päättänyt, että hyökkäys oli paras puolustus.

59.

Hellevig ajoi tasaisen varmasti, nopeusrajoituksia täsmällisesti noudattaen. Liikenne oli harvaa Kouvolan ohitustiellä, synkässä säässä eivät liikkuneet kuin rekat ja pakon edessä kaupungista toiseen ajavat. Tihkusade oli alkanut uudelleen ja tienvarren näyttötaulu kertoi lämpötilaksi 9 astetta.

Tunnelma autossa kiristyi minuutti minuutilta – oli selvää, että panttivangit muodostivat riskin, jota heidän asiakkaansa ei missään nimessä hyväksyisi.

Hiljaisuuden katkaisi Hellevigin puhelin. Tuntematon numero. Hänen pahat aavistuksensa kävivät toteen, kun hän vastasi. Toisessa päässä oli asiakkaan edustaja, hillitysti puhuva Oleg. Se oli ensimmäinen kontakti koko päivänä.

»Olemme valmiina, varmistaisin sijaintinne», Oleg sanoi englantia venäläisittäin ääntäen.

Hellevig keskittyi valitsemaan sanansa huolellisesti. Päälinjat oli jo sovittu Anatolin ja Steglitzin kanssa.

»Olemme pian lähellä Kouvolaa –»

»Vasta?» ääni keskeytti terävästi.

» Olin juuri ilmoittamassa pienestä viiveestä Helsingissä. Teknisiä ongelmia auton kanssa. Jouduimme vaihtamaan akun.»

»Mikset ilmoittanut aikaisemmin?»

»Yritimme kiriä matkan aikana. Olin juuri soittamassa. En usko, että tässä on mitään todellista ongelmaa. Missä tapaamme?»

»Ilmoita, kun olette Luumäen motellin kohdalla parikymmentä kilometriä ennen Lappeenrantaa.»

»Selvä.»

Hellevig laittoi puhelimen pois ja kiihdytti hiukan nopeuttaan.

»Ei yhtään ylinopeutta», Anatoli sanoi. »Tutka on nyt viimeinen asia, jota kaipaamme.»

Paatsama istui Liikkuvan poliisin helikopterissa ja tähyili kaukana alhaalla sateen seassa häämöttävää kuutostietä. Hänen mukanaan olivat Railo ja kaksi muuta Supon ja Pääesikunnan tiedusteluosaston virkailijaa. He olivat lähteneet Malmilta ja saaneet Liikkuvan poliisin avukseen auton jäljittämisessä. Paatsamasta oli jo pitkään tuntunut siltä, että Liikkuva poliisi oli ainoa yksikkö, jossa vielä ymmärrettiin Supon erityistarpeita.

Hän sai kuulokkeisiinsa puhelun, jonka mukaan LP:n siviilipartio oli ilmoittanut Viton rekisteritunnus HCG-557 havainnoista Kaipiaisissa Kouvolan itäpuolella. Paatsama kiitti tiedosta ja käski partion pysyä erossa asiasta.

Liikkuvan poliisin päämajassa Helsingin Malmilla asiasta Paatsamalle ilmoittanut komisario katsoi tietokoneen näyttöruutua ja huomasi jotain kiinnostavaa.

»Tämä rekisterinumero, josta Paatsama pyysi havaintoja, on sama kuin se josta tehtiin aiemmin päivällä ilmoitus... panttivankitilanne Östersundomissa. Mutta tilanteen seurannasta ei ole täällä mitään tietoja», komisario ihmetteli virkatoverilleen.

»Ja nyt Paatsama pyytää meitä pysymään erossa autosta.»

»Kyllä Supo varmaan tietää mitä tekee», kollega sanoi epäröiden.

Ulf Bengtsson istui nahkapenkillä Cessna Citation -liikesuihkukoneen ahtaassa matkustamossa. Kone suuntasi kohti Lappeenrantaa, jonne Railo oli kehottanut heitä Utin sotilaslentokentän sijasta laskeutumaan.

Koneessa oli kolme Bengtssonin kollegaa KSI:stä, kokeneita operatiivisen puolen virkailijoita. He olivat toimineet vaativimmissa tehtävissä muun muassa Balkanilla ja Liberiassa. Mukana oli myös Stefan Wennerström, Gripenin Linköpingin tehtaiden turvallisuusjohtaja, joka oli järjestänyt koneen lentäjineen ja tullut sillä Arlandaan.

Linköpingistä oli saatu matkan aikana lisää huolestuttavia tietoja. Myös Hellevigin kollega, Zentech AB:n palveluksessa ollut entinen KSI-virkailija Claus Steglitz oli irtisanoutunut yhtiön palveluksesta vajaa viikko sitten. Pahinta oli kuitenkin se, että miehillä oli hyvät suhteet erääseen Linköpingin tehtaan insinööriin, jonka ryhmälle Zentech oli toimittanut venäläistä tutkatekniikkaa. Nyt tuo insinööri, 43-vuotias poikamies, oli jäänyt tulematta työpaikalleen, eikä häneen saatu puhelinyhteyttä.

Vaikutti yhä ilmeisemmältä, että pahin uhkakuva oli käymässä toteen: Hellevig, Steglitz ja Gripenin insinööri eivät olleet pystyneet vastustamaan houkutusta myydä Gripenin salaisimpia järjestelmiä Venäjälle. Tilanne oli ironisella tavalla tuttu – Gripenin tuotekehitykseen oli hankittu samalla tavalla tietoja Venäjältä Suhoi- ja MiG-hävittäjistä. Nyt rahan ja tavaran suunta oli vain muuttunut päinvastaiseksi.

»Tein itse tuon insinöörin turvaluokituksen», Wennerström sanoi käytävän toisella puolella istuvalle Bengtssonille. »Hänen taustassaan oli kaikki kunnossa. En voi käsittää, miten joku voi ryhtyä tällaiseen petokseen.»

»Samaa minäkin ihmettelen Hellevigin ja Steglitzin osalta. He kuuluivat KSI:n parhaimpiin miehiin. Sitten he siirtyivät Zentechiin ja yhteistyö heidän kanssaan jatkui ongelmitta. Ja nyt tämä.»

»Raha ratkaisee.»

»Isänmaallisuus ei merkitse enää mitään.»

»Toisaalta asia on ehkä juuri päinvastoin», Wennerström sanoi. »Nationalismistahan tässäkin on kyse. Kansallistunne Venäjällä nousee koko ajan ja öljyrahaa pumpataan varusteluun. En viitsi edes kuvitella, paljonko GRU on luvannut Hellevigille komponenteista.»

»Miljoonia. Ehkä jopa muutamia kymmeniä miljoonia euroja.»

Bengtsson ei viitsinyt sanoa ääneen sitä, mikä oli itsestäänselvää: summa oli suunnaton muutamalle miehelle, mutta mitätön aiheutettuun vahinkoon nähden. Potentiaalinen vahinko nousisi käsittämättömiin summiin. Muun muassa neuvottelut Intian kanssa olivat loppusuoralla.

Bengtssonin mieleen tuli marraskuinen päivä vuonna 2002, jolloin Gripenin tutka- ja ohjusten ohjausjärjestelmien toimittaja Ericsson Microwave Systemsin viisi työntekijää jäivät kiinni vakoilusta Venäjän hyväksi. Ruotsin hallitus karkotti tapahtumien seurauksena kaksi venäläistä diplomaattia, jotka olivat organisoineet vakoilun. Venäläisten motiivina oli ollut – paitsi selvittää Gripenin teknisiä ratkaisuja – myös vastata ruotsalaisten harjoittamaan vakoiluun Venäjällä.

Bengtsson tiesi liiankin hyvin paineet, joita Gripen-projektissa oli ollut alusta saakka. Siitä oli tehty sopimus vuonna 1982, ja 20 000 000 tunnin kehitys- ja rakennustyön jälkeen koneen prototyyppi lensi ensilentonsa loppuvuodesta 1988. Ensimmäinen prototyyppi tuhoutui kuudennelta lennolta palattuaan. Lentojen päästyä pitkän tauon jälkeen jälleen käyntiin, toinen kone tuhoutui keskellä Tukholmaa. Vientikaupoista ei edes haaveiltu ja pitkään näytti siltä, että Ruotsi on koneen ainoa ostaja. Kaupallinen tilanne oli hankala, mutta tekniikkaa ihailtiin kaikkialla. 1990-luvun lopussa saatiin vihdoin aikaiseksi kuumeisesti kaivattuja vientikauppoja.

Gripenin merkittävin ominaisuus oli datalinkiksi kutsuttu järjestelmä, joka keksittiin alun perin Ruotsissa. Neuvostoliiton läheisyyden takia Ruotsin sotilaskoneet olivat haavoittuvaisia Neuvostoliiton häirinnälle, ja huippusalainen maasta-koneeseen toimiva linkki asennettiin Drakeneihin jo 1960-luvulla. Järjestelmä oli niin salainen, että se oli piilotettu ohjaamoon eikä sitä saanut koskaan mainita radio- tai puhelinviestinnässä. Yhtä salainen oli ensimmäinen koneesta-koneeseen toimiva järjestelmä Viggeneissä 1980-luvun alussa. Tähän kokemukseen, maailman pisimpään alallaan, Gripenin huippunykyaikainen järjestelmä perustui.

Suuri osa Ruotsin puolustusvoimien operationaalisesta kyvystä oli rakennettu datalinkin ympärille, ja nimenomaan tämän järjestelmän ydin oli nyt Linköpingistä viety. Pahempaa ei olisi voinut kuvitella. Bengtsson ei ollut insinööri, mutta hän oli kuullut asiantuntijoiden hehkutuksen moneen kertaan. Tactical Information Datalink System, TIDLS, pystyi yhdistämään useita hävittäjiä kaksisuuntaiseen linkkiyhteyteen. Sen kantomatka oli 500 kilometriä ja se oli erittäin vastustuskykyinen häirinnälle. Ainoa keino puuttua yhteyteen oli laittaa häirintäkone lentämään kahden Gripenin väliin. Järjestelmä pystyi osoittamaan kaikkien toisiinsa yhteydessä olevan neljän koneen sijainnit ja nopeudet muodostelmassa sekä muun muassa polttoaineiden ja asejärjestelmien tilat. Visuaalinen kontakti koneiden kesken ei ollut enää tarpeellinen, ja järjestelmä antoi Gripenille samoja ominaisuuksia kuin on häivekoneissa, joita ei havaita tutkan avulla.

Datalinkin taktisiin etuihin kuului se, että parhaassa asemassa oleva lentäjä suoritti hyökkäyksen ja tiedot hänen toiminnastaan välittyivät saman tien kolmelle muulle hävittäjälle. Koneet pystyivät käyttämään »hiljaisen hyökkäyksen» taktiikkaa, jossa toinen kohdetta lähempänä oleva kone saattoi käyttää toisen kohteesta kauempana olevan koneen tutkaseurantaa ja tehdä näin yllätyshyökkäyksen. Ainutlaatuisen datalinkin ansiosta ryhmästä Gripeneitä muodostui yksi, yhtenäinen ase, eräänlainen superhävittäjä. Kaiken lisäksi koneesta tuleva informaatio voitiin syöttää myös maahan simulaattoriin ja tarjota näin ensiluokkaisen realistista koulutusmateriaalia.

Koska datalinkki kuului Gripenin keskeisiin myyntivaltteihin, jonka menettäminen näytti nyt Hellevigin vuoksi todennäköiseltä, tilanteen stabiloimiseksi oli tehtävä kaikki mahdollinen.

Bengtsson alkoi tutkia Kaakkois-Suomen karttaa, johon hän oli merkinnyt Railon ilmoittaman auton sijainnin. Seutu oli Bengtssonille tuttua, hän oli lentänyt useita kertoja Uttiin ja muun muassa käynyt sieltä käsin rajan pinnassa sijaitsevilla suomalaisten Venäjää seuraavilla tutka- ja radiotiedusteluasemilla, joiden toiminta oli Suomen tarkimmin varjeltuja sotilassalaisuuksia.

Kartta kertoi vääjäämättömän totuuden: datalinkki ja muut komponentit yritettäisiin todennäköisesti saada mahdollisimman pikaisesti itärajan yli.

60.

Siviilipoliisiautossa Vitoa kuutostiellä seuraava vanhempi konstaapeli kuunteli kummissaan Liikkuvan poliisin päivystyksestä tulevaa käskyä, jonka mukaan Supon määräystä oli toteltava. Tilanteen johto oli Supolla ja Vito oli jätettävä heidän huolekseen. »Kai se sitten on uskottava», konstaapeli sanoi radiopuhelimeen ja sulki yhteyden.

»Älähän nyt», autoa ajava nuorempi kollega sanoi. »Olkoon vaan johto Supolla. Mutta eivät he määrää sitä, missä me partioimme. Me nyt vaan satumme ajamaan tässä samaan suuntaan, joten jatketaan vaan. Aika outo juttu, mutta minusta alkaa vaikuttaa siltä että tuo sininen Golf seuraa samaa Vitoa. Kurkkaatko sen rekisterinumeron.»

Konstaapeli näppäili tunnuksen päätteelle, joka antoi tiedon ajoneuvosta. »Haltija on vartiointiliike. Helsinki Security. Tämä alkaa tosiaan käydä mielenkiintoiseksi.»

Hätäännys kasvoi Teron mielessä sitä mukaa kun matka jatkui. Vito saattaisi pysähtyä tai kääntyä minä hetkenä tahansa. Hän oli soittanut uudelleen Toomakselle ja tämä oli toistanut neuvonsa: soita Anatolille, uhkaa, kiristä, pane heidät huomaamaan että olet olemassa.

Tero henkäisi syvään ja valitsi Anatolin numeron. Puhelin hälytti kerran, toisen, kolmannen, neljännen...

»Haloo», epäluuloinen ääni sanoi venäläisellä korostuksella.

»Tässä on Tero Airas. Haluan puhua Hellevigin kanssa.»

Kului muutama sekunti.

»Hyvä», Hellevig sanoi. »Tero, meillä on puhuttavaa –»

»Minulla on puhuttavaa, sinulla on vain kuunneltavaa. Kerron poliisille kaiken tietämäni, jos ette välittömästi vapauta poikaani ja toista suomalaista.» Tero yritti kuulostaa itsevarmalta ja päättäväiseltä. Hän vilkaisi peiliin, takaa lähestyi ambulanssi sinivalot vilkkuen.

»Miksi poliisi uskoisi taposta epäillyn isää? Sellainen henkilöhän voi sepittää mitä tahansa poikansa ja oman nahkansa pelastamiseksi.»

Tero mietti vastausta ja katsoi edessä neljän auton päässä ajavan Viton takaluukkua. Jotain vakuuttavaa oli äkkiä sanottava, muuten epävarmuus ja hapuilevuus paljastuisivat. Ambulanssi ohitti hänet sireeni ulvoen.

Hellevig ajoi puhelin korvallaan.

»Poliisin ei tarvitse uskoa pelkästään minua, on muitakin jotka tietävät teistä», Airas sanoi ja kuulosti hätääntyneeltä. Äänistä päätellen tämä istui autossa. Taustalta kuului hälytysajoneuvon ujellus.

Anatoli puhui samaan aikaan toiseen puhelimeen kuunnellen Olegin uusia, tarkempia ohjeita.

Samassa Hellevig vilkaisi taakseen Steglitzin ja Nykvistin välistä. Ambulanssi ohitti heidän perässään tulevia autoja ja siirtyi juuri heidän rinnalleen.

Hellevig puristi puhelinta korvallaan.

Airas oli heidän perässään.

* * *

393

Tero kirosi tajutessaan mitä oli tapahtunut. Hän kuuli ambulanssin äänen Hellevigin puhelimen kautta – samalla tavoin Hellevig oli kuullut sen hänen puheensa taustalla.

»No niin», Hellevig sanoi pilkallisesti. »Nissan vai Volvo? Tuskin sentään pakettiauto... Vai Golf niiden takana? Se taitaa olla sinun.»

Tero oli katkaista puhelun mutta muutti mielensä. Hän puristi rattia ja pysyi hiljaa, joka hetki valmiina jarruttamaan tai kiihdyttämään.

»Odota hetki», Hellevig sanoi. Kuului vaimeaa, nopeatempoista keskustelua, ja sitten Hellevig puhui taas hänelle: »Kuuntele tarkasti. Jos haluat nähdä poikasi vielä hengissä, pysähdy tien viereen. Heti. Saat kohta lisää ohjeita.»

»Ei», Tero sanoi nopeasti. »Haluan heidät vapaaksi nyt.»

»Teet kuten sanoin.» Ääni oli pelottavan tunteeton. »Heidän henkensä on vain ja ainoastaan sinun käsissäsi. Valinta on sinun.»

Puhelu katkaistiin.

Tero laski puhelimen käsi täristen ja iski ohjauspyörää nyrkillään. Hän katsoi edessä mäen harjanteella näkyvää Vitoa ja yritti vielä kerran kasata itsensä. Hän ei saisi tehdä nyt väärää ratkaisua. Jos Ronille tapahtuisi jotain siksi, että hän kiellosta huolimatta ei pysähtyisi, hän ei koskaan antaisi itselleen anteeksi.

Tero jarrutti ja pysähtyi linja-autopysäkille. Hänen ohitseen sujahti muutama auto. Sydän hakaten hän odotti muutaman sekunnin ja jatkoi eteenpäin. Vitoa ei näkynyt. Ruotsalaisilla ei olisi mitään keinoa tietää oliko hän heidän perässään vai ei.

Hellevig vilkaisi Anatolia, joka työnsi puhelimen rintataskuunsa.

»Neljäsataa metriä puukyllästämön hallin jälkeen tulee vastaan viitta jossa lukee Savela, käännymme siitä», Anatoli toisti Olegilta kuulemansa ohjeen. »Sata metriä liittymän jälkeen kääntyy vasemmalle pikkutie, jota ajamme niin kauas että tulemme peltoaukean reunaan, josta näkyy kolme korkeaa mäntyä. Pysähdymme siihen lisäohjeita varten.»

Hellevig vilkuili peilistä taakseen. »Airasta ei näy, hän on ainakin hidastanut vauhtiaan.»

»Pääasia että pysyy poissa luovutuksen ajan», Steglitz sanoi kireästi. »Sen jälkeen houkuttelemme hänet ansaan.»

»Entä jos hän on ollut yhteydessä poliisiin?» Nykvist kysyi.

»Hänen tuskin olisi annettu roikkua tänne saakka perässämme», Hellevig totesi. »Ja luotan Railoon sataprosenttisesti.»

»Paitsi että hän taatusti tarkistaa asioita Tukholmasta», Anatoli sanoi. »Josta hänelle vahvistetaan, ettei mitään Zentechin kuljetusta ole meneillään. Eivätkä teidän entiset kolleganne MUSTissa jää toimettomiksi.»

»Varmastikin Tukholmasta vahvistetaan asioita Railolle jollain aikataululla. Ei Linköpingissä välttämättä ole edes huomattu komponenttien puuttumista vielä. Puhumattakaan että siitä olisi tehty ilmoitus. He yrittävät pitää asian niin pienessä piirissä kuin ikinä mahdollista.»

»Turhaa spekulointia. Nyt keskitymme luovutukseen», Steglitz sanoi. »Tämä Oleg on varovainen. Hän ei saa aavistaa mitään ongelmia, hän ei missään oloissa saa nähdä suomalaisia autossa.»

Anatoli katsoi häntä pilkallisesti. »Luuletko tosiaan, ettei hän jo nyt aavista ongelmia? Että puheet akun vaihdosta menivät GRU:ssa läpi?»

»Jos nyt lopetettaisiin turha lörpöttely ja keskityttäisiin siihen, miksi täällä ollaan», Steglitz ärähti nuuskamälli ylähuulen alla. »Hetken päästä suomalaiset ja ruotsalaiset saavat jahdata lastia vapaasti. Mutta en usko, että GRU luopuu siitä kovin her-kästi.»

Hellevig vilkaisi jälleen peiliin. Ei Airas ainakaan kannoilla uskaltanut ajaa.

Tiellä liikkui runsaasti venäläisiä autoja. Hellevig oli valinnut operaatioon suomalaisilla rekisterikilvillä varustetun auton, ja päätös oli oikea – Ruotsiin rekisteröity ajoneuvo olisi herättä-nyt aivan turhaa huomiota. Anatoli oli auttanut auton hankki-misessa ja järjestänyt varastohallin, jossa tekniset työt oli tehty. Viimeisenä iltana, juuri ennen kuin Vitoa oltiin siirtämässä Tuk-holmaan, he olivat nähneet hallin luona uteliaan tunkeilijan. Tyttö oli nähnyt liikaa eikä uutta autoa olisi ehditty enää varus-taa, joten jäljelle oli jäänyt vain yksi vaihtoehto.

61.

Tero kiihdytti edelleen vauhtiaan. Hänen edessään tukkirekka hidasti loivasti kaartuvassa mutkassa. Tihkuasennossa olevat lasinpyyhkijät heilahtivat. Vitosta ei näkynyt jälkeäkään. Tero kytki sydän takoen pienemmän vaihteen, painoi kaasupolkimen pohjaan ja ohitti rekan. Mutkan takana avautui loiva alaspäin viettävä suoranpätkä. Risteyksiä ei ollut, Vito ei ollut voinut kääntyä minnekään.

Äkkiä hän näki auton, se oli kääntymässä oikealle. Tero jarrutti voimakkaasti ja mietti oliko hänet ehditty nähdä. Missään nimessä hän ei voisi seurata Vitoa pikkutielle tulematta huomatuksi.

Hän hapuili puhelimen käteensä ja soitti Paatsamalle.

»Missä te viivytte?» Puhelun taustalta kuului kova meteli.

»Minä esitän kysymykset», Paatsama sanoi. »Missä sinä olet?»

»Navin mukaan 14 kilometrin päässä Lappeenrannasta, pikkutie oikealle. Savela. Vito kääntyi sinne. Alkakaa toimia!»

»Vieläkö sinä seuraat ruotsalaisia?»

»Ei, seuraan poikaani. Mitä te odotatte, ettekö te edes aio toimia? Onko Karhu-ryhmä tulossa?»

»Toimimme koko ajan. Olen helikopterissa. Pysy siinä missä olet, laskeudumme kohta ja tulemme sinne autolla.»

Hellevig ajoi hitaasti yhä kuoppaisemmaksi ja kapeammaksi käyvää pikkutietä. Kukaan autossa ei sanonut sanaakaan, mitään sanottavaa ei ollut. He tulivat pajukoiden reunustamalle aukiolle, jonka laidassa kasvoi kolme korkeaa mäntyä. Sade ropisi auton kattoon.

»Älä pysähdy», Steglitz sanoi. Hän kaivoi jalkojensa juuressa olevasta kassista lyhytpiippuisen konepistoolin ja latasi sen. Nykvist nosti kassista samanlaisen aseen.

»Aja noiden puiden suojaan. Nopeasti.»

Hellevig painoi kaasua. Auto rytisteli eteenpäin puiden märkien juurten yli. Päästyään aukion sivuun mäntyjen suojaan Hellevig jarrutti voimakkaasti ja sammutti moottorin.

Steglitz antoi katseensa kiertää, kuulokkeet edelleen kaulallaan. Samoin Nykvist haravoi katseellaan ympäristöä toisesta sivuikkunasta ase kädessään.

»Ettekö luota ystäviimme?» Anatoli kysyi.

»Outoa puhetta sinun suustasi», Steglitz tuhahti. »Luulisi asekauppiaan tietävän, että koskaan ei pidä luottaa kehenkään.»

»Päinvastoin. Kansainvälinen asekauppa perustuu nimenomaan luottamukseen.»

»Silloin kun kyse on jatkuvuudesta. Mutta tämä toimitus on ainutkertainen. He tietävät, etteivät voi saada meiltä enää koskaan mitään tätä isompaa.»

»Jonas», Anatoli sanoi Hellevigille. »Kai sinä luotat kontaktiimme?»

Hellevig ei vastannut mitään.

Steglitz tuhahti jälleen. »Ystävällämme Olegilla on myös käskynsä. Hän on tässä pelkkä pelinappula.»

Samassa Hellevigin puhelin soi. Hän painoi kaiuttimen päälle.

»Jatkakaa eteenpäin. Muutaman sadan metrin jälkeen tulette niitylle, jonka laidassa on lato. Pysähtykää siihen.»

Yhteys katkaistiin toisesta päästä.

»Juuri tästä en pidä», Steglitz sanoi. »Miksi he antavat meille ajo-ohjeita vaiheittain? Joudumme istumaan pysähtyneessä autossa maalitauluina.»

Hellevig käynnisti moottorin ja Vito lähti liikkeelle.

Tero tuijotti kojetaulun päälle kiinnitetyn navigointilaitteen ruutua keskittyneesti. Vito oli kääntynyt Savelantielle, joka mutkitteli itään päin, kunnes loppui vajaan kilometrin päässä. Ainakaan navin mukaan tieltä ei päässyt muualle, vaan takaisin oli palattava samaa reittiä.

Mutta kuinka paljon naviin saattoi luottaa? Tiedot pikkuteistä olivat joskus puutteellisia. Entä jos Vito häipyisi jonnekin?

»Tuolla se on», Steglitz sanoi kireästi.

Hellevig jarrutti. Puiden reunustaman kärrytien päässä niityn laidassa kyhjötti yksinäinen harmaa lato. Matkaa sinne oli noin sata metriä. Hän vilkaisi Steglitziä, joka puristi konepistooliaan entistäkin tiukemmin.

»Jätä minut ja Nykvist tässä pois.»

»Ei», Anatoli sanoi tiukasti. »Se olisi loukkaava epäluottamuksen osoitus.»

Lasinpyyhkijät kauhoivat rytmikkäästi vettä sivuun.

Samassa ladon luona näkyi liikettä. Sen takaa työntyi esiin vihreä Toyota Land Cruiser. Auto pysähtyi ladon eteen ja etuovesta astui ulos mies.

Hellevig nosti kiikarin silmilleen, vaikka näkyväisyys oli sateen takia huono.

»Se on hän.»

Toinen mies astui ulos Toyotan toisesta ovesta.

Hellevig ajoi hitaasti lähemmäs ja pysähtyi Olegin luo, joka oli kävellyt muutaman kymmenen metrin päähän Toyotasta.

Hellevig avasi oven ja lähestyi hymyilevää, hiukan itseään nuorempaa miestä, jolla oli lyhyt huoliteltu parta ja terävä katse.

»Oliko ongelmia?» mies kysyi venäjäksi ja kätteli Hellevigiä.

»Ei mitään ongelmia», Hellevig sanoi. Pisarat tarttuivat hänen ripsiinsä.

»Anatoli, hyvä nähdä sinua jälleen», venäläinen sanoi ja halasi Anatolia. »Liiketoimet sujuvat entiseen malliin?»

»Vähintään», Anatoli naurahti Olegin puristaessa jo Steglitzin ja Nykvistin kättä.

»Missä Sergei on?» Oleg kysyi ja vakavoitui.

Hellevig oli vaistomaisesti vilkaisemassa Steglitziä, mutta ele olisi paljastanut hänet heti.

»Hänelle tuli äkillisiä vatsakipuja», Hellevig sanoi. »Hän on Kouvolassa terveyskeskuksessa.»

Oleg tuijotti häntä. »En ole huumorituulella, Jonas. Missä hän on?»

»Poimimme hänet paluumatkalla kyytiin. Ellei se ole umpisuoli tai vastaava.»

»Hänen piti tulla meidän mukanamme rajan yli.»

Nyt Hellevig ei voinut enää välttää katsomasta Steglitziä. Hän ehti rekisteröidä peitellyn tyrmistyksen tämän kasvoilla.

»Kuuluuko Sergei GRU:hun?» Hellevig kysyi.

Ruotsalaisten välille laskeutui jäätävä hiljaisuus.

»Oleg», Anatoli sanoi painokkaasti. »Aion olla sinulle rehellinen. Meille tuli matkalla hieman ongelmia.»

Oleg otti askeleen taaksepäin ja vilkaisi Toyotan takana seisovaa toveriaan.

»Jonas kertoi minulle juuri, ettei mitään ongelmia ollut.»

»Oleg, kuuntele», Anatoli sanoi maanmiehelleen. »Pari suomalaista pääsi jäljillemme. Tilanne on muuten hallinnassa, mutta he ampuivat Sergein matkalla.»

Olegin kasvot synkkenivät hetkessä.

»Pääsi jäljillenne? Miksi tästä ei ilmoitettu minulle mitään?» Oleg otti puhuessaan hitaasti askeleita taaksepäin lähestyen Toyotaa. Hellevig tiesi mitä se tarkoitti: vaaraa. Hän katsoi Steglitziä ja aavisti tämän ajattelevan samaa kuin hänkin: aseet olivat autossa.

»Tiedätkö mitä?» Oleg jatkoi. »Luulen, että tuo on paskapuhetta. Luulen, että ne ampujat olivat pari ruotsalaista. Ja Claus, sinuna minä en ottaisi askeltakaan kohti autoa.»

Samassa Steglitz ja Nykvist syöksyivät kohti Vitoa. Steglitz heittäytyi sisään auki olevasta etuovesta, Nykvist kiskaisi liukuoven auki ja tarttui lattialla olevaan konepistooliin. Samalla hetkellä kun hän sai aseen käsiinsä, veri roiskahti hänen kaulastaan.

Laukaus tuli metsästä – sittenkin väijytys, Hellevigin mielessä välähti. Hän heittäytyi kohti Vitoa, jonka viereen Nykvist vajosi ase kädessään.

»Ei», Anatoli huusi käsiään levitellen ikään kuin yrittäisi rauhoittaa tilannetta.

Hellevig otti muutaman juoksuaskeleen ja heittäytyi kierähtäen maahan. Hän kuuli napsahduksen luodin iskeytyessä aivan hänen viereensä. Hän ryntäsi ylös, juoksi kyyryssä viimeiset metrit auton suojaan ja kiskaisi kuljettajan puolen oven auki.

Steglitz makasi jalkatilassa konepistooli käsissään.

»Aja, aja, aja», hän hoki mielipuolisesti.

Hellevigin käynnistäessä nopealla liikkeellä moottorin Steglitz avasi napinpainalluksella sivuikkunan, nousi ylös ja ampui raivoisan sarjan kohti metsää. Vasta silloin Hellevig huomasi Anatolin ruumiin ladon lähellä. Moottori huusi täysillä kierroksilla Hellevigin peruuttaessa.

Äkkiä Steglitz älähti tuskasta ja ase putosi hänen kädestään. Hellevig jarrutti ja huomasi Steglitzin pitelevän kättään, joka värjäytyi punaiseksi. Hellevig ruhjaisi vaihteen päälle ja teki täyskäännöksen. Kuului räsähdys kun luoti lävisti auton takaosan sivuikkunan.

Hellevig kiihdytti täyteen vauhtiin kuoppaisella kärrytiellä, vilkaisi taakseen ja näki kuinka Anatoli kohottautui maasta ja lähti hoippumaan heidän peräänsä käsiään heilutellen. Samassa hänen päästään purskahti punainen pilvi ja hän lysähti uudelleen maahan. Land Cruiser kääntyi tietä kohti ja ennen kuin puut peittivät näkyvyyden, Hellevig ehti nähdä kuinka metsästä juoksi esiin mies äänenvaimentimella varustettu kiikarikivääri kädessään.

»Osuiko muualle?» Hellevig kysyi lätäkön vesien roiskahtaessa tuulilasiin. Steglitz piteli kauttaaltaan punaiseksi värjäytynyttä käsivarttaan.

Steglitz irvisti. »Ne paskiaiset...»

»Tyrehdytä vuoto. Ota vyö kiristyssiteeksi.»

»Keskity sinä vain ajamiseen.» Steglitz vilkaisi taakseen. »He tulevat perässä. Ja lujaa.»

Roni makasi tavaratilassa suojapeitteen alla auton heilahdellessa rajusti. Mitä oli tapahtunut? Kuka oli hyökännyt ruotsalaisia vastaan? Poliisiko? Hän oli kuullut Hellevigin ja Steglitzin äänet, mutta ei ollut saanut moottorin kiihdytykseltä sanoista selvää.

Roni pelkäsi. Hän aavisti, ettei tilanteesta ollut muuta ulospääsyä kuin oma toiminta. Ja mitä enemmän hän pelkäsi, sitä vahvemmin hän tunsi tehneensä törkeästi väärin Juliaa kohtaan. Hän ei ollut myöntänyt asiaa isälle, eikä isä ollut häntä siitä kunnolla edes kovistellut.

Roni hivuttautui Kimmon viereen, joka liikahti. Roni kääntyi vaivalloisesti selin Kimmoon ja yritti käsillään haroa tämän käsiä. Hänen sormensa liukuivat pitkin teippauksen sileää pintaa, jälleen kerran. Hän jännitti sormensa ja alkoi raapia Kimmon teippausta lyhyillä kynsillään. Hän oli yrittänyt samaa aiemmin, monta kertaa, mutta joutunut luovuttamaan.

Nyt ei ollut enää varaa antaa periksi. Sitkeästi hän jatkoi, kunnes tunsi jonkun ajan kuluttua teipin pienen kulman nousevan esiin. Hän yritti tarttua siihen sormenpäillään ja repäistä niin voimakkaasti kuin pystyi, mutta se oli vaikeaa.

Samassa hän erotti takaa lähestyvän auton äänen.

Hellevig vilkaisi taustapeiliin. Sateen takaa erottui tummana hahmottuva suuri maastoauto, joka lähestyi heitä vääjäämättä, vaikka hän ajoi niin lujaa kuin pystyi.

»Jonas, nyt jumalauta kaikki irti autosta», Steglitz huusi.

»Tämä olisi pitänyt aavistaa… GRU halusi tavaransa ilman todistajia.» Hellevig yritti pitää auton tiellä nopeudesta huolimatta. Venäjän rekisterikilvillä varustettu maastoauto vyöryi takana, yhä lähestyen.

»Meidän on päästävä maantielle ennen kuin he saavuttavat meidät. Se on ainoa toivomme», Steglitz sanoi ähkäisten ja kiersi vyötään verisen käsivartensa kiristyssiteeksi. Saatuaan vyön tiukaksi hän hamusi kädellään kohti lattiaa ja otti sieltä konepistoolinsa.

Oleg Mihailov piti Land Cruiserin etäisyyden Vitoon ja vilkaisi vieressään istuvaa Dimaa, joka puhui parhaillaan operaatiokeskukseen Pietariin.

Oleg puristi lujasti ohjauspyörää. Vito ajoi heidän edellään kovaa. Liian kovaa, matka ei riittäisi. He olisivat kohta maantiellä. Ja siellä riski olisi aivan liian suuri.

He olivat epäonnistuneet – aavistus petoksesta oli aiheuttanut hallitsemattoman ketjureaktion. Hän oli aliarvioinut ruotsalaiset, jotka olivat yllättäneet hänet reagointinopeudellaan. Kovissa kenttäolosuhteissa harjaantuneet sotilastiedustelun ex-virkailijat olivat vaistonneet vaaran. Se oli kuin kuudes aisti. Hänen olisi pitänyt ymmärtää se ja odottaa, kunnes lasti olisi siirretty. Vai oliko heillä edes aitoa lastia mukanaan? Mitä Sergeille oli tapahtunut? Oliko hän päässyt selville jostain huijauksesta? Olivatko Ruotsin ja Suomen viranomaiset heidän jäljillään?

Dima laittoi puhelimen pois. »Keskeytetään.»

Mihailov oli arvannut vastauksen. Se oli ainoa vaihtoehto; vaikka saalis oli ylivoimaisen houkutteleva, oli riskit arvioitu Moskovassa realistisesti. Silti ratkaisu tuntui nyrkiniskulta palleaan. Hänen tappionsa oli nyt päämajan tiedossa ja häntä odottaisi siirto aivan muunlaisiin tehtäviin, kauas Moskovasta ja kauas Pietarista.

62.

Tero alkoi hätääntyä. Hän tuijotti herkeämättä liittymää, josta Vito oli ajanut, ja näppäili taas kerran Anatolin numeron. Miksi venäläinen ei vastannut? Oliko Roni ja Kimmo jo teloitettu metsässä? Tero katui, ettei ollut jatkanut auton seuraamista.

Ei sittenkään... Hänet olisi pienellä tiellä väistämättä havaittu. Hän huomasi hätkähtäen että jotakin valkoista vilahti puiden lomassa. Vito ilmestyi liittymään odottamaan pääsyä maantielle. Olivatko Roni ja Kimmo vielä sen kyydissä vai oliko heidät jätetty metsään, elävinä tai kuolleina? Tero käynnisti moottorin. Hän ei voisi lähteä summamutikassa metsätielle, hänen olisi pakko seurata Vitoa.

Tero antoi auton kääntyä tielle ja kadota näkyvistä, odotti muutaman pitkän sekunnin ja oli juuri kiihdyttämässä sen perään, kun liittymästä kääntyi kuutostielle toinenkin auto – tummanvihreä Toyota Land Cruiser.

Mistä se oli ilmestynyt? Liittyikö se Vitoon? Tero kiihdytti vauhtiaan. Land Cruiser ohitti jo edellään ajavaa rekkaa ja Tero painoi kaasun pohjaan. Maasturissa oli kolme miestä. Tero saavutti rekka-autojen ja henkilöautojen muodostaman letkan, josta hän yritti erottaa Viton. Liikenne nosti tiestä hienojakoisen vesipilven, joka kimalteli valoissa. Hän painoi kaasun pohjaan, ohitti edellä ajavan henkilöauton ja sujahti ahtaaseen rakoon. Maasturi lähti saman tien ohittamaan säiliöautoa. Tero teki salamannopean tilannearvion ja alkoi ohittaa edellään jurnuttavaa yhdistelmärekkaa. Hän ehti juuri ja juuri palata takaisin omalle kaistalleen ennen kuin olisi törmännyt vastaantulevaan pakettiautoon, joka väläytti hänelle valoja.

Tie oikeni pitkäksi suoraksi, jonka päässä Tero vihdoin näki Viton. Venäjälle rekisteröity Land Cruiser kääntyi vasemmalle kohti Mikkeliä. Miksi? Kenen auto se oli?

Tero teki tarpeellisia ohituksia pysyäkseen näköetäisyydellä Vitoon. Samalla hän soitti Paatsamalle ja ilmoitti uudesta tilanteesta.

Paatsama kuunteli Airaksen kiihtynyttä, katkonaista puhetta.

»Minun on nähtävästi turha pyytää sinua pysymään erossa siitä autosta», hän sanoi turhautuneena, »mutta pysyttele edes niin kaukana, etteivät he varmasti huomaa sinua.»

»Missä te olette? Sanoit viimeksi että tulette kymmenessä minuutissa.»

»Niin tulemmekin. Selkäharjun risteykseen on vajaa kilometri –»

Airas katkaisi puhelun jälleen kerran.

Paatsama vilkaisi vakavana Railoa, joka oli näppäilemässä omaa puhelintaan.

»Pitäisikö sittenkin pyytää poliisi mukaan?» Paatsama kysyi.

»Tästä ei missään tapauksessa voi tehdä julkista. Tiedät sen. Mieluummin annetaan vaikka lastin mennä rajan yli.»

Paatsama mietti oliko Railo tosissaan. Tämä nosti puhelimen korvalleen ja jatkoi puhelun yhdistymistä odottaessaan: »Tieto komponenttien joutumisesta vääriin käsiin on pidettävä absoluuttisen salassa. Eikä se pysy salassa, jos poliisi vedetään mukaan. Meidän täytyy luottaa MUSTin kykyyn selvittää tämä soppa.»

Bengtsson vastasi Railolta tulevaan puheluun kiiruhtaessaan vuokra-autoon Lappeenrannan lentoasemalla. »Vito on ohittamassa Lappeenrantaa», Railo sanoi. »Pian se saapuu Nuijamaan rajanylityspaikan risteykseen. Saa nähdä kääntyykö se sinne.»

»Tulemme siihen suuntaan joka tapauksessa. Tapaamme pian.»

Bengtsson istui ryhmänsä kanssa autoon epämiellyttävän tunteen vallassa. Yksi hänen miehistään kiinnitti olkalaukusta kaivamansa navigointilaitteen tuulilasiin.

Jonas Hellevig oli aikoinaan ollut Bengtssonin läheinen kollega. Hänen ajatuksensa palasivat vuoden 2000 syyskuuhun, jolloin hän oli kuukausia kestäneen tiedustelutyön jälkeen tunkeutunut kahdensadan ruotsalaisen ja brittiläisen sotilaan kanssa kolmeen taloon Gracanican kylässä Kosovossa. He takavarikoivat automaattiaseita ja räjähteitä ja pidättivät miehiä, joita epäiltiin iskun suunnittelusta NATO-johtoisia KFOR-joukkoja vastaan.

Bengtsson itse oli tunkeutunut ensimmäisenä yhteen taloista ja varmistanut rakennuksen huone huoneelta. Sisällä oli ollut vain kiljuvia naisia ja lapsia. Hän oli tempaissut auki viimeisen makuuhuoneen oven, mutta siellä ei ollut ketään. Bengtsson oli huomannut kuitenkin luukun katossa, mennyt siitä sisään ja edennyt varovasti pimeässä matalassa tilassa. Neljä muuta sotilasta oli tullut hänen perässään. Äkkiä hänen edessään oli syttynyt taskulamppu. Lampun valokiilassa oli ollut mies kädessään kranaatti. Miehen edessä lattialla näkyi röykkiöittäin käsikranaatteja, muita räjähteitä ja automaattiaseita.

Epätoivoinen mies oli karjunut heille ja uhannut räjäyttää

koko talon, jos sotilaat eivät perääntyisi. Bengtsson ja hänen takanaan olleet kollegat olivat lähteneet hitaasti perääntymään kohti luukkua.

Samassa he olivat nähneet kuinka miehen kranaattia pitelevään käteen oli tarttunut käsi takaapäin. Toinen käsi oli ilmestynyt miehen kaulan ympärille. Sitten taskulamppu oli pudonnut lattialle. Pimeydestä oli kuulunut kamppailun ääniä, Bengtsson oli rynnännyt eteenpäin, tarttunut lattialla olevaan taskulamppuun ja suunnannut sen eteensä. Valokiilassa oli maannut äsken huutanut mies, jonka sotilas oli lukinnut jalkojensa ja toisen kätensä otteella liikkumattomaksi. Toisessa kädessään hän piteli käsikranaattia. Sotilaan nimi oli Hellevig.

Nyt rohkeasta kollegasta oli tullut ahne petturi. Ja vaarallinen vastustaja.

Bengtsson joutui ottamaan auton sisäkahvasta tukea kun hänen kollegansa kääntyi lentokentältä itään johtavalle tielle.

Itään... Pelkkä sana sai Bengtssonin sävähtämään. Suomalaiset pelkäsivät Venäjää ja olivat pelostaan suorastaan mustasukkaisia – luulivat, että heillä oli siihen yksinoikeus, ettei kellään muulla ollut samanlaista pelkoa, vaikka tosiasiassa ruotsalaiset pelkäsivät Venäjää paljon kiihkeämmin.

Bengtsson oli kerran analysoinut avoimesti asiaa Railon kanssa mökkisaunan lauteilla Mäntyharjulla. He olivat tulleet siihen tulokseen, että ruotsalaisten Venäjä-pelko oli patologista, traumaattista. Suomalaiset olivat kohdanneet venäläiset sodassa silmästä silmään, he tunsivat silloiset vihollisensa ja olivat eläneet näiden kanssa pakollisessa symbioosissa kymmenet vuodet. Ruotsille Venäjä oli myyttisempi ja käsittämättömämpi, ja se jos mikä lisäsi huolta.

Auto laskeutui rampilta kuutostielle, jonka liikennettä haittasi iso tietyömaa. Bengtsson mietti millä tavoin Railo suhtautuisi tämänhetkiseen tilanteeseen, tai pikemminkin siihen mitä seuraisi, jos asiat menisivät todella tiukalle. Bengtssonilla oli lupa toimia hyvin vapaasti katastrofin estämiseksi, mutta Railon viralliset valtuudet olivat mitättömät. Heidän yhteistyönsä perustui lähes yksinomaan epäviralliseen kollegiaalisuuteen ja henkilösuhteisiin, eli kaikki oli hyvin sumeaa. Toisinaan sumeudesta oli haittaa, toisinaan etua.

Roni irrotti hitaasti ja vaivalloisesti sitkeää ilmastointiteippiä nilkoistaan. Hän oli auttanut Kimmoa saamaan kätensä irti toisistaan, mutta tämä oli onnistunut etenemään omien teippiensä kanssa paljon hitaammin.

Auton heilahtelut jyrkkenivät. Roni kohottautui varovasti ja painoi kasvonsa vasten takaseinän ja suojaverhon välistä kulmaa. Keskipenkki oli tyhjä. Etupenkiltä kuului ruotsinkielistä keskustelua, jota renkaiden jyminä oli estänyt kuulumasta Ronin maatessa auton lattialla. Hän laskeutui takaisin makuulle ja huomasi Kimmon avanneen pohjassa olevan luukun. Samassa hän hätkähti tuntiessaan jotain kädessään. Kimmo ojensi hänelle raskaan metallisen pulttiavaimen.

»Minulla on tunkki», Kimmo kuiskasi hänen korvaansa.

Hellevig tarkkaili taustapeiliä, vaikka venäläisten maasturi oli kääntynyt pois jo vähän aikaa sitten. Mitään takeita ei silti ollut siitä, että GRU olisi luovuttanut.

»Mitä nyt?» Steglitz kysyi.

Hellevig huomasi Steglitzin kasvojen muuttuneen yhä kalpeammiksi.

»Sinut pitää saada Imatralle hoidettavaksi –»

»Pärjään kyllä», Steglitz keskeytti ähkäisten. »Mitä tehdään lastille?»

»Sille löytyy markkinoita. Kiinasta ainakin.»

Hellevig ei kunnolla itsekään uskonut mitä sanoi. Hänellä oli kontakteja venäläisten lisäksi vain amerikkalaisiin ja israelilaisiin, muualla olisi aloitettava alusta.

»Sinne on vähän ajamista», Steglitz tuhahti.

»Lopeta jo helvetti vieköön tuo ruikutus», Hellevig karjaisi, mutta muisti sitten takaosassa olevat panttivangit. Hän jatkoi hiljempaa: »Äläkä vain taas syytä tästä minua. Kenelläkään meistä ei ollut tietoa siitä, että Makarin oli GRU:n takuumies. Venäläiset olisivat joka tapauksessa teloittaneet meidät kaikki ladolla. Se oli väijytys. Olisimme luovuttaneet tavaran ja sen jälkeen meidät kaikki olisi vaiennettu. Makarinin kuolema itse asiassa pelasti meidät. Ilman minua sinäkin makaisit nyt vainajana.»

Steglitz hiljeni ja tuijotti ulos ikkunasta.

»Olemme selvinneet monesta tiukasta paikasta yhdessä ja selviämme tästäkin», Hellevig sanoi. »Ajatellaan selkeästi. Löydämme järkevän ratkaisun.»

Steglitz huokaisi tuskaisesti. »Ja se järkevä ratkaisu on, että meidän on nopeasti purettava lasti jonnekin, jotta päästään eroon tästä autosta. Ja heistä», Steglitz lisäsi hiljaa ja nyökkäsi päällään taaksepäin.

Hellevig ei vastannut. Hän tiesi Steglitzin olevan oikeassa.

63.

Miksi Anatoli ei vastaa puhelimeensa, Tero tuskaili katsoessaan edellään venäläisen autonkuljetusrekan edessä ajavaa Vitoa. Seurasiko hän tyhjää autoa, oliko Roni ja Kimmo jätetty metsään?

Tero katsoi navigointilaitteen näyttöä. Nuijamaan rajanylituspaikan risteys lähestyi. Antoiko Paatsama sittenkin Viton päästä Venäjälle, jostakin syystä?

Tero hamusi puhelimen käteensä ja soitti jälleen kerran Paatsamalle. »Missä te olette? Miksi ette tee mitään?»

»Ota rauhallisesti. Meillä on taktiikka valmiina, voit luottaa minuun.»

»Aiotteko te päästää ruotsalaiset rajalle? Siitäkö tässä onkin kysymys?»

»Pidä hermosi kurissa. Heitä ei päästetä minnekään. Olemme perässäsi sinisessä Peugeotissa. Pysähdy heti –»

Tero katkaisi puhelun, heitti puhelimen matkustajan istuimelle ja tarttui vaihdekeppiin. Hän vilkaisi peiliin ja näki kaukana takanaan Peugeotin. Hän ei uskonut enää sanaakaan Paatsaman vakuutteluista, vaan tajusi olleensa sinisilmäinen hölmö Östersundomista saakka: mitä tahansa ruotsalaiset puuhasivat-

411

kaan, suomalaiset näköjään auttoivat heitä – eivät häntä, Ronia tai Kimmoa. Missä olivat tiesulut, Karhu-ryhmä, helikopterit? Eivät missään. Hän oli yksin. Ja hänen oli lähdettävä siitä olettamuksesta, että Viton annettiin tarkoituksella jatkaa matkaansa – nähtävästi Venäjän puolelle saakka – todisteet mukanaan.

Tero oli raivoissaan. Jos ja kun Julian kuolemaan liittyi sotilastiedustelun salaisuuksia, olisi joillekin – itse asiassa pelottavan monellekin taholle, myös Suomessa – taivaan lahja, että surmateko saataisiin sälytettyä Ronin hartioille. Tero tunsi olevansa yksin, Ronin kohtalo oli hänen ja vain hänen käsissään.

Tero vaihtoi kolmoselle ja painalsi kaasun pohjaan. Hän ohitti edellään ajavan autonkuljetusrekan ja palasi omalle kaistalleen adrenaliini verenkierrossa kohisten. Etäisyys Vitoon lyheni hetkessä, metri metriltä. Hän yritti erottaa auton yksityiskohtia. Sisälle oli vaikea nähdä tummennettujen ikkunoiden takia, mutta takaistuimet näyttivät tyhjiltä. Kyllä. Vain edessä istui kaksi miestä.

Teron rintaa kouraisi. Oliko Roni ja Kimmo jätetty muiden miesten kanssa metsätielle? Vai oliko heidät siirretty Land Cruiseriin? Hän hätääntyi ja syytti itseään väärästä ratkaisusta, vaikka tiesi etteivät muut vaihtoehdot olleet tulleet kysymykseen.

Tero katsoi Viton sivupeiliin, jonka kautta erottuivat Hellevigin kasvot. Samalla hetkellä Hellevig katsoi peilin kautta häntä. Molempien silmistä oli luettavissa sama asia: Tämä katsottaisiin nyt loppuun asti. Kumpikaan ei luovuttaisi.

»Ei voi olla totta», Hellevig puuskahti. »Se hullu sisusuomalainen, perkele.»

»Eikö ne koskaan luovuta?» Steglitzin kalpeiden huulten raosta tuleva ääni oli uupunut ja vaisu. »Mistä asti hän on roikkunut perässämme?»

Airaksen ajama Golf oli miltei kiinni heidän puskurissaan.
»Se on nyt samantekevää», Hellevig sanoi. »Oleellisempaa
on se, että mitä helvettiä hän aikoo.» Hellevig harkitsi pysähty-
mistä, mutta se ei auttaisi asiassa mitään. Hän halusi Imatralle,
jonka tunsi kohtalaisen hyvin. MUSTin aikoina hän oli käynyt
siellä useita kertoja suomalaisten radiotiedustelun vieraana.

Hellevig teki itselleen hätäsuunnitelman: jos Railo ei muuten
pysyisi aisoissa, hän ajaisi suomalaistiedustelun SIGINT-kuun-
teluasemalle. Sinne ei hevillä kutsuttaisi yhtäkään ulkopuolista
ihmistä, vaan asiat setvittäisiin matalimmalla mahdollisella pro-
fiililla.

Tero veti syvään henkeä ja tunsi äkkiä itsensä täydellisen tyy-
neksi. Tasaista pajukkoa halkovan tien laidassa häämötti rek-
kajonon pää. Sen kohdalla suoran päässä lähestyi vastaantu-
lija. Tero vilkaisi taustapeiliin, kytki vilkun, vaihtoi kolmoselle
ja lähti ohittamaan Vitoa. Hänen katseensa lipui auton märässä
kyljessä. Vastaantulija lähestyi hänen kaistallaan. Hellevigin vie-
ressä istui Steglitz, kummallisen kalpeana.

Tero lisäsi kaasua ja palasi viime hetkellä omalle kaistalleen
aivan Viton eteen. Rekkajonon päähän oli vielä kaksisataa met-
riä, mutta Tero jarrutti voimakkaasti. Ensin näytti siltä kuin
Vito vyöryisi väkisin hänen takapuskuriinsa, kunnes Hellevig
sai jarrutettua.

Tero jarrutti lisää ja nopeus laski hetkessä kuuteenkymppiin.
Sitten hän painoi äkisti kaasua ja ampaisi eteenpäin.

Nuijamaan vartioaseman päällikkö Teppo Vuento käveli puhe-
lin korvallaan kohti toimistoaan ja kuunteli Supon ylitarkasta-
jaa, joka oli soittanut yllättäen.

»Jäljitämme Mercedes Benz Vitoa, HCG–557», Paatsamaksi
esittäytynyt mies sanoi. »Se on mahdollisesti tulossa Nuija-

maalle varttitunnin sisällä. Teidän pitäisi pelata sen kanssa ai-
kaa niin, ettei kuljettaja huomaa mitään erityistä. Keksikää joku
tietojärjestelmäongelma. Älkää tutkiko autoa, vaan pankaa se
odottamaan.»

»Mistä on kysymys?»

»On kysymys valtion turvallisuuden kannalta erittäin tär-
keästä asiasta. Ota tässä asiassa yhteys suoraan minuun ja vain
minuun.»

»Joudun ensimmäiseksi soittamaan Supon kautta sinulle päin
ja tarkistamaan, että olet se joka sanot olevasi –»

»Olen siellä muutaman minuutin kuluttua ja näet korttini.
Mukanani on eversti Railo Pääesikunnan tiedusteluosastolta.
Ajamme Mersun perässä. Odotamme tänne ruotsalaisia sotilas-
tiedustelun virkailijoita, he ovat matkalla Lappeenrannasta. Tu-
liko tämä asia selväksi?»

»Kyllä. Pidättelemme autoa jollain tekosyyllä.»

Vuento oli tavannut Railon useita kertoja, kun rajalla oli vuo-
sien mittaan takavarikoitu mitä erilaisimpia esineitä ja materiaale-
ja. Venäläiset olivat yrittäneet salakuljettaa kaikkea mahdollista,
minkä kuvittelivat saavansa lännessä kaupaksi: ase- ja avaruus-
teollisuuden piirustuksia, materiaaleja, komponentteja ja proto-
tyyppejä, jopa satelliittien ja ilmatorjuntajärjestelmien osia. Railo
miehineen oli auttanut aineiston tunnistamisessa ja hoitanut sen
eteenpäin jonnekin – minne, sitä Vuento ei tiennyt.

Loputtomalta vaikuttava rekkajono vilisi Paatsaman silmissä.
Raja-aseman risteys lähestyi.

»Toivottavasti Airas ei tee mitään typerää ennen rajaa», hän
sanoi ja katsoi tiukasti Viton takavaloja sadan metrin päässä.
Äskeinen ohitustemppu ei luvannut hyvää. Nyt Airaksen Golf
oli Viton edessä. Sade yltyi ja Paatsama hiljensi vauhtia.

»Mies on epätoivoinen ja arvaamaton», Railo sanoi. »Ja ymmärrän häntä, jos hänen poikansa on tuossa autossa. Kunhan pysyisi aisoissa vielä muutaman kilometrin.»

»Entä jos ei pysy? Jos hän yrittää pysäyttää auton ennen rajaa? Meidän on varauduttava puuttumaan peliin millä hetkellä tahansa.» Paatsama painoi kaasupoljinta entistäkin raskaammin. »Missä hemmetissä ne ruotsalaiset viipyvät? Eivätkö ne osaa ajaa edes autoa?»

64.

Tero kiihdytti Golfilla ja jätti Viton taakseen. Kaatosade hakkasi konepeltiä. Ohi vilahtava kyltti ilmoitti suomeksi ja venäjäksi Nuijamaan raja-asemalle olevan 19 kilometriä. Vieressä seisova rekkajono alkoi vauhdin takia näyttää yhtenäiseltä kiemurtelevalta muurilta.

Tero yritti saada ajatuksiaan järjestykseen. Hänet todennäköisesti pidätettäisiin raja-asemalla. Mutta olivatko Suomen viranomaiset todellakin päästämässä oikeat tappajat pakenemaan? Paatsamalle oli näköjään turha soitella, kenellekään oli turha soitella, kehenkään ei voinut luottaa. Vain itseensä.

Tero jarrutti rajusti ja pysähtyi. Rekkakuskit tuijottivat kaaharia ihmeissään. Hän peruutti äkkinäisesti, teki nopean ohjausliikkeen ja hypähdytti auton tien levennykselle. Sydän takoi rinnassa lähes kivuliaasti.

Hellevig lähestyi taustapeilissä ja pyyhälsi ohi vettä auraten. Salamannopeasti Tero ruhjaisi kaasupoljinta ja moottorin kierrokset nousivat. Golf syöksähti eteenpäin ja alkoi nuolla tienpintaa.

Tero ei nähnyt enää mitään muuta kuin Viton ison takaikkunan. Hän survaisi kolmosen päälle ja tömähdytti keulansa Vitoon. Molemmat autot vavahtivat puskureiden kosketuksesta. Vito teki korjaavan ohjausliikkeen välttääkseen törmäyksen viereisellä kaistalla olevaan rekkajonoon. \

Tönäisy ja heilahdus tuntuivat rajuina Viton tavaratilassa. Roni tukahdutti huutonsa viime hetkellä ja sai pidettyä pulttiavaimen otteessaan, vaikka löi kyynärpäänsä kipeästi takapyörän suojakoteloon. Kimmon tunkki kolahti lattiaan, mutta edessä ääntä tuskin huomattaisiin, sillä sieltä kuului äänekkäitä ruotsinkielisiä huutoja.

»Mitä helvettiä», Roni kuiskasi Kimmolle ja puristi pulttiavainta kourassaan.

Roni tunsi kuinka auto kiihdytti Hellevigin ja Steglitzin kiivaiden lauseiden säestyksellä. Sitten ulkopuolelta, aivan vierestä, kuului moottorin ulvahdus ja raju tönäisy heilautti tila-autoa uudelleen. Tällä kertaa pulttiavain lennähti Ronin kädestä. Hänen vaistomainen huudahduksensa hukkui auton etuosasta tulevien karjaisujen ja kiroilujen alle.

Tero ajoi Viton rinnalla ja näki vastaantulijan ajovalojen lähestyvän kaatosateessa. Hän puristi rattia ja väläytti valojaan. Rekkajono pientareella jatkui tiiviinä teräsmuurina silmänkantamattomiin.

»Väistä nyt, älä ole hullu», Tero huusi ääneen ikään kuin vastaantulija voisi kuulla häntä.

Samassa hän pyöräytti jälleen rattia oikealle. Golf osui vieressään ajavan Viton kylkeen. Tila-auto heilahti rajusti, mutta pysyi ajokaistalla ja vältti törmäyksen pientareella olevan rekan kanssa. Tero väänsi ohjauspyörää edelleen oikealle. Kipinät lensivät säkenöiden metallipintojen hieroessa toisiaan ja kirskunta täytti ilman.

Vastaantulijan valot olivat jo aivan edessä. Auton äänitorvi soi yhtäjaksoisesti. Rako edessä oli liian kapea. Siitä ei mahtuisi, kolme ei sopinut rinnakkain. Vito ei voisi väistää, se osuisi oikealla oleviin rekkoihin. Törmäys oli vääjäämätön. Äänitorvi soi edelleen, metalli kirskui. Tero väänsi rattia oikealle. Vito ei antanut periksi.

Viime hetkessä vastaantuleva auto jarrutti ja heilahti holtittomasti sivuun Teron suhahtaessa ohi aivan vierestä. Hän vilkaisi sivupeilistä ja näki kuinka auto syöksyi pientareelle.

Tero siirsi katseensa eteenpäin ja näki toisen vastaantulevan auton valot. Äänitorvi raikui. Uusi törmäys uhkasi.

Hellevig joutui tekemään kaikkensa jotta Golf ei työntäisi heitä päin pientareella seisovaa rekkajonoa. Vastaantuleva auto väisti täpärästi oman pientareensa kautta.

Samassa rekkamuurissa erottui liikettä.

»Akta dig», Steglitz ehti varoittaa, kun joku avasi rekan ohjaamon oven aivan heidän edessään. Hellevig ehti siirtää jalkansa jarrupolkimelle, mutta hän tajusi jarruttamisen olevan hyödytöntä. Hän nosti vaistomaisesti toisen käden kasvojensa suojaksi juuri ennen valtavaa kolahdusta. Tuulilasi räsähti mosaiikkimaiseksi läpinäkymättömäksi helmikalvoksi, mutta Vito jatkoi kulkuaan eteenpäin. Hellevig yritti saman tien kurottautua eteenpäin, mutta turvavyö lukitsi hänet paikoilleen. Steglitz oli saanut oman vyönsä auki. Hän takoi tuulilasia paljaalla vertavuotavalla nyrkillään sotkien lasin punaiseksi. Lopulta hän sai ikkunaan jonkinlaisen näköaukon.

Tero pysyi Viton rinnalla, vaikka vastaan tulivat jälleen uudet ajovalot. Hän ei voisi loputtomiin välttää törmäystä. Hän heilautti rattia ja osui Viton vasempaan etukulmaan. Vastaan tuleva auto sivalsi Golfia niin, että sivupeili singahti irti.

Vito heilahti, mutta pysyi ajoradalla. Tero vilkaisi yläviistoon ja näki sen sivuikkunan laskeutuvan alas. Steglitzin aavemainen hahmo nousi Hellevigin takaa ase kädessään. Hänen kasvonsa olivat kalmankalpeat ja hän oli yltä päältä veressä. Hellevig huusi raivoisasti jotain, mistä Tero ei saanut selvää. Tero käänsi ohjauspyörää vasemmalle, mutta auto ei totellut enää, se oli jäänyt puskurin kulmasta kiinni Vitoon. Tero painoi jarrua, mutta vauhti hidastui vain hieman, Vito oli painavampi ja voimakkaampi. Hän näki kuinka konepistooli osoitti ikkunasta suoraan häntä kohti. Ja nyt hän kuuli mitä Hellevig huusi, kuin järkensä menettäneenä: »Ammu se! Ammu se!»

»Nyt», Roni kuiskasi Kimmolle hurjasti heittelehtivän Viton tavaratilassa.

Roni nousi polvilleen Kimmo rinnallaan. Molemmat työnsivät sormensa suojapeitteen ja takatilan seinämän välisestä raosta. He tempaisivat yhtä aikaa ja peite irtosi. Roni ponnahti pulttiavain kädessään ylös ja näki vilkkaasti keskenään puhuvan Hellevigin ja Steglitzin takaraivot edessään. Rikkoutuneen tuulilasin takana lähestyivät vastaantulevan auton valot, joita kuljettaja väläytteli. Roni vilkaisi vasemmalle ja erotti tummennetun lasin läpi tutun Golfin.

Isä.

Roni kierähti takimmaisten istuinten yli keskitilaan matkalaukkujen sekaan. Samalla hetkellä Kimmo pyöräytti itsensä tunkki kädessään Ronin viereen.

Tero painoi jarrua irrottamatta katsettaan Viton kuljettajan ikkunasta, josta hän pelkäsi sarjan kajahtavan millä hetkellä tahansa.

Samassa jokin liikahti Steglitzin takana. Tero näki metallisen esineen heilahtavan ja osuvan ruotsalaista takaraivoon.

Hellevig kumartui poimimaan jotain, todennäköisesti aseen,

ja teki rajun ohjausliikkeen. Se sai myös Golfin heilahtamaan. Olivatko Roni ja Kimmo sittenkin Vitossa?

Roni horjahti sivulle ja kaatui etupenkin taakse pulttiavain kädessään. Hellevig kääntyi katsomaan taakseen ja suuntasi aseen häntä kohti. Kimmo karjaisi eläimellisesti ja heitti tunkin päin Hellevigiä. Se osui miestä ohimoon ja lysähdytti hänet vasten ohjauspyörää. Roni katsoi kauhuissaan kuinka auto kääntyi oikealle. Äkkiä koko näkymän täytti autonkuljetusrekan kyydissä olevan maasturin perä.

Roni heittäytyi etupenkin selkänojien väliin, kiskaisi Hellevigin sivuun ja tarttui rattiin. Vastaantuleva auto lähestyi vääjäämättä vasemmalla kaistalla. Sekunnin murto-osassa Roni teki ratkaisunsa ja pyöräytti ohjauspyörää voimakkaasti mutta tarkasti vasemmalle. He välttivät täpärästi iskeytymisen rekan perään ja vastaantulijaan ja syöksyivät kohti tien piennarta. Vasta silloin Roni näki Golfin irtoavan auton etukulmasta.

Roni yritti ohjata Vitoa pitkin ojan pohjaa. Vauhti hidastui, mutta riitti nostamaan heidät ojasta valtavalla loikalla. Auto jatkoi kivien ja kantojen seassa, kunnes iskeytyi männyn runkoon.

65.

Tero tuijotti kauhuissaan puuhun iskeytynyttä Vitoa. Meteli ja vauhti olivat loppuneet silmänräpäyksessä, Teron ympärillä leijui täydellinen hiljaisuus, jonka rikkoi vain sateen ropina. Hän hapuili vapisevin käsin vaihdekeppiä pientareelle pysähtyneessä Golfissa ja tempaisi peruutusvaihteen päälle. Golf empi hieman ja lähti kolisten liikkeelle.

Tero pysäytti auton niin lähelle Vitoa kuin mahdollista, parinkymmenen metrin päähän. Rekkajonon aukosta kääntyi sininen Peugeot, joka pysähtyi pientareelle lammikko roiskahtaen. Sen taakse ilmestyi toinenkin auto.

Tero nousi ulos ja vilkaisi taakseen. Autojen ovet avautuivat ja niistä astui ulos määrätietoisia miehiä aseet kädessään. Tero nousi ojasta vaivalloisesti ja lähti ontuen juoksemaan kohti savuavaa Vitoa.

»Pysähdy», hänen takaansa karjaistiin. Tero jatkoi eteenpäin vesi kasvoja piiskaten ja kuuli perässään juoksuaskeleita. Viton sivuikkunaa hakkaavien pisaroiden takaa näkyivät veriset kasvot. Roni makasi paikallaan silmät ummessa. Tero tarttui liukuoven kahvaan, mutta vääntynyt ovi ei hievahtanutkaan.

»*Halt*», asetta pitelevä vaalea mies huusi pientareen suunnasta.

Tero ei totellut vaan yritti vielä kerran riuhtoa ovea auki, onnistumatta.

»Tule pois sieltä, kädet ylhäällä!» mies karjui nyt englanniksi, jalat haara-asennossa, kaksin käsin pistooliaan pidellen.

»Pidä turpasi kiinni ja soita ambulansseja», Tero karjui takaisin pitäen katseensa Ronin silmissä, jotka olivat auenneet. Roni näki hänet, sillä pojan huulille kohosi hymy.

»Kuulitteko? Soittakaa ambulansseja», Tero huusi ja harppasi Viton taakse. »Ja tulkaa lähemmäs, autossa on aseistettuja miehiä!»

Hän yritti kääntää vääntynyttä takaluukkua ylös, mutta se oli liian jäykkä. Vaalea asemies kollegoineen ryntäsi auton keulan viereen ja kiskaisi etuoven auki.

»Ruotsalaiset ovat tajuttomina», mies huusi Paatsamalle. »Plus suomalaiset loukkaantuneet... tarvitaan neljä ambulanssia.»

»Auttakaa minua sivuoven avaamisessa», Tero pyysi ja alkoi uudelleen kiskoa liukuovea auki. Kaksi miehistä tuli auttamaan häntä. Ovi avautui vaivalloisesti sen verran, että Tero pääsi pujottautumaan sisään. Kimmo istui lattialla pidellen veristä otsaansa, Roni retkotti penkillä kasvot ikkunaa vasten.

»Isä...»

»Älä liiku. Apua on tulossa.»

Tero ryömi Ronin viereen ja tarttui tätä hyvin hellästi olkapäästä.

»Onko täällä poliiseja?» Roni kuiskasi käheästi.

»Älä huolehdi sellaisesta.» Tero pyyhkäisi toisella kädellään vettä kasvoiltaan. »Pääasia että teidät saadaan kuntoon.»

»Ei, et ymmärtänyt...» Roni vaikeni ja veti syvään henkeä. »Minulla on ollut aikaa miettiä asioita. Haluan tunnustaa poliisille syyllistyneeni Julian pahoinpitelyyn... vaikka surma menisikin Steglitzin piikkiin.»

Tero silitti hiljaa Ronin hiuksia. »Roni», hän kuiskasi ääni murtuen. »Olen sinusta ylpeämpi nyt kuin tulen olemaan silloin, kun voitat ensimmäisen F1-kisasi...»

Roni puristi verisellä kädellä hänen kättään. He istuivat liikkumatta paikoillaan.

»Haluan ulos tästä autosta», Roni sanoi lopulta ja nousi tuskaisesti äännähtäen kohti ovea.

»Et saa liikkua.»

»Olen kunnossa...» Roni astui varovasti ulos.

»Käy maahan makaamaan», Tero komensi ja tarttui Ronia käsivarresta. Hän näki ruotsalaisen menevän ohjaamon ovelle.

»Okei, okei», Roni sanoi. »Halusin vain tarkistaa, että pystyn kävelemään.»

Roni asettui Teron avustamana makuulle muutaman metrin päähän Vitosta. Myös Kimmo kömpi hoiperrellen ja verisenä ulos autosta.

Bengtsson painoi sormensa otsa kojelautaa vasten liikkumattomana makaavan Steglitzin kaulavaltimolle ja totesi miehen kuolleeksi. Hän siirtyi ratin takana retkottavan Hellevigin luokse kiinnittämättä huomiota suomalaisiin, joiden luokse Paatsama asteli. Veri valui pitkin Hellevigin lasinsirujen viiltelemiä märkiä kasvoja, mutta hän hengitti, silmät avoinna.

»Missä kasetti on?» Bengtsson kysyi.

Hellevig naurahti, mutta naurahdus muuttui kivun aiheuttamaksi tuskalliseksi älähdykseksi.

»Kiva nähdä sinuakin», Hellevig sanoi.

»En viitsisi ryhtyä pusertamaan sinusta tietoa väkisin, Jonas», Bengtsson sanoi hiljaa. »Menetämme vain molemmat arvokasta aikaa.»

»Olemme olleet monessa tiukassa tilanteessa...»

»Nyt ei ole aikaa ryhtyä muistelemaan menneitä. Eikä sinulla taida olla juuri nyt siihen varaakaan.»

Hellevig yskähti ja nyökkäsi sitten kohti istuinten välissä olevaa muovikassia.

Bengtsson avasi kassin ja veti sieltä pankkitositteen ja kasetin.

»Mitä kasetilla on?»

»Kaikki. Se on kopio Ifarsundin videosta.»

Bengtsson ei olisi halunnut uskoa väitettä, mutta ei voinut muutakaan.

»Marcus huolehti selustastaan», Hellevig sanoi. »Hänellä oli tallelokerossa henkivakuutus kaikista keskeisimmistä hankkeista. Todisteet teitä vastaan niin Estonian kuin Gripen-lahjustenkin osalta.»

»Ja teidän datalinkkinne myynnin? Marcuksella oli siitäkin aineistoa, jonka avulla hän olisi tarvittaessa paljastanut teidät? Mutta tapoitte hänet ja hankitte todisteet itsellenne...»

»Marcus oli petturi.»

»Niinkö?» Bengtsson hymähti. »Ehkä hänellä vain oli eri asiakas kuin teillä.»

»Se paskiainen aikoi vetää välistä. Myydä datalinkin kiinalaisille.»

Hellevig liikahti levottomasti. »Kävelen nyt ulos tästä autosta, ettekä te nosta sormeannekaan minua vastaan. Muuten totuus paljastuu. Minulla on tallessa sama Ifarsundin aineisto kuin Marcuksella, ollut alusta saakka. Luulisin että aika monella Estonia-ryhmän miehellä on. Varmaan sinullakin.»

Bengtsson pudisti hitaasti päätään. »Ehkä materiaalin ovat kopioineet itselleen ne, jotka kokevat tarvitsevansa jotain jolla kiristää. Minä en tarvitse, minun moraalini on kunnossa.»

Hellevig hymyili pilkallisesti ja alkoi kohottautua autosta ulos. Tien viereen oli pysähtynyt ambulansseja.

»Pysy siinä», Bengtsson sanoi hiljaa.

Miehet katsoivat toisiaan silmiin.

»Ulf, kuten sanoin, lähden pois täältä nyt», Hellevig sanoi. »Jos estät sen, Ifarsundin video leviää maailmalle. Olen antanut asiasta tarkat ohjeet eräälle ihmiselle, jota te ette osaa etsiä.»

Bengtsson tiesi, ettei hänellä ollut vaihtoehtoja.

»Pystytkö liikkumaan?» hän kysyi.

»Enköhän. Jos autat vähän.»

Bengtsson auttoi kivusta irvistävän Hellevigin ulos autosta.

»Pystytkö siihen?» Bengtsson kysyi. »Et saa jäädä suomalaisten kynsiin.»

»Pidä heidät aisoissa», Hellevig sanoi ja lähti taakseen katsomatta, hiukan ontuen kävelemään kohti metsää.

Bengtsson kohotti kättään Paatsamalle, joka ilmestyi hänen viereensä.

»Mitä nyt?» Paatsama kysyi. »Miksi –»

»Hellevig saa mennä.»

»Et voi olla tosissasi –»

»Olen tosissani, Kari. Älä kysele, vaan usko minua. Se on meidän kaikkien etu.»

425

66.

Ambulanssien hälytysvalot vilkkuivat tien laidassa rekkajonon välissä. Sade oli laantunut.

Tero katsoi, kun takimmaisen ambulanssin ovi lyötiin kiinni. Hän olisi halunnut lähteä Ronin mukana sairaalaan, mutta vakavailmeinen Paatsama esti aikeen ja pyysi hänet autoonsa.

Kaksi ambulanssia kääntyi liikkeelle sireenit ulvoen samaan aikaan kun Tero lähti hitaasti kävelemään Paatsaman perässä. Hän tunsi miestä kohtaan pohjatonta epäluuloa ja suoranaista vihaa.

Tero katsoi taakseen jäävää Vitoa, jonka luona hääri ruotsalaisia. Keskimmäiset penkit oli irrotettu ja miehet nostivat matkustamon lattian alta painavan näköisiä kovamuovisia laukkuja. Lattiaan oli tehty kolot, auto oli varustettu nimenomaan salakuljetusta varten. Yhdellä miehistä oli muovikassi, jonka Tero tunnisti välittömästi – siellä oli tallelokeron sisältö.

Paatsama istuutui Peugeotin ratin taakse ja kääntyi katsomaan takapenkille lysähtävää Teroa. Tämän viereen asettui Paatsaman suomalainen vanhempi kollega, joka oli ollut mukana Östersundomin metsäaukiolla.

Ennen kuin Paatsama ehti avata suutaan Tero sanoi: »Olitte

valmiit jättämään poikani tappajien armoille.»

Paatsaman ilme pysyi kylmänä. »Se on sinun käsityksesi asiasta. Tappajista puheen ollen... Poliisi epäilee poikaasi Julia Leivon surmasta.»

»Maamme helvetin mahtavat poliisivoimat etsivät väärää miestä», Tero sanoi raivoissaan. »Oikea tappaja, ruotsalainen nimeltä Steglitz, on tuolla, vainajana» Tero nyökkäsi Vitoa kohti.

»Jos tuo pitää paikkansa, poikasi tilanne tietysti muuttuu.»

Tero tarttui ovenkahvaan. »Todisteet olivat autossa... Miksi annatte ruotsalaisten viedä Estonia-videon –»

»En tiedä mistä sinä puhut. Ja tuskin tiedät itsekään.»

Tero kumartui lähemmäs Paatsamaa, hädin tuskin itsensä hilliten. »Tiedän riittävästi. Ovatko he MUSTin miehiä? KSI:n virkailijoita?»

Paatsama vilkaisi nopeasti Teron vieressä istuvaa vanhempaa kollegaansa, joka istui vaiti.

»Aiotteko pimittää tämän kaiken?» Tero jatkoi. »Senkö takia oikeaa poliisia ei näy mailla eikä halmeilla, vaikka ihmisiä kuolee ja loukkaantuu?»

Autoon laskeutui hiljaisuus, jonka rikkoi lopulta vanhempi mies.

»Kyllä, tämä asia aiotaan hoitaa salassa.»

Miehen ääni oli matala ja rauhallinen, täydellisen asiallinen. »Jos tämä juttu päätyy oikeuteen, se käsitellään suljetuin ovin ja asiakirjat julistetaan salaisiksi 40 vuoden ajaksi.»

Tero kuunteli häkeltyneenä miehen suorasukaista puhetta. Hän katsoi tätä tiiviisti silmiin hämärällä takapenkillä.

»Keskusrikospoliisi jatkaa Julia Leivon surmatutkimuksia, ja Supo luovuttaa sille kaiken tarvittavan materiaalin. Jos surmaaja itse osoittautuu kuolleeksi, tutkinta lopetetaan.»

Tero istui hetken hiljaa ja sanoi sitten: »Poikani haluaa tunnustaa Julian pahoinpitelyn. Sen seurauksena Julia jäi tajuttomana maahan. Steglitz surmasi hänet sen jälkeen.»

»Ketään ei kiinnosta asiassa muu kuin surmaaja», Paatsama sanoi. »Kenenkään intresseissä ei ole jutun yksityiskohtien pöyhiminen.»

»Kyse ei ole intresseistä, vaan moraalista. Poikani haluaa tunnustaa pahoinpitelyn. Poliisi, syyttäjä ja tuomioistuin päättävät jatkosta.»

Paatsama nyökkäsi. »Käyn henkilökohtaisesti sairaalassa poikasi luona ja kirjaan hänen tunnustuksensa. Me käsittelemme sen ja päätämme jatkosta. Onko tämä asia selvä?»

»Tämä asia on. Mutta moni muu ei ole.»

»Mitä tarkoitat?»

»Aion paljastaa Estonia-pimitykset.»

Paatsaman huulille kohosi vaisu hymy. »Erinäiset toisinajattelijat ovat tehneet aiheesta nettisivuja ja kirjoja ja eduskuntakyselyitä ja ties mitä. Niillä ei ole ollut mitään vaikutusta. Mitään uutta ei ole tullut esiin. Paino sanalla *uutta*. Mikään ei ole muuttunut. Eikä muutu kuin korkeintaan silloin, kun tiettyjen ruotsalaisten asiapapereiden salassapito päättyy 2070-luvulla.»

»Katsotaan mikä muuttuu ja mikä ei, kun puhun muutaman toimittajan kanssa.»

»Puhu vapaasti. Yksikään vakavasti otettava toimittaja tai media tässä maassa ei koske kepilläkään Estonian ympärillä pyöriviin salaliittoteorioihin.»

Paatsaman olemuksesta huokui jyrkkä itsevarmuus.

Vanhempi mies katsoi Teroa inhimillisemmin ja sanoi: »Sinun olisi hyvä käsittää, että on olemassa suurempia etuja kuin yksilön etu.» Miehen ilmeestä ja äänestä huokui jonkinlainen isällinen holhous, miltei myötätunto. »Elämme maailmassa, jossa valtioiden edut menevät yksilön etujen edelle. Ja valtioiden eduistahan tässä kaikessa on ollut kyse alusta pitäen. Tietyt asiat on vain pidettävä pois julkisuudesta. Muuten vahinkoa syntyy liikaa. Totuus ja sen mukainen tuomio Estoniasta tulee aikanaan. Mutta se aika ei ole vielä. Historia tuomitkoon.»

Tero havahtui huomaamaan, että miehen sanoissa oli jotain tuttua: juuri noin hän oli itse ajatellut Ronin rikoksen suhteen – vaikeneminen ensin, tuomio joskus myöhemmin. Vasta nyt hän käsitti, kuinka kestämätön ja naiivi hänen ajatuksensa oli ollut. Siinä ei ollut häivääkään moraalisesta selkärangasta, se oli silkkaa itsepetosta. Niinkö alas hän oli vajonnut Ronin uran takia? Hän tunsi suunnatonta kiitollisuutta siitä, että Roni itse oli tullut järkiinsä ja halusi sovittaa tekonsa, ilman että hänen olisi pitänyt puuttua asiaan.

Mies katsoi Teroa vakavana silmiin. »Usko tai älä, mutta minä ja kollegani olemme isänmaallisia miehiä. Suomen etu on meille kaikki kaikessa. Siksi ja vain siksi toimimme näin, vaikka sinun onkin ehkä vaikea käsittää sitä.»

Tero sulki silmänsä ja veti syvään henkeä. »Haluan lähteä sairaalaan poikani luokse. Ja ystäväni luokse.»

»Pääset aivan pian. Odotamme ensin, että ruotsalaiset kollegamme saavat asiansa hoidettua.»

Ulf Bengtsson istui miestensä ympäröimässä autossa ja näppäili muovilaukuista ottamiensa komponenttien sarjanumeroita kämmenen kokoiselle päätelaitteelleen, joka lähetti tiedot koodattuna Tukholmaan. Myös takaisin tuli viestejä, jotka pääte avasi kertakäyttöisen koodiavaimen avulla.

Bengtsson kohotti katseensa ikkunaan ja katsoi Railoa, joka nousi Paatsaman autosta ja käveli häntä kohti.

Hän sulki muovilaukun ja laittoi sen isompaan alumiinikoteloon, jonka painoi lukkoon. Railo ei saisi nähdä edes päältäpäin Gripenin salaisimpia komponentteja. Suomalaiset olivat hyviä renkejä – tunnollisia, luotettavia ja nöyriä – mutta tasaveroiset, todellisiin salaisuuksiin vihityt isännät asuivat Tukholman näkökulmasta Lontoossa ja Washingtonissa.

Lopuksi Bengtsson otti muovikassista vhs-kasetin ja laittoi sen nopeasti salkkuunsa. Kaikkein vähiten suomalaiset saisivat tietää siitä. Heille oli kerrottu Estoniasta vain sen verran mikä oli välttämätöntä.

Bengtsson nousi autosta ja yksi hänen kollegoistaan istuutui hänen tilalleen vahtimaan lastia. Hämärässä, kosteassa syysillassa hohti rekkajonon valoketju.

Bengtsson käveli Railon kanssa kauemmas autosta ja sanoi hänelle:»Olen hyvin järkyttynyt siitä, että tästä kaikesta seurasi näin monta kuolonuhria.» Metsätien varresta oli löytynyt kaksi ruumista – Nykvistin ja Anatoli Rybkinin, MUSTin pitkäaikaisen Venäjä-kontaktin.

»Teit parhaasi», Railo sanoi.»Kukaan ei olisi voinut tehdä enempää. Olen valmis kertomaan tämän myös Tukholmassa, jos tarvitaan.»

»Kiitos, Jorma. Olen aina arvostanut apuasi ja luottamustasi. Tiedän tiukan paikan tullen saavani varmemmin apua Suomesta kuin mistään muualta.»

Railo ojensi kätensä miltei liikuttuneen näköisenä.»Synkkä päivä, monessa suhteessa. Mutta meidän luottamustamme tämä vain syventää.»

Bengtsson tarttui Railon lujaan käteen ja katsoi tätä rauhallisesti silmiin.»Palaan nyt lastin mukana Tukholmaan. Mutta tulen ensi viikolla Helsinkiin. Vieläkö saunakutsusi on voimassa?»

»Totta kai. Otetaan malja pohjoismaiselle ystävyydelle.» Bengtsson hymyili lämpimästi.

EPILOGI

Ruotsin sotilastiedustelupalvelun johtaja istui tarkoin suojatussa hämärässä työhuoneessaan ja katsoi videota, jossa näkyi laivan hylyn luona työskenteleviä sukeltajia. Taaempana säihkyi hohtavan kirkas vedenalaisen hitsausliekin valo. Kuva siirtyi toiseen paikkaan. Valaistus oli heikompi ja otoksessa hädin tuskin erottui tumma metallipinta, jossa näkyi syviä naarmuja ja nirhaumia. Kamera lipui pintaa pitkin, kunnes otos pysähtyi irti vääntyneeseen metalliosaan.

Sen jälkeen kuva pimeni.

»Otatko hiukan taaksepäin», MUSTin johtaja sanoi alaiselleen, joka istui nauhurin vieressä.

Ulf Bengtsson kelasi nauhaa taaksepäin ja antoi sen pyöriä uudelleen.

»Kuinka moni voisi edes teoriassa tietää, mistä tämä kuva on peräisin?» päällikkö kysyi.

»Käytännössä ei kukaan. Se voi olla mistä tahansa metallipinnasta. Aivan mistä tahansa. Vaikka Gotland-luokan ruotsalaisesta sukellusveneestä», Bengtsson naurahti kuivasti. »Mutta kukaan ei tämän otoksen perusteella todellakaan voi sanoa mitään varmaa.»

Päällikön ruskettuneille kasvoille levisi helpottunut hymy. »Tuhoa kasetti. Onpahan taas yksi kopio vähemmän.»

Punavalkoinen kilpa-auto seisoi yksinäisenä Jerezin radalla. Voimakas tuuli tuiversi tyhjyyttään ammottavassa katsomossa, paperiroskia pyöri pitkin ajorataa. Varikolta kuului mekaanikkojen rupattelua ja naureskelua.

Tero katsoi poikaansa, joka seisoi hiljaa paikallaan punaisissa ajohaalareissaan hopeanhohtoinen kypärä kainalossaan. Tuuli hulmutti villisti hänen hiuksiaan. Hän oli seisonut siinä jo hetken.

Roni oli ollut seesteinen ja tasapainoisen tuntuinen siitä saakka, kun oli Etelä-Karjalan keskussairaalassa tunnustanut Paatsamalle pahoinpidelleensä Juliaa. Mitään ei ollut sen jälkeen kuulunut koko asiasta eikä näköjään tulisi kuulumaan.

Mutta Teron ja Ronin suhde oli muuttunut peruuttamattomasti. Roni oli tehnyt päätöksen tunnustuksesta itse, ja Terosta tuntui ettei Roni tästä eteenpäin tekisikään muita kuin itsenäisiä päätöksiä. Se oli Terolle yhtä aikaa haikea ja helpottava havainto. Ja silti Terosta tuntui ensimmäistä kertaa Ronin lapsuusvuosien jälkeen siltä, että hän oli saanut aidon yhteyden poikaansa.

Roni kääntyi hitaasti Teron puoleen ja otti kypärän kainalostaan.

»Minulla on sellainen tunne, etten pääse enää eteenpäin tässä puuhassa», Roni sanoi.

Tero katsoi kypärää. Sitten hän nosti katseensa Ronin silmiin.

»Sinä teet omat ratkaisusi», Tero sanoi. »Mitä ikinä teetkään, tiedän että päätökset tulevat sydämestäsi. Ja silloin ne ovat oikeita. Minut sinä teet onnelliseksi sillä, että olet olemassa. Millään muulla ei ole väliä.»

Roni katsoi häntä hiljaa lämpimän tuulen tuivertaessa heidän ympärillään.

»Sinä olet synnynnäisen lahjakas», Tero sanoi. »Ja taito sinulla on ollut jo pienestä pojasta saakka. Mutta lahjakkuuden ja taidon lisäksi tarvitaan vielä jotain enemmän. Jotain ainutlaatuista. Sinulta puuttui se aikaisemmin. Mutta tiedän, että sinulla on se nyt.»

Roni nyökkäsi hitaasti. Hän vilkaisi ajoradalle ja veti syvään henkeä. Sitten hän laittoi kypärän päähänsä ja lähti kävelemään määrätietoisesti kohti autoa.

Tero katsoi loittonevaa nuorta miestä. Omaa poikaansa.

JÄLKISANAT

Kiitän kaikkia, jotka ovat auttaneet minua tämän tarinan teke-misessä. Jälleen kerran – ja erityisesti nyt – toivon hartaasti, ett-eivät lukijat tai ammatikseen kirjasta kirjoittavat paljastaisi ta-rinan sisältöä etukäteen.

Kirjassa esiintyvät Estonian uppoamista koskevat asiat – video-kasettia ja fiktiivisten henkilöiden toimia lukuun ottamatta – eivät ole mielikuvitukseni tuotetta, vaikka siltä toisinaan saat-taakin tuntua. Seuraaville sivuille on esimerkinomaisesti poi-mittu tarkempia tietoja muutamista tarinassa vilahtavista aihe-piireistä.

Saab/BAE Systems ovat todellisuudessa olleet Gripeniä koske-vien lahjustutkintojen kohteena, mutta Gripeniä muutoin sivua-vat tapahtumat ja henkilöt ovat kuvitteellisia.

NATIONAL MARITIME
ADMINISTRATION

A46G FORM B

REPORT OF INSPECTION IN ACCORDANCE WITH
THE MEMORANDUM OF UNDERSTANDING ON PORT STATE CONTROL

Maritime Safety Inspectorate, Sweden

27.9.1994 eli Estonian viimeisenä lähtöpäivänä kaksi Ruotsin merenkulkuviraston tarkastajaa koulutti virolaisia laivantarkastajia tekemään ns. *Port State Control* -tarkastuksen. Työn aikana Estonia tutkittiin asianmukaisesti ja epäkohdat dokumentoitiin satamatarkastuslomakkeelle. Tarkastuksessa laivan kunnossa havaittiin niin vakavia puutteita, että ne merkittiin sarakkeeseen joka täytetään vain siinä tapauksessa, että alus pidätetään satamaan.

Työtä johtanut kokenut ruotsalainen tarkastaja soitti esimiehelleen, Sjöfartsverketin turvallisuusjohtaja Bengt-Erik Stenmarkille estääkseen laivan lähdön. Stenmark oli kuitenkin puhelimen tavoittamattomissa Reykjavikissa. Myös muita dokumentteja aluksen huonosta kunnosta tuolta ajalta on olemassa.

Kansainvälisen tutkintakomission loppuraportin liitteenä (*Supplement* 223) sen sijaan on dokumentti, josta on poistettu aluksen merikelvottomuutta osoittavan sarakkeen merkinnät. Muitakin lomakkeen yksityiskohtia on muutettu, muun muassa Ruotsin merenkulkulaitokseen viittaava teksti on poistettu.

Komissio oli tietoinen muokatusta dokumentista ainakin raportin ilmestymisen jälkeen, mutta ei ryhtynyt toimenpiteisiin asian suhteen.

Viimeisenä päivänä Tallinnassa alusta käytettiin Viron merenkulkulaitoksen tarkastajien koulutusohjelmassa. Tällöin pidettiin Pariisin sopimuksen (Paris MOU ks. 9.1) mukainen satamatarkastusharjoitus. Tarkastajaharjoittelijat suorittivat perusteellisen satamatarkastuksen ja heitä valvoi ja opasti kaksi kokenutta Ruotsin merenkulkulaitoksen tarkastajaa. Harjoituksen yhteydessä laadittiin Pariisin sopimuksen mukainen tarkastuspöytäkirja. Pöytäkirja on tämän raportin liitejulkaisussa (Supplement 223).

Komissio on kuullut harjoitusta johtaneita tarkastajia ja he ovat kertoneet, että alus oli hyvässä kunnossa ja sitä hoidettiin hyvin. He eivät havainneet sellaisia epäkohtia, joihin olisi pitänyt puuttua tai jotka olisivat antaneet aihetta vakaviin huomautuksiin, jos kysymyksessä olisi ollut todellinen satamatarkastus. Eräitä puutteita kuitenkin havaittiin. Esimerkiksi keulavisiirin kumitiivisteet olivat kuluneet ja naarmuuntuneet ja ne olivat uusimisen tarpeessa ja eräiden autokannen vesitiiviiden luukkujen kannet olivat auki ja niiden kunnosta päätellen ainakin yksi niistä oli yleensä auki. Kuulemisessa todettiin myös, että ruotsalaiset tarkastajat olivat havainneet "välinpitämättömyyttä lastiviivasopimukseen liittyviä seikkoja kohtaan" tavattuaan aluksen päällystöä harjoituksen aikana.

Kansainvälisen tutkintakomission loppuraportti, s. 55

Ainoa julkistettu sukellusoperaatio Estonian hylylle tehtiin 2.–5.12.1994. Käytännön työ annettiin Rockwater-yhtiölle, jonka sukeltajilta vaadittiin elinikäinen vaitiolositoumus. Ruotsalaiset viranomaiset vastasivat sukelluksen organisoinnista, valvonnasta ja käytännön ohjeistuksesta.

Tutkintalautakunnan loppuraportin mukaan (s. 119) hylky tutkittiin sukeltamalla, »jotta saataisiin selville, mikä on aluksen sisätilojen kunto ja olisiko mahdollista nostaa koko hylky tai onnettomuuden uhrit».

Todellisuudessa sukeltajat laitettiin tekemään myös kokonaan toisentyyppisiä tutkimuksia, joista loppuraportissa ei ole mainintoja. Sukeltajat muun muassa ohjattiin etsimään tietyistä kannen 6 hyteistä tiettyjä esineitä, muun muassa laukkuja.

Sukeltajat saivat kuulokkeisiinsa ohjeita sukellusvalvojaltaan, joka puolestaan sai määräyksiä muun muassa poliisiviranomaiselta.

4.12.1994 tehdyllä sukelluksella, nauhalla numero 15, kuullaan muun muassa seuraavia sukellusvalvoja J. Barwickin ja sukeltajan välisiä keskusteluita:

Nauhalla kohdassa 0:24, kello 17.04, sukeltaja saapuu hyttiin 6132:

Sukellusvalvoja (SV): Siellä on paljon laukkuja, vai mitä?

Sukeltaja (S): Yksi on – näetkö minun käteni *(sukeltaja näyttää kättään peilin kautta)*

SV: Ahaa, siellä on peili

S: Tämä hytti... minun on yritettävä nyt tarkistaa tämä perusteellisesti

SV: OK, tarkistamme tämän nyt erittäin perusteellisesti koska... eee... siellä saattaa olla hytin käyttäjille kuulunut laukku *[epäselvä ilmaus, joka viittaa matkalaukkuun ja hytin käyttäjiin:* »suitcase it could possibly have been occupants»*]*

Enclosure 27.411

| Rockwater | Client NMA | Based 15 | Video Tape Log |

Location: "ESTONIA" BALTIC SEA	Video Tape No. RW/Sur.15/EST/D/018
General Subject: Condition Survey of vessel 'Estonia'	Datasheet No
Diver/Rov: J. Coe J. Boword	Dive No. 009	Date 04-12-94
CCTV System: Hat Mounted Osprey Colour Camera	Sheet 1 of 2
Recorder: Panasonic AG-6200	Original ☑	Copy ☐	Edit ☐	Commentary ☑

Index (Counter)	Time	Subject
0:00	16:45	Diver external cabin - 6132 - no access.
0:03	16:48	Diver at stairwell door 601 trying to access.
0:06	16:51	Diver trying to open door 6135
0:07	16:52	Diver accessing cabin 6134 - no access.
0:18	17:02	Diver trying access to 6132
0:20	17:05	Diver returns to hull for tools.
0:24	17:09	Diver registers hull to access cabin 6132
0:30	17:15	Diver checking for name on suitcase - no name.
0:36	17:17	Diver external cabin 6134
0:38	17:33	Diver confirms no access to stairwell at 601
0:39	17:34	Diver attempting access to starboard via forward companionway.
0:46	17:31	Body discovered in forward cross companionway at 6230
0:47	17:32	Diver enters cabin 6230
0:50	17:35	Diver identifies attaché case of Alexander Voranga
0:54	17:37	Diver returning to hull
0:58	17:43	Diver 2 enters vessel forward forward along companionway
05	17:50	Diver locates 1 body in cabin 6125 - further identification reveals door labelled '625 biogas companionway. 3 doors under.
1:09	17:54	Diver enters cabin 6124 - Empty
1:14	17:59	Diver enters cabin 6121
1:15	18:00	1 Body found in companionway
1:20	18:05	Diver returning to hull.
1:24	18:07	Diver outside vessel
1:26	18:09	Diver enters cabin 5129
1:41	18:26	Diver enters companionway
1:43	18:28	Diver enters cabin 5131
1:46	18:31	Door to cabin 5132 locked
1:47	18:32	1 body outside cabin 5134

| Dive Supv: J. Barwick | Insp. Eng/Data Rec: D. Carson | Client Rep: |

0:46	17:31	Body discovered in forward cross companionway at 6230
0:47	17:32	Diver enters cabin 6230
0:50	17:35	Diver identifies attaché case of Alexander Voranga
0:54	17:37	Diver returning to hull

S: OK Roger

SV: ... Niin John, voisitko mahdollisesti tarkistaa laukun, siinä saattaa olla nimilappu

Kello 17.17 sukeltaja saapuu hyttiin 6134:

SV: OK, John, kun olemme saaneet tämän hoidettua poliisi ei halua meidän rikkovan enää ovia, kokeilemme vain niitä tai käytäviä

Kello 17.32 on vuorossa luksushytti 6230:

SV: Tämä on erittäin iso hytti, etsimiseen saattaa mennä jonkin aikaa

Sukellusvalvoja kuvailee sukeltajalle millainen hytti on, missä on wc jne.

Sukeltaja katsoo ympärilleen, näkee jääkaapin, vitsailee olisiko siellä kylmää olutta, katsoo ympärilleen

S: Löysin täältä attasheasalkun
SV: Attasheasalkun, onko siinä merkintöjä?
S: Eeee... kyllä, odota, jep, saimme nimen... Alexander *[kirjoitusasu tuntematon, äännetty:]* Vorin
SV: Alexander...
S: Alexander *[kirjoitusasu tuntematon, äännetty:]* Vorin
SV: Voitko tavata sen?
S: Victor, Oscar, Romeo, Alfa, November, November

He yrittävät lukea nimilapun useita kertoja ja päätyvät nimeen [kirjoitusasu tuntematon, äännetty:] VORANI

S: OK

SV: Ja siinä se?

S: En saa siitä selvää

SV: OK, tarkistan onko nimi tuttu täällä ylhäällä...

S: Voinko lähteä... *(epäselvää)* äkkiä

SV: OK, se on venäläinen nimi, Alexander *[kirjoitusasu tuntematon, äännetty:]* Voran

Sukeltaja poistuu hytistä välittömästi salkun löydettyään.

Pelastunut matkustaja Alexander Voronin on lausunnossaan ilmoittanut yöpyneensä neljän hengen ikkunallisessa luksushytissä 6320. Sellaista laivassa ei ole, vaan hytti 6320 on ikkunaton kahden hengen sisähytti. Sen sijaan laivassa on neljän hengen luksushytti 6230, josta hänen attasheasalkkunsa löytyi.

Tuota hyttiä kuitenkin käytti purseri Andres Vihmarin lausunnon mukaan kakkoskapteeni Avo Piht, joka oli aluksella vapaavuorolla matkalla suorittamaan luotsitutkintoa Tukholmaan. Piht oli pelastuneiden listalla, mutta myöhemmin hänet todettiin kadonneeksi.

AFTONBLADET
Onsdag 28 september 1994

EXTRA 17

Räddaren

Kennet, 27, – en av nattens många hjältar

Han är chockad, han är ledsen, han har ont och skakar i hela kroppen.
Och han har svårt att prata och i ögonen syns tårar.
Kenneth Svensson, 27 år.
En av nattens hjältar i samband med färjekatastrofen.

Strax efter klockan två gick larmet om färjekatastrofen på helikopterbasen vid Berga örlogsskolor.

Kenneth Svensson som är ytbärgare, och är den som ska rädda människor ur havet, fick hals över huvud slänga sig i en av marinens stora helikoptrar och bege sig ut till katastrofplatsen.

Med ombord fanns läkare, sjuksystrar och medicinsk utrustning för att kunna ge offren den första hjälpen.

När besättningen kom fram till platsen där estlandsfärjan Estonia sjunkit möttes man av ett stort mörker. Och rytande storm.

Livbåtarna hade vält

Jättevågor på upp till tio meter så långt man kunde se, vindstyrkan i byarna var stundtals över 30 sekundmeter.

I vatten under helikopterns klampade människor för sina liv. Många i bara nattkläderna.

Livflottar slängdes omkring bland vågorna. Många av dem hade vält och hade kölen uppåt. På dem klängde sig människor fast, många hade inte fått plats på någon räddningsflotte och flöt omkring i det kyliga vattnet.

Kenneth Svensson, som var först på plats av räddningsdykarna, firades under mycket dramatiska omständigheter ner till de nödställda.

– Jag for fram som i jojo i stormen.

– Ena sekunde var jag ner vid en människa, för att nästa sekund kastas flera meter upp i luften och åt sidan, berättar Kenneth Svensson.

Första räddningsförsöket misslyckades och han fick firas upp igen i helikoptern.

Under tiden hörde han hur folk ropade på hjälp nere i vattnet.

– Efter bara knappt en halv minut gjorde jag ett nytt försök och då gick det bättre.

– På en omkullvräkt flotte satt tre blåfrusna och apatiskt stirrande män.

Kenneth Svensson kunde knappt fästa livselen runt dem. När helikoptern började att vinscha höll de sig krampaktigt fast vid flotten.

– Jag fick bända upp händerna på dem, berättar Kenneth Svensson och rösten stockar sig. Det var hemskt.

● Var det ett svårt val att välja vilken man skulle rädda?

– Vi behövde aldrig välja, vi tog dem som vi såg.

Åtta människor plockade Kenneth Svensson upp från havet.
Sedan höll han själv på att drunkna.

Föll tillbaka i havet

När den sista personen skulle firas ombord fastnade räddningslinan i ett stag och han blev hängande under helikoptern och var nära att krossas mot undersidan i den starka blästen.

Besättningen uppfattade de situationen och kapade snabbt den vire som Kenneth Svensson var fäst vid.

Med en jätteduns föll han tillbaka i havet och gjorde sig illa i ansiktet och ena sidan av kroppen.

Under tiden hade han egen helikopter varit tvungen att ge sig av till Huddinge sjukhuset med de skadade och han fick räddas av en annan helikopter.

Från den helikoptern hissades Olle Moberg, också han 27 år, ner. Han han lyckades fästa en ny vire runt hjälten Kenneth Svensson som så när höll på att förlora sitt eget liv i kampen för de överlevande från Estonia.

När Kenneth Svensson kom tillbaka till helikopterbasen i Berga togs han genast omhand av sjukvårdare och plåstrades om. Han fick också prata med den krisgrupp som finns ute vid Berga.

Sven-Anders Eriksson

HJÄLTEN NÄRA DRUNKNA. Kenneth Svensson, 27, ytbärgare från helikopterbasen i Berga var själv nära att bli omkomma när hans lina med måste kapas, och han föll tillbaka i de iskalla havet. Han räddades av en kollega som lyckades undsätta honom med en ny livlina.   Foto ROLF PETTERSSON

Aftonbladetin sivu 17, 28.9.1994

443

AFTONBLADET
Torsdag 29 september 1994

22

FÄRJEKATASTROFEN

"Jag bände upp

SISTA HELIKOPTERN ÅTERVÄNDE TOM
Den sista helikoptern som kom till Berga i går kväll hade inga räddade med sig och heller inga offer. Det enda som återstod på förliset var vrakdelar och tomma flytvästar. Foto: ÅKE ERICSON

KENNETHS LINA KAPADES "Jag kommer aldrig att vara med om något värre än det här", säger marinens ytbärgare Kenneth Svensson, 27. Efter att han räddat sex personer under ytterst svåra förhållanden kapades hans lina för att han under en manöver inte skulle krossas mot helikoptern. Medan de ombordvarande flögs till sjukhus väntade Kenneth i vattnet för att slutligen vinschas upp av en annan räddningshelikopter. Foto: ROLF PETTERSON

Marinens Kenneth räddade sex
– och väntade själv i vattnet

De är unga, de är vältränade, de är tuffa. Ändå klappade många av marinens ytbärgare ihop sedan de gjort sina heroiska insatser vid katastrofplatsen.

– Jag kommer aldrig att vara med om något värre än det här, sa Kenneth Svensson, 27, efteråt.

Han var själv nära att drunkna i de tio meter höga vågorna.

Kenneth Svensson var med som ytbärgare i en av de första Vertol-helikoptrar som gav sig iväg från Berga utanför Stockholm. Klockan var då strax efter två på natten.

Efter en timme var de framme. Det var fortfarande mörkt och det rådde full storm.

Stormen försvårade

I vindbyarna blåste det en bra bit över 30 sekundmeter.

Besättningen upptäckte genast livflottar som kastades omkring mellan vågorna. I några av dem satt människor, andra var tomma och låg upp och ned. Kenneth Svensson firades ned mot en flotte med tre män. Stormen gjorde uppdraget svårt.

– Ena sekunden var jag nere vid flotten, i nästa sekund kastades jag flera meter upp i luften.

Efter ungefär tjugo minuters hårt arbete hade han lyckats få upp alla tre i helikoptern.

På en omkulivräkt flotte satt ytterligare tre personer. Blåfrusna och apatiskt stirrande. Kenneth Svensson kunde knappt flätta räddningsselarna omkring dem.

– När helikoptern började vinschas upp den första personen höll han sig krampaktigt fast i flotten.

– Jag lyckades bända upp hans händer och han kunde vinschas upp i helikoptern.

När Kenneth Svensson var på väg upp med den tredje personen fastnade räddningslinan i undersidan av helikoptern.

Linan kapades

Besättningen lyckades få ombord den skadade men i samma stund blev Kenneth Svensson hängande under helikoptern.

För att inte krossas mot flygkroppen kapades linan och han föll tillbaka ned i det stormande havet. Helikoptern vingades lämna Kenneth Svensson ensam i vattnet för att han flyga till Huddinge sjukhus med de skadade. I helikoptern fanns nio personer, varav en var död.

Fick ligga kvar i vattnet

Hur länge Kenneth Svensson låg i vattnet vet han inte, men efter en – blev Kenneth Svensson hängande under helikopter.

När han kom tillbaka till helikopterbasen vid Berga togs han genast om hand av sjukvårdspersonal.

Han plåstrades om, bland annat hade han fått ett stort jack på hakan.

Kenneth fick också prata med den krisgrupp som inrättats för helikopterbesättningarna.

[Svens-Anders Ericsson]

De som följde båten till botten dog inom en halvtimme

Det finns inga överlevande i luftfickorna på m/s Estonia.

– OM någon hamnat i en luftficka på det djupet hade vederbörande dött inom en halvtimme.

Det säger Bengt Pergel, chefläkare vid marinens navalmedicinska sektion på Berga. Ingen kommer att få veta exakt hur människorna ombord på m/s Estonia dog. Men landets främsta experter på dykning och ubåtsräddning från stora djup är övertygade om en sak: döden kom snabbt för dem som blev kvar ombord.

Luften blir tung

– Det är inte mer än fyra grader varmt nere på 90 meter. Luften i en ficka är mycket tjock, tung att andas om dimmig på grund av fukten. Bara luften skulle göra dig genomblöt på ett par minuter, säger Kalla.

– Sen skulle kylan snabbt göra resten.

Dessutom, på det djupet tränder en oerhört kraftig köldverbetning.

– En vanlig människa skulle knappt veta var hon befinner sig – än mindre vad som händer, säger försvarets dyköverledare kommendörkapten Hans Kalla.

Dykarsjuka

Det går att göra fria uppstigningar utan utrustning även från mycket stora djup. Men det kräver att dykaren är synnerligen vältränad och rutinerad.

– För att klara en fri uppstigning från 90 meter får man inte vara under tryck mer än en halv minut – annars dör man av dykarsjuka under uppstigningen säger Bengt Pergel.

– Dessutom måste det finnas folk som tar emot uppe vid ytan och det var det ju inte tal om i går natt.

[Svante Lidén]

Aftonbladetin sivu 22, 29.9.1994

Onnettomuuspäivänä 28.9.1994 ilmestyneen lehden erikois-painoksessa haastatellaan pintapelastaja Kenneth Svenssonia. Haastattelu julkaistiin myös seuraavan päivän lehdessä osin täydennettynä.

Artikkeleissa kerrotaan tapahtumista muun muassa seuraavaa: *Kenneth Svensson oli pintapelastajana yhdessä ensimmäisistä Vertol-helikoptereista, jotka lähtivät matkaan Bergasta Tukholman ulkopuolelta. Kello oli tuolloin hiukan yli kaksi yöllä. Tunnin kuluttua he olivat perillä.*

Miehistö näki vain pelastuslauttoja aaltojen seassa. Joissain niistä oli ihmisiä, jotkin olivat tyhjiä ja ylösalaisin. Kenneth Svensson laskettiin lautalle, jolla oli kolme miestä. Myrsky teki nostamisen vaikeaksi.

– Yhtenä sekuntina olin alhaalla lautalla, seuraavana sekuntina lensin ilmassa monta metriä.

Noin kahdenkymmenen minuutin kovan työn jälkeen hän oli onnistunut saamaan kaikki kolme helikopteriin.

Kumoon kaatuneella lautalla istui lisäksi kolme henkilöä, sinisinä palellen ja apaattisina tuijottaen. Kenneth Svensson sai hädin tuskin kiinnitettyä pelastusvaljaat heidän ympärilleen.

Kun helikopteri alkoi vinssata ylös ensimmäistä henkilöä, piti hän kouristuksenomaisen tiukasti kiinni lautasta.

– Onnistuin sitomaan hänen kätensä ja hänet voitiin vinssata ylös helikopteriin.

Kun Kenneth Svensson oli matkalla ylös kolmannen henkilön kanssa, jäi pelastusliina kiinni helikopterin alapuolella.

Miehistön onnistui saada loukkaantunut sisään, mutta Kenneth Svensson roikkui kopterin ulkopuolella. Törmäyksen estämiseksi koneen runkoon vaijeri katkaistiin ja hän putosi takaisin myrskyävään mereen. Helikopterin oli jätettävä Kenneth Svensson yksin veteen lentääkseen Huddingen sairaalaan loukkaan-

*tuneet mukanaan. Helikopterissa oli yhdeksän henkilöä, joista
yksi oli kuollut.*

*Kuinka kauan Kenneth Svensson oli vedessä, sitä hän ei tiedä,
mutta ikuisuudelta tuntuneen ajan jälkeen hänet pelastettiin toi-
seen helikopteriin.*

*Lääkintähenkilöstö alkoi huolehtia hänestä, kun hän palasi
takaisin helikopteritukikohtaan Bergaan.*

Kansainvälisen tutkintakomission loppuraportissa ei mainita
Kenneth Svenssonin lentoa, ei hänen pelastamiaan ihmisiä eikä
heidän viemistään Huddingen sairaalaan. Saman helikopterin
myöhemmin tekemä toinen lento sen sijaan mainitaan.

Loppuraportin mukaan kyseinen helikopteri sai hälytyksen
kello 2.30, lähti matkaan kello 4.45, saapui onnettomuuspai-
kalle kello 5.52 ja pelasti yhden ihmisen. (Tutkintakomission
loppuraportti, taulukko 7.7: Helikopterien toiminta, s. 108).

Taulukko 7.7 Helikopterien toiminta.

Super Puma:
OH-HVG, OH-HVF, Q 97, Q 99, Q 91, 0 95, 0 98

Boeing Kawasaki:
Y 65, Y 64, Y 74, Y 69, Y 68,
Y 61, Y 75, Y 72, Y 76

Agusta Bell 412:
OH-HVD, OH-HVH

Tunnus Tyyppi	Kansallisuus Operaattori Tukikohta	Päätehtävä	Miehistö	Pintapelastajien asema	Kapasiteetti	Hälytysaika/Valmius Hälyttäjä Hälytystapa	Lähtöaika Saapunut onnettomuuspaikalle	Pelastanut Elävänä	Kuolleena
OH-HVG Super Puma	FIN Rajavartiolaitos Turku	Rajan valvonta ja vartiointi	Päällikkö, perämies 2 mekaanikkoa 2 pintapelastajaa (1 ensimmäisellä lennolla)	Rajavartio-miehiä	15–20	01.35, 1 h MRCC Turku Hälytys miehistön hakulaitteisiin	02.30 03.05	44	11
Q 97 Super Puma	SWE Ilmavoimat Visby	Lento- ja meripelastus	Päällikkö, perämies navigoija, mekaanikko pintapelastaja	Varusmies	15–20	02.07, 1 h ARCC Arlanda Puhelin	02.50 03.50	15	–
Y 65 Boeing Kawasaki	SWE Laivasto Berga	Sukellusvene-torjunta	Päällikkö, perämies tähystäjä, mekaanikko pintapelastaja (2 torsella lennolla)	Aktiiviupseeri	20–25	02.09, 2 h ARCC Arlanda Puhelin (hakulaitejärjestelmä rikki)	03.20 04.00	1	3
Q 99 Super Puma	SWE Ilmavoimat Ronneby	Lento- ja meripelastus	Päällikkö, perämies navigoija, mekaanikko pintapelastaja	Varusmies	15–20	02.15, 1 h ARCC Arlanda Radio	03.55 04.40	9	–
OH-HVD Agusta Bell 412	FIN Rajavartiolaitos Helsinki	Rajan valvonta ja vartiointi	Päällikkö, perämies 2 mekaanikkoa 2 pintapelastajaa	Rajavartio-miehiä	5–7	02.18, 1 h MRCC Turku Puhelin	03.30 05.32	7	14
Q 91 Super Puma	SWE Ilmavoimat Ronneby	Lento- ja meripelastus	Päällikkö, perämies navigoija, mekaanikko pintapelastaja	Varusmies	15–20	02.20 ARCC Arlanda Puhelin	03.45 05.50	6	–
Y 64 Boeing Kawasaki	SWE Laivasto Berga	Sukellusvene-torjunta	Päällikkö, perämies tähystäjä, mekaanikko pintapelastaja	Aktiiviupseeri	20–25	02.30 Helikopteridivisioonan lento-toiminnanjohtaja Puhelin	04.45 05.52	1	–
Y 74 Boeing Kawasaki	SWE Laivasto Berga	Sukellusvene-torjunta	Päällikkö, perämies tähystäjä, mekaanikko 1 tai 2 pintapelastajaa	Aktiiviupseeri	20–25	03.30 Helikopteridivisioonan lento-toiminnanjohtaja Puhelin	05.46 06.42	6	5
Y 69 Boeing Kawasaki	SWE Laivasto Berga	Sukellusvene-torjunta	Päällikkö, perämies tähystäjä, mekaanikko 2 pintapelastajaa	Aktiiviupseeri	20–25	02.47 ARCC Arlanda Puhelin	04.30 06.45	–	6
Y 68 Boeing Kawasaki	SWE Laivasto Säve	Sukellusvene-torjunta	Päällikkö, perämies, mekaanikko tähystäjä/pintapelastaja pintapelastaja, viestittäjä	Aktiiviupseeri	20–25	02.45, 1 tunti ARCC Arlanda Puhelin	03.45 06.45	3	6
0 95 Super Puma	SWE Ilmavoimat Söderhamn	Lento- ja meripelastus	Päällikkö, perämies navigoija, mekaanikko pintapelastaja	Varusmies	15–20	02.45 ARCC Arlanda Puhelin	04.10 06.45	6	3
OH-HVF Super Puma	FIN Rajavartiolaitos Turku	Rajan valvonta ja vartiointi	Päällikkö, perämies 2 mekaanikkoa 2 pintapelastajaa	Rajavartio-miehiä	15–20	03.45 Turun vartiolentueen päällikkö Puhelin	06.15 06.45	15	

Toimittaja Drew Wilson pyysi Yhdysvaltain hallituksen asiakirjojen julkisuutta koskevan lainsäädännön nojalla (*Freedom of Information Act*, FOIA) tietoa siitä, oliko *National Security Agencyn* hallussa Estonian uppoamista koskevaa aineistoa.

20.1.2004 antamassaan vastauksessa (FOIA Case: 41799A) *National Security Agency* ilmoittaa, että sillä on hallussaan kolme dokumenttia (7 sivua) kyselyä koskevaa aineistoa.

Vastauksessa kerrotaan, että kyseiset dokumentit on luokiteltu salaisiksi, koska niiden julkistaminen voisi aiheuttaa vakavaa vahinkoa Yhdysvaltain kansalliselle turvallisuudelle.

Your request has been processed under the provisions of the FOIA. Three documents (7 pages) responsive to your request have been reviewed by this Agency as required by the FOIA and have been found to be currently and properly classified in accordance with Executive Order 12958, as amended.

These documents meet the criteria for classification as set forth in Subparagraphs (b), (c), (d) and (g) of Section 1.4 and remain classified SECRET as provided in Section 1.2 of Executive Order 12958, as amended.

The documents are classified because their disclosure could reasonably be expected to cause serious damage to the national security.

(Kopio NSA:n kirjeestä on teoksessa: Drew Wilson: *The Hole – Another look at the sinking of the Estonia ferry*; Exposure Publishing, UK, 2006, sivu 305)

Ruotsin puolustusvoimien materiaalivirasto FMA tilasi yksityiseltä Exico AB:ltä venäläistä salaista tutkatekniikkaa ja venäjänkielisiä teknisiä dokumentteja. Kyseessä oli tutkalaitteiston »ei-vientiversio» eli salainen, venäläisten omaan käyttöön tarkoitettu järjestelmä.

The following Agreement has been entered into by and between Försvarets Materialverk and EXICO AB...

In accordance with the terms and conditions in this Contract, where applicable accompanying appendices the Contractor shall develope, produce and deliver:

1. A testing bed equipment for examination of aircraft electromagnetic wave scattering characteristics, the set comprising a 3-cm wavelenghts radar, appropriate instruments, ancillary facilities kit for control, supervising and for radar performance data [ ] ... In hardware and software the equipment shall be of the most recent modification status (non-export version).

2. Technical documentation in Russian language according to Appendix N5 to this contract.

Aiheesta lisää osoitteessa www.ilkkaremes.com

Kuvalähteet:

Kansainvälisen tutkintakomission loppuraportti, saksalaisen asiantuntijaryhmän raportin liitteet, International Fact Groupin sivusto, Aftonbladet

PAHAN PERIMÄ (2007)

Erik ja Katja Narvan perhe-elämä muuttuu peruuttamattomasti, kun Erikin iäkäs isä katoaa Berliinin-matkallaan. Mitä salailtavaa liittyy USA:ssa tieteellisen uran tehneiden Erikin vanhempien menneisyyteen? Mitä tekemistä toisen maailmansodan aikaisella natsi-Saksalla on isän katoamisen kanssa? Geenit ja perimä ovat tähän asti olleet Erikille työtä, mutta nyt niistä tulee jotain paljon henkilökohtaisempaa.

Natsi-Saksan johto valjasti tieteen palvelukseensa voittaakseen toisen maailmansodan. Nyt, yli 60 vuotta sodan päättymisen jälkeen, osa Hitlerin pelottavimmasta perinnöstä päätyy hämärissä olosuhteissa Helsinkiin.

Erik ja Katja ajautuvat perheensä synkkää salaisuutta selvittäessään yhä järkyttävämpien asioiden keskelle, sillä suurvaltapolitiikka on tänään raadollisempaa kuin koskaan...

6/12 (2006)

Haagissa sotarikoksista tuomittu serbieversti istuu suomalaisessa vankilassa. Mutta ei kauan. Hänen poikansa Vasa Jankovic on tehnyt Ruotsissa kolme arvokuljetusryöstöä – ja aikoo nyt vapauttaa isänsä.

Samalla Vasa tovereineen iskee koko Suomea vastaan – sitä Naton kumppanina veljeilevää eliittiä, joka hänen silmissään on ollut Balkanilla konfliktin osapuoli eikä sen rauhoittaja. Suomalaisille ei siis pitäisi tulla yllätyksenä, että isojen poikien hiekkalaatikolla pelataan isojen poikien panoksilla.

Itsenäisyyspäivän iltana Johanna Vahtera KRP:stä ja Antti Korpi

TERAsta joutuvat uransa vaikeimman haasteen eteen. Valtakunnan kerma juhlii Presidentinlinnassa perinteisin menoin – kunnes kommandoasuiset serbit kääntävät uuden sivun Suomen ulko- ja turvallisuuspolitiikan historiassa…

NIMESSÄ JA VERESSÄ (2005)

Lööpit kirkuvat Suomen ensimmäistä sarjamurhaajaa, kun marraskuiselta Pudasjärveltä löydetään lestadiolaisnaisia surmattuna, ristikorut kaulasta riuhtaistuna. Samaan aikaan heidän raamatuntutkijaystävänsä siepataan irakilaisella aavikolla.

Kun komisario Johanna Vahtera yrittää pelastaa seuraavan uhrin kohtaloltaan, lähtee siepatun naisen puoliso Karri Vuorio omalle pelastusretkelleen Lähi-idän hornankattilaan.

Kello käy vääjäämättä, ja äkkiä Pudasjärvi on nousemassa maailman uutisotsikoihin. Uhattuna on paljon, paljon enemmän kuin Johannan ja Karrin henki...

Ihmiset ovat valmiita julmiin tekoihin uskonnon, vallan tai rahan vuoksi. Mutta kun kaikki kolme ovat pelissä mukana, vain taivas on rajana. Ja helvetti.

HIROSHIMAN PORTTI (2004)

Sabotaasi Olkiluodon ydinvoimalatyömaalla. Murha keskellä Pariisin iltapäiväruuhkaa. Levyke, jonka paljastuminen johtaisi Suomen presidentin eroon.

EU:n rikostiedusteluyksikössä työskentelevä Antti Korpi haluaa levykkeen julki hinnalla millä hyvänsä – niin totuuden kuin taposta väärin perustein tuomitun isänsäkin vuoksi.

Antti jatkaa tutkimuksiaan esimiestensä yltyvästä vastustuksesta huolimatta ja joutuu keskiaikaisten karttojen, kylmän sodan kaikujen ja geenikoodien labyrinttiin, missä saalistajasta tulee saalis ja sivullisista uhreja.

Suurvaltojen salaisimmat operatiiviset yksiköt osallistuvat yhä vaarallisemmaksi käyvään kujanjuoksuun, eivätkä kaihda keinoja yrittäessään saada haltuunsa jotakin, mitä ei pitänyt olla olemassa...

Portti taivaaseen. Portti helvettiin. Valinnan aika on nyt.

IKIYÖ (2003)

Arvokuljetusauto ryöstetään Haminassa poikkeuksellisen röyhkeällä tavalla. Ryöstön tutkintaan osallistuu Antti Korpi, joka työskentelee Suomen edustajana EU:n rikostiedusteluyksikössä Brysselissä.

Antti kollegoineen huomaa pian, että ryöstö on vain pieni osa laajempaa hanketta, joka rämäyttää turvallisuusviranomaisten hälytyskellot soimaan niin Helsingissä, Washingtonissa kuin Vatikaanissakin. Aikaa on vähän, uhka ennenkokematon.

Pahimmatkaan pelot eivät kuitenkaan vedä vertoja todellisuudelle, jonka keskelle Antti joutuu pimeimmän Afrikan sydämessä, ihmiskunnan kehtona pidetyllä alueella.

Paratiisi Afrikassa. Maapallo helvetissä. Sytytyslanka palaa.

ITÄVERI (2002)

Juho Nortamo saa tietää, että hänet on vauvana adoptoitu laittomasti. Ulkoministerinä toimivan äidin vastustuksesta huolimatta hän lähtee etsimään oikeita juuriaan.

Totuus osoittautuu vaaralliseksi – koko maailman turvallisuuden kannalta. Mutta on myöhäistä kääntyä takaisin...

Itäveri on huimaava, nykyhetkeen sijoittuva trilleri, jossa sykkivät Suomen lähimenneisyyden kipupisteet.

UHRILENTO (2001)

Antti Kaira odottaa Helsinki-Vantaan lentokentällä morsiantaan Nizzasta. Konetta ei tule, vaan uutinen sen katoamisesta.

Hylky löytyy – ja jotakin selittämätöntä...

RUTTOKELLOT (2000)

Aamukone Brysseliin kaapataan. Matkustajien joukossa on Suomen pääministeri.

Poliisipsykologi Johanna Vahtera joutuu tulikasteeseen, josta alkaa Suomen rikoshistorian suurin poliisioperaatio – ja Johannan elämän pahin painajainen.

Filmiohjaaja Otso Vaismaa saa tarjouksen: 800 000 markkaa oudon työtehtävän suorittamisesta. Suostuessaan tarjoukseen hän tekee virheen, josta tulee kärsimään koko Suomen kansa.

Miljoonat suomalaiset heräävät myöhäissyksyn yönä keskelle painajaista.

Kirkonkellot kumuavat yössä. Ylimääräiset uutiset kiirivät eetteriin. Alkaa suora lähetys helvetistä.

PEDON SYLEILY (1999)

Syyssumuinen Helsinki sodan aattona. Anna Helle rakastuu sveitsiläiseen valokuvaajaan Marc Denantouhun tietämättä, että mies on todellisuudessa venäläinen vakoilija, joka on surmannut oikean Denantoun ja ottanut tämän henkilöllisyyden.

Suomi joutuu sodan kurimukseen. Kaksoiselämän paineessa elävä Marc saa Moskovasta tehtävän: marsalkka Mannerheimin salamurhan. Mutta pian osoittautuu, että se on vasta alkua tärkeämmälle tehtävälle...

Anna huomaa liian myöhään joutuneensa petoksen uhriksi; petoksen, jonka rinnalla jopa Marcin kavaluus kalpenee.

KARJALAN LUNNAAT (1998)

Suomalainen nainen vastaan läntisen maailman tehokkain turvallisuuskoneisto. Panoksena kolmen presidentin henki – ja Karjala.

Maria Fillmore, omaa sukua Mankki, ryhtyy Naton laajentumista jarruttavan venäläisryhmän käsikassaraksi selvittääkseen välit dramaattisen menneisyytensä kanssa.

USA:n ja Venäjän huippukokous Helsingissä päättyy kulissien takana paniikkiin: isäntämaan Suomen sekä Yhdysvaltain ja Venäjän presidenttien elimistössä jäytää geeniteknisesti muokattu botulinus-myrkky, joka johtaa varmaan kuolemaan neljän vuorokauden kuluessa. Parannuskeinoa ei ole – paitsi vasta-aine, jota on vain Marian hallussa.

Marian vaatimus pakottaa presidentit seinää vasten. Alkaa Suomen maaperälle ulottuva Yhdysvaltain historian suurin ja salaisin poliisioperaatio, jota johtaa CIA:n kovimpaan ytimeen kuuluva Harry McLeon.

Mutta Marian pahimmat viholliset eivät enää ole viranomaiset vaan venäläiset, joita hän on Suomen edun nimissä pettänyt – ja jotka ovat harhauttaneet häntä alusta asti. Maria joutuu viisivuotiaan tyttärensä kanssa raamatulliset mittasuhteet saavuttavaan painajaiseen, joka syöksee Suomen valtiojohdon perimmäisten kansallisten ratkaisujen eteen.

PÄÄKALLOKEHRÄÄJÄ (1997)

Kun Tali ja Ihantala kesäkuussa 1944 murtuivat, puna-armeijan tie oli avoin. Neuvostojoukot miehittivät Suomen.

Eletään vuotta 1986. Suomen Demokraattinen Tasavalta on itäblokin mallioppilas, jonka rinnalla vain DDR pystyy kilpailemaan. Valpo pitää hajanaisen opposition raudanlujassa kontrollissa. Suomeen sijoitetuissa neuvostotukikohdissa on 90 000 puna-armeijan sotilasta. Suomen liekanaru Kremliin näyttää pysyvältä – kunnes yksi mies päättää muuttaa historian kulun.

Kreml saa viestin, jossa vaaditaan neuvostojoukkojen välitöntä vetämistä Suomesta. Vaatimus näyttää naurettavalta uhittelulta, kunnes viestiin sisältyvän uhkauksen todenperäisyys tarkistetaan.

Mustat Zilit kiidättävät politbyroon jäsenet Kremliin hätäistuntoon. Nöyryytetyn supervallan turvallisuuskoneisto jyrähtää täysille kierroksille kriisin laukaisemiseksi.

Viattomaksi pelinappulaksi joutuu Cambridgessä työskentelevä suomalaissyntyinen tutkija perheineen. Tapahtumat vyöryvät eteenpäin salaisen poliisin soluttamassa syksyisessä Helsingissä, Suomen toiseksi suurimmassa kaupungissa Viipurissa, Lontoossa ja Alpeilla.

HERMES (2007)

14-vuotias Aaro Korpi ja hänen kaverinsa Niko yrittävät epätoivoisesti kaupata Saksasta tuomaansa Mersua. Yllättäen he joutuvat mukaan klassiseen vakoiluoperaatioon...

Syrjäisen Suomen metsissä testataan salaista eurooppalaista high tech -sotilaskalustoa, joka on tiedustelupiirien kuuman mielenkiinnon kohteena niin Venäjällä, Yhdysvalloissa kuin Kiinassakin.

Aaro saa vastaansa tosielämän James Bondin ja huomaa liian myöhään, ettei kansainvälisen sotilastiedustelun pimeään maailmaan pitäisi eksyä edes puolivahingossa.

KIROTTU KOODI (2006)

Luokkaretki Roomaan päättyy dramaattisesti, kun neljätoistavuotias Aaro Korpi joutuu Vatikaanin museossa törkeän tihutyön todistajaksi. Pian se osoittautuu savuverhoksi toiselle rikokselle, josta Aaroakin kuulustellaan.

Aaro pääsee rikollisten jäljille. Hän pyytää avukseen Nikon Suomesta, sillä nyt tarvitaan täysi-ikäistä kumppania. Pojat päätyvät halpalennolla Alpeille, jossa sumuiset illat pimenevät varhain, eikä moni asia ole sitä miltä näyttää...

PIMEÄN PYÖVELI (2005)

Aaro Korvella on ideoita, hänen kaverillaan Nikolla toimintahalua. He syyllistyvät rikokseen: laiton nettiketjukirje alkaa tuottaa viiden euron seteleitä postilokeroon Porvoossa. Helteinen heinäkuu ja helppoa rahaa... kunnes Aaro saa uhkaavan viestin. Joku muukin on huomannut heidän apajansa ja tahtoo osalliseksi. Pojat eivät vähästä hätkähdä – vaikka pitäisi, sillä kiristäjä on velkakierteessä rimpuileva huumediileri.

Pian ollaankin keskellä kansainvälisen huumeliigan uskomattoman röyhkeää salakuljetusoperaatiota. Alkaa tapahtumakierre, josta edes Aaron nokkeluus ei näytä pelastavan...

MUSTA KOBRA (2004)

Aaro Korpi tutkii netissä sivuja, joilla hänen isänsä on työnsä vuoksi vieraillut, ja päätyy ydinvoiman vastaiselle keskustelupalstalle. Siellä hän tapaa englantilaistyttö Gemman, joka tekee häneen lähtemättömän vaikutuksen vedonlyöntiosaamisellaan.

Tosiasiassa Gemman henkilöllisyyttä käyttää mies nimeltä Liam Dolan, joka tarvitsee operaatiossaan Aaron kaltaista poikaa. Dolan aikoo ryöstää erän asekelpoista plutoniumia, jota ollaan siirtämässä Sellafieldin jälleenkäsittelylaitoksesta muutaman sadan kilometrin päähän ydinaselaitokseen tiukkojen turvatoimien vallitessa.

»Gemman» viestit Aarolle ovat Dolanin käsialaa, mutta oikea Gemmakin on olemassa – hän on koulusta ulos potkittu Dolanin viisitoistavuotias tytär, jonka harrastuksiin kuuluvat lävistykset, tatuoinnit ja pojat.

Aaro matkustaa syyslomalle tätinsä luo Englantiin ja aikoo samalla tavata Gemman. Siitä alkava tapahtumien vyöry paiskaa Aaron pelejäkin hurjempaan tosielämän seikkailuun, jossa game over uhkaa saada liiankin todellisen merkityksen...

459

PIRAATIT (2003)

Aaro Korpi löytää metsästä Haminan liepeiltä salkun ja lähtee palauttamaan sitä Helsingissä vierailevan loistoristeilijän matkustajalle – tietämättä, että salkku on hylätty kaksi viikkoa aiemmin Suomea kuohuttaneen arvokuljetusauton ryöstön yhteydessä.

Aaro huomaa liian myöhään astuneensa suden suuhun. Risteilijä lähtee kohti seuraavaa satamaa, mukanaan 1053 upporikasta amerikkalaista matkustajaa, viisi raskaasti aseistettua kaapparia – ja Aaro.